A DEMOCRACIA
E SEUS CRÍTICOS

A DEMOCRACIA E SEUS CRÍTICOS

Robert A. Dahl

Tradução
PATRÍCIA DE FREITAS RIBEIRO

Revisão da tradução
ANÍBAL MARI

SÃO PAULO 2012

Esta obra foi publicada originalmente em inglês com o título
DEMOCRACY AND ITS CRITICS
por Yale University Press, Londres
Copyright © 1989, by Yale University Press
Todos os direitos reservados. Este livro não pode se reproduzido, no todo ou em parte, armazenado em sistemas eletrônicos recuperáveis nem transmitido por nenhuma forma ou meio eletrônico, mecânico ou outros, sem a prévia autorização por escrito do editor.
Copyright © 2012, Editora WMF Martins Fontes Ltda.,
São Paulo, para a presente edição.

1ª edição 2012

Tradução
PATRÍCIA DE FREITAS RIBEIRO

Revisão da tradução
Aníbal Mari
Acompanhamento editorial
Márcia Leme
Revisões gráficas
Fernanda Bottallo
Ornella Miguellone Martins
Edição de arte
Katia Harumi Terasaka
Produção gráfica
Geraldo Alves
Paginação
Studio 3 Desenvolvimento Editorial

Dados Internacionais de Catalogação na Publicação (CIP)
(Câmara Brasileira do Livro, SP, Brasil)

Dahl, Robert A.
A democracia e seus críticos / Robert A. Dahl ; tradução Patrícia de Freitas Ribeiro ; revisão da tradução Aníbal Mari. – São Paulo : Editora WMF Martins Fontes, 2012. – (Biblioteca jurídica WMF)

Título original: Democracy and its critics
Bibliografia
ISBN 978-85-7827-486-3

1. Democracia 2. Política I. Título. II. Série.

11-11927   CDD-321.8

Índices para catálogo sistemático:
1. Democracia : Ciência política   321.8

Todos os direitos desta edição reservados à
Editora WMF Martins Fontes Ltda.
Rua Prof. Laerte Ramos de Carvalho, 133 01325.030 São Paulo SP Brasil
Tel. (11) 3293.8150 Fax (11) 3101.1042
e-mail: info@wmfmartinsfontes.com.br http://www.wmfmartinsfontes.com.br

SUMÁRIO

Agradecimentos.. VII
Introdução.. 1

PRIMEIRA PARTE
AS ORIGENS DA DEMOCRACIA MODERNA

1. A primeira transformação: a cidade-Estado democrática... 17
2. Rumo à segunda transformação: o republicanismo, a representação e a lógica da igualdade 35

SEGUNDA PARTE
OS CRÍTICOS DE OPOSIÇÃO

3. O anarquismo... 53
4. A guardiania 77
5. Uma crítica da guardiania.. 100

TERCEIRA PARTE
UMA TEORIA DO PROCESSO DEMOCRÁTICO

6. Justificativas: a ideia de valor intrínseco igual 127
7. A autonomia pessoal..................................... 150

8. Uma teoria do processo democrático 166
9. O problema da inclusão 188

QUARTA PARTE
PROBLEMAS NO PROCESSO DEMOCRÁTICO

10. O governo da maioria e o processo democrático ... 211
11. Haverá uma alternativa melhor? 241
12. Processo e substância 256
13. Processo *versus* processo 278
14. Quando um povo tem direito ao processo democrático? 307

QUINTA PARTE
OS LIMITES E AS POSSIBILIDADES DA DEMOCRACIA

15. A segunda transformação democrática: da cidade--Estado para o Estado-nação 337
16. Democracia, poliarquia e participação 356
17. Como a poliarquia se desenvolveu em alguns países e não em outros 367
18. Por que a poliarquia se desenvolveu em alguns países e não em outros 383
19. Será inevitável o domínio da minoria? 419
20. Pluralismo, poliarquia e o bem comum 444
21. O bem comum como processo e substância 476

SEXTA PARTE
RUMO À TERCEIRA TRANSFORMAÇÃO

22. A democracia no mundo de amanhã 495
23. Esboços para um país democrático avançado 513

Notas 547
Apêndice 591
Bibliografia 593
Índice remissivo 607

AGRADECIMENTOS

Este livro foi escrito ao longo de muitos anos. Talvez, sem que eu percebesse, ele já estivesse em andamento quando comecei a ministrar um curso de graduação chamado "A democracia e seus críticos", há alguns anos. Mais tarde, ministrei esse curso separadamente como um seminário para estudantes de pós-graduação. Gostaria de ser o autor do título, mas não sou. Um curso com esse título havia sido ministrado em Yale por algum tempo antes que eu o assumisse. O falecido Professor Louis Hartz também havia ministrado um curso com título semelhante em Harvard. Talvez fosse o curso de Hartz que B. F. Skinner tinha em mente quando fez com que Frazier, o guardião-chefe de sua república não democrática, Walden II, observasse:

> "Acho melhor você contar a história toda para o leitor", disse Frazier. "Afinal de contas, você deve saber que algum professor tolo vai pedir a leitura de seu livro como tarefa extra de um curso de ciência política. 'Os críticos da democracia' – ou algo assim. É melhor ser explícito" (Skinner 1948, 23).

Seja como for, em grande parte do que escrevi na última década, eu estava deliberadamente resolvendo problemas que pretendia discutir neste livro. Consequentemente, sempre que senti que um certo trecho de alguma de minhas obras já publicadas era o que eu queria dizer aqui, eu me apropriei dele sem nenhum constrangimento, embora raramente sem algum tipo de revisão. Com poucas exceções, porém, não citei minhas próprias publicações, mas, em vez disso, arrolei no apêndice obras anteriores, das quais adaptei alguns trechos neste trabalho.

Minhas dívidas são tão grandes que só posso mencionar explicitamente algumas delas. Ficará evidente para o leitor que minha maior dívida, e a mais duradoura, é para com todos os pensadores extraordinários desde Sócrates que se engajaram nos debates contínuos sobre a democracia. Sem eles, este livro não existiria nem poderia existir.

Poucos anos após meus primeiros encontros com Sócrates e seus sucessores, comecei a acumular uma outra dívida duradoura – esta para com meus alunos, tanto da graduação quanto da pós-graduação, desde os calouros até os candidatos avançados a um Ph.D. Eles me estimularam a pensar de um modo novo sobre velhos problemas, me obrigaram a aprofundar e a clarear minhas ideias e, inúmeras vezes, me ofereceram novas percepções. Como já indiquei, foi em meus seminários e palestras de graduação e pós-graduação que comecei, sistematicamente, a dar forma à teoria contida neste livro.

Devo extensos agradecimentos especificamente aos colegas que leram e comentaram algumas partes do manuscrito. Embora relacioná-los aqui seja um reconhecimento insuficiente de suas contribuições, eu ultrapassaria os limites de um livro já bastante longo se fosse agradecer a cada um deles de um modo mais completo. Portanto, agradeço a Bruce Ackerman, David Braybrooke, David Cameron, James Fishkin, Jeffrey Isaac, Joseph LaPalombara, Charles E. Lindblom, David Lumsdaine, Jane Mansbridge, Barry Nalebuff, J. Roland Pennock, Susan Rose-Ackerman, James Scott, Rogers Smith, Steven Smith, Alan Ware e Robert Waste.

Embora eu ofereça o aviso de costume eximindo de responsabilidade pelo produto final todas as pessoas que citei, a honestidade exige que eu insista no fato de que seus comentários e críticas contribuíram não somente para que eu fizesse mudanças significativas, como também para que escrevesse um livro melhor.

Além disso, as pesquisas de Michael Coppedge e Wolfgang Reinecke contribuíram imensamente para os capítulos 16 e 17.

Por fim, mais uma vez tenho a satisfação de agradecer pela excelente edição de Marian Ash na Yale University Press.

INTRODUÇÃO

Desde a Antiguidade, algumas pessoas imaginam um sistema político no qual os participantes consideram uns aos outros como politicamente iguais, são coletivamente soberanos e possuem todas as capacidades, recursos e instituições de que necessitam para governar a si próprios. Essa ideia e as práticas que lhe dão corpo surgiram na primeira metade do século V a. C. entre os gregos, que, embora não fossem numerosos e ocupassem um fragmento minúsculo da superfície do mundo, exerceram uma influência excepcional na história da humanidade. Foram os gregos, e mais visivelmente os atenienses, que causaram o que chamarei de primeira transformação democrática: da ideia e prática do governo de poucos para a ideia e prática do governo de muitos. Para os gregos, o único lugar imaginável da democracia era, naturalmente, a cidade-Estado.

Essa extraordinária concepção de governo de muitos quase desapareceu por longos períodos; e apenas uma minoria das pessoas do mundo já procurou e conseguiu adaptar a realidade política às difíceis exigências dessa concepção num grau significativo. Entretanto, aquela visão inicial nunca perdeu completamente a sua capacidade de encantar a imaginação política e alimentar a esperança de que a visão de uma república ideal, e não obstante atingível, possa se concretizar melhor na experiência real.

Mais ou menos na mesma época em que a ideia de governo de muitos transformava a vida política em Atenas e em outras cidades-Estado gregas, ela também criava raízes na cidade-Estado de Roma. É de máxima importância para nossa compreensão da democracia o fato de que o modelo das instituições políticas da República Romana continuou a refletir o molde original da pequena cidade-Estado, muito depois que os romanos romperam os limites de sua cidade para iniciar a conquista da península italiana e, com o tempo, de grande parte da Europa e do Mediterrâneo. Mil anos após a derrocada do governo republicano por César e Augusto, o governo popular ressurgiu entre as cidades-Estado da Itália medieval e renascentista.

Mas a cidade-Estado foi tornada obsoleta pelo Estado nacional e, numa segunda transformação democrática, a ideia de democracia foi transferida da cidade-Estado para a escala muito maior do Estado nacional. Essa transformação levou a um conjunto radicalmente novo de instituições políticas. É a esse novo complexo de instituições, considerado como um todo, que geralmente nos referimos como "democracia".

Estará a nosso alcance, nesse momento, uma terceira transformação? Ainda que esteja, devemos nos esforçar em alcançá-la? Essas questões orientam a discussão neste livro. Para respondê-las, precisamos entender não apenas por que a democracia é recomendável, mas também quais são os seus limites e possibilidades. Se superestimarmos esses limites, fracassaremos nessa tentativa, e, se os subestimarmos, provavelmente fracassaremos também. É fácil encontrar inúmeros exemplos históricos de ambas as situações.

Hoje, a ideia de democracia é universalmente popular. A maioria dos regimes reclama algum tipo de direito ao título de "democracia"; e aqueles que não o fazem insistem que seu exemplo particular de governo não democrático é um estágio necessário no caminho para a "democracia" definitiva. Em nosso tempo, até mesmo os ditadores parecem crer que um ingrediente indispensável de sua legitimidade é uma pitada ou duas da linguagem da democracia.

Pode parecer perverso que essa expansão global sem precedentes históricos na aceitabilidade das ideias democráticas possa não ser totalmente bem-vinda a um defensor da democracia. No entanto, um termo que significa qualquer coisa não significa nada. E assim ocorreu com a "democracia", que atualmente não é tanto um termo de significado restrito e específico, quanto um vago endosso de uma ideia popular.

Uma causa importante da confusão quanto ao significado de "democracia" em nosso mundo atual é o fato de que ela se desenvolveu ao longo de muitos milhares de anos e se origina de várias fontes. O que entendemos por democracia não é a mesma coisa que um ateniense no tempo de Péricles entenderia. As noções grega, romana, medieval e renascentista mesclam-se com as noções de séculos posteriores e geram uma miscelânea de teorias e práticas quase sempre profundamente incompatíveis entre si.

E mais: um exame cuidadoso das ideias e práticas democráticas revelará, necessariamente, um número considerável de problemas que parecem não ter nenhuma solução definitiva. Para os críticos, a própria noção de democracia sempre deu muito pano para manga. *Grosso modo*, existem três tipos de críticos: aqueles que se opõem fundamentalmente à democracia porque, como Platão, creem que, embora ela seja possível, é inerentemente indesejável; aqueles fundamentalmente opostos à democracia porque, como Robert Michels, creem que, embora ela talvez fosse recomendável se fosse possível, na realidade é inerentemente impossível; e aqueles que são favoráveis à democracia e desejam mantê-la, mas que a criticam em algum ponto importante. Os dois primeiros tipos poderiam ser denominados críticos de oposição, e os do terceiro tipo, críticos favoráveis.

Meu objetivo neste livro é traçar uma interpretação da teoria e da prática democráticas, inclusive dos limites e possibilidades da democracia, que seja pertinente ao tipo de mundo no qual vivemos ou no qual provavelmente viveremos num futuro próximo. Mas penso que nenhuma interpretação desse tipo pode ser satisfatória a não ser que trate, de uma forma justa, dos problemas mais importantes apresentados tanto pelos críticos de oposição quanto pelos críticos favoráveis da democracia.

*

O que os críticos costumam fazer é concentrar-se nos problemas que os defensores da democracia tendem a negligenciar ou, pior, ocultar. O que poderia ser vagamente chamado de teoria democrática – um termo sobre o qual terei algo mais a dizer em breve – depende de pressupostos e premissas que os defensores não críticos têm hesitado em explorar ou até mesmo em admitir abertamente. Essas premissas semiocultas, esses pressupostos inexplorados e antecedentes não reconhecidos formam uma teoria espectral, apenas vagamente percebida, que assombra eternamente os passos das teorias explícitas e públicas da democracia.

A título de ilustração, e para antecipar a discussão à nossa frente, quero mencionar alguns dos problemas cruciais ocultos nas teorias explícitas e que compõem uma parte da teoria espectral da democracia. Muitos desses problemas estavam presentes em sua criação. Tomemos, por exemplo, a ideia elementar do "governo do povo". Para designar sua nova concepção da vida política e das práticas dela advindas em muitas cidades-Estado, por volta da metade do século V a.C., os gregos começaram a usar o termo *demokratia*. Embora a raiz da palavra tenha um significado bastante simples, até mesmo evidente por si mesmo – *demos*, povo, e *kratia*, governo ou autoridade, por conseguinte "governo do povo" – as próprias raízes suscitam questões urgentes: quem constitui "o povo" e o que significa, para eles, "governar"?

O que constitui propriamente "o povo" é, sem dúvida, algo duplamente ambíguo e que muitas vezes tem dado margem a controvérsias. A primeira ambiguidade é a noção de "povo". O que constitui "um povo" para os fins do governo democrático? Os gregos partiam do princípio de que os atenienses, os coríntios, os espartanos e os habitantes de inúmeras outras cidades-Estado constituíam, cada um deles, "um povo" com direito à sua própria autonomia política. Por contraste, embora os antigos gregos vissem a si próprios – os helenos – como um povo distinto, com sua própria língua e história, eles não se percebiam como "um povo" no sentido político de um grupo de pessoas que, consideradas em seu direito, devem governar-se numa só unidade democrática. A democracia grega não era, na verdade, uma democracia *grega*; ela era ateniense, coríntia ou o que quer que fosse. Embora a mentalidade da cidade-Estado possa hoje parecer curiosamente provinciana, a mesma questão persiste. Por que devem os americanos constituir "um povo" e seus vizinhos, os canadenses e mexicanos, povos separados? Por que deve haver uma fronteira política entre, digamos, a Noruega e a Suécia, a Bélgica e a Holanda ou a Suíça francesa e a França francófona? Ou propondo a questão de uma outra forma: terão as pessoas das comunidades locais dentro de um Estado nacional direito a uma medida de autogoverno? Em caso afirmativo, que pessoas e em que assuntos? Não resta dúvida de que questões como essas transcendem a "teoria democrática". Mas é precisamente aí que quero chegar. Os defensores da democracia – inclusive os filósofos da política – caracteristicamente pressupõem que "um povo" já existe. Sua existência é pressuposta como um fato, uma criação da história. No entanto, a factualidade disso é questionável. É frequentemente questionada – como o foi nos Estados Unidos em 1861, quando a questão foi resolvida, não pelo consentimento ou pelo consenso, mas pela violência.

A premissa de que "um povo" existe e as pressuposições dela advindas tornam-se, por conseguinte, parte da teoria espectral da democracia.

A segunda ambiguidade está alojada na primeira. Dentro de "um povo", apenas um subconjunto de pessoas tem direito a participar do governo. Essas pessoas constituem *o* povo num outro sentido. Mais apropriadamente, elas são os cidadãos ou o corpo de cidadãos, ou como direi muitas vezes aqui, o *demos*. Quem deve fazer parte do *demos*? Essa questão sempre deu trabalho aos defensores da democracia. Os defensores da democracia, incluindo, como veremos no capítulo 9, muitos de seus mais renomados teóricos, como John Locke e Jean-Jacques Rousseau, com frequência propuseram uma teoria pública e explícita do *demos* que diverge notavelmente dos pressupostos semiocultos, ou às vezes completamente ocultos, que espreitam despercebidos na teoria espectral, de onde, todavia, são retirados pelos críticos externos da democracia para ser exibidos como provas das supostas contradições da ideia democrática.

Mais uma vez, a experiência histórica confere solidez à questão abstrata do *demos*. Como veremos no capítulo seguinte, até mesmo no ápice da democracia ateniense, o *demos* nunca incluiu mais que uma pequena minoria da população adulta de Atenas[1]. Embora a democracia ateniense possa ter tido um caráter extremamente exclusivo, ela certamente não foi a única a ter esse caráter. Da Grécia clássica aos tempos modernos, algumas pessoas têm sido invariavelmente excluídas da democracia, por desqualificadas, e até este século, quando as mulheres conquistaram o direito ao sufrágio, o número de pessoas excluídas excedeu – às vezes, como em Atenas, por uma grande margem – o número de pessoas incluídas. Foi assim na primeira "democracia" moderna, os Estados Unidos, que excluíram não apenas as mulheres e, é claro, as crianças, mas também a maioria dos negros e dos índios.

Embora se diga, invariavelmente, que as exclusões são justificáveis com base no fato de que o *demos* inclui todas as pessoas *qualificadas* para participar do governo, o pressuposto oculto, remetido para a teoria espectral da democracia, é o de que somente algumas pessoas são competentes para governar. Mas os críticos de oposição da democracia expõem alegremente esse pressuposto oculto e o convertem num argumento explícito na teoria antidemocrática da guardiania. A ideia da guardiania, que é provavelmente a visão mais sedutora já criada pelos adversários da democracia, não só foi adotada por Platão na Atenas democrática como também surgiu em todo o mundo numa variedade de formas disparatadas, dentre as quais o confucionismo e o leninismo, embora muito diferentes, são as que influenciaram, de longe, o maior número de pessoas. Os críticos de oposição nos forçam a levar a exame, em plena luz do dia, os pressupostos sobre a competência política ocultos na teoria espectral.

Um outro pressuposto que geralmente repousa despercebido na teoria espectral (exceto quando os críticos da democracia, tanto de oposição quanto favoráveis, o expõem à força) é a questão da escala. Da mesma forma que os gregos partiam do princípio de que a escala apropriada da democracia ou, por extensão, a de qualquer sistema político decente era necessariamente muito reduzida – algumas dezenas de milhares de pessoas – assim também, desde o final do século XVIII, os defensores da democracia têm partido do princípio de que o *locus* natural da democracia é o Estado nacional ou, de maneira mais geral, o país. Ao adotar esse pressuposto, o que muitas vezes não se admite é o quão profundamente a mudança histórica em escala da cidade-Estado para o Estado nacional transformou os limites e possibilidades da democracia. A transformação é tão profunda que se um ateniense do século V a.C. surgisse de repente em nosso meio, ele (sendo um cidadão de Atenas, seria necessariamente *ele*, não *ela*) provavelmente acharia o que denominamos democracia algo irreconhecível, despido de atrativos e não democrático. Para um ateniense do tempo de Péricles, o que consideramos democracia não lhe pareceria nem um pouco com uma democracia, principalmente em razão das consequências para a vida e as instituições políticas da mudança em escala da pequena cidade-Estado, mais íntima e mais participativa, para os governos de hoje, mais agigantados, impessoais e indiretos.

Uma das consequências da mudança de escala da democracia é a ampliação do utopismo, já significativo, do ideal democrático. A teoria pública da democracia tende a partir do pressuposto de que a democracia em grande escala de hoje consegue reter todas as vantagens da grande escala e ainda possuir as virtudes e possibilidades da democracia em pequena escala. E a teoria pública tende a negligenciar os limites de ambas. Desse modo, o problema da escala é quase sempre relegado à teoria espectral.

Uma ilustração final: considerada como uma entidade que verdadeiramente existe, uma entidade "do mundo real", a democracia tem sido percebida como um conjunto distinto de instituições e práticas políticas, um corpo particular de direitos, uma ordem socioeconômica, um sistema que garante certos resultados vantajosos ou um processo sem igual para a tomada de decisões coletivas e vinculativas. A concepção central que adoto neste livro é esta última. Como veremos, essa forma de pensar sobre a democracia – como o *processo democrático* – não exclui, absolutamente, as outras e, na verdade, tem fortes relações com elas. No entanto, qualquer concepção da democracia como um processo será, e creio que deve ser, motivo de preocupação. Os críticos, não somente os que são contrários, mas também os que são favoráveis ao "governo do povo", defendem a ideia de que um processo de tomada de decisões coletivo, não importa quão democrático, não se justifica a não ser que gere – ou tenda a gerar – resultados desejáveis. Por conseguinte, esses críticos formulam o problema familiar do processo *versus* substância no contexto das ideias e práticas democráticas. Embora o problema em si tenha se tornado um tanto proeminente nas discussões da teoria democrática, as soluções (e não soluções) propostas para ele geralmente dependem de pressupostos da teoria espectral.

Espero que as questões que mencionei – encontraremos outras à medida que prosseguirmos – sejam suficientes para ilustrar meu ponto de vista. Desenvolver uma teoria satisfatória da democracia exigirá de nós que escavemos os pressupostos ocultos na teoria espectral, os sujeitemos a um exame crítico e procuremos reformular a teoria da democracia num todo razoavelmente coerente. Na identificação e exploração dos pressupostos sobre os quais possamos construir uma teoria democrática coerente, os argumentos dos críticos da democracia, tanto os de oposição quanto os favoráveis, são de valor inestimável.

*

Os dois milênios transcorridos desde que a ideia e as instituições da democracia foram explicitamente desenvolvidas pelos gregos contribuíram enormemente com tudo o que é pertinente à teoria e à prática democráticas. Entretanto, o uso do termo "teoria democrática" para designar um campo particular de investigação, análise, descrição empírica e formulação de teorias é bastante recente, e o que pode ser incluído numa "teoria democrática" permanece incerto.

De saída, confrontamo-nos com o fato de que, tanto na linguagem comum quanto na linguagem filosófica, "democracia" é um termo que pode ser utilizado apropriadamente para designar um ideal e também regimes reais que ficam consideravelmente aquém do ideal. Esse duplo significado costuma causar confusão. Além disso, se a democracia é tanto um ideal quanto uma realidade viável, como podemos decidir quando um regime real se aproxima suficientemente do ideal a ponto de podermos considerá-lo uma democracia? Esse não é simplesmente um problema trivial de uso de palavras, embora seja isso também. É um problema de escolha de um limiar razoável. Em suma, como podemos decidir de forma razoável que um regime, sistema ou processo é democrático e não, por exemplo, oligárquico, aristocrático, meritocrático ou seja lá o que for? É evidente que precisamos de indicadores que possam ser aplicados de maneira sensata ao mundo dos sistemas políticos reais. Na construção e no uso dos indicadores da democracia, passamos, necessariamente, da linguagem e da orientação da justificativa e da avaliação – no jargão da ciência política contemporânea, da teoria normativa – para um discurso mais empírico. Podem os aspectos normativos e empíricos da democracia ser combinados numa só perspectiva teórica? Creio que sim, como demonstrará este livro, mas essa é uma tarefa de grande amplitude.

Gosto de pensar na teoria democrática como se fosse uma enorme teia multidimensional. Grande demais para ser apreendida num primeiro olhar, essa teia é construída de fios interligados de diferentes graus de elasticidade. Enquanto algumas partes da teia são compostas de fios rigidamente ligados (isto é, argumentos estritamente dedutivos), outras partes são ligadas de maneira mais solta e algumas ligações são extremamente tênues. Como certo modelo bem conhecido do universo, a teia parece finita, mas ilimitada. O resultado é que, quando nos movemos ao longo de um fio de argumentação, não chegamos a uma borda definida que assinala um limite distinto e conclusivo para o universo ilimitado da teoria democrática. Ao seguir um argumento até o que pensamos ser o fim, encontramo-nos em busca de ainda outro fio. E receio que isso ocorra indefinidamente.

A tabela 1 é um mapeamento rudimentar de alguns aspectos importantes da teoria democrática. Como numa teia finita, mas ilimitada, pode-se começar em qualquer lugar, mas por que não começar no canto superior esquerdo? Aqui, a discussão é mais explicitamente filosófica, como ocorreria, por exemplo, nos esforços para determinar as bases sobre as quais poderia se justificar uma crença na democracia. A discussão, aqui, é também menos crítica e mais favorável aos valores democráticos. Se, em seguida, nos dirigíssemos em linha reta para a direita, descobriríamos que a discussão assume um tom cada vez mais empírico. Por exemplo, após uma pausa no ponto (3) para examinar os critérios que distinguem um processo plenamente democrático de outros processos de tomada de decisões, poderíamos voltar para o ponto (2) a fim de considerar as características de uma associação para a qual o processo democrático fosse uma forma de governo desejável, se não a mais desejável. Presume-se que os Estados passariam no teste. E os empreendimentos econômicos? As universidades? E a família? Ou os militares? Ou as burocracias governamentais? Se a democracia não é adequada a alguns desses, por que não o é, e o que implica essa exceção, no que tange aos limites da ideia democrática?

Aventurando-nos ainda mais à direita, em direção ao ponto (4), poderíamos começar a explorar as instituições que o processo democrático exige para funcionar. Uma assembleia de cidadãos? Uma legislatura representativa? É evidente que as instituições necessárias iriam variar dependendo das circunstâncias, particularmente a escala da sociedade. Ainda mais à direita em nosso percurso, no ponto (5), poderíamos investigar as condições que facilitariam o

Tabela 1. Alguns aspectos de uma teoria sobre o processo democrático (Abrangência: associações que satisfaçam os requisitos de (2) abaixo)

A discussão é mais explicitamente filosófica: asserções quanto a valores, epistemologia, "natureza humana" etc.

A discussão é mais explicitamente empírica

Menos crítica → Mais crítica

(1)	(2)	(3)	(4)	(5)
Base filosófica (justificativas) para os pressupostos de (2)	Características de uma associação suficientes para exigir o processo democrático (3)	Critérios específicos para um processo democrático pleno	Instituições necessárias para satisfazer (3) nos planos historicamente alcançados por certas associações concretas 4.1. *Demos* muito pequeno 4.2. *Demos* pequeno 4.3. *Demos* grande 4.31. ... 4.321. ... 4.32. Variações nas instituições da poliarquia	Condições que facilitam[a] o desenvolvimento e a continuidade de (4) 5.1. ... 5.2. ... 5.3. Condições que facilitam as instituições da poliarquia 5.31. Efeitos das variações nas condições

(6)	(7)	(8)	(9)
Outras bases e critérios válidos, que não (1) e (2)	Crítica e avaliação 7.1. Até que ponto as instituições de (4) fracassam em satisfazer os critérios ideais de (3) – por exemplo, a democratização incompleta 7.2. Defeitos, de acordo com outros critérios (6)	Instituições que seriam necessárias para resolver deficiências especificadas sob (7): por exemplo, por uma democratização mais ampla da poliarquia	Condições que facilitariam (8)

[a] Termo deliberadamente ambíguo: pode significar "necessárias para", "suficientes para", "que aumentam significativamente a probabilidade de...".

desenvolvimento e a existência contínua das instituições necessárias para uma ordem democrática.

Note-se que agora parece termos chegado a uma parte da teoria democrática na qual pretendemos que nossa investigação seja quase inteiramente empírica, e pode-se ter a impressão de que estamos muito longe do canto filosófico de onde partimos. Entretanto, nenhuma parte do território que exploramos se encontra fora dos limites da teoria democrática.

Para complicar ainda mais as coisas, nesse ponto poderíamos desejar explorar as origens históricas das instituições democráticas e das condições que as tornam possíveis. Aqui, nosso mapa plano e bidimensional poderia ser mais bem representado como tridimensional, como um cubo, talvez, no qual o tempo – a história – seria a terceira dimensão. Note-se, porém, que na medida em que a experiência histórica é necessária para uma explicação, ainda permanecemos nos domínios da teoria democrática – uma teoria empírica, pode-se dizer, mas certamente uma parte da teia finita, porém ilimitada, da teoria democrática.

Suponhamos que nos movêssemos numa outra direção. Os defensores da democracia às vezes parecem acreditar que os valores da democracia constituem o universo completo da virtude: eles aventam a hipótese de que, se tivéssemos uma democracia perfeita, teríamos, por conseguinte, uma ordem política perfeita, talvez até mesmo uma sociedade perfeita. Mas essa visão é certamente muito restrita. A democracia é apenas uma parte, ainda que importante, do universo de valores, bens ou fins desejáveis. Ao prosseguir em direção ao ponto (6), no canto inferior esquerdo, poderíamos começar a explorar alguns desses outros valores – a eficiência ou a justiça distributiva, por exemplo. Poderíamos supor que nossa exploração tivesse, a essa altura, nos levado além do mapa da teoria democrática. No entanto, esses outros bens ou valores poderiam nos dar a base para criticar até mesmo uma democracia perfeita, se ela não conseguisse alcançar esses bens substantivos. Estamos, portanto, ainda no mapa, ainda nos movimentando ao longo da teia ilimitada da teoria democrática.

Talvez eu possa agora deixar explorações mais aprofundadas do mapa a cargo do leitor. Penso que nossa breve excursão nos mostrou suficientemente bem que a teoria democrática não é apenas uma grande empreitada – normativa, empírica, filosófica, solidária, crítica, histórica, utópica, tudo ao mesmo tempo –, mas é também interligada de uma forma complexa. Essas interligações complexas significam que não podemos construir uma teoria democrática satisfatória partindo de uma base inexpugnável e marchando em linha reta pela estrada afora, rumo a nossas conclusões. Embora os argumentos estritamente dedutivos tenham um lugar na teoria democrática, esse lugar é necessariamente pequeno, e eles estão embutidos em pressupostos cruciais dos quais a argumentação estritamente dedutiva não se ocupa e dos quais não consegue tratar com sucesso. Consequentemente, não usarei muito um dos termos favoritos da teoria dedutiva – "racional" – nem me permitirei um de seus pressupostos favoritos: o da racionalidade perfeita. Porém, direi muitas vezes que é "razoável" pensar dessa ou daquela maneira, e tentarei mostrar por quê. Se é ou não, caberá ao leitor julgar.

À medida que exploro uma parte da teia complexa e interligada da teoria democrática neste livro, terei de ignorar momentaneamente as outras partes, embora eu possa me inclinar em sua direção para reconhecer que elas aguardam nossa exploração num outro momento. No caminho que escolhi, porém, existe uma certa lógica, ou pelo menos, se é que posso dizê-lo, certa sensatez. Embora o que me propus a expor aqui não seja, absolutamente, uma teoria estritamente dedutiva, o argumento é cumulativo e os capítulos finais dependem maciçamente dos capítulos anteriores.

PRIMEIRA PARTE
As origens da democracia moderna

Capítulo 1
A primeira transformação:
a cidade-Estado democrática

Durante a primeira metade do século V a.C., ocorreu uma transformação nas ideias e instituições políticas entre os gregos e romanos, comparável em importância histórica à invenção da roda ou à descoberta do Novo Mundo. Essa mudança refletia uma nova compreensão do mundo e de suas possibilidades.

Descrito da maneira mais simples, o que ocorreu foi que diversas cidades-Estado, que desde tempos imemoriais haviam sido dominadas por vários governantes não democráticos, fossem eles aristocratas, oligarcas, monarcas ou tiranos, transformaram-se em sistemas nos quais um número substancial de homens adultos e livres adquiriram o direito, como cidadãos, de participar diretamente do governo. Dessa experiência, e das ideias associadas a ela, surgiu uma nova visão de um sistema político possível, no qual um povo soberano não somente tem direito a se governar, mas possui todos os recursos e instituições necessários para fazê-lo. Essa visão perdura no núcleo das ideias democráticas modernas e continua a moldar as instituições e práticas democráticas.

Mas as ideias e instituições democráticas modernas vão muito além dessa visão simples. E uma vez que a teoria e as práticas da democracia moderna resultaram não apenas do legado do governo popular nas antigas cidades-Estado, mas também de outras experiências históricas, tanto evolutivas quanto revolucionárias, elas são um amálgama de elementos que não formam um todo completamente coerente. Por consequência, a teoria e as práticas democráticas contemporâneas exibem incoerências e contradições que às vezes causam graves problemas.

Para nos ajudar a entender como o amálgama que denominamos "democracia" veio a existir, passo a descrever quatro de suas origens mais importantes. Ao fazer isso, também apontarei alguns problemas que irão exigir atenção nos capítulos seguintes.

Essas quatro origens são: a Grécia clássica; uma tradição republicana derivada mais de Roma e das cidades-Estado italianas da Idade Média e da Renascença que das cidades--Estado da Grécia; a ideia e as instituições do governo representativo; e a lógica da igualdade política. A primeira delas é o tema deste capítulo.

Uma perspectiva grega

Embora as práticas da democracia moderna guardem apenas uma leve semelhança com as instituições políticas da Grécia clássica, nossas ideias, como aventei na introdução, foram fortemente influenciadas pelos gregos, particularmente os atenienses. Existe uma ironia no fato de que as ideias democráticas gregas foram mais influentes que suas instituições, uma vez que tudo que sabemos sobre essas ideias vem menos dos escritos ou discursos dos defensores da democracia – dos quais só restaram fragmentos – e mais de seus críticos[1]. Estes incluem desde adversários moderados como Aristóteles, que não gostava do poder que, a seu ver, a expansão da democracia necessariamente conferia aos pobres, até Platão, um oponente direto que condenava a democracia como o governo dos ineptos e defendia, em seu lugar, algo que nunca perdeu o seu fascínio: um sistema de governo pelos mais qualificados[2].

Como não temos, na teoria democrática, nenhum equivalente grego do *Segundo Tratado* de Locke ou do *Contrato social* de Rousseau, não é possível apresentar todas as ideias democráticas gregas de modo completo, distinto e ordenado. Não resta dúvida que *demokratia* envolvia a igualdade de alguma forma. Mas que tipos de igualdade, exatamente? Antes que a palavra "democracia" se tornasse um termo de uso corrente, os atenienses já se referiam a certos tipos de igualdade como características recomendáveis de seu sistema político: a igualdade de todos os cidadãos no direito de falar na assembleia de governo (*isegoria*) e a igualdade perante a lei (*isonomia*) (Sealey 1976, 158). Esses termos continuaram em uso e é evidente que muitas vezes foram tomados como características da "democracia". Mas durante a primeira metade do século V a.C., à medida que "o povo" (o *demos*) era cada vez mais aceito como a única autoridade legítima no *governo*, a palavra "democracia" – governo do povo – também parecia ganhar terreno como o nome mais apropriado para o novo sistema.

Ainda que boa parte do caráter das ideias e práticas democráticas gregas permaneça desconhecida e talvez escape eternamente à nossa compreensão, os historiadores descobriram dados suficientes para permitir uma reconstrução razoável das visões que um democrata ateniense pode ter promovido no final do século V a.C. – digamos, em 400 a.C. Essa data conveniente se situa pouco mais de um século depois que as reformas de Clístenes inauguraram a transição para a democracia em Atenas, uma década após a restauração da democracia em seguida à sua derrocada em 411, quatro anos depois que o domínio curto, cruel e opressivo dos Trinta Tiranos foi substituído pela democracia e um ano antes do julgamento e da morte de Sócrates.

Um democrata, sendo grego, teria adotado certos pressupostos que parecem ter sido amplamente compartilhados pelos gregos que refletiam sobre a natureza da vida política e, em particular, sobre a pólis – e compartilhados até mesmo por antidemocratas como Platão e críticos moderados como Aristóteles. Podemos, portanto, imaginar nosso ateniense caminhando pela ágora grega com um amigo a quem ele expõe seus pontos de vista.

A natureza da pólis[3]

Sabemos, é claro (diz o ateniense), que somente na associação com os outros podemos ter a esperança de nos tornar plenamente humanos ou, certamente, de consumar nossas qualidades de excelência como seres humanos. A associação mais importante na qual cada um de nós vive, cresce e amadurece é, naturalmente, a nossa cidade – a pólis. E assim é para todos, pois é da nossa natureza sermos seres sociais. Embora eu tenha ouvido, uma ou duas vezes, alguém dizer – talvez apenas para provocar uma discussão – que pode existir um bom homem fora da pólis, é evidente que, sem repartir a vida na pólis, ninguém poderia jamais desenvolver ou exercitar as virtudes e qualidades que distinguem os homens dos animais.

Entretanto, um bom homem requer não apenas uma pólis, mas uma boa pólis. Na avaliação de uma cidade, nada se iguala em importância aos atributos de excelência que ela promove em seus cidadãos. Nem é preciso dizer que uma boa cidade é aquela que produz bons cidadãos, promove a sua felicidade e os encoraja a agir de forma correta. É sorte nossa que esses fins são harmoniosos; pois o homem virtuoso será um homem feliz e ninguém, penso, pode ser verdadeiramente feliz a não ser que seja também virtuoso.

Assim ocorre com a justiça. A virtude, a justiça e a felicidade não são inimigas, mas companheiras. Uma vez que a justiça é o que tende a promover o interesse comum, uma boa pólis deve também ser justa; e, portanto, deve ter por objetivo desenvolver cidadãos que busquem o bem comum. Pois alguém que busque apenas seus próprios interesses não pode ser um bom cidadão: um bom cidadão é aquele que, nos assuntos públicos, sempre busca o bem comum. Sei que ao dizer isso pareço estabelecer um padrão impossível, que quase nunca conseguimos alcançar em Atenas, tampouco em todas as outras cidades. No entanto, não pode haver um significado melhor de virtude num cidadão que este: que, nos assuntos públicos, ele sempre procure o bem da pólis.

Uma vez que um dos objetivos da cidade é produzir bons cidadãos, não podemos deixar o treinamento desses cidadãos a cargo da sorte ou apenas de suas famílias. Nossa vida na pólis é um aprendizado, e a vida na cidade deve nos estruturar de tal maneira que aspiremos internamente ao bem comum de todos. Assim, nossas ações externas refletirão nossa natureza interna. As virtudes cívicas devem também ser fortalecidas pelas virtudes da constituição e das leis da cidade, bem como por uma ordem social que torne a justiça alcançável. Pois a excelência seria impossível se alguém tivesse de agir errado para ser um bom cidadão, ou se tivesse de ser um mau cidadão para poder agir corretamente.

Penso, portanto, que na melhor pólis os cidadãos são, a um só tempo, virtuosos, justos e felizes. E porque cada um busca o bem de todos, e a cidade não é dividida em segmentos menores de ricos e pobres ou de diferentes deuses, todos os cidadãos podem viver juntos em harmonia.

Não quero dizer que tudo que estou afirmando seja verdade a respeito de Atenas ou de qualquer outra cidade real. Na verdade, quero dizer que isso é um modelo que contemplamos com o espírito quando elogiamos nossa cidade por suas virtudes ou a criticamos por suas deficiências.

O que venho afirmando não é, naturalmente, nada além daquilo em que todos acreditamos. Nem mesmo o jovem Platão discordaria. Sim, é verdade que o ouvi falar com inteligência, afirmando representar Sócrates, sobre como é tolo esperar que pessoas comuns governem com sabedoria, sobre como Atenas poderia ser bem melhor se fosse governada por sábios filósofos – entre os quais ele se inclui, imagino. No entanto, penso que mesmo alguém como ele, que despreza a democracia, concordaria comigo até esse ponto. É o que vou dizer agora que levaria alguém assim a discordar, acompanhado, sem dúvida, por outros que sempre criticam a democracia por suas deficiências, como Aristófanes e, nem é preciso dizer, por todos aqueles atenienses que apoiaram os Trinta Tiranos.

A natureza da democracia

A pólis que nós, democratas, lutamos para alcançar (nosso democrata ateniense poderia prosseguir) deve ser, em primeiro lugar, uma boa pólis; e para ser uma boa pólis deve possuir as qualidades que acabei de descrever, como todos cremos. Mas para ser a melhor pólis, ela deve ser, como Atenas, uma pólis democrática.

Todavia, numa pólis democrática, para que os cidadãos possam lutar pelo bem comum, não precisamos todos ser parecidos, ser pessoas sem nenhum interesse próprio nem dedicar nossas vidas exclusivamente à pólis. Pois o que é a pólis senão um lugar no qual os cidadãos podem viver uma vida plena sem estar sujeitos ao chamado deveres cívicos a todo instante? Esse é o modo espartano. Não é o nosso. Uma cidade necessita de sapateiros e armadores, carpinteiros e escultores, fazendeiros que cuidem de seus olivais no campo e médicos que cuidem de seus pacientes na cidade. Cada cidadão tem por objetivo algo que pode não ser o objetivo de outrem. Portanto, o bem de cada um de nós pode não ser exatamente o mesmo que o bem dos outros.

Entretanto, nossas diferenças nunca devem ser tão grandes a ponto de não podermos concordar quanto ao que é melhor para a cidade, ou seja, o que é melhor para todos, e não somente para alguns. É por isso que, como qualquer outra, uma pólis democrática não pode ser dividida em duas cidades, uma dos pobres e uma dos ricos, cada uma delas procurando o seu próprio bem. Não faz muito tempo, ouvi Platão falar sobre esse perigo, e embora ele não seja amigo de nossa democracia ateniense, concordamos ao menos nesse ponto. Pois tal cidade seria atormentada pelos conflitos, e o conflito civil suplantaria o bem público. Talvez o crescimento de duas cidades dentro de Atenas, com o ódio crescente da minoria mais rica à cidade governada pela maioria pobre – ou assim vista pelos ricos –, tenha sido o que levou a cidade dos mais ricos a pôr no governo os Trinta Tiranos.

Uma democracia deve também ser de tamanho modesto, não apenas para que todos os cidadãos possam se reunir em assembleia e assim agir como governantes da cidade, mas também para que todos os cidadãos se conheçam. Para buscar o bem de todos, os cidadãos devem poder assimilar o bem de cada um e consequentemente ser capazes de entender o bem comum que cada um compartilha com os outros. Mas como poderiam os cidadãos chegar a compreender tudo que têm em comum se sua cidade fosse tão grande, e o *demos* tão numeroso, que eles jamais pudessem se conhecer ou ver sua cidade como um todo? O império persa é uma abominação, não apenas porque é um despotismo, mas também porque, sendo tão imenso que apequena cada pessoa dentro de seus limites, nunca deixará de ser um despotismo.

Temo que até mesmo Atenas tenha se tornado grande demais. Diz-se que nosso *demos* agora inclui cerca de quarenta mil cidadãos[4]. Como podemos nos conhecer quando somos tantos? Os cidadãos que negligenciam as reuniões da Assembleia, como tantos fazem agora, falham em seus deveres como cidadãos. Entretanto, se todos os cidadãos comparecessem à Assembleia, seríamos numerosos demais. Nosso local de reuniões na colina de Pnice não nos comportaria a todos e, ainda que comportasse, só uns poucos oradores, dentre os 40 mil, teriam a chance de falar – e, no entanto, que orador possui uma voz estentória a ponto de ser ouvida por tantos? Como um atleta que, ao engordar, perde a rapidez e a agilidade e não pode mais participar dos jogos, a enormidade de nosso *demos* não é adequada à democracia.

Pois como pode uma cidade ser uma democracia a não ser que todos os seus cidadãos possam se reunir com frequência a fim de exercer seu domínio soberano sobre os assuntos da cidade? Ouvi alguns cidadãos atenienses reclamarem que é um fardo excessivo subir a colina de Pnice quarenta vezes por ano, como se espera de nós, começar nossa reunião de manhã cedo e ficar, muitas vezes, até o escurecer, especialmente quando alguns de nós precisam chegar aqui vindos de partes distantes da Ática na noite anterior e voltar às suas fazendas na noite seguinte. Entretanto, não consigo imaginar como poderíamos resolver nossos assuntos com menos reuniões, sendo que, às vezes, ainda precisamos de sessões extraordinárias.

Mas não é apenas por meio da Assembleia que nós, em Atenas, governamos nossa cidade. Também nos alternamos administrando o trabalho da cidade – no Conselho, que prepara a agenda da Assembleia, em nossos júris de cidadãos, nos comitês quase incontáveis de magistrados. Para nós, democracia não é simplesmente tomar decisões e criar leis importantes na Assembleia, mas, também, servir nos cargos públicos.

Assim, uma pólis não seria verdadeiramente uma pólis, e nunca poderia ser uma pólis democrática, se seu corpo de cidadãos e seu território fossem maiores que os nossos – e seria melhor ainda se não fossem tão grandes como os nossos. Conheço bem este perigo: o de ficarmos vulneráveis a uma derrota na guerra contra um Estado maior. Não me refiro a outras cidades-Estado como Esparta, mas a impérios monstruosos como a Pérsia. Bem, esse é um risco que temos de correr, e como os persas bem sabem, quando fazemos alianças com outros gregos, temos sido tão bons quanto eles, e até melhores.

Embora precisemos de aliados em tempo de guerra, nem assim abrimos mão de nossa independência. Alguns dizem que nós e nossos aliados poderíamos formar uma liga permanente, na qual escolheríamos concidadãos para nos representar em algum tipo de conselho que tomaria decisões referentes aos assuntos de guerra e paz. Mas não entendo como poderíamos ceder a autoridade sobre nós a tal conselho e ainda permanecer uma democracia, ou mesmo uma verdadeira pólis. Pois não poderíamos mais exercitar o poder soberano sobre nossa própria cidade, em nossa própria assembleia.

Há trinta anos, meu pai estava entre aqueles que compareceram ao funeral dos que morreram na guerra com Esparta, e lá ele ouviu Péricles, que foi escolhido para fazer um panegírico dos heróis mortos. Meu pai me contou o que Péricles disse naquele dia tantas vezes que mesmo agora é como se eu próprio tivesse estado lá.

Nossa constituição, disse Péricles, não copia as leis dos Estados vizinhos; ao contrário, somos mais um modelo para os outros que imitadores. A administração de nossa cidade--Estado favorece a muitos e não a poucos; por isso é chamada de democracia. Se examinarmos as leis, veremos que elas garantem igual justiça a todos em suas diferenças particulares; se examinarmos as classes sociais, veremos que o progresso na vida pública depende da reputação por habilidade, e não se permite que o mérito seja determinado por considerações de classe; tampouco a pobreza constitui um obstáculo, pois se um homem pode servir ao Estado, ele não é prejudicado pela obscuridade de sua condição. A liberdade da qual desfrutamos em nosso governo estende-se, ainda, à nossa vida diária. Longe de nós manter uma vigilância invejosa uns sobre os outros: não nos sentimos compelidos a odiar nosso próximo quando ele faz o que gosta, nem nos permitimos aqueles olhares críticos que não podem deixar de ser ofensivos. Mas essa grande tranquilidade em nossos relacionamentos privados não nos torna cidadãos sem leis. Nossa principal salvaguarda contra o desregramento é o respeito pelas leis, particularmente as que protegem todos os que sofrem dano, quer essas leis façam parte do código legal propriamente dito, quer pertençam àquele outro código que, embora não escrito, não pode ser violado sem reconhecida desgraça. Nossos homens públicos, afirmou Péricles, têm, além da política, assuntos particulares dos quais precisam cuidar, e nossos cidadãos comuns, embora ocupados com suas lides, são ainda juízes equilibrados dos assuntos públicos. Em vez de pensar na discussão como um entrave no caminho da ação, nós a vemos como uma preliminar indispensável de qualquer ação sábia.

Em suma, disse Péricles, nós, como cidade, somos a escola da Hélade (Tucídides 1951, 104-6).

Essa visão em resumo

O ideal democrático descrito por nosso ateniense hipotético é uma visão política tão grandiosa e fascinante que é quase impossível que um democrata moderno não se sinta atraído por ela. Na visão grega da democracia, o cidadão é uma pessoa íntegra, para quem a política é uma atividade social, natural, não separada nitidamente do resto da vida, e para quem o governo e o Estado – ou melhor, a pólis – não são entidades remotas e alheias, distantes de si. Ao contrário, a vida política é uma extensão dessa pessoa e está em harmonia com ela. Os valores não são fragmentados, mas coesos: a felicidade está vinculada à virtude, a virtude à justiça e a justiça, à felicidade.

Não obstante, duas coisas precisam ser ditas sobre essa visão da democracia. Em primeiro lugar, como uma visão de uma ordem social ideal, ela não deve ser confundida com a realidade da vida política grega, como às vezes é. Como é apropriado a um louvor daqueles que foram mortos numa grande guerra, até mesmo o conhecido discurso fúnebre de Péricles foi, como o discurso de Gettysburg de Lincoln numa ocasião assemelhada, um retrato idealizado (logo terei algo a dizer sobre a realidade). Em segundo lugar, não se pode julgar a importância dessa visão para o mundo moderno (ou pós-moderno) sem uma compreensão de como ela é radicalmente diferente das ideias e práticas democráticas em desenvolvimento desde o século XVIII.

Na visão grega, como acabamos de observar, uma ordem democrática teria de satisfazer pelo menos seis condições:

1. Os cidadãos devem ser suficientemente harmoniosos em seus interesses de modo a compartilhar um sentido forte de um bem geral que não esteja em contradição evidente com seus objetivos e interesses pessoais.

2. Dessa primeira condição, advém a segunda: os cidadãos devem ser notavelmente homogêneos no que tange às características que, de outra forma, tenderiam a gerar conflito político e profundas divergências quanto ao bem comum. De acordo com essa visão, nenhum Estado pode ter a esperança de ser uma boa pólis se os cidadãos forem imensamente desiguais em seus recursos econômicos e na quantidade de tempo livre de que dispõem, se seguirem religiões diferentes, se falarem idiomas diferentes e apresentarem gran-

des diferenças em sua educação ou ainda se forem de raças, culturas ou (como dizemos hoje) grupos étnicos diferentes.

3. O corpo de cidadãos deve ser bem pequeno, idealmente ainda menor que os quarenta ou cinquenta mil da Atenas de Péricles. O tamanho reduzido do *demos* era necessário por três motivos: ajudaria a evitar a heterogeneidade e, por conseguinte, a desarmonia resultante de uma expansão das fronteiras, bem como a evitar a inclusão de pessoas de línguas, religiões, história e etnias diversas – pessoas com quase nada em comum – como ocorreu na Pérsia. Esse tamanho também era necessário para que os cidadãos adquirissem o conhecimento de sua cidade e de seus concidadãos, a partir da observação, da experiência e da discussão, conhecimento esse que lhes permitiria compreender o bem comum e distingui-lo de seus interesses privados ou pessoais. Finalmente, o tamanho reduzido era essencial para que os cidadãos se reunissem em assembleia de modo a servir como governantes soberanos de sua cidade.

4. Em quarto lugar, portanto, os cidadãos devem ser capazes de se reunir e decidir, de forma direta, sobre as leis e os cursos de ação política. Tão profundamente arraigada era essa concepção que os gregos achavam difícil imaginar um governo representativo, muito menos aceitá-lo como uma alternativa legítima à democracia direta. É certo que, de vez em quando, formavam-se ligas ou confederações de cidades-Estado. Mas aparentemente, os sistemas genuinamente federativos, com governos representativos, deixavam de se desenvolver em parte porque a ideia da representação não conseguia competir com a crença profunda nas vantagens e na legitimidade do governo direto com assembleias primárias[5].

5. Todavia, a participação dos cidadãos não se limitava às reuniões da Assembleia. Ela também incluía uma participação ativa na administração da cidade. Estima-se que em Atenas, mais de mil cargos tinham de ser ocupados – alguns por eleições, mas a maior parte por sorteio – e quase todos esses cargos eram para mandatos de um ano e podiam ser ocupados apenas uma vez na vida. Até mesmo no *demos* relativa-

mente "grande" de Atenas, era quase certo que cada cidadão ocuparia algum cargo durante um ano, e vários desses cidadãos tornar-se-iam membros do importantíssimo Conselho dos Quinhentos, que determinava a agenda da Assembleia[6].

6. Por último, a cidade-Estado deve, ao menos idealmente, permanecer completamente autônoma. Ligas, confederações e alianças podem ser necessárias, às vezes, para a defesa ou a guerra, mas não se deve permitir que elas sobrepujem a autonomia definitiva da cidade-Estado e a soberania da assembleia naquele Estado. Em princípio, portanto, cada cidade deve ser autossuficiente, não apenas politicamente mas também econômica e militarmente. Com efeito, ela deve possuir todas as condições necessárias para uma boa vida. Mas para evitar uma dependência muito forte do comércio exterior, uma boa vida seria, necessariamente, uma vida frugal. Dessa forma, a democracia estava ligada às virtudes da frugalidade e não da afluência.

Cada uma dessas condições representa uma dura contradição às realidades de todas as democracias modernas que se localizam, não numa cidade-Estado, mas num Estado nacional ou país: em vez do *demos* minúsculo e do território pressuposto na visão grega, um país – até mesmo um país pequeno – abrange um gigantesco corpo de cidadãos espalhado por um vasto território (para os padrões gregos). Como resultado disso, os cidadãos são um corpo mais heterogêneo do que os gregos consideravam recomendável. Em muitos países, na verdade, eles são extraordinariamente diversos em matéria de religião, educação, cultura, grupo étnico, raça, língua e situação econômica. Essas diversidades inevitavelmente desequilibram a harmonia imaginada no ideal grego; o conflito político, e não a harmonia, é a marca registrada do Estado democrático moderno. E é evidente que os cidadãos são numerosos demais para se reunir: como todos sabem, não apenas em âmbito nacional, mas geralmente também em âmbitos regional, estadual e municipal, o que prevalece não é a democracia direta, e sim o governo representativo. Também não são mais os cidadãos que geralmente ocupam os cargos administrativos, que hoje, tipicamente, estão nas mãos de profissionais que fazem da administração pública uma carreira em tempo integral. E por fim, em todos os países democráticos, parte-se do princípio de que as unidades de governo pequenas o bastante para permitir algo parecido com a participação imaginada pelo ideal grego não podem ser autônomas; ao contrário, elas devem ser elementos subordinados a um sistema maior. E em vez de controlar sua própria agenda, o máximo que os cidadãos nessas pequenas unidades fazem é controlar uma gama limitada de assuntos cujos limites são estabelecidos pelo sistema maior.

As diferenças são tão profundas, portanto, que se nosso cidadão ateniense hipotético vivesse entre nós, ele certamente afirmaria que uma democracia moderna não é uma democracia de modo algum. Seja como for, confrontados com um mundo radicalmente diferente, que oferece um conjunto extremamente diferente de limites e possibilidades, temos direito de imaginar o quanto da visão grega de democracia é pertinente ao nosso tempo ou a um futuro concebível. Tratarei dessa questão em outros capítulos.

Limites

É razoável concluir, como tantos já fizeram, que o governo, a política e a vida política em Atenas, e provavelmente em muitas outras cidades-Estado também, eram, ao menos quando examinados sob uma perspectiva democrática, imensamente superiores aos inúmeros regimes não democráticos sob os quais a maioria das pessoas tem vivido ao longo da história. Ainda que as cidades-Estado democráticas da Antiguidade Clássica fossem apenas pequeninas ilhas no vasto mar da experiência humana, elas demonstraram, não obstante, que as capacidades humanas excedem, em muito, os padrões lamentáveis do horrível desempenho da maioria dos sistemas políticos.

No entanto, não podemos permitir que essa conquista impressionante nos torne cegos para seus limites. Sem sombra de dúvida, havia os abismos costumeiros entre o ideal e a realidade da vida política que todas as características tipicamente humanas sempre criam. Qual *era* essa realidade? A resposta, infelizmente, é que, em grande parte, não sabemos e nunca chegaremos a saber. Existem apenas indícios fragmentários[7]. Estes nos fornecem informação principalmente sobre Atenas, que era apenas uma – ainda que, de longe, a mais importante – de várias centenas de cidades-Estado. Uma vez que os estudiosos da era clássica se sentem na obrigação de reconstruir a democracia grega com base em dados muito escassos, como se fossem paleontólogos a recriar um primata inteiro a partir do fragmento de um osso maxilar, suas interpretações e avaliações são, necessariamente, altamente subjetivas.

No entanto, existem amplas provas que permitem concluir que a vida política dos gregos, bem como a de outros povos de então e de hoje, era notadamente inferior aos ideais políticos. Não seria necessário fazer essa afirmação se não fosse pela influência de alguns historiadores clássicos, que creem que em sua devoção inabalável ao bem público, o cidadão ateniense impôs um padrão para todo o sempre[8].

Pelo que se pode depreender dessas informações fragmentárias, a política em Atenas e em outras cidades-Estado era um jogo duro e difícil, no qual as questões públicas muitas vezes estavam subordinadas às ambições pessoais. Embora os partidos políticos no sentido moderno não existissem, as facções baseadas em laços de família e amizade desempenhavam um papel poderoso. As exigências supostamente superiores do bem comum cediam, na prática, às exigências mais fortes da família e dos amigos[9]. Os líderes das facções não hesitavam em usar o processo do ostracismo por maioria de um voto na assembleia para banir seus oponentes por dez anos[10]. A traição aberta do Estado pelos líderes políticos não era algo desconhecido, como no famoso caso de Alcebíades (Tucídides 1951, 353-92).

Embora (em Atenas, pelo menos) a participação dos cidadãos na administração pública fosse excepcionalmente alta segundo todos os padrões, é impossível determinar o nível geral de interesse político e envolvimento entre os cidadãos, ou definir em que grau a participação variava entre os diferentes estratos. Há razões para crer que apenas uma pequena minoria dos cidadãos comparecia às reuniões da Assembleia[11]. É impossível dizer quão representativa do *demos* total era essa minoria. Sem dúvida, os líderes tentavam garantir a presença de seus simpatizantes, e as reuniões da Assembleia podem ter sido frequentadas principalmente por esses seguidores. Uma vez que, durante a maior parte do século V a.C., estes consistiam de coalizões de grupos baseadas em laços de família e amizade, as assembleias provavelmente não costumavam incluir os cidadãos mais pobres e menos bem relacionados[12]. É bem provável que a maioria dos discursos na Assembleia fosse feita por um número relativamente pequeno de líderes – homens de reputação estabelecida, excelentes na oratória, que fossem líderes reconhecidos do *demos* e, portanto, tivessem direito a ser ouvidos[13].

Seria um engano, portanto, partir do pressuposto de que nas cidades-Estado democráticas, os gregos estavam menos preocupados com seus próprios interesses e fossem mais ativamente devotados ao bem público que os cidadãos dos países democráticos modernos. É possível que eles fossem, mas a conclusão não é garantida pelas provas.

Contudo, não são apenas as deficiências humanas expostas na vida política que me parecem importantes, mas, sim, os limites inerentes à teoria e à prática da democracia grega em si – limites dos quais, para a frustração dos autores que tomam a democracia grega como a definição de padrões adequados para todos os tempos, a teoria e a prática democráticas modernas tiveram que se desprender. Embora possa se objetar que é impróprio avaliar a democracia grega de acordo com padrões diversos daqueles que eram pertinentes à sua própria época, o fato é que não podemos determinar quanto essa experiência é pertinente ao nosso próprio tempo a não ser que utilizemos padrões apropriados para nós.

De uma perspectiva democrática contemporânea, um limite fundamentalmente importante da democracia grega, tanto na teoria como na prática, era que a cidadania era mais *exclusiva* que *inclusiva*, como a democracia moderna veio a se tornar. Certamente a democracia grega era mais inclusiva que outros regimes daquele tempo; e democratas que viam seu regime em termos comparativos sem dúvida acreditavam, com razão, que ele era relativamente inclusivo, um juízo que eles expressaram na divisão já banal dos regimes em governo do indivíduo, de poucos e de muitos. Não obstante, na prática um *demos* "de muitos" excluía muitíssimos. Ainda assim, até onde se pode dizer, os democratas gregos não viam a exclusividade de suas democracias como um defeito grave. Com efeito, na medida em que viam as alternativas como o governo do indivíduo ou o governo de poucos, os democratas podem literalmente não ter visto quantas pessoas eram, na verdade, excluídas dos "muitos".

Tanto na teoria quanto na prática, a democracia grega era exclusiva em dois sentidos: internamente e externamente. Dentro da cidade-Estado, a cidadania plena – o direito de participar da vida política através do comparecimento às reuniões da assembleia soberana ou do serviço nos cargos públicos – era negada a uma grande parte da população adulta. Uma vez que a população de Atenas é um assunto altamente sujeito a conjecturas, as estimativas percentuais são pouco confiáveis e variam absurdamente. Não apenas as mulheres eram excluídas (como, aliás, continuaram a ser em todas as democracias até o século XX), mas, também, eram excluídos os estrangeiros residentes permanentes (os metecos) e os escravos. Já que o requisito para a cidadania ateniense de 451 em diante era que pai e mãe fossem cidadãos atenienses, a cidadania era, para todos os efeitos, um privilégio hereditário baseado em laços primordiais de família (embora a cidadania plena fosse um privilégio herdado apenas pelos homens). Consequentemente, nenhum meteco nem seus descendentes podiam tornar-se cidadãos, apesar do fato de que muitas famílias metecas viveram em Atenas durante gerações e contribuíram imensamente para a vida econômica e intelectual da cidade-Estado durante os séculos V e IV a.C. (Fine 1983, 434). Embora os metecos não tivessem os mesmos direitos dos cidadãos e, além disso, fosse proibido a eles, pelo menos em Atenas, possuir terras ou casas, eles tinham muitos dos deveres dos cidadãos (435)[14]. Eles se envolviam na vida social, econômica e cultural como artesãos, comerciantes e intelectuais; possuíam direitos protegidos pelos tribunais; às vezes, eram ricos e, evidentemente, desfrutavam de um certo prestígio social.

O mesmo não acontecia com os escravos, a quem não só eram negados todos os direitos de cidadania, mas, também, quaisquer direitos legais. Os escravos de condição legal eram nada mais que uma propriedade de seus donos, totalmente sem direitos. A extensão e profundidade da escravidão na Grécia clássica são questões intensamente debatidas (cf. Finley 1980 e Ste. Croix 1981), mas as cidades-Estado democráticas eram, num certo sentido substancial, sociedades escravocratas. Enquanto até mesmo os cidadãos pobres tinham alguma proteção contra os abusos em virtude de seus direitos como cidadãos e os metecos tinham alguma proteção contra os maus-tratos em razão de sua liberdade de se mudar para outro lugar, os escravos eram indefesos. Embora alguns escravos se tornassem libertos graças à alforria concedida por seus donos, na Grécia (ao contrário de Roma) eles se tornavam metecos, não cidadãos[15].

A democracia grega era também, como já vimos, exclusiva e não inclusiva *externamente*. Com efeito, entre os *gregos* não existia a democracia: ela existia apenas entre os membros da mesma pólis e, na visão dos gregos, só poderia existir assim. Tão profunda era essa visão que, fatalmente, ela enfraqueceu as tentativas de unir várias cidades em entidades maiores.

O fato de que a democracia era exclusiva e não inclusiva entre os gregos não deixa de ter relação com outro limite importante da teoria e da prática adotadas por eles: os gregos não reconheciam a existência de pretensões *universais* à liberdade, à igualdade ou aos direitos, fossem eles direitos políticos ou, de maneira mais ampla, direitos humanos. A liberdade era um atributo da participação – não na espécie humana, mas numa cidade particular (ou seja, da cidadania)[16]."O conceito grego de 'liberdade' não se estendia além da comunidade em si: a liberdade para os membros da própria comunidade não implicava nem a liberdade legal (civil) para todos os outros membros residentes na comunidade nem a liberdade política para os membros de outras comunidades sobre as quais alguém tivesse poder" (Finley 1972, 53). Mesmo numa pólis democrática, "liberdade significava o primado da lei e a participação no processo de tomada de decisões, não a posse de direitos inalienáveis" (78)[17].

Em terceiro lugar, portanto, como consequência dos primeiros dois limites, a democracia grega era inerentemente limitada aos sistemas de pequena escala. Embora a pequena escala da democracia grega proporcionasse algumas vantagens extraordinárias, particularmente para a participação, muitas das vantagens de um sistema político em grande escala estavam além de seu alcance. Uma vez que os gregos não dispunham dos meios democráticos para estender o domínio da lei além do pequeno perímetro da cidade-Estado, estas, em suas relações externas, existiam num estado de natureza hobbesiano no qual a ordem natural das coisas não era a lei, e, sim, a violência. Os gregos achavam difícil unir-se até mesmo contra a agressão externa. Apesar de suas proezas militares na terra e no mar, que lhes permitiram derrotar as forças numericamente superiores dos persas, eles só conseguiam reunir forças para fins defensivos de uma forma débil e temporária. Consequentemente, os gregos finalmente foram unidos, não por si próprios, mas por seus conquistadores, os macedônios e os romanos.

Dois milênios depois, quando o foco das fidelidades primordiais e da ordem política foi transferido para a escala bem maior do Estado nacional, a limitação da democracia aos sistemas de pequena escala foi vista como um defeito irremediável. A teoria e a prática da democracia tiveram de romper os limites estreitos da pólis. E, conquanto a visão dos gregos não tenha se perdido totalmente para o pensamento democrático, ela foi substituída por uma nova visão de uma democracia mais ampla, agora extensiva ao perímetro gigantesco do Estado nacional.

Capítulo 2
Rumo à segunda transformação: o republicanismo, a representação e a lógica da igualdade

Apesar da extraordinária influência da Grécia clássica no desenvolvimento da democracia, as ideias e instituições democráticas modernas também foram moldadas por muitos outros fatores, dos quais três são particularmente importantes: uma tradição republicana, o desenvolvimento dos governos representativos e certas conclusões que tendem a advir de uma crença na igualdade política.

A tradição republicana

Quando digo "tradição republicana", refiro-me a um corpo teórico que não é sistemático nem coerente e que tem suas origens não tanto nas ideias e práticas democráticas da Grécia clássica descritas no primeiro capítulo, mas, sim, no crítico mais notável da democracia grega: Aristóteles. Além disso, na materialização de seus ideais políticos, o republicanismo não se inspira tanto em Atenas quanto em sua inimiga, Esparta e, ainda mais, em Roma e Veneza. Fundamentada em Aristóteles, moldada por séculos de experiências das repúblicas de Roma e de Veneza, interpretada de formas diversas e até mesmo conflitantes durante o final da Renascença por autores florentinos como Francesco Guicciardini e Nicolau Maquiavel, a tradição republicana foi reformulada, remodelada e reinterpretada na Inglaterra e nos Estados

Unidos dos séculos XVII e XVIII. Ao passo que alguns dos temas importantes do republicanismo clássico perderam sua importância ou foram inteiramente rejeitados durante esse processo, outros preservaram a sua vitalidade[1].

Embora a tradição republicana divergisse do pensamento democrático grego e fosse antitética a ele em alguns aspectos, o republicanismo tinha, não obstante, muitos pressupostos em comum com aquela tradição. Para começar, os republicanistas adotaram a visão comum no pensamento político grego (democrático ou antidemocrático) de que o homem é, por natureza, um animal social e político; para concretizar suas potencialidades, os seres humanos precisam viver juntos numa associação política; um bom homem deve também ser um bom cidadão; uma boa república é uma associação constituída de bons cidadãos; um bom cidadão possui a qualidade da virtude cívica; a virtude é a predisposição de procurar o bem de todos nos assuntos públicos. Uma boa república, portanto, é aquela que não apenas reflete, mas também promove, a virtude de seus cidadãos.

Mais especificamente, da mesma forma que os democratas gregos, os republicanos também eram da opinião de que a melhor república é aquela na qual os cidadãos são iguais em alguns aspectos importantes: em sua igualdade perante a lei, por exemplo, e na ausência de uma relação de dependência entre um cidadão e outro, como a que existe entre os amos e servos. A doutrina republicana insistia, além disso, que nenhum sistema político poderia ser legítimo, desejável ou bom se excluísse as pessoas da participação no governo.

Todavia, apesar dessas semelhanças, o republicanismo era mais que uma simples reafirmação dos ideais e práticas da democracia grega. Como Aristóteles, em alguns aspectos cruciais, ele oferecia uma alternativa à democracia, tal como era entendida por muitos gregos. Ao mesmo tempo que atribuía um grande peso à importância fundamental da virtude cívica, a doutrina republicana atribuía igual ou maior peso à fragilidade da virtude, ao perigo de que um povo ou seus líderes se tornassem corruptos e, portanto, à probabilidade de que a virtude cívica se corrompesse de tal forma que uma república se tornasse impossível. Na concepção republicana, uma das grandes ameaças à virtude cívica é gerada pelas facções e pelos conflitos políticos. Estes, por sua vez, tendem a resultar de uma característica quase universal da sociedade civil: "o povo" não é um corpo perfeitamente homogêneo com interesses idênticos; geralmente, ele se divide num elemento aristocrático ou oligárquico e num componente democrático ou popular – os poucos e os muitos – cada qual com interesses um tanto diversos. Na linha de Aristóteles, pode-se ainda acrescentar aos "poucos" e aos "muitos" um terceiro elemento social: um elemento monocrático ou monárquico, um líder que tente aumentar sua própria posição, *status* e poder. Assim, a tarefa dos republicanos é criar uma constituição que reflita e, de algum modo, equilibre os interesses do indivíduo, dos poucos e dos muitos ao proporcionar um governo misto de democracia, aristocracia e monarquia constituído de tal forma que todos os três componentes finalmente cooperem para o bem de todos.

O modelo constitucional mais óbvio, sem dúvida, era a República Romana, com seu sistema de cônsules, Senado e tribunas populares (Roma também forneceu o exemplo óbvio de deterioração e corrupção da virtude pública: a eclosão do conflito civil e a transformação da República no Império Romano demonstraram como até mesmo uma grande república pode ser destruída). No século XVIII, um outro exemplo óbvio foi acrescentado ao modelo romano: a constituição britânica, que, com seu arranjo maravilhosamente arquitetado reunindo a monarquia e as câmaras dos Lordes e dos Comuns, pareceu a alguns teóricos republicanos – em especial o barão de Montesquieu – a síntese de um sistema de governo perfeitamente equilibrado.

Graças aos acontecimentos na Grã-Bretanha e na América, o século XVIII também presenciou o desenvolvimento de uma versão do republicanismo radical que, em alguns aspectos, era conflitante com a tradição mais antiga. Enquanto a visão mais antiga podia ser denominada um republicanismo aristocrático, a visão mais nova atribuía uma ênfase crescente à importância fundamental do componente democrático na constituição de uma república. A versão mais aristocrática ou conservadora do republicanismo encontra-se em Aristóteles, em Guicciardini e nos *ottimati* da Florença renascentista e, na América, em John Adams; a versão mais democrática encontra-se em Maquiavel, nos *Whigs* radicais do século XVIII e em Thomas Jefferson.

Na visão republicana aristocrática, embora o povo (os muitos) deva ter um papel importante no governo, o fato de que ele inspira mais medo que confiança exige que essa participação seja limitada. Para os republicanos aristocráticos, talvez o problema constitucional mais difícil seja criar uma estrutura que restrinja suficientemente os impulsos desses muitos. A função apropriada do povo não é governar, como era em Atenas, e sim escolher líderes competentes para desempenhar a difícil função de governar toda a república. Sem dúvida, uma vez que os líderes são obrigados a governar no interesse da comunidade como um todo e o povo é, naturalmente, um elemento importante da comunidade, os líderes adequadamente qualificados governariam tendo em vista os interesses do povo; mas não governariam exclusivamente no interesse desse único elemento, por mais importante que fosse. Por conseguinte, ao aceitar a legitimidade essencial dos interesses dos poucos e dos muitos, os republicanos aristocráticos creem que o bem público exige um equilíbrio desses interesses.

No republicanismo democrático emergente do século XVIII, ao contrário, os elementos a serem mais temidos não são os muitos, mas os poucos; não o povo, mas os elementos aristocráticos e oligárquicos. Com efeito, a confiança dos republicanos nas perspectivas de um bom governo repousa nas qualidades do povo. Além disso, o bem público *não* consiste em equilibrar os interesses do povo e os interesses dos poucos: o bem público *é* nada mais, nada menos que o bem-estar do povo. A tarefa constitucional, portanto, é criar um sistema que possa, de alguma forma, superar a tendência inevitável à preponderância de uns poucos déspotas, ou de apenas um, e de seus agregados.

Embora os republicanos aristocráticos e democráticos concordem que a concentração do poder é sempre perigosa e sempre deve ser evitada, suas soluções para esse problema são divergentes. Os republicanos aristocráticos ou conservadores continuam a enfatizar a solução de um governo misto que equilibre os interesses de um, de poucos e de muitos, e que, portanto, continue a refletir esses interesses na monarquia, na câmara alta aristocrática e na câmara baixa para os comuns. Para os republicanos democráticos, todavia, a ideia de representar interesses diferentes em instituições diferentes é cada vez mais dúbia e inaceitável. As dificuldades na teoria mais antiga do governo misto tornam-se particularmente evidentes na América. Na ausência de uma aristocracia hereditária, quem são os poucos particularmente virtuosos? Presumivelmente, eles compõem uma "aristocracia natural", uma ideia cara até mesmo aos republicanos democráticos como Jefferson. Mas como identificar os aristocratas naturais? E como é possível garantir que eles sejam escolhidos para desempenhar o papel que lhes compete no governo? Por exemplo, deve-se permitir que eles escolham pessoas de seu próprio grupo para compor uma câmara alta no legislativo, na qual eles constituiriam um equivalente funcional da Câmara dos Lordes britânica numa república democrática? Como os autores da Constituição dos EUA descobriram em 1787, esse é um problema que, para todos os efeitos práticos, não tem solução. Numa república democrática, concluíram aqueles autores, os interesses dos "poucos" não lhes dão o direito à sua própria segunda câmara. E seria ainda menos aceitável proteger um "interesse monarquista" localizando-o no executivo. Pois não resta dúvida de que dificilmente se pode atribuir de forma legítima ao magistrado supremo da república um interesse especial e separado dentro da comunidade.

Em razão da intratabilidade das soluções para o problema da criação de um governo misto para uma república democrática, os republicanos, embora nem sempre com muita clareza, efetivamente substituíram a antiga ideia do governo misto pela ideia mais nova, tornada conhecida por Montesquieu, de uma separação constitucional e institucional dos poderes nos três ramos principais: o legislativo, o executivo e o judiciário. Tornou-se um axioma da teoria republicana afirmar que a concentração desses três tipos de poder num único centro era a própria essência da tirania e que eles devem, portanto, ser localizados em instituições separadas, cada uma servindo de contrapeso às outras (Montesquieu [1748] 1961, livro 11, cap. 6; Hamilton, Jay e Madison, n. 47). Embora a noção do equilíbrio de interesses conflitantes não tivesse desaparecido (por exemplo, era central na visão de James Madison), a tarefa constitucional era garantir um equilíbrio adequado entre as três funções, ou "poderes", principais do governo.

Como a teoria e a prática da democracia grega, a tradição republicana legou aos defensores posteriores da democracia alguns problemas não resolvidos. Destes, quatro estão intimamente inter-relacionados. Em primeiro lugar, como os republicanos democráticos do século XVIII começaram a perceber, o conceito de interesse ou interesses no republicanismo ortodoxo era simples demais. Ainda que algumas sociedades tivessem sido estratificadas nos interesses do indivíduo, dos poucos e dos muitos, não era mais isso o que acontecia. Como, portanto, poderiam os interesses de sistemas mais complexos ser compreendidos e, se necessário, representados ou "equilibrados"?

Em segundo lugar, como poderia uma república ser planejada de modo a lidar com os conflitos que uma diversidade de interesses parecia tornar inevitável? Afinal, apesar de toda a conversa grandiloquente sobre a virtude cívica e o equilíbrio de interesses, na prática, o conflito era um aspecto pronunciado e, pode-se dizer, normal, da vida política em repúblicas anteriores. Deveriam os partidos políticos, que surgiram de forma rudimentar e bastante duradoura na Inglaterra do século XVIII, ser banidos de alguma forma da vida pública a fim de garantir a tranquilidade pública? Se esse fosse o caso, como isso poderia ser feito sem destruir os aspectos essenciais do próprio governo republicano?

Em terceiro lugar, se o governo republicano depende da virtude de seus cidadãos, e se a virtude consiste na dedicação ao bem público (e não aos próprios interesses do indivíduo, ou aos interesses de alguma parte do "público"), será que uma república é realmente possível, particularmente em sociedades grandes e heterogêneas como as da Grã-Bretanha, da França e da América? A resposta republicana ortodoxa era simples: as repúblicas poderiam existir apenas nos pequenos Estados (Montesquieu 1961, livro 8, cap. 16). Mas se fosse assim, a tradição republicana não teria importância alguma para a grande tarefa com a qual os republicanos democráticos estavam firmemente comprometidos: democratizar os grandes Estados nacionais do mundo moderno.

Em quarto lugar, portanto, poderiam a teoria republicana e as ideias democráticas, de modo geral, ser aplicadas à escala do Estado nacional? Tal qual ocorria com as ideias e instituições democráticas gregas, também na tradição republicana a tentativa de adaptar o republicanismo democrático às exigências das sociedades em grande escala exigia uma transformação de longo alcance. Como os republicanos democráticos descobriram ao longo do século XVIII, uma parte da resposta para o problema da escala encontrar-se-ia nas instituições que, até então, haviam ocupado pouco espaço na teoria e na prática republicanas ou democráticas: as instituições do governo representativo.

O governo representativo

Como pudemos observar, os gregos rejeitavam a noção de que um sistema político em grande escala pudesse ser recomendável e nunca criaram um sistema estável de governo representativo. Tampouco o fizeram os romanos, apesar do crescimento contínuo da república, tanto em extensão territorial quanto no número de cidadãos (Larsen 1955, 159-60). Por mais longe que um cidadão estivesse de Roma, as únicas instituições democráticas a que ele tinha acesso eram as assembleias reunidas em Roma para a eleição dos magistrados e a aprovação das leis. No entanto, como poderia um romano ser um bom cidadão se, para todos os efeitos, ele não podia comparecer às assembleias em Roma e, portanto, não participava plenamente da vida pública? À medida que cada vez mais cidadãos passaram a viver longe demais de Roma para fazer a viagem até lá, as assembleias foram gradualmente transformadas (na prática, conquanto jamais na teoria) em corpos "representativos"; mas, utilizando uma expressão mais atual, para a maior parte dos cidadãos essa representação era "virtual" e não real. Além disso, essa representação era fortemente parcial, embora de forma bastante aleatória, àqueles que conseguiam comparecer às assembleias[2] (para mais detalhes, ver Taylor 1961, 50-75; Taylor 1966, 64-70). A representação também não preocupava os teóricos republicanos da Itália renascentista, que em sua maioria ignoraram o problema de como um cidadão numa república de grandes proporções, como Roma, poderia participar efetivamente e, num sentido realista, em pé de igualdade com seus concidadãos. De toda forma, eles deixaram esse problema sem solução.

Portanto, desde a Grécia clássica até o século XVII, a possibilidade de que um poder legislativo pudesse consistir não em todo o corpo dos cidadãos, mas em seus representantes eleitos, ficou quase sempre à margem da teoria e da prática do governo republicano ou democrático – embora isso possa ser difícil de entender para um democrata contemporâneo.

Contudo, um rompimento importante com a ortodoxia predominante ocorreu durante a Guerra Civil inglesa, quando os Puritanos, em sua busca por uma alternativa republicana à monarquia, foram obrigados a suscitar muitas das questões fundamentais da teoria e da prática democráticas (ou republicanas). Enquanto elaboravam suas demandas por um sufrágio mais amplo e um governo que respondesse a um eleitorado amplo, os *Levellers*, em particular, prenunciaram o desenvolvimento futuro da ideia democrática, incluindo a legitimidade – com efeito, a necessidade – da representação. No entanto, um século se passaria antes que ocorresse a assimilação completa da representação na teoria e na prática da democracia. Até mesmo Locke, que, no *Segundo Tratado*, expressou a ideia de que o consentimento da maioria (especificamente em relação aos impostos) poderia ser dado "por ela própria ou por representantes escolhidos por ela" (cap. XI, parágr. 140, p. 138), pouco teve a dizer a respeito da representação e de seu lugar na teoria democrática ou republicana[3]. E quando Rousseau, no *Contrato social*, insiste na inadmissibilidade da representação (livro 3, cap. 15), ele segue em tudo a visão tradicional.

Na prática, a representação não foi inventada pelos democratas, mas desenvolvida como uma instituição medieval de governo monárquico e aristocrático[4] (ver, por exemplo, Mansfield 1968). Seus primórdios encontram-se, principalmente na Inglaterra e na Suécia, nas assembleias convocadas pelos monarcas, ou às vezes pelos próprios nobres, para tratar de assuntos de Estado importantes: impostos, guerras, a sucessão do trono e assim por diante. No esquema típico, os convocados vinham de vários Estados que deviam representar e havia reuniões separadas para os representantes de cada um deles. Com o tempo, os Estados foram reduzidos a dois, lordes e comuns, que eram, é claro, representados em casas separadas (como vimos, um arranjo que criou um problema para os *Whigs* radicais do século XVIII, que tiveram dificuldade em explicar por que uma segunda câmara era necessária numa república democrática).

No século XVIII, os autores começaram a ver o que os *Levellers* já haviam percebido: que ao unir a ideia democrática de governo do povo à prática não democrática da representação, a democracia podia assumir uma forma e uma dimensão totalmente novas. Em *O espírito das leis* (1748), Montesquieu escreveu com admiração sobre a Constituição inglesa e declarou que, por ser impossível para o povo reunir-se como um corpo legislativo num Estado de grandes proporções, ele deve escolher representantes para fazer isso em seu lugar. Embora eu tenha acabado de mencionar que Rousseau recusou essa visão no *Contrato social*, sua rejeição categórica nessa obra era incompatível com seus escritos anteriores e posteriores, nos quais ele aceitou a representação como legítima (Fralin 1978, 75-6, 181). Em poucas gerações desde Montesquieu e Rousseau, a representação foi amplamente aceita pelos democratas e republicanos como uma solução que eliminou os antigos limites ao tamanho dos Estados democráticos e transformou a democracia, de uma doutrina adequada apenas para as cidades-Estado pequenas e em rápida extinção, para uma doutrina aplicável aos grandes Estados nacionais da era moderna.

Para aqueles impregnados da tradição mais antiga, a união da representação e da democracia afigurou-se, às vezes, uma invenção maravilhosa e que marcou época. Assim, no início do século XIX, um autor francês muito admirado por Jefferson, Destutt de Tracy, insistia que Rousseau e Montesquieu estavam obsoletos: "A representação, ou o governo representativo, pode ser considerada uma nova invenção, desconhecida no tempo de Montesquieu [...] A democracia representativa [...] é a democracia tornada praticável por um longo tempo e numa grande extensão territorial" (de Tracy 1811, 19). Em 1820, James Mill proclamou "o sistema de representação" como "a grande descoberta dos tempos modernos", na qual "talvez se encontrará a solução de todas as dificuldades, especulativas e práticas" (Sabine 1964, 695). Em poucos anos, o que de Tracy, James Mill e James Madison haviam visto corretamente como uma transformação revolucionária da democracia tornara-se algo estabelecido: era óbvio e indiscutível que a democracia deve ser representativa[5].

A transformação da teoria e da prática democrática que resultou dessa união com a representação teve consequências profundas. Trataremos destas com mais profundidade em outros capítulos, mas pode ser útil mencionar algumas delas aqui. A consequência mais importante, como todos sabiam, foi que o governo popular não precisou mais confinar-se aos Estados menores, mas pôde, então, estender-se quase indefinidamente até incluir um grande número de pessoas. Portanto, a ideia de democracia, que poderia ter perecido com o desaparecimento das cidades-Estado, tornou-se pertinente ao mundo moderno dos Estados nacionais.

Dentro da circunscrição bem maior do Estado nacional, as novas concepções de direitos pessoais, liberdade individual e autonomia pessoal puderam florescer. Além disso, problemas importantes que nunca puderam ser resolvidos nos limites estreitos da cidade-Estado – e esses aumentaram em número à medida que aumentava a interdependência – poderiam ser resolvidos com mais eficácia por um governo capaz de criar leis e regulamentos para um território bem maior. Nesse sentido, a capacidade dos cidadãos para se governar foi muito favorecida.

No entanto, a mudança na democracia que resultou de sua união com a representação criou seus próprios problemas. Uma constelação inteiramente nova e altamente complexa de instituições políticas, que somente agora estamos começando a entender, suplantou a assembleia soberana que era elemento decisivo do conceito de democracia da Antiguidade. Essas instituições da democracia representativa deixaram o governo tão longe do *demos* que é possível alguém se perguntar com razão, como fizeram alguns críticos, se o novo sistema poderia ser chamado pelo nome venerável de democracia. Além disso, a ideia mais antiga de democracia monística, na qual as associações políticas autônomas eram consideradas desnecessárias e ilegítimas, transformou-se num sistema político pluralista no qual as associações autônomas eram tidas não somente como legítimas, mas, na verdade, necessárias à democracia em grande escala. Na grande escala do Estado nacional, surgiram vários interesses e grupos de interesse. E esses grupos diversos não foram, de forma alguma, uma bênção sem mistura de maldição. Enquanto na antiga visão o faccionalismo e o conflito eram considerados destrutivos, na nova visão o conflito político passou a ser considerado uma parte normal, inevitável e até mesmo positiva da ordem democrática. Consequentemente, a antiga crença de que os cidadãos podem e devem buscar o bem público em vez de seus objetivos particulares tornou-se mais difícil, se não impossível, de manter à medida que o "bem público" se fragmentou em interesses individuais e grupais.

Assim criou-se um conflito, que ainda está conosco e ao qual teremos de retornar nos capítulos seguintes, entre a teoria e a prática da democracia representativa e as concepções iniciais de governo republicano e democrático, que nunca ficaram completamente esquecidas.

A lógica da igualdade política

Os governos democráticos modernos não foram criados por filósofos ou historiadores familiarizados com a democracia grega, a tradição republicana e o conceito de representação. Seja qual for a influência independente de ideias como essas e por mais complexa que seja a interação de ideias e ações, sabemos que as teorias democráticas não acarretam por si mesmas sua própria concretização.

É óbvio, porém, que o surgimento e a persistência de um governo democrático entre um grupo de pessoas dependem, até certo ponto, de suas *crenças*. Assim, se uma maioria substancial, ou mesmo uma minoria substancial, se opusesse à ideia de democracia e preferisse uma alternativa – o domínio de um monarca ou uma aristocracia, por exemplo – tal grupo dificilmente se governaria democraticamente. Por outro lado, num grupo cujos membros creem que todos são mais ou menos igualmente qualificados para participar das decisões do grupo, a probabilidade é relativamente alta de que eles governarão a si próprios por meio de algum tipo de processo democrático. Não estou preparado para dizer como uma crença assim poderia surgir entre os membros de um grupo. Contudo, em alguns períodos e lugares, ocorrem três circunstâncias que favorecem a crença no processo democrático. Certas pessoas constituem um grupo ou associação bem definidos. O grupo é – ou seus membros acreditam que será – relativamente independente do controle externo. E, finalmente, os membros do grupo percebem-se como mais ou menos igualmente qualificados para governar, pelo menos em princípio. Esse aspecto final de suas crenças talvez possa ser descrito de uma forma mais específica e um pouco mais abstrata, como se segue. Os membros não creem que nenhum membro por si só e nenhuma minoria de membros sejam tão mais claramente qualificados para governar que possam chegar ao ponto de governar com a permissão de toda a associação. Ao contrário, creem que todos os membros da associação são adequadamente qualificados para participar em pé de igualdade com os outros no processo de governar a associação.

Chamarei a isso de Princípio Forte da Igualdade[6]. Nos capítulos 6 e 7 mostrarei como o Princípio Forte pode ser razoavelmente justificado. O ponto importante aqui é que *se* os membros acreditam que o Princípio Forte é válido, eles provavelmente terão outras crenças que tendem a derivar desse princípio. Essas outras crenças relacionam-se com o tipo de governo dentro da associação que seria compatível com o Princípio Forte. Como veremos no capítulo 8, somente um governo democrático seria totalmente compatível. Não quero dizer que a maioria das pessoas seja altamente lógica em matéria de política. Mas resolver as implicações básicas do Princípio Forte está bem ao alcance dos seres humanos comuns, como já foi provado por inúmeras experiências humanas, em especial porque repetidas vezes ao longo da história da humanidade, alguns grupos de pessoas compreenderam essas implicações e tentaram criar uma ordem política que fosse mais ou menos compatível com esse princípio.

Essas experiências históricas revelam duas características importantes do Princípio Forte. Em primeiro lugar, a crença em algo semelhante a esse princípio e o desenvolvimento de pelo menos um processo democrático primitivo muitas vezes despontou entre pessoas que tinham pouco ou nenhum conhecimento sobre a democracia grega, a tradição republicana ou a descoberta, no século XVIII, da representação. Inúmeras associações tribais desenvolveram formas primitivas de democracia sem nenhum conhecimento a respeito desses ideais ocidentais. Os clubes de comércio (ou sindicatos) que surgiram na Inglaterra no século XVIII adotaram práticas da democracia simples e direta, que mais tarde evoluíram para sistemas representativos – tudo isso sem ajuda do conhecimento teórico[7]. E afinal, em 500 a.C., os próprios gregos não tinham nenhum precedente no qual se basear. Mais ou menos nessa mesma época, os romanos começavam a fazer a transição de um reinado para uma república aristocrática, independentemente da influência grega. Mais tarde, a democratização mais profunda da república aconteceu principalmente porque os plebeus (e seus líderes) insistiam que eram qualificados o bastante para participar e agir de forma a conseguir sua inclusão, isto é, insistiram, na verdade, que o Princípio Forte se aplicava aos plebeus bem como aos patrícios. As origens do *Ting* dos *vikings*, uma assembleia judiciário-legislativa de homens livres, perderam-se no tempo, mas é evidente que não dependiam de influências externas. A criação do *Althing* na Islândia em 930 e o desenvolvimento de um sistema constitucional quase-democrático sem par na Europa foram rebentos dos colonizadores *vikings* noruegueses que, é seguro afirmar, não sabiam nada sobre a democracia grega e o republicanismo romano, nem sobre teoria política e filosofia, num sentido formal. O que eles certamente sabiam, ou acreditavam, é que eram essencialmente iguais em suas qualificações para participar do governo. Assim ocorreu também com as democracias nas comunidades alpinas que deram os primeiros passos rumo à formação da Confederação Suíça. É improvável que ao derrubar a monarquia e criar uma república no século XVII, os Puritanos, *Levellers* e Comuns tenham sido tão influenciados pela Grécia, por Roma ou pela tradição republicana – embora, naturalmente, estivessem familiarizados com a instituição da representação e a utilizassem – quanto por suas crenças cristãs, de acordo com as quais todos os homens eram não apenas iguais perante Deus, mas igualmente qualificados para entender a palavra de Deus, para participar do governo da Igreja e, por extensão, para governar a comunidade britânica[8]. Em 1646, Richard Overton, um *Leveller*, escreveu, num tratado intitulado *An Arrow Against All Tyrants*:

> Pois, pelo nascimento, todos os homens são iguais [...] e assim como Deus nos pôs neste mundo, pela mão da natureza,

cada qual dotado de sua liberdade e singularidade naturais e inatas [...] assim devemos viver, todos igualmente [...] para desfrutar desse direito inato e desse privilégio, todos aqueles que Deus fez livres por natureza [...] Todo homem, por natureza, é um rei, sacerdote – e profeta – em seu circuito e perímetro naturais, dignidades essas das quais ninguém pode fruir em seu lugar exceto por delegação, entrega em confiança ou livre consentimento daquele que detém esse direito (Woodhouse 1938, 69)

Foram ideias como essas que os Puritanos trouxeram com eles quando fugiram para o Novo Mundo.

Essas e outras experiências históricas revelam um outro ponto importante sobre o Princípio Forte: ele não precisa ser necessariamente aplicado de forma muito ampla. Pelo contrário, é mais comum vê-lo ser interpretado de uma forma altamente exclusiva. Vimos que os cidadãos de Atenas não acreditavam que o Princípio Forte se aplicasse à maioria dos adultos de Atenas – mulheres, metecos e escravos. Em Veneza, tão admirada pelos teóricos republicanos, de Guicciardini a Rousseau, os nobres estenderam o princípio apenas a si próprios, uma diminuta minoria da população veneziana. Na verdade, como o Princípio Forte não especifica o seu próprio alcance, suas implicações são tão poderosas para os aristocratas quanto para os comuns. O princípio se aplicaria igualmente bem a uma democracia com sufrágio universal e a instituições aristocráticas como a Câmara dos Lordes ou o Colégio Cardinalício.

Assim, sempre que os membros de um grupo ou associação vêm a crer que o Princípio Forte se aplica *a eles*, os imperativos do conhecimento prático e lógico tenderão fortemente a levá-los à adoção de um processo mais ou menos democrático *em seu meio*. Poderíamos descrever a "democracia" resultante disso como democrática no que tange ao seu próprio *demos*, mas não necessariamente democrática no que diz respeito a todas as pessoas sujeitas às decisões coletivas do *demos*.

Mais uma vez, deparamo-nos com um problema que não foi satisfatoriamente resolvido por nenhuma das fontes importantes da teoria e da prática democráticas descritas neste capítulo. Ainda que todas as pessoas adequadamente qualificadas para participar da tomada de decisões coletivas devessem, por direito, ser incluídas no *demos*, e este devesse tomar decisões coletivas por um processo democrático, que pessoas *são* adequadamente qualificadas e, portanto, deveriam ser incluídas no *demos*? Como vamos descobrir, assim como a democracia em suas origens não forneceu uma resposta conclusiva a essa questão, também as principais justificativas já oferecidas para a democracia moderna deixam de respondê-la satisfatoriamente. É evidente, pois, que uma de nossas principais tarefas, a ser empreendida no capítulo 9, será encontrar uma resposta satisfatória.

SEGUNDA PARTE
Os críticos de oposição

Capítulo 3
O anarquismo

Dois tipos de objeções à democracia são tão fundamentais que, a não ser que possam ser satisfatoriamente enfrentadas, quaisquer explorações mais aprofundadas da ideia de democracia serão um esforço inútil. Embora radicalmente diferentes, essas objeções partem dos defensores do anarquismo, sobre os quais irei discorrer neste capítulo, e dos defensores da guardiania, dos quais tratarei nos dois capítulos seguintes.

É possível imaginar uma sociedade composta apenas de associações puramente voluntárias, uma sociedade sem Estado. Essa é a visão do anarquismo, e o ideal anarquista provavelmente existe sob alguma forma desde que existem os Estados.

A teoria filosófica do anarquismo afirma que os Estados são coercivos e a coerção é intrinsecamente má, e que, por isso, os Estados são inerentemente maus. Afirma, ainda, que os Estados poderiam ser – e, como um mal desnecessário, devem ser – eliminados e substituídos pelas associações voluntárias. Devido ao fato de que a democracia bem pode ser o processo mais recomendável para governar essas associações, ela também poderia ser a forma de governo predominante numa sociedade anarquista. Mas na visão anarquista, a democracia não pode redimir um Estado. Pois ainda que a coerção fosse o produto de um processo perfeitamente democrático, ela ainda seria, inevitavelmente, um mal intrínseco (e evitável); assim, até mesmo um Estado governado por um processo democrático é perverso. Por serem maus, os Estados democráticos, como todos os outros Estados, carecem de quaisquer pretensões justificáveis à nossa lealdade, ao nosso apoio ou à nossa obrigação de obedecer às suas leis.

Esta, numa forma simplificada, é a argumentação essencial do anarquismo. Embora essa argumentação seja ampla e muitas vezes inconsequentemente descartada como algo tolo ou irracional, ela merece ser objeto de séria reflexão, pois trata de um problema central da ideia democrática. Os defensores do processo democrático sempre querem que este se aplique ao Estado. No entanto, aplicar a democracia ao Estado implica, necessariamente, a democracia com coerção. Mas se a coerção é intrinsecamente má, como a maioria das pessoas concordaria que é, poderia o processo democrático torná-la boa de algum modo?

A argumentação anarquista

Embora eu tenha acabado de apresentar uma versão resumida da argumentação anarquista, um anarquista poderia replicar que deturpei as ideias nela expressas. A dificuldade reside no fato de que o anarquismo é um corpo teórico ainda menos coerente que a democracia, a qual, como pudemos observar, não é exatamente um modelo de coerência e consistência filosóficas. Os anarquistas não somente apresentaram uma grande variedade de pontos de vista, mas frequentemente demonstraram uma imprecisão teórica que desafia a análise sistemática, quase como se eles se opusessem até mesmo à força coerciva do raciocínio lógico. William Godwin, P. A. Kropotkin, Mikhail Bakunin, Pierre-Joseph Proudhon, Emma Goldman e outros promoveram, todos eles, os pontos de vista anarquistas – às vezes, como no caso de Bakunin e Goldman, com mais paixão que lógica; às vezes, como fizeram Kropotkin e Proudhon, com clareza e coerência admiráveis e, no entanto, com prescrições notadamente divergentes. Ou, para tomar um exemplo recente, o filósofo político americano Robert Paul Wolff escreveu um pequeno ensaio, dedutivamente racional e excepcional no rigor com que defende o anarquismo (Wolff 1976). Porém, ele apresenta uma justificativa (que iremos examinar adiante) que se situa bem à margem da corrente principal do pensamento anarquista. As muitas visões diferentes da sociedade anarquista não são compatíveis, de forma alguma. Assim, enquanto alguns anarquistas defendem o individualismo completo e uns poucos propõem uma espécie de anarco-capitalismo, muitos defendem um comunismo abrangente. Enquanto muitos se opõem ao mercado, outros, como Proudhon, incorporaram os mercados num sistema de relações contratuais sem um Estado[1].

Apesar dessa diversidade, encontram-se algumas linhas comuns no pensamento anarquista. Sua ideia mais característica é, naturalmente, a indicada pelo próprio nome: *an* + *archos*, ou "sem governante". Como afirmei, os anarquistas tendem a concordar que o Estado, por ser coercivo, é indesejável e, portanto, deve – e ademais, pode – ser *inteiramente* substituído por associações voluntárias baseadas no consentimento contínuo. Esse "inteiramente" é o que distingue os verdadeiros anarquistas (no sentido que adoto para o termo aqui) de outros, como Robert Nozick, que se aproximam do anarquismo, mas relutam em abolir o Estado completamente e que, portanto, o reteriam numa forma mínima (Nozick 1974).

A oposição à existência de um Estado também distingue o anarquismo da desobediência civil ou da recusa, baseada em princípios, em obedecer às leis. Embora, às vezes, haja uma confusão entre essas posturas, a questão (1) – será que é racional, ou razoável, consentir com a existência de um Estado? – é muito diferente da questão (2) – se eu consentir com a existência de um Estado, devo sempre obedecer a ele? Uma vez que para os anarquistas a resposta à primeira questão é *não*, a segunda questão nem sequer se coloca. Mas outros, que respondem *sim* à primeira questão, poderiam, ainda razoavelmente, responder *não* à segunda, como veremos.

Embora não exista uma declaração canônica sobre essas questões, o vasto leque de ideias anarquistas pode servir de base para a construção de uma argumentação racional formada de quatro pressupostos e cinco conclusões. Desafiado por um democrata, um anarquista familiarizado com a teoria do anarquismo poderia argumentar da seguinte maneira:

Quatro pressupostos

QUANTO À OBEDIÊNCIA A UM MAU ESTADO
DEMOCRATA: Às vezes ouço você declarar ser o verdadeiro defensor das ideias democráticas. No entanto, você ataca democratas como eu, quando afirmamos que o melhor lugar para a democracia é no governo do Estado.
ANARQUISTA: Sim, sem dúvida. Não se pode transformar um Estado num bom Estado ao torná-lo democrático, assim como não é possível transformar um peixe podre num peixe fresco acrescentando-se-lhe um molho elaborado.
D: Se me permite dizê-lo, meu caro, sua metáfora não me cheira bem. Você parece crer que um Estado é inerentemente mau. Entretanto, não poderíamos levar uma vida decente sem um Estado.
A: Acho que quando você ouvir minha argumentação, acabará por aprovar minha metáfora. Estou bem certo de que concorda com meus pressupostos, e, ainda que não concorde, não sei como poderia discordar de minhas conclusões.
D: Vamos ver.
A: Meu primeiro pressuposto é: *ninguém tem a obrigação de apoiar um mau Estado nem de obedecer a ele.*
A força desse pressuposto provém do fato de que ele não é uma exclusividade do anarquismo; muito pelo contrário, constitui o núcleo comum de certas crenças generalizadas no mundo ocidental de hoje. Embora o apoio a esse pressuposto tenha uma história longa e complicada no pensamento ocidental, ele ganhou ampla aceitação atualmente, como tenho certeza de que irá concordar.

D: Eu não negaria isso. A ampla aceitação a que você se refere foi iniciada no Ocidente, não pelos anarquistas, mas sobretudo pelos cristãos.

A: Exatamente! A força de nosso argumento é que ele repousa em pressupostos que a maioria de nós aceita. Consideremos a ajuda do Cristianismo à defesa desse ponto de vista. Os cristãos se viram forçados (muitas vezes, literalmente) a responder à questão: que devo fazer se as regras ditadas pelo Estado entrarem em conflito com as regras que me são ditadas por Deus ou por minha consciência? Não quero entrar na história das respostas cristãs a essa questão, que é ampla e complexa, mas vale a pena relembrar que enquanto Tomás de Aquino, no século XIII, insistia que em algumas circunstâncias um cristão tinha não apenas o direito, mas também o dever de resistir à tirania, Lutero, no século XVI, argumentava que os cristãos deveriam obedecer até mesmo a um governo injusto. Entretanto, os conflitos religiosos dos séculos XVI e XVII, desencadeados por Lutero, tornaram impossível para todos os cristãos prestar obediência às ordens do Estado sem violar suas crenças como católicos ou protestantes. Em consequência disso, os cristãos deram uma guinada rumo à reafirmação da posição de Tomás de Aquino, às vezes numa linguagem ainda mais direta.

Por volta do século XVIII, ganhou terreno a ideia de que, para que as constituições e leis humanas pudessem ser legítimas e aceitáveis, elas não deveriam violar as "leis superiores" determinadas pela natureza e pelos direitos naturais. As revoluções francesa e americana ajudaram a legitimar a ideia de que as pessoas têm o direito natural a derrubar um Estado opressivo. Assim, quando o anarquismo foi reformulado num contexto moderno, no século XIX, a crença no direito moral de se revoltar contra um mau regime já era amplamente compartilhada, decerto pela maioria dos liberais e democratas. No século XX, o terror, a brutalidade e a opressão sistemáticos dos regimes totalitários converteram o que um dia talvez fora uma proposição defensável num pressuposto quase inconteste. Os democratas, liberais, conservadores, radicais, revolucionários, cristãos, muçulmanos, ateus e agnósticos – todos concordam conosco: ninguém tem a obrigação de apoiar um Estado perverso, nem de obedecer a ele.

Quanto à natureza dos Estados

D: Porém, a questão é que um Estado democrático não é um Estado perverso.

A: Por favor, não tire conclusões apressadas até que tenha ouvido o restante de minha argumentação. Meu segundo pressuposto é: *todos os Estados são coercivos*.

Também aqui nós, anarquistas, adotamos um pressuposto amplamente compartilhado. Hoje, na verdade, a coerção é geralmente considerada uma característica essencial da própria definição do que entendemos por *Estado*. Haja vista que, entre as características cruciais que distinguem um Estado de outras associações, está sua capacidade para impor sanções severas e até violentas – ou pelo menos regular a imposição dessas sanções – sobre as pessoas que estão dentro de seus limites e que violam as suas regras ou leis: sanções que, mesmo não sendo suficientes para coibir todos aqueles que porventura decidissem não obedecer a uma lei, são aplicadas coercivamente para punir os infratores que são presos e condenados[2].

D: Eu dificilmente contestaria uma proposição tão elementar. Como qualquer Estado, um Estado democrático utilizaria a coerção, se fosse necessário, para fazer valer as leis promulgadas de forma democrática.

Quanto ao mal da coerção

A: Fico satisfeito em ver que concordamos até agora, e estou certo de que você irá concordar com meu próximo pressuposto também. Este afirma, simplesmente, que *a coerção é intrinsecamente má*.

Mais uma vez, nós, anarquistas, adotamos um pressuposto que quase ninguém que tenha refletido sobre o assunto desejaria contestar. Imagino que você e eu possamos distinguir as coisas que julgamos ser *intrinsecamente* boas ou más (as coisas que acreditamos ser boas ou más em si mesmas) das coisas que podem ser *extrínseca* ou *instrumentalmente* boas ou más em determinadas circunstâncias. Certamente a maioria de nós consideraria a coerção intrinsecamente má.

D: Mas algo pode ser intrinsecamente mau e, no entanto, instrumentalmente justificável.

A: Você quer dizer que os fins justificam os meios?

D: Vejo a direção que esse debate está tomando, e aviso-o que voltarei a essa distinção entre o que é intrinsecamente bom ou mau e o que pode ser instrumentalmente justificável por ser essencial a um propósito bom.

A: Deixe-me discorrer um pouco sobre o mal intrínseco da coerção. Em geral, *coagir* significa forçar alguém a obedecer a uma exigência mediante o uso de uma ameaça crível de grave dano físico ou emocional àqueles que se recusarem a obedecer. Para conferir credibilidade à ameaça, geralmente ela tem de ser posta em prática contra um número significativo daqueles que desobedecem. À medida que a ameaça de coerção é bem-sucedida e os indivíduos são forçados a obedecer a leis às quais se opõem, as pessoas coagidas são privadas de sua liberdade – e, o que é pior, de sua liberdade de autodeterminação – e podem sofrer danos irreparáveis de muitas outras formas também. Se a ameaça não consegue impedir a desobediência e o desobediente é punido, o castigo geralmente resulta em profundo sofrimento físico, sob a forma de encarceramento ou algo pior. Argumentar que consequências como essas são boas *em si mesmas* ou neutras seria algo incrivelmente perverso. Se pudéssemos alcançar nossos fins sem o uso da coerção e da punição, a maioria de nós não ficaria feliz em descartar esses meios? O fato de que agiríamos assim é, talvez, a melhor prova do caráter intrinsecamente indesejável da coerção.

D: Não vou debater seu terceiro pressuposto. Ao contrário, nós, democratas, argumentamos que uma das razões pelas quais o *Estado* deve ser democrático é precisamente o fato de que o Estado não é uma organização puramente voluntária. Por possuir a capacidade de coerção, o Estado é potencialmente perigoso. Para garantir que o enorme potencial de coerção do Estado seja utilizado para o bem público, e não para o prejuízo público, a democracia é infinitamente mais importante para o Estado que para qualquer associação privada ou não estatal.

Quanto às alternativas

A: É nesse ponto que nossos caminhos se separam. Enquanto meus pressupostos anteriores são moeda corrente no pensamento moderno, o quarto pressuposto obviamente não é: *uma sociedade sem Estado é uma alternativa viável a uma sociedade com Estado.*

D: Seu quarto pressuposto é absolutamente essencial. Sem ele, o anarquismo simplesmente apresentaria um problema filosófico para o qual não teria uma solução.

A: Concordo, sem dúvida. É esse último pressuposto, juntamente com a primeira das conclusões que agora quero instar a você, que dá substância à visão anarquista de uma sociedade na qual os indivíduos autônomos e as associações estritamente voluntárias desempenham todas as atividades necessárias para uma boa vida. Nós, anarquistas, nos opomos a todas as formas de hierarquia e coerção, não somente no Estado, mas em todos os tipos de associações.

Cinco conclusões

D: Quero contestar a validade de seu quarto pressuposto. Mas primeiro, quero ouvir o restante de sua argumentação.

A: Não posso falar em nome de outros anarquistas. Ninguém pode. Mas acredito que é de pressupostos como esses (muitas vezes mais insinuados que afirmados) que nós, anarquistas, tendemos a tirar certas conclusões. Vou expor minhas conclusões de um modo mais esquemático do que a maioria dos anarquistas acharia aceitável e vou até mesmo despir minha argumentação do ardente senso de justiça, indignação e humanidade que dá tanta força a muitos escritos anarquistas. Permita-me resumir, rapidamente, algumas proposições com as quais a maioria dos anarquistas concordaria.

Uma vez que todos os Estados são necessariamente coercivos, todos os Estados são necessariamente maus.

Uma vez que todos os Estados são necessariamente maus, ninguém tem a obrigação de obedecer a nenhum Estado, tampouco de apoiá-lo.

Uma vez que todos os Estados são maus, uma vez que ninguém tem a obrigação de obedecer a nenhum Estado, nem de apoiá-lo, e uma vez que uma sociedade sem Estado é uma alternativa viável, todos os Estados devem ser abolidos.

Por conseguinte, nem mesmo um processo democrático se justifica se ele meramente fornece procedimentos, como o domínio da maioria, para fazer algo que é inerentemente errado: permitir a algumas pessoas que coajam outras. O Estado democrático ainda é um Estado; ainda é coercivo e mau.

Uma vez que o requisito de unanimidade evitaria a coerção, as associações poderiam ser justificadas se suas decisões exigissem a unanimidade. Portanto, um processo democrático também seria justificável se exigisse a unanimidade. Mas como o requisito de unanimidade garantiria que ninguém jamais seria coagido, uma associação na qual as decisões fossem tomadas por unanimidade não seria um Estado.

A defesa do anarquismo de Wolff

A defesa do anarquismo feita por Robert Paul Wolff não difere significativamente da argumentação apresentada pelo anarquista fictício do diálogo anterior, mas, além de utilizar um método diferente, ela é excepcionalmente compacta e lúcida; por isso, merece uma atenção especial. A argumentação de Wolff pode ser resumida do seguinte modo[3]:

O Estado

A característica distintiva do Estado é a autoridade suprema. A autoridade é o direito de comandar e ser obedecido.

Nesse sentido, a autoridade deve ser distinguida do poder, que é a capacidade de obter a submissão pelo uso, ou pela ameaça de uso, da força. Da mesma forma, a obediência à autoridade deve ser distinguida da anuência às ordens motivada pelo medo das consequências de uma recusa em obedecer, pela prudência, pela expectativa de efeitos benéficos dela advindos ou mesmo pelo reconhecimento da força de um argumento ou da correção de uma prescrição. A autoridade diz respeito ao *direito* de comandar e à obrigação correlata: obedecer à pessoa que emite a ordem. É uma questão de obedecer *"porque isso é uma ordem"*.

Em seu sentido prescritivo (e não descritivo), o Estado é um grupo de pessoas que detêm o *direito* de exercer a autoridade suprema dentro de um território. E obedecer à autoridade de um Estado (no sentido prescritivo) significa fazer o que os funcionários do Estado lhe dizem para fazer, tão somente *"porque eles mandaram"*.

Responsabilidade e autonomia moral

Os seres humanos adultos são (a) metafisicamente livres, ou possuem o livre-arbítrio, no sentido de que são capazes, até certo ponto, de escolher como irão agir, e (b) possuem a capacidade de raciocinar. Consequentemente, são responsáveis por suas ações. Assumir responsabilidade envolve determinar o que se deve fazer, o que por sua vez exige a aquisição de conhecimento, uma reflexão sobre os motivos, a previsão de resultados, uma crítica dos princípios e assim por diante.

Como a pessoa responsável toma decisões morais que, em seguida, expressa para si própria por meio de imperativos, podemos dizer que essa pessoa promulga suas próprias leis, ou é autolegislativa (ou, ainda, autodeterminante). Em suma, ela é *autônoma*.

A pessoa autônoma não está sujeita à vontade do outro. Pode agir de acordo com as ordens de outrem, mas não *porque* assim lhe foi ordenado.

A responsabilidade e a autonomia diferem nesse aspecto crucial: a autonomia pode ser confiscada, mas a responsabilidade não. Uma vez que a responsabilidade é uma consequência da capacidade de escolha do ser humano, ninguém pode desistir ou ser privado da responsabilidade por seus atos. Todavia, as pessoas podem se recusar a admitir suas ações ou a assumir a responsabilidade por elas. Consequentemente, uma vez que a autonomia moral é simplesmente a condição de assumir integralmente a responsabilidade pelas próprias ações, disso resulta que os homens podem privar a si próprios de sua autonomia, a seu critério. Ou seja, uma pessoa pode decidir obedecer às ordens de outrem sem fazer qualquer esforço para determinar por si mesma se o que foi ordenado é bom ou sábio.

Há muitas formas e graus de confisco da autonomia. Não obstante, se reconhecemos a responsabilidade por nossas ações e o poder da razão dentro de nós, devemos também reconhecer a obrigação contínua de nos tornar os autores das ordens às quais podemos obedecer.

Autonomia versus *Estado*

A marca registrada do Estado é a autoridade, o direito de governar. A obrigação primária do homem é a autonomia, a recusa em ser governado. Portanto, pode não haver solução para o conflito entre a autonomia do indivíduo e a suposta autoridade do Estado.

Se todos os homens têm a obrigação constante de alcançar o grau mais alto possível de autonomia, aparentemente não haveria nenhum Estado cujos sujeitos tivessem a obrigação moral de obedecer a suas ordens. Por conseguinte, o anarquismo filosófico pareceria ser a única crença política razoável para uma pessoa esclarecida.

Uma crítica do anarquismo

Como a ideia da democracia nos primórdios da Grécia clássica e, mais tarde, nos séculos XVII e XVIII na Europa e na América, o anarquismo apresenta uma visão insólita das possibilidades humanas: uma sociedade na qual desapareceu a principal instituição de coerção organizada. Seria fácil e conveniente descartar essa visão como absolutamente impraticável se não fosse pelo fato bem conhecido de que as ideias revolucionárias dos visionários pouco práticos de uma época às vezes se tornam a ortodoxia da época seguinte. Os democratas, em particular, não precisam ser lembrados que a democracia foi muitas vezes descartada por seus críticos como uma absurda e rematada insensatez. Na verdade, há pouco mais de dois séculos, a maioria dos próprios democratas teria afirmado – e muitos afirmaram mesmo – que aplicar a democracia ao Estado nacional era impossível.

No entanto, apesar de nossa capacidade imperfeita de prever as mudanças humanas, ao avaliar o anarquismo, não podemos evitar alguns juízos sobre as tendências e possibilidades humanas. A visão anarquista, em particular, suscita quatro questões:

Ainda que a coerção seja intrinsecamente má, poderia o uso da coerção ser razoavelmente justificado em algumas circunstâncias?
Ainda assim, seria razoável estabelecer um Estado?
Ainda assim, estaríamos sempre obrigados a apoiar a existência de um Estado?
E mesmo partindo do pressuposto de que vivemos num Estado bom ou satisfatório, devemos sempre obedecer às suas leis?

Embora, a rigor, alguém pudesse decidir aceitar ou rejeitar o anarquismo sem responder às duas últimas questões, confrontá-las ajuda a delimitar nossas considerações acerca dos problemas que o anarquismo postula para a teoria e a prática democráticas.

Quanto à justificabilidade da coerção

Como afirmei anteriormente, os dois componentes cruciais da visão anarquista são o pressuposto de que existe uma alternativa ao Estado e a conclusão de que os Estados são necessariamente maus porque são coercivos. Vamos refletir sobre ambos na ordem inversa.

Será a coerção, ainda que intrinsecamente má, ocasionalmente justificável? A resposta depende de juízos morais e empíricos. Embora estes sejam quase sempre interdependentes até certo ponto, podemos distinguir, *grosso modo*, duas categorias diferentes de juízos.

Em primeiro lugar, precisamos avaliar qual seria a probabilidade de ocorrer coerção *mesmo sem um Estado*, ou seja, caso existissem pessoas num "estado de natureza", como gostavam de dizer os filósofos políticos dos séculos XVII e XVIII que se defrontaram com essa mesma questão. Suponhamos, por exemplo, que as pessoas num estado de natureza descubram que alguém nas suas redondezas é um transgressor que simplesmente não se abstém de causar graves danos a outrem. Apesar dos melhores esforços de seus pares, nem a razão, a discussão, a persuasão, a opinião pública, nem a sanção final do ostracismo social conseguem dissuadi-lo de perpetrar danos. Seus pares finalmente concluem que ele continuará a fazer mal a não ser que seja contido à força ou ameaçado de grave dano (ou seja, coagido). Num caso extremo, talvez esse transgressor recalcitrante usasse armas para se apossar dos bens de outrem, cometesse estupros, escravizasse outra pessoa, participasse de torturas e assim por diante. Mas se existissem transgressores recalcitrantes numa sociedade sem Estado, surgiria um dilema para todos aqueles que acreditassem que a coerção não pode ser permitida porque é intrinsecamente má: quer os transgressores fossem coercivamente contidos, quer não, a coerção seria empregada – pelos transgressores ou por aqueles que os contivessem.

O dilema ficaria ainda mais agudo se diversos transgressores recalcitrantes acumulassem recursos que lhes permitissem controlar terceiros mediante o uso criterioso de recompensas e punições. Assim, um pequeno grupo de transgressores poderia dominar alguns de seus pares. A partir do domínio de poucos, poderiam obter o controle de mais pessoas, até que finalmente subjugassem toda a sociedade. Com efeito, os transgressores teriam empregado a coerção para criar um Estado – um "Estado bandido", por assim dizer[4].

Os anarquistas asseveram que se o Estado não existisse, a coerção logo desapareceria ou declinaria a um nível aceitável. Obviamente, esse juízo empírico é crucial para a validade de seu argumento. Se eles estiverem errados, se em vez disso a coerção tivesse grande probabilidade de persistir mesmo na ausência do Estado, e se a característica mais marcante do anarquismo – a erradicação do Estado – é postulada como um meio para evitar a coerção, então seu dilema não teria solução, e a defesa do anarquismo ficaria, no mínimo, profundamente enfraquecida. Inversamente, se os anarquistas estiverem enganados quanto à probabilidade de haver coerção na ausência do Estado, o argumento a favor da criação de um Estado bom ou satisfatório, tendo em vista restringir e regular a coerção, será consideravelmente fortalecido. Se alguém concluísse que, no saldo final, os ganhos advindos da criação do Estado tenderiam a exceder os custos, seria razoável, sob uma perspectiva utilitária, optar pelo Estado.

O segundo tipo de juízo que precisamos fazer é, por conseguinte, um juízo essencialmente moral. Embora nem todos avaliem a coerção sob uma perspectiva utilitária, caso se conclua que a coerção tenderia a existir até mesmo na ausência do Estado, seria necessário questionar se, e em quais circunstâncias, o uso da coerção seria justificável. Até mesmo os anarquistas discordam entre si na resposta a essa questão. Segundo alguns deles, como Bakunin, a violência coerciva é justificável e necessária na causa suprema da derrocada do Estado. Mas outros anarquistas, como Leon Tolstoi, acreditam que a coerção e a violência nunca se justificam; de acordo com esse ponto de vista, a única postura coerente para um anarquista é aderir estritamente a uma doutrina de não violência (Carter 1978).

A dificuldade do primeiro ponto de vista é que, se a coerção se justifica como meio de derrubar o Estado, segue-se que a coerção deve ser justificável se for utilizada para fins suficientemente bons ou importantes. Sendo assim, a coerção certamente poderia se justificar para a coibição de transgressores recalcitrantes, particularmente se o objetivo deles fosse a criação de um Estado bandido. Além disso, se o motivo para derrubar o Estado fosse não apenas a abolição da coerção, mas também a conquista de outros bens como a liberdade, a igualdade, a segurança e a justiça – segundo a crença da maioria dos anarquistas – então não seria a coerção justificável se fosse empregada para alcançar esses mesmos bens? Em suma, se a objeção à coerção como um meio não é absoluta, mas depende das consequências, não seria justificável procurar criar um Estado democrático e apoiar a sua existência de modo a maximizar a liberdade e a justiça, minimizar a coerção privada exercida sem controle e prevenir o desenvolvimento de um Estado bandido?

O ponto de vista alternativo, segundo o qual a violência e a coerção são absolutamente proibidas para quaisquer fins, herdou pelo menos duas dificuldades. Em primeiro lugar, se de toda maneira a coerção tenderá a ser empregada pelos transgressores, esse ponto de vista é contraditório. Pois ou se permite o uso da coerção pelos transgressores ou se permite seu uso para impedir os transgressores de utilizá-la. Todavia, uma posição moral contraditória a ponto de deixar as pessoas sem orientação para as escolhas mais elementares é uma posição indefensável. Em segundo lugar, por que o impedimento da coerção haveria de ser um fim supremo que dominasse todos os outros fins? O que torna a não coerção superior à justiça, à igualdade, à liberdade, à segurança, à felicidade e a outros valores? Se qualquer um desses fins é superior à não coerção, não seria a coerção justificável nas situações em que ela fosse o único meio de atingir o valor superior? Alternativamente, se alguém acredita que o mundo dos valores não é dominado por um único fim absoluto, mas é, na expressão de William James, um universo pluralista, deve não obstante fazer juízos de ponderação entre a coerção e os outros valores.

Quanto à necessidade de um Estado

Há pouco, aventei a possibilidade de se optar pela criação do Estado a pretexto de que, ante a probabilidade da persistência de algum grau de coerção mesmo na ausência do Estado, as vantagens da coerção estatal reguladora poderiam superar as desvantagens. Pode-se argumentar, porém, que as vantagens *não* necessariamente superariam as desvantagens e que, mesmo se houvesse violência e coerção ocasionais, uma sociedade sem Estado e composta exclusivamente de associações voluntárias seria, no geral, preferível às compulsões de um Estado. Muitos anarquistas acreditam que o comportamento sociopata não é inevitável e sim criado, porque as pessoas são socializadas de modo a se comportar em conformidade com as exigências dos Estados e dos sistemas socioeconômicos por eles mantidos. Consequentemente, sustentam os anarquistas, se os Estados fossem eliminados e certos arranjos sociais e econômicos decentes, implantados, a vergonha, as reprimendas públicas, o afastamento e o ostracismo reduziriam a transgressão a níveis toleráveis. Portanto, no saldo geral, uma sociedade sem Estado seria melhor que uma sociedade com Estado.

É verdade que os seres humanos alcançaram, às vezes, uma existência tolerável, talvez até mesmo altamente satisfatória, sem o Estado. A julgar pelas descrições etnográficas, muitas tribos ágrafas podem ter conseguido isso. Graças a uma adaptação impressionante e altamente benévola a um ambiente inclemente e perigoso, os Inuit (esquimós) do norte do Canadá evidentemente existiram durante muitos séculos – até poucas gerações atrás – sem um Estado. Tipicamente, viviam em grupos diminutos de cerca de uma dúzia de famílias, unidos por laços múltiplos de parentesco, cultura, religião, mito e sina comum. Fazia-se frente à transgressão das regras importantes com a vergonha, o ridículo, a maledicência e, ocasionalmente, o ostracismo. Embora a violência individual fosse rara, ela não deixava de ocorrer. Entretanto, os laços sociais dos Inuit e seu uso das sanções sociais ocasionaram um alto grau de conformidade às regras e normas básicas, e as relações entre os membros do grupo parecem ter sido bem mais ordeiras e pacíficas do que as relações nas sociedades com um Estado, de qualquer época.

No entanto, ainda que alguns anarquistas românticos possam imaginar nosso retorno à autonomia dos grupos minúsculos de algumas sociedades ágrafas, esse retrocesso à primeira infância da espécie humana parece ser impossível – a não ser que haja um cataclisma, algo a que ninguém em sã consciência aspira – e, se não é impossível, é altamente indesejável. Como voltarei a esse tema no capítulo 13, no qual confrontaremos os problemas da escala e do Estado nacional, vou simplesmente mencionar três motivos para isso. Em primeiro lugar, o mundo já está populoso demais para dar espaço à autonomia; afinal de contas, os Inuit eram poucos e viviam num território gigantesco, que outros povos pensavam ser uma área desolada e inabitável. Em segundo lugar, uma multiplicidade de interdependências não pode ser rompida sem custos altíssimos, que poucas pessoas iriam aceitar.

Em terceiro lugar, o planeta praticamente inteiro já está ocupado por Estados. Ao longo de toda a história, os pequenos grupos autônomos de pessoas têm sido extraordinariamente vulneráveis à conquista e à absorção pelos Estados maiores, um fenômeno que perdura até hoje. Portanto, ou o retorno a uma vida de pequenos grupos autônomos sem Estado teria de ocorrer quase simultaneamente por todo o mundo ou alguns Estados continuariam a existir, com sua excepcional capacidade e propensão para a conquista e a absorção. Se o anarquismo exige a primeira hipótese, isso significa que ele precisa ser posto de lado, sendo considerado, no máximo, uma fantasia atraente. Se não é isso que o anarquismo exige, ele precisa demonstrar por que os Estados haveriam de permitir que um grupo pequeno e independente existisse em alguma parte da Terra, com a possível exceção de alguns dos lugares mais remotos e inóspitos do globo, onde quase ninguém – e provavelmente bem poucos defensores do anarquismo – gostaria de viver.

Em suma, os seguintes juízos parecem razoáveis:

1. Na ausência do Estado, algumas formas altamente indesejáveis de coerção provavelmente persistiriam.
2. Numa sociedade sem Estado, alguns membros poderiam, ainda assim, adquirir recursos suficientes para criar um Estado altamente opressivo.
3. Um certo grau de controle social, suficiente para evitar a criação de um Estado, aparentemente exige que uma associação seja altamente autônoma, muito pequena e unida por múltiplos laços.
4. Criar associações desse tipo numa escala significativa no mundo de hoje parece ser impossível ou altamente indesejável.

Esses juízos reforçam a conclusão de que *seria melhor tentar criar um Estado satisfatório que tentar existir numa sociedade sem Estado.*

Objeções à argumentação de Wolff

Embora a argumentação de Wolff se afaste da corrente principal do pensamento anarquista, ela encontra, não obstante, algumas dificuldades semelhantes. Mencionarei cinco deficiências em sua argumentação[5].

1. No esquema de Wolff, a contradição entre a autonomia moral e o Estado existe *por definição*. Portanto, de saída, a procura de Wolff por uma solução está condenada ao fracasso, pois tendo em vista o modo como o problema é apresentado, logicamente ele não pode ter solução. Porém, em consequência de sua definição de autoridade, sua argumentação provavelmente faz um estrago maior do que ele imaginou. Pois, segundo Wolff, não é somente o Estado que é incompatível com a autonomia moral: o mesmo ocorre com

todo tipo de autoridade. Ao definir a autoridade como um direito à obediência impensada, irrefletida, robotizada, Wolff é confrontado logicamente por uma escolha entre, de um lado, um mundo de robôs sujeitos à autoridade e, de outro, um mundo de seres humanos que, embora não sujeitos a nenhuma autoridade qualquer, exercem responsavelmente a sua autonomia moral.

2. Consequentemente, Wolff fracassa, como seria de se esperar, em sua tentativa de demonstrar que a autoridade e a autonomia poderiam se reconciliar num Estado governado por uma democracia direta e unânime.

> Sob a democracia direta e unânime, todos os membros da sociedade validam, por seu livre-arbítrio, cada lei que é efetivamente aprovada. Assim, como cidadãos, eles se defrontam apenas com leis com as quais consentiram. Uma vez que um homem constrangido apenas pelos ditames de seu próprio arbítrio é um homem autônomo, segue-se que, sob as diretrizes da democracia direta e unânime, os homens podem harmonizar o dever da autonomia e as ordens emanadas da autoridade (23).

Mas a "autoridade", aqui, não é a "autoridade" daquela definição anterior: obedecer a alguém *"porque ele mandou"*. Ou a vontade à qual se obedece é nada mais, nada menos que a vontade própria, caso no qual não ocorre nenhum exercício da autoridade, ou então se está sujeito à autoridade dos pares, caso no qual não existe uma ação autônoma. Embora Wolff lute para escapar desse dilema, ele simplesmente não consegue fazer isso, pois já bloqueou todas as rotas de saída possíveis[6]. Wolff finalmente rejeita a solução da democracia direta e unânime por ser inviável, exceto sob condições altamente improváveis. Não lhe resta, portanto, nenhuma solução viável. Mas ele não reconhece que a democracia direta e unânime, mesmo que fosse viável, não seria uma solução para o problema da forma como ele o apresentou.

3. Se realmente fosse verdade que a autoridade e o Estado são fundamentalmente incompatíveis com a autono-

mia, que mal haveria então em sacrificar um pouco a autonomia moral? Wolff apresenta a autonomia como um valor absoluto, ao qual todos os outros devem dar passagem. Mas por que devem a felicidade, a justiça, a liberdade pessoal, a igualdade, a segurança e todos os outros valores ceder ao valor supremo da autonomia? Acaso é a autonomia um bem em si ou, até certo ponto, será ela um bem somente na medida em que é posta a serviço da escolha responsável de boas finalidades? Mas se a autonomia e o Estado provam ser meios necessários para maximizar essas finalidades, será que as pessoas não poderiam exercer responsavelmente a própria autonomia decidindo criar o melhor Estado possível? Wolff não considera seriamente essa possibilidade, pois já a excluiu, por definição, desde o princípio.

4. Mas ao excluir essa possibilidade, Wolff propõe um falso problema. Acaso existe alguém que defenda seriamente a ideia de que a autoridade ou o Estado exigem uma obediência irracional?

A ação moral sempre ocorre dentro de limites, muitos dos quais – provavelmente a maioria deles – estão além do controle do autor da ação. Tal qual a liberdade absoluta e ilimitada, a autonomia ilimitada é impossível. Isso Wolff admite. A autonomia moral não é uma constante, e sim uma variável; ela não é tudo ou nada, 0 ou 1, e sim uma propriedade ou um bem que alguém poderia, por assim dizer, procurar maximizar dentro de limites razoáveis. Por exemplo, uma pessoa pode prescindir de um certo grau de autonomia em favor de seu médico, nos assuntos de saúde. "Do exemplo do médico, fica evidente que há ao menos algumas situações nas quais é razoável abrir mão da própria autonomia" (15)[7]. Mas não seria a ausência de um Estado exatamente uma dessas situações nas quais é razoável abrir mão de um certo grau de autonomia? Caso eu possa, dentro dos limites definidos pelas circunstâncias nas quais existo, *maximizar* minha autonomia ao optar por criar e apoiar um Estado, não seria perfeitamente razoável fazê-lo? Com efeito, não seriam essas as circunstâncias nas quais, como um ser humano responsável, eu *deveria* fazê-lo?

5. É evidente, portanto, que para agir responsavelmente, devo comparar as alternativas que me são disponibilizadas e formar um juízo das condições nas quais eu poderia maximizar minha autonomia moral ou, digamos, as condições que irão minimizar os limites da minha capacidade de exercer a autonomia moral. Dada a experiência humana, posso concluir razoavelmente que, numa sociedade sem Estado, os limites da minha autonomia moral, bem como minha capacidade para atingir outros fins, seriam bem maiores do que num Estado democrático. Uma das razões, entre outras, é que eu poderia estar sujeito à volição arbitrária de outrem – de transgressores recalcitrantes, fechados à dissuasão, minha ou de pares solidários com a minha situação difícil. Se eu concluísse que as ações de terceiros numa sociedade sem Estado reduziriam minha autonomia em maior grau que um Estado democrático, na medida em que considero a autonomia moral um bem desejável, eu poderia, racional e responsavelmente, decidir optar por um Estado democrático[8].

Ao procurar construir o edifício do anarquismo sobre as fundações da responsabilidade e da autonomia moral, Wolff é, em última análise, autocontraditório. Pois é perfeitamente razoável concluir que, exceto em circunstâncias extraordinárias e raramente atingíveis em nosso mundo, se desejamos maximizar a autonomia, nossa única opção racional e responsável é procurar o melhor Estado possível. Se um Estado democrático é o melhor Estado possível (o que provavelmente poucos anarquistas poderiam negar), por conseguinte, o modo mais responsável de exercer nossa autonomia moral é optar por um Estado democrático.

Quanto à obediência

Enquanto um anarquista poderia querer que rejeitássemos qualquer Estado, até mesmo um Estado democrático, por considerá-lo pior que a ausência do Estado, alguns oponentes do anarquismo nos pediriam que aceitássemos qualquer Estado, até mesmo um Estado autoritário, como algo muito melhor que a ausência total do Estado. Todavia, para um democrata, a rejeição da primeira posição não implica a adoção da segunda. A asserção democrática é apenas a de que é melhor escolher um Estado democrático que qualquer outro Estado ou que Estado nenhum. Essa afirmação democrática deixa em aberto a questão de como deve agir alguém que vive sob o domínio de um Estado não democrático. As decisões exigiriam que se avaliassem as alternativas em razão da prudência, dos princípios e das probabilidades. Mas o princípio de que ninguém é obrigado a apoiar ou obedecer a um mau Estado certamente se aplicaria a este caso.

Pela lógica, ao optar pelo apoio a um Estado democrático como a melhor alternativa, também se opta pela obediência às suas leis? Presume-se que alguém poderia optar por um Estado democrático com base em considerações fundamentadas puramente na prudência ou no oportunismo, sem nenhuma intenção de obedecer a lei alguma exceto por razões de prudência ou oportunidade. Contudo, seria altamente irracional optar por um Estado democrático sem aceitar qualquer obrigação de obedecer às suas leis. Pois a existência de um processo democrático pressupõe não apenas um corpo de direitos legais e morais, mas também um corpo correlato de deveres, isto é, de obrigações quanto à preservação desses direitos. Seria logicamente contraditório optar por ser governado por um processo democrático e recusar-se a apoiar os requisitos essenciais desse processo. Como retornaremos a essa questão no capítulo 10, não me estenderei mais sobre ela aqui.

Porém, seria um dever moral obedecer a *todas* as leis sancionadas pelo processo democrático? Não creio que ao optar pelo processo democrático e, consequentemente, por seus requisitos essenciais, eu esteja igualmente obrigado a obedecer a todas as leis devidamente sancionadas através desse processo. Numa sociedade diversificada, na qual me descubro parte de uma minoria em certas questões, a maioria (ainda que qualificada) poderia promulgar uma lei que me mandasse fazer ou deixar de fazer algo que violasse meus compromissos morais mais profundos. Eu me veria, então, diante de um conflito entre minhas obrigações. Para agir responsavelmente, eu teria de ponderar as alternativas e suas consequências e depois pesar, da melhor maneira possível, as consequências da obediência e da desobediência, incluindo seus efeitos sobre o respeito às leis. Embora o problema da desobediência civil seja complexo e exija mais atenção do que lhe posso dar aqui, é possível afirmar que seria bastante razoável optar por desobedecer à lei numa situação desse tipo[9].

Em resumo: se tenho a oportunidade de optar; se opto por apoiar um Estado governado pelo processo democrático – por crer que um Estado democrático é melhor que nenhum ou qualquer outro Estado –, isso não significa que eu também tenha de optar por me tornar um robô obediente. Posso aceitar a "autoridade" e a "legitimidade" morais de um Estado democrático sem abrir mão, em absoluto, da minha obrigação de agir responsavelmente quando é promulgada uma lei que viola gravemente meus padrões morais. E às vezes a responsabilidade pode exigir que eu desobedeça a uma lei, ainda que sancionada pelo processo democrático.

*

Embora a crítica anarquista da democracia não seja convincente, é importante reconhecer seus pontos fortes. Como observamos, vários de seus pressupostos são compartilhados por muitas pessoas, entre elas os defensores da democracia. Além disso, ao retratar a possibilidade de uma sociedade sem Estado, o anarquismo nos lembra que a coerção legalizada como forma de controle social está quase sempre à margem da maioria das sociedades e sempre à margem da ordem democrática. A crítica anarquista chama a atenção para as implicações importantes e muitas vezes semiocultas da teoria e da prática democráticas. Aplicado ao governo de um Estado, o processo democrático pode reduzir, mas não exorcizar completamente, a capacidade coerciva do Estado. A não ser que a unanimidade prevaleça, a democracia no Estado pode requerer, e na prática requer, a coerção daqueles que, de outra forma, desobedeceriam. A crítica anarquista também nos lembra que é difícil e, na prática, talvez impossível governar com o consentimento de todos. O verdadeiro consentimento teria de ser contínuo – ser o consentimento dos vivos sujeitos às leis neste momento, não dos mortos que as sancionaram. Ora, uma pessoa racional e responsável sempre tratará o consentimento não como algo absoluto e irrevogável, mas como contingente. No entanto, nenhum Estado, passado ou presente, alcança totalmente o consentimento contínuo.

Portanto, o que a crítica anarquista nos diz é que todos os Estados foram, são e talvez sempre serão imperfeitos. Os melhores Estados não existem no universo das formas perfeitas de Platão, e sim no universo das melhores formas que se pode alcançar. É neste último universo que o anarquismo oferece um critério para avaliar os Estados. Ao argumentar que todos os Estados são igual e absolutamente maus, o anarquismo não é tanto uma filosofia *política* quanto uma doutrina *moral* que sustenta que as sociedades podem ser julgadas relativamente boas ou más dependendo de o quanto maximizam o consentimento e minimizam a coerção. No limite, portanto, numa sociedade perfeita, a coerção cessaria de existir e as decisões sempre teriam o consentimento de todos.

E acaso isso também não faria parte da visão democrática? Num diálogo com um anarquista ponderado, um democrata também poderia acrescentar algo assim:

Se você acredita que a coerção não existiria numa sociedade perfeita ou ideal, não posso discordar. Mas não vivemos, e provavelmente nunca viveremos, numa sociedade perfeita. Ao contrário, provavelmente continuaremos a viver num mundo imperfeito, habitado por seres humanos imperfeitos – ou seja, humanos. Portanto, a não ser que sua sociedade venha a existir, e não antes disso, a melhor sociedade possível teria de ser o melhor Estado possível. A meu ver, o melhor Estado possível seria aquele que minimizasse a coerção e maximizasse o consentimento, dentro de limites definidos pelas condições históricas e pela busca de outros valores, entre os quais a felicidade, a liberdade e a justiça. A julgar por fins como esses, creio que o melhor Estado seria um Estado democrático.

Capítulo 4
A *guardiania*

O governo dos guardiães é uma perene alternativa à democracia. Segundo essa concepção, é absurdo imaginar que se possa confiar que as pessoas comuns entendam e defendam seus próprios interesses, quanto mais os interesses da sociedade em geral. As pessoas comuns, insistem esses críticos, são claramente desqualificadas para se governar. Afirmam ainda os críticos que a pressuposição dos democratas de que as pessoas comuns são qualificadas deveria ser substituída pelo pressuposto contrário: o de que o governo deve ser confiado a uma minoria de pessoas especialmente qualificadas para governar em razão de seu conhecimento e de sua virtude superiores.

Apresentada em sua forma mais bela e duradoura por Platão na *República*[1], a guardiania sempre exerceu uma atração poderosa ao longo da história da humanidade. Embora seja bem possível que uma democracia rudimentar tenha existido por milênios entre nossos ancestrais caçadores-coletores, na história escrita a hierarquia[2] é mais antiga que a democracia. Como ideia e prática, nos registros históricos a hierarquia é a regra, e a democracia, a exceção. Mesmo no final do século XX, quando, da boca para fora, se fala quase universalmente da legitimidade do "governo do povo", somente uma minoria dos países e pessoas em todo o mundo é governada por regimes que poderiam ser classificados como "democracias", num sentido moderno. Na prática, portanto, a hierarquia é o rival mais temível da democracia; e sendo a pretensão de guardiania uma justificativa convencional para o governo hierárquico, o rival mais temível da democracia, como ideia, é a guardiania.

Mais uma questão: embora a ideia da guardiania seja frequentemente utilizada em sua forma mais vulgar como uma justificativa para regimes autoritários corruptos, brutais e ineptos de todos os tipos, os argumentos em sua defesa não desmoronam simplesmente em razão dos abusos práticos. Quando as ideias democráticas são submetidas ao mesmo árduo teste, descobre-se que também elas, na prática, não fazem jus ao que prometem. Para um juízo da democracia e da hierarquia, é pertinente conhecer não só os piores fracassos de ambas, mas também seus exemplos mais bem-sucedidos, bem como a viabilidade e a conveniência relativas de seus padrões ideais.

Visões da guardiania

A ideia de guardiania, em muitas roupagens diferentes, atraiu uma grande variedade de pensadores e líderes políticos em muitas partes do mundo ao longo da maior parte da história. Se Platão é responsável pelo exemplo mais conhecido, o ideal prático de Confúcio, nascido mais de um século antes de Platão, exerceu uma influência mais profunda sobre muito mais gente e persiste até hoje, firmemente enraizado nas culturas de diversos países, inclusive a China, onde compete com o marxismo e o leninismo de forma vigorosa, mas nem sempre explícita, pela consciência política. Os nomes de Marx e Lênin nos remetem a uma outra versão da guardiania, talvez ainda mais surpreendente: a doutrina de Lênin sobre o partido de vanguarda, escorado num conhecimento especial das leis da história e, por conseguinte, investido de uma pretensão também especial – com efeito, única – ao governo. Finalmente, há um exemplo mais obscuro, um exemplo sem muita influência sobre o mundo, mas interessante porque revela um pouco da variedade de formas que o apelo da guardiania pode assumir. O que tenho em mente é a utopia esboçada pelo ilustre psicólogo B. F. Skinner em *Walden Two*.

Para Platão, o conhecimento político constituía a ciência soberana, a arte suprema: "Nenhuma outra arte ou ciência terá um direito superior ou melhor que a ciência soberana do cuidado da sociedade humana e do governo dos homens em geral" (*O político*, em *Dialogues* II, Jowett, trad. ingl., parágr. 276, p. 303). A essência da arte e da ciência da política é, naturalmente, o conhecimento do bem da comunidade, a pólis. Assim como nem todos os homens têm o mesmo grau de excelência como médicos ou pilotos, alguns homens são superiores aos outros em seu conhecimento da arte política. E assim como a excelência de um médico ou de um piloto requer treinamento, também os homens e mulheres devem ser cuidadosamente selecionados e rigorosamente treinados para que possam alcançar a excelência na arte e ciência da política. Os guardiães não só devem ser completamente devotados à busca da verdade e, como verdadeiros filósofos, discernir mais claramente que todos os outros homens o que é melhor para a comunidade, mas também devem ser totalmente dedicados a atingir esse fim e, portanto, não possuir nenhum interesse próprio que seja incompatível com o bem da pólis. Assim, eles aliariam a busca da verdade e o conhecimento, que caracterizam os verdadeiros filósofos, à dedicação de um verdadeiro rei ou de uma verdadeira aristocracia – se é que algo assim pode existir – ao bem da comunidade por eles governada.

Obviamente, é improvável que o governo de reis-filósofos se concretizasse por acaso. Criar tal república e uma classe de guardiães para governá-la exigiria um cuidado excepcional, incluindo, certamente, muita atenção à seleção e à educação dos guardiães. Entretanto, se uma república assim viesse a existir, seus cidadãos, reconhecendo a excelência dos governantes e seu comprometimento inabalável com o bem da comunidade, lhes dariam seu apoio e sua fidelidade. Nesse sentido, não na linguagem de Platão, mas na linguagem das ideias democráticas modernas, poderíamos dizer que o governo dos guardiães se beneficiaria do consentimento dos governados.

Dar um salto de mais de dois mil anos à frente para as ideias de Lênin é como adentrar um mundo e uma visão de mundo tão diferentes dos de Platão que pode parecer que as semelhanças entre essas visões foram exageradas a ponto de não corresponder em absoluto à realidade. Ainda que a manifestação leninista dessa visão de mundo desaparecesse, penso que a ideia nela expressa ressurgiria, como certamente irá acontecer, numa nova forma, talvez muito mais atraente para as pessoas que rejeitam sua encarnação no leninismo.

Lênin originalmente formulou essa visão, no ensaio *Que fazer?*, como um argumento a favor de um novo tipo de partido revolucionário. Porém, esse argumento poderia ser, e foi, transposto para a sociedade pós-revolucionária em cuja criação o partido colaborou. Depois, essa visão foi mais elaborada no trabalho do filósofo e crítico literário húngaro George Lukács e pode ser encontrada até mesmo em obras mais recentes, como a do marxista mexicano Adolfo Sánchez Vásquez (Sánchez Vázquez 1977). Todos esses pontos de vista poderiam ser resumidos desse modo: a classe trabalhadora ocupa uma posição histórica única, pois sua libertação necessariamente envolve a inauguração de uma sociedade sem divisões de classe baseadas na propriedade ou não propriedade dos meios de produção. Numa sociedade sem classes (nesse sentido) na qual a propriedade e a administração dos meios de produção são socializadas, todos serão aliviados do fardo da exploração econômica e da opressão e se beneficiarão de um grau de liberdade e de oportunidades de desenvolvimento pessoal que estão além de todas as possibilidades históricas anteriores. Porém, seria totalmente irreal pensar que uma classe trabalhadora moldada pela exploração, a opressão e a cultura dominante do capitalismo poderia entender suficientemente bem suas próprias necessidades, interesses, potencialidades e as estratégias que sua libertação exigiria, de modo que fosse capaz de efetuar, sem ajuda, a transformação do capitalismo em socialismo e posteriormente em comunismo – o estágio no qual o próprio Estado terá desaparecido, levando com ele todas as formas de coerção coletiva. O que se faz necessário, portanto, é um grupo dedicado, incorruptível e organizado de revolucionários, uma vanguarda, que possua o conhecimento e o comprometimento necessários para essa tarefa. Esses revolucionários precisariam ter o conhecimento das leis do desenvolvimento histórico. Este conhecimento encontra-se no único corpo de entendimento científico capaz de destrancar a porta da libertação: a ciência do marxismo, ou, em virtude dessa nova percepção, a ciência do marxismo-leninismo. Como os guardiães de Platão, os membros do partido de vanguarda devem ser cuidadosamente recrutados, treinados e selecionados com base em sua dedicação ao objetivo de alcançar a libertação da classe trabalhadora (e, portanto, da própria humanidade) e devem ser peritos em marxismo-leninismo. Uma vez que a transformação histórica pode ser longa e árdua, a liderança desses guardiães do proletariado pode até mesmo ser necessária por algum tempo depois que os revolucionários derrubarem o Estado capitalista. Mas assim como para os guardiães de Platão, a função de liderança do partido teria o consentimento – se não expresso, pelo menos implícito – da própria classe trabalhadora e, portanto, da esmagadora maioria das pessoas.

Com B. F. Skinner, passamos de uma filosofia contemplativa e uma ação revolucionária para um psicólogo moderno de destaque, renomado por suas contribuições à teoria do aprendizado e à psicologia behaviorista, um homem com uma profunda fé na ciência empírica. Em seu entender, como depreendemos de *Walden Two* e *Beyond Freedom and Dignity*, o conhecimento do guardião é a ciência do comportamento, que está nas mãos do psicólogo moderno. O rei-filósofo é substituído pelo rei-psicólogo, que, como seu predecessor na *República* de Platão, possui o conhecimento científico necessário e suficiente para a realização do potencial humano. Caso um grupo de seres humanos vivenciasse o governo benéfico de tal guardião, essas pessoas abandonariam os esforços tolos, vãos e autoderrotistas para governar a si próprias, desistiriam das ilusões democráticas e consentiriam, de livre e espontânea vontade e até mesmo de bom grado, em ser governadas de forma gentil e esclarecida por esse rei-psicólogo.

Apesar das enormes diferenças entre elas, o que chama a atenção nessas três visões é o quanto elas têm em comum. Cada uma propõe, à sua maneira, uma alternativa à democracia e questiona o pressuposto de que as pessoas são competentes para governar a si próprias.

Embora nenhuma interpretação singular possa fazer justiça às variações entre as muitas visões diferentes da guardiania, é possível construir uma explicação que, a meu ver, capta integralmente os pontos essenciais desse debate. Numa discussão com um democrata moderno, um defensor contemporâneo da guardiania poderia construir sua argumentação mais ou menos nesta linha.

Três pressupostos em comum

ARISTOS: Você está muito enganado se pensa que partimos de pressupostos diametralmente opostos. Nada disso. Para começar, eu, como você e todas as outras pessoas que não são anarquistas filosóficas, parto do princípio de que o bem ou o bem-estar dos cidadãos exige que eles estejam sujeitos a algumas decisões coletivas ou leis. Em alguns casos, pelo menos, as leis têm de ser impostas pelo Estado. Em resumo, nós, os defensores da guardiania, concordamos com vocês, democratas, quanto à necessidade do Estado.

Em segundo lugar, estou bastante disposto a aceitar um pressuposto que, suponho, democratas como vocês acreditam ser importante em sua defesa da democracia: o de que os interesses de todos os seres humanos devem receber igual consideração. Talvez alguns defensores da guardiania refutassem esse princípio. Presumo que Platão o faria. Você deve se lembrar de que ele propõe, na *República*, uma "nobre ficção", ou, para usar o termo correto, uma mentira – que pretende tornar os governantes aceitáveis aos outros cidadãos. Os cidadãos ingênuos dessa república teriam de ser persuadidos de que o deus que fazia as pessoas na terra misturava ouro na natureza daqueles capazes de governar, prata nos auxiliares e bronze nos fazendeiros e outros trabalhadores. Que grande bobagem! Nenhum ateniense de seu tempo se deixaria enganar por um disparate desses. Se a defesa da guardiania dependesse de tais absurdos, eu seria o primeiro a refutá-la. Mas não vejo motivo para não aceitar a ideia da igual consideração como um axioma moral básico, tal qual você o aceita. Na verdade, o que pretendo provar é que somente um grupo de pessoas altamente qualificadas – ou seja, os guardiães – pode ser racionalmente considerado capaz de possuir tanto o conhecimento quanto a virtude necessários para servir ao bem de todos os que estão sujeitos às leis.

Democrata: Estou começando a perceber onde seu caminho irá divergir do meu.

A: Antes de lhe mostrar por que você realmente deve se juntar a mim nesse caminho, quero chamar sua atenção para mais um pressuposto que ambos compartilhamos. Embora isso possa surpreendê-lo, você *de fato* concorda comigo que o processo de governar o Estado deveria ficar restrito àqueles que são qualificados para governar. Sei que a maioria dos democratas tem aversão a essa ideia. Vocês temem que, ao admitir esse pressuposto abertamente, entregarão o jogo, de saída, àqueles que defendem a guardiania. É certo que na teoria, na filosofia e na discussão democráticas essa premissa perigosa raramente é explicitada, precisamente porque é tão perigosa para sua defesa. Entretanto, não acredito que nenhum filósofo da política digno de nota na tradição democrática – Locke, Rousseau, Jeremy Bentham, James Mill, por exemplo – alguma vez a tenha rejeitado, embora apenas John Stuart Mill a tenha explicitado[3]. Você sabe tão bem quanto eu que os grandes defensores da democracia sempre julgaram que uma proporção substancial das pessoas é simplesmente desqualificada para participar do governo. Para deixar claro meu ponto de vista, eu poderia lembrá-lo do modo como seus predecessores democráticos negaram a cidadania plena às mulheres, aos escravos, aos não proprietários, aos analfabetos e outros. Uma vez que essas pessoas foram excluídas, seus interesses foram negligenciados ou, pior ainda, terrivelmente violados, embora elas abarcassem a maioria da população adulta em algumas das primeiras democracias que você tanto admira. Porém, como esse capítulo vergonhoso da história das ideias e práticas democráticas ficou para trás, simplesmente aceitarei que o deixemos de lado, como parte da história indigna da teoria e da prática democráticas.

Em vez disso, defenderei meu ponto de vista referindo-me às crianças. Em todos os países democráticos, as crianças ainda são excluídas da cidadania plena, como sempre foram. Por quê? Porque todo adulto sabe que as crianças não são qualificadas para governar. Certamente você concorda. Os direitos da cidadania plena são negados às crianças simples e exclusivamente porque elas são desqualificadas. Sua exclusão demonstra de maneira conclusiva que a teoria e a prática democráticas têm em comum com a teoria e a prática da guardiania o pressuposto de que governar deve ser uma atividade restrita àqueles que são qualificados para tanto[4].

Portanto, a questão entre nós, meu amigo, é a resposta à pergunta feita por Platão: *quem são* os mais qualificados para governar? Acaso os interesses das pessoas comuns estarão mais bem protegidos por elas próprias, influindo na medida do possível no curso do processo democrático, ou por um corpo de líderes meritórios, dotados de conhecimento e virtude excepcionais?

Guardiania e meritocracia

D: Oponho-me vigorosamente à sua insinuação de que o processo democrático necessariamente exclui o conhecimento especializado. Não importa o que de fato acontecesse na Grécia clássica, nas democracias modernas o conhecimento especializado é de enorme importância na definição de políticas. Na verdade, nenhum democrata sensato acredita que os cidadãos, ou mesmo seus representantes, devam administrar cada lei e regra de governo. Até Rousseau escreveu que a democracia, nesse sentido estreito e absurdo, nunca existiu e nunca existirá. E hoje estamos muito distantes da visão de Rousseau (pelo menos de sua visão no *Contrato social*) na qual todos os cidadão se reúnem e adotam as leis, governando-se sem representantes. Como todos sabem, nos países democráticos modernos, a maior parte das leis e políticas não é adotada por assembleias municipais, plebiscitos, referendos ou nenhuma outra forma de democracia direta. As políticas nem mesmo fluem diretamente de nossas eleições. Em vez disso, as propostas são filtradas por comitês especializados nos corpos legislativos e órgãos executivos e administrativos, os quais são quase sempre formados de pessoas altamente qualificadas e de perícia excepcional. Na verdade, a perícia é tão importante que nossos sistemas de governo às vezes são classificados como uma mistura de democracia e meritocracia.

A: Eu questionaria o grau de eficiência com que os líderes eleitos controlam, de fato, as burocracias. Embora geralmente faltem aos burocratas as qualidades necessárias para a verdadeira guardiania, creio que eles muitas vezes exercem uma espécie de governo *de facto* que consegue escapar do controle popular e parlamentar. Todavia, ponderar essa questão nos afastaria das questões mais importantes. Portanto, mais uma vez, para que eu possa prosseguir em minha defesa da guardiania, façamos de conta que sua descrição de como as democracias se valem da perícia é mais ou menos adequada.

O que defino como *guardiania* não é apenas democracia acrescida da meritocracia. Talvez se possam evitar confusões se você me permitir fazer uma distinção entre o que quero dizer com *guardiania* e o que você acaba de chamar de *meritocracia*. A meritocracia, um termo bastante recente, geralmente se refere, como você indicou, a um corpo de funcionários selecionados exclusivamente por mérito e competição, mas que são pelo menos nominalmente subordinados a outros – um gabinete, um primeiro-ministro, um presidente, uma assembleia legislativa ou algo parecido. Nesse sentido, a meritocracia poderia, em princípio, ser perfeitamente compatível com sua ideia do processo democrático, desde que as autoridades que controlam as burocracias também estivessem sujeitas ao processo democrático. Podemos pensar nos peritos burocratas, portanto, como agentes indiretos do *demos*, da mesma forma que os representantes eleitos poderiam ser considerados agentes diretos. Penso que essa interpretação é um modo um tanto forçado de explicar o mundo real, porém, mais uma vez, partamos do princípio de que ela é uma espécie de modelo teórico. A "meritocracia" poderia se referir, portanto, a uma burocracia baseada em mérito e operante dentro de um regime democrático, sob o controle total dos líderes eleitos. Mas uma meritocracia, nesse sentido, não é de forma alguma o que quero dizer com guardiania. A guardiania não é uma simples modificação de um regime democrático; ela é uma alternativa à democracia, um *tipo* de regime fundamentalmente diferente. Por guardiania, entendo um regime no qual o Estado é governado por líderes meritórios que consistem numa minoria de adultos – provavelmente, uma pequena minoria – *e que não estão sujeitos ao processo democrático*. É por isso que prefiro me referir a esses governantes com o termo mais evocativo adotado por Platão: "guardiães".

As qualidades dos qualificados

D: Suponho que as diferenças entre nós se concentrarão, agora, no que você quer dizer com "qualificado".

A: Não. Penso que podemos concordar quanto ao *significado* de "qualificado". Vamos discordar é quanto a *quem* é qualificado. Você há de concordar que, para ser qualificadas para governar – para ser politicamente competentes – as pessoas devem ter três qualidades. Os governantes devem ter uma compreensão adequada dos fins, metas ou objetivos que o governo deve se esforçar em atingir. Chamemos a essa qualidade de *compreensão moral* ou *capacidade moral*. As crianças são excluídas do *demos* porque não têm capacidade moral para governar: não sabem o que o governo deve fazer, nem mesmo para proteger seus próprios interesses como crianças. Da mesma forma, se as pessoas comuns não compreendem seus próprios interesses, é preciso admitir que, como as crianças, elas são moralmente desqualificadas para se governar.

D: Mas em minha opinião, a maioria das pessoas entende seus próprios interesses melhor que seus guardiães provavelmente entenderiam!

A: Um dogma grosseiro e infundado. Mas permita-me continuar. Mesmo que as pessoas comuns compreendessem adequadamente seus próprios interesses, elas ainda não estariam plenamente qualificadas para governar. Uma vez que seria completamente inútil que essas pessoas conhecessem as metas apropriadas – fossem elas seus próprios interesses ou algum outro bem – mas deixassem de agir para alcançá-las, os governantes devem também possuir forte disposição para efetivamente buscar boas metas. Não basta saber o que é melhor, tampouco simplesmente falar sobre isso, como fazem quase todos os filósofos e outros acadêmicos modernos. Para que possam ser qualificados para governar, os governantes – sejam eles guardiães ou o *demos* – devem buscar ativamente o melhor. Dou a essa qualidade, ou disposição, o velho nome de *virtude*. Quando a compreensão moral e a virtude se combinam numa só pessoa, elas geram governantes *moralmente competentes*. Mas nem mesmo a competência moral é suficiente: todos sabemos que a estrada para o inferno é pavimentada com ela. Os governantes devem também conhecer os meios melhores, mais eficientes e mais adequados para atingir os fins desejados. Em suma, devem possuir o *conhecimento técnico* ou o *conhecimento instrumental* adequado[5].

Nenhuma dessas qualidades bastaria por si só, tampouco bastariam duas delas. As três qualidades são necessárias. Digo que, para ser qualificado para governar, é preciso ser moralmente competente e instrumentalmente competente.

Combinadas, portanto, essas três qualidades definem a *competência política*. Não consigo deixar de pensar que você realmente concorda comigo quanto à necessidade de competência política como um requisito para governar, quer sejam os governantes os meus guardiães ou o seu *demos*.

D: Espere um pouco aí! Se eu aceitar os pressupostos até este ponto, isso não significa que terei aceitado sua defesa da guardiania?

A: Pode ser. Mas com que base você pode rejeitar racionalmente essas premissas? Por acaso você, ou qualquer outra pessoa, poderia argumentar que as pessoas a quem definitivamente falta a competência política – as crianças, por exemplo – têm, não obstante, o direito de participar plenamente do governo deste país? Vocês, democratas, simplesmente precisam enfrentar as implicações elementares do fato inegável de que vocês decidem, deliberadamente, excluir as crianças do *demos*. Se concordamos que as crianças não são qualificadas para governar, embora algum dia possam vir a ser qualificadas para tal, então você já aceitou a premissa de que as pessoas definitivamente desqualificadas para governar não devem ter permissão para participar plenamente do governo, por mais que seja difícil para você admitir isso.

D: Você enfatiza demais o exemplo das crianças. Afinal de contas, elas são uma categoria muito particular. Como você acaba de mencionar, elas estão no estágio inicial do processo de tornar-se pessoas adultas. Como adultos, elas estarão qualificadas, quando atingirem a maioridade.

A: Agora, espere um pouco aí você! Ao aceitar um limite que exclui certas pessoas, você é obrigado a justificar o porquê de traçar esses limites aí e não em outro lugar. Certamente a localização exata do limite não fica clara por si, mesmo entre os democratas. Por exemplo: você gostaria que seu *demos* incluísse pessoas que sofrem de retardamento mental ou insanidade tão graves que elas são julgadas incompetentes para proteger seus próprios interesses fundamentais e, portanto, são colocadas sob o controle de um tutor legal, uma autoridade paternalista equivalente à de um pai ou mãe? E quanto às pessoas condenadas por crimes? Não devem elas ser privadas do direito de votar, com base no fato de que demonstraram ser moralmente incompetentes?

Não seria a questão crucial onde traçar o limite entre a competência e a incompetência políticas? A resposta que nós, defensores da guardiania desde Platão até hoje, damos a essa questão é: a pessoa comum é claramente desqualificada para governar. O Princípio Forte de Igualdade que ouvi você afirmar, segundo o qual todos os adultos são mais ou menos igualmente bem qualificados para governar, é tão absurdo quanto a mentira soberana de Platão. Certamente pode se encontrar uma minoria bem mais qualificada de adultos ou, se necessário, ela poderia ser criada pela educação. E certamente essa minoria, os guardiães em potencial, deve governar.

D: Não apenas temporária ou transitoriamente, mas indefinidamente?

A: Nada dura para sempre, muito menos os regimes políticos. Até mesmo Platão partiu do princípio de que sua república estaria sujeita, inevitavelmente, à deterioração, à dissolução e, por fim, à transformação em um tipo diferente de regime. Algumas pessoas que invocam a ideia de guardiania para justificar um regime específico diriam que seu sistema hierárquico pretende ser apenas transitório[6]. Contudo, o argumento a favor de uma guardiania transitória, mas possivelmente longa, é muito semelhante à defesa da guardiania como um regime ideal e mais duradouro.

D: Não está na hora de você finalmente me revelar exatamente qual é a sua argumentação?

A: Primeiramente, quis ter certeza de que você entendera meus pressupostos. Gostaria agora de indicar as linhas principais da argumentação. Minhas razões para afirmar que a guardiania é superior à democracia são negativas e positivas. Meu argumento negativo é que as pessoas comuns não possuem as qualificações necessárias para governar. Meu argumento positivo é que uma minoria que possui conhecimento e virtude superiores – uma elite, uma vanguarda, uma aristocracia, na acepção original e etimológica da palavra – pode ser descoberta e criada. Diferentemente da maioria das pessoas, essa minoria qualificada possuiria tanto a competência moral quanto a competência instrumental necessárias para justificar sua pretensão ao governo.

Competência moral

D: Duvido que você consiga sustentar a parte negativa ou a parte positiva de sua argumentação. Acredito que o oposto seja verdade: um nível adequado de competência moral está amplamente distribuído entre os seres humanos e, de qualquer forma, nenhuma elite moral distintamente superior pode ser identificada com o poder de governar as demais pessoas, tampouco pode se confiar seguramente a elas esse poder. Penso que Jefferson e os filósofos do Iluminismo escoceses estavam corretos quando defendiam a noção de que a maioria dos seres humanos possui um senso fundamental de certo e errado, o qual não é significativamente mais forte em alguns grupos que em outros. Na verdade, as pessoas comuns podem até mesmo ter um juízo mais claro quanto a questões morais elementares que seus supostos superiores. Jefferson escreveu, uma vez: "Apresente uma questão moral a um lavrador e a um professor. O primeiro se decidirá quanto a ela tão bem e até melhor que o outro, por não ter se perdido em regras artificiais" (citado em Wills 1978, 203). Mais recentemente, John Rawls assentou todo o seu sistema de justiça sobre o pressuposto de que os seres humanos são fundamentalmente iguais como pessoas morais, isto é, em sua capacidade de chegar a uma concepção razoável do que é justo (Rawls 1971, 505ff.). Esses juízos quanto aos seres humanos me parecem sólidos. Excetuando-se os poucos casos de pessoas que são definitivamente limitadas, todo adulto de inteligência razoável é capaz de fazer juízos morais adequados.

A: Será que você não está exagerando a capacidade moral da pessoa comum? Para começar, muitas pessoas parecem ser despidas de uma compreensão mínima de *suas pró-*

prias necessidades básicas, de seus interesses ou de seu próprio bem – você escolhe. Acaso não é verdade que muito poucas se preocupam em refletir profundamente – quando refletem – sobre o que constituiria uma vida feliz? Será grande o número de pessoas dadas à introspecção? Será que muitos de nós conseguem enfim atingir algo além de uma compreensão muito superficial de nós mesmos? "Conhece--te a ti mesmo", dizia o oráculo de Delfos. Sócrates dedicou sua vida a essa busca. Mas poucos entre nós vivemos com tal devoção a essa meta. Tomemos um exemplo revelador. Os profetas judeus, Jesus Cristo, os antigos textos hindus, Buda, até mesmo um filósofo moderno como Bertrand Russell – todos deploraram a imensa futilidade de buscar a felicidade através da gratificação sem fim dos desejos, particularmente por meio da aquisição e do consumo de coisas. No entanto, acaso nós, americanos, não tornamos o consumo de um fluxo infinito e sempre crescente de bens materiais um dos principais objetivos de nossa vida e não organizamos nossa sociedade tendo em vista esse fim? E na maior parte do mundo hoje, não estão as pessoas – sejam elas hindus, budistas, judeus, cristãos ou marxistas – mergulhando de cabeça nessa mesma busca? Ou consideremos isso: durante três séculos, os americanos participaram avidamente da destruição de seu ambiente natural, quase sempre indiferentes à importância da natureza para seu bem--estar. Um mínimo de introspecção poderia ter revelado a muita gente o quanto essa indiferença custaria a longo prazo. Porém, só umas poucas pessoas foram esclarecidas o bastante para prever as consequências.

Eu poderia multiplicar esses exemplos. Você também. Bem, então você consegue negar que muitas pessoas – não crianças, repare, mas adultos – são incapazes de fazer, ou não estão dispostas a fazer, o que for necessário para adquirir uma compreensão elementar de suas próprias necessidades, seus próprios interesses, seu próprio bem? Se elas nem mesmo entendem seus próprios interesses, não serão elas, como as crianças, incompetentes para se governar?

E se elas são incompetentes para se governar, certamente são ainda menos competentes para governar outras pessoas. Não é verdade que a maioria das pessoas acha difícil, talvez até impossível, levar em consideração o bem de outros – ou pelo menos de muitos outros – quando tomam decisões? Elas são deficientes, em parte no conhecimento, em parte na virtude. Deus sabe o quanto é difícil, num mundo tão complexo como o nosso, saber o suficiente para decidir com exatidão onde estão os nossos interesses. Mas é infinitamente mais atemorizante adquirir uma compreensão adequada do bem de outras pessoas em nossa sociedade. O problema é ainda mais agudo nos países democráticos, porque nossos concidadãos são tão numerosos que é inconcebível para qualquer um de nós conseguir conhecer mais que uma pequena fração deles. Consequentemente, temos de fazer juízos sobre o bem de pessoas que não conhecemos pessoalmente e sobre as quais só podemos saber alguma coisa indiretamente. Para usar o jargão do "ciencês" social, o *custo da informação* envolvido na tentativa de adquirir uma compreensão dos interesses de todos os nossos concidadãos é alto demais para a maioria de nós. Acho que é simplesmente inumano esperar que muitos consigam fazer isso.

Ainda mais relevante aqui é o fato de que, a maior parte das pessoas parece pouco disposta a atribuir aos interesses de um estranho ou desconhecido um peso semelhante ao de seus próprios interesses. Essa disposição para negligenciar os interesses de pessoas distantes de nós é particularmente forte quando esses interesses são conflitantes com os nossos próprios, os de nossa família e amigos ou os de pessoas em nosso círculo imediato. No entanto, mesmo num país pequeno como a Dinamarca, por exemplo, e ainda mais num país tão grande como os Estados Unidos, a maioria das pessoas está muito longe de nosso círculo íntimo de familiares e amigos ou do círculo mais amplo de nossos conhecidos. Nesse sentido, quase todos somos egoístas, não altruístas. Mas o egoísmo não é compatível com a necessidade da virtude como uma qualificação para governar. Há pouco, eu disse concordar com você quanto a um princípio de igual consideração. Porém, o que estou dizendo agora é que poucas pessoas estão realmente dispostas a agir de acordo com esse princípio. Na vida política, falta à maioria de nós a qualidade que chamei de virtude: nós simplesmente não somos muito predispostos a agir em prol do bem geral. É por isso que os interesses individuais e de grupo geralmente prevalecem sobre os interesses gerais nos países democráticos.

Portanto, a questão é: se o conhecimento e a virtude são ambos necessários para a competência moral, e a competência moral é necessária para a competência política, será que nos justificamos em acreditar que tantas pessoas assim são politicamente competentes? E se não são, será que elas podem ser qualificadas para governar? A resposta óbvia parece ser *não*.

D: Mesmo que eu estivesse disposto a endossar tudo o que você diz (e não estou), eu ainda não chegaria à conclusão de que a guardiania seria melhor que a democracia, a não ser que você conseguisse demonstrar que seus propostos guardiães, seja lá quem fossem, definitivamente possuiriam o conhecimento e a virtude que você diz faltar à maioria das pessoas. Quanto a isso, sinto-me profundamente cético.

Competência instrumental

A: Ninguém que professe acreditar que as pessoas são mais ou menos igualmente bem qualificadas para governar pode ser muito cético. Mas talvez eu possa eliminar as suas dúvidas com mais algumas observações. Consideremos, por um instante, o conhecimento técnico. Se, por um lado, é no mínimo problemático afirmar que muitas pessoas possuem as qualificações morais para governar, por outro lado a falta de competência técnica da maioria me parece inegável. Atualmente, muitas questões de políticas públicas envolvem assuntos altamente técnicos. Estou pensando, em parte, sobre questões de teor obviamente técnico, como as armas e estratégias nucleares, a eliminação dos resíduos nucleares, a regulamentação das pesquisas do DNA recombinante, a conveniência de um programa espacial tripulado; eu poderia apresentar infinitos outros exemplos. Porém, também me refiro a assuntos muito mais próximos da vida cotidiana: a criação e a prestação de serviços de saúde, o seguro social, o desemprego, a inflação, a reforma tributária, a criminalidade, os programas de bem-estar...

Nós, que não somos especialistas nesses assuntos, poderíamos lidar com eles de um modo mais inteligente se os peritos chegassem a um acordo quanto às soluções técnicas ou, em caso contrário, se pudéssemos avaliar e comparar o grau de perícia desses especialistas. Mas eles não concordam entre si e nós não sabemos como avaliar suas qualificações.

D: Não será essa uma falha fatal em sua argumentação? Se os especialistas mais qualificados discordam entre si, por que haveríamos de torná-los guardiães? Aliás, como é que seus guardiães resolveriam suas diferenças – através do governo da maioria?

A: Um excelente ponto para debate. Porém, você não deve pressupor que os técnicos especializados são qualificados para ser guardiães. A maioria deles provavelmente não é. Os guardiães teriam de ser cuidadosamente treinados e selecionados segundo suas qualidades especiais de conhecimento e virtude. Na *República*, Platão dedicou extraordinária atenção à educação dos guardiães, e todo defensor sério da guardiania desde então fez o mesmo. Ao contrário do processo aleatório de seleção de líderes em seu sistema democrático, o recrutamento e a educação dos futuros guardiães é um elemento central na ideia de guardiania.

D: Mas como vocês levariam isso a cabo? Sua solução mostra-se cada vez mais exigente. Não é à toa que a *República* de Platão é geralmente descartada como uma utopia.

A necessidade de especialização

A: Não acho útil traçar planos detalhados, como fazem os autores utopistas. Os sistemas democráticos que você defende não foram construídos a partir de planos utópicos. Foram construídos através da aplicação de princípios e ideias gerais a situações históricas concretas. Os guardiães seriam, sem dúvida, especialistas de uma certa categoria. Eles seriam especialistas na arte de governar. Seriam peritos cuja especialização lhes daria uma superioridade como governantes, em comparação não apenas com as pessoas comuns, mas também com outros tipos de especialistas: economistas, físicos, engenheiros e assim por diante. Como defendeu Platão, as deficiências na competência moral e na competência instrumental das pessoas comuns só podem ser superadas por um grau de especialização que não se pode esperar da maioria das pessoas. Não precisamos aceitar esse mito sobre as origens dos guardiães para admitir as vantagens que eles possuiriam em razão de sua especialização na arte e na ciência de governar. Ainda que você acredite que a maioria das pessoas é potencialmente capaz de adquirir as qualificações recomendáveis para governar – uma possibilidade que não necessariamente rejeito –, elas não têm tempo de fazer isso. Afinal de contas, uma sociedade precisa de muitos tipos diferentes de atividades. Governar é apenas uma atividade especializada entre muitas outras. Também precisamos de encanadores, carpinteiros, maquinistas, médicos, professores, físicos, matemáticos, pintores, bailarinos... Numa sociedade moderna, são necessários muitos milhares de outros especialistas, numa variedade infinitamente maior do que Platão poderia imaginar. Adquirir as habilidades necessárias para essas tarefas e desempenhá-las torna impossível para muitas pessoas investir seu tempo da forma necessária para adquirir a competência moral e a competência instrumental para governar. E isso inclui, é claro, a maioria dos peritos.

Não é fácil aprender a arte e a ciência de governar. Num mundo complexo como o nosso, governar é extraordinariamente difícil. Penso que deve ser mais fácil tornar-se um excelente matemático que um excelente governante. Certamente há muito mais matemáticos excelentes que bons governantes. É simplesmente romântico supor que haja muitas pessoas capazes de adquirir e utilizar bem diversas habilidades especializadas. Quantos verdadeiros polímatas você já conheceu? Um ou dois, talvez? Você se entregaria aos cuidados de um médico que também estivesse tentando seriamente ser bailarino, cantor de ópera, arquiteto, contador e corretor de ações?

Assim, eis como eu responderia à sua questão: numa sociedade bem ordenada, assim como algumas pessoas receberiam o treinamento rigoroso e a seleção por mérito necessários para a arte e a ciência dos médicos, outras pessoas seriam rigorosamente treinadas e selecionadas para trabalhar bem como governantes. Em razão do caráter crucial da liderança – hoje, mais que nunca – nada pode ser mais importante que a educação de nossos governantes, sejam eles cidadãos comuns em sua democracia ou líderes especializados em meu sistema de guardiania.

Experiência histórica

D: Devo dizer que apesar de desmentir qualquer intenção de retratar uma utopia, você, tal qual Platão, começa a soar cada vez mais utopista. Por mais imperfeitas que sejam, as democracias de fato existem. Não há nada de errado com a ideia da guardiania como uma fantasia utópica, mas aplicá-la ao mundo real é outra história. Você pode me dar um bom motivo para achar que seu ideal de guardiania tem alguma pertinência prática? Se sua ideia de guardiania é representada pela União Soviética, a Argentina durante o governo militar, a Coreia do Sul, a Coreia do Norte ou dezenas de outros exemplos que eu poderia sugerir, prefiro ficar com qualquer democracia, ainda que medíocre.

A: Admito que o ideal já foi muito mal utilizado para justificar um regime autoritário perverso ou incompetente. Até mesmo as monarquias, oligarquias e ditaduras mais cruéis e opressivas tentaram se apresentar como as verdadeiras guardiãs do interesse coletivo. No século XX, o fascismo, o nazismo, o leninismo, o stalinismo, o maoismo, os regimes militares na Argentina, no Brasil, no Chile, no Uruguai e em muitos outros países tentaram legitimar seu governo afirmando que os líderes possuíam um conhecimento superior do bem comum e eram genuinamente dedicados ao seu estabelecimento. Não é à toa que para vocês, democratas, a facilidade em desacreditar a ideia da guardiania é tão grande que vocês nunca têm de debatê-la. No entanto, você não negaria o fato de que todos os ideais políticos foram muito violados. Seria um engano rejeitar um ideal porque você julga suas possibilidades apenas com base nos piores casos. Você julgaria a democracia apenas por seus fracassos, ou ainda pelos regimes vis e corruptos que às vezes vestem a capa da democracia?

D: Concordo que devemos também considerar os melhores exemplos. Mas há algum bom exemplo de guardiania?

A: Eu estava esperando que você me perguntasse isso. Um caso impressionante é a República de Veneza. Ela durou, não sem modificações, é claro, por cerca de oito séculos, com uma resistência digna do *Guiness World Records*. Ela não apenas resistiu. Comparada com outros regimes na história da humanidade, ela tem de ser considerada excepcionalmente bem-sucedida. Não nego que tinha as suas falhas. Mas no geral, proporcionou paz e prosperidade a seus cidadãos; tinha um excelente sistema judiciário; possuía uma Constituição elaborada, cuidadosamente construída e estritamente respeitada; era um centro cuja criatividade brilhava nas artes, na arquitetura, no planejamento urbano e na música; sofreu relativamente poucos surtos de descontentamento popular e, no geral, aparentemente recebeu ampla aceitação por parte do povo veneziano. E, no entanto, de cerca de 1300 em diante, a cidade foi legalmente governada por apenas 2% de sua população – menos de dois mil cidadãos. Embora seus governantes não fossem selecionados e treinados à maneira rigorosa receitada na *República*, todos os homens que eram membros das famílias aristocráticas com direito a participar do governo sabiam, desde a infância, que participar do governo de Veneza seria seu privilégio e responsabilidade. O sistema constitucional era cuidadosamente construído para garantir que as autoridades públicas, e em particular o duque, não agissem motivados por interesses egoístas de engrandecimento pessoal ou familiar, e sim para resguardar os interesses maiores da república.

Eu ainda poderia citar outros exemplos, como a República de Florença sob os Médici no século XV, ou mesmo a China durante os períodos de estabilidade e prosperidade sob o domínio de um imperador e de uma burocracia fortemente influenciada pelas ideias de Confúcio quanto ao governo meritório.

Assim, você estaria enganado se afirmasse que o ideal da guardiania é impossível de se concretizar, ao menos numa forma aproximada e razoavelmente satisfatória – que é o máximo que podemos esperar dos ideais políticos.

D: Não creio que seus exemplos históricos se apliquem ao mundo de hoje.

*

A: Bem, procurei fazê-lo enxergar outra coisa que não a democracia. Minha visão é a de uma minoria bem qualificada, que chamo de *guardiães*, os quais são peritos na arte e na ciência de governar, lideram as demais pessoas e governam no melhor interesse de todos, ao mesmo tempo em que respeitam plenamente o Princípio da Igual Consideração, talvez preservando-o ainda mais do que fariam as pessoas comuns caso se governassem. Paradoxalmente, portanto, tal sistema poderia, em sua melhor forma, realmente basear-se no consentimento de todos. Dessa maneira, um sistema de guardiania poderia atingir um dos fins mais importantes tanto do anarquismo como da democracia, mas por vias muito diferentes.

D: Admito que é uma visão poderosa. Ela sempre foi a adversária mais forte da visão democrática e ainda o é hoje, quando tantos regimes não democráticos – de esquerda, de direita, revolucionários, conservadores, tradicionais – justificam-se apelando a ela em busca da legitimidade. Se a democracia declinasse e, talvez, até desaparecesse da história humana nos séculos futuros, penso que seu lugar seria tomado por regimes hierárquicos que alegariam ser legítimos por ter no governo os guardiães da virtude e do conhecimento.

Capítulo 5
Uma crítica da guardiania

Por mais grandiosa que a guardiania como um ideal possa parecer, as exigências extraordinárias que ela impõe ao conhecimento e à virtude dos guardiães são quase impossíveis de satisfazer na prática. Apesar do exemplo da República de Veneza e de alguns outros exemplos que um defensor poderia apresentar como prova de que a guardiania é uma possibilidade histórica genuína, não creio que ela possa ser racionalmente defendida como algo superior à democracia, nem como ideal, nem como um sistema viável na prática.

Boa parte do poder de persuasão da ideia da guardiania vem de sua visão negativa da competência moral e intelectual das pessoas comuns. Mas ainda que essa visão fosse aceita (em capítulos posteriores, apresentarei motivos para rejeitá-la), isso não significa que existam guardiães em potencial com conhecimento e virtude definitivamente superiores ou que eles possam ser criados, tampouco que se possa confiar neles para governar em prol do bem público. Como quer que sejam avaliados os argumentos negativos, os argumentos a favor da guardiania não resistem a um exame crítico.

O conhecimento

Platão, como afirmei, acreditava que seus guardiães possuiriam o conhecimento da "ciência régia" do governo. Muito embora defensores mais recentes possam divergir filosoficamente de Platão, eles concordam com ele na asserção de que a classe particular de guardiães que eles têm em mente seria singularmente qualificada para governar em virtude de seu conhecimento superior de um conjunto especial de verdades – morais, filosóficas, históricas, psicológicas e outras. Como Platão, eles também partiram do princípio – explícita ou implicitamente – de que essas verdades são "objetivas" e o conhecimento delas constitui uma "ciência".

O que nem sempre se percebe é que esse tipo de justificativa para a guardiania engloba duas proposições logicamente independentes[1]. Em primeiro lugar, o conhecimento do bem público e dos melhores meios de alcançá-lo é uma "ciência" composta de verdades objetivamente válidas e validadas, à semelhança das leis da física ou (de um modo muito diferente sob a maioria dos aspectos) das provas matemáticas, que são geralmente consideradas "objetivas". Em segundo lugar, esse conhecimento pode ser adquirido apenas por uma minoria – provavelmente muito reduzida – de adultos. Note-se, porém, que ainda que a primeira proposição fosse verdadeira, a segunda poderia ser falsa. No entanto, se *qualquer uma das duas* proposições estiver errada, o argumento desmorona. Por exemplo, suponhamos que estejamos convictos de que o conhecimento moral realmente consiste em asserções objetivamente válidas. Mesmo assim, não seria possível para a maioria dos adultos adquirir conhecimento suficiente dessas verdades, desde que lhes fosse dada a educação para tanto, a ponto de justificar a sua participação no governo? O próprio Platão não conseguiu explicar de maneira convincente por que sua "ciência régia" podia ser aprendida apenas por uma minoria[2]. Defensores posteriores da guardiania muitas vezes também deixaram de mostrar por que sua "ciência" do governo seria acessível apenas a uma minoria. A não ser que estejamos satisfeitos com essa possibilidade, a argumentação a favor da guardiania é muito pouco convincente.

Todavia, o maior peso da argumentação geralmente se concentra na primeira proposição. Quando os defensores da guardiania defendem a noção de que existe uma "ciência do governo" composta apenas de verdades racionalmente inquestionáveis e objetivamente determinadas, alguns retratam essas verdades essenciais primária ou exclusivamente como proposições *morais*, enquanto outros as retratam como proposições *empíricas* comparáveis às leis da física, da química, da biologia e assim por diante. E às vezes, embora isso seja menos comum, presume-se que a ciência do governo seja uma combinação de verdades objetivas dos dois tipos, moral e empírico. Porém, nenhuma dessas afirmações pode ser comprovada.

O conhecimento moral

Quanto às proposições *morais*, atualmente poucos filósofos da moral e provavelmente não muitas pessoas ponderadas e instruídas acreditam que possamos chegar a juízos morais absolutos, intersubjetivamente válidos e "objetivamente verdadeiros", no mesmo sentido que compreendemos as proposições nas ciências naturais e na matemática como "objetivamente verdadeiras"[3]. Embora alguns filósofos da moral afirmassem isso, eles fracassaram de maneira patente em demonstrar a condição absoluta e objetiva de quaisquer juízos morais específicos que pudessem estar preparados para fazer. Em vez disso, suas "verdades morais objetivas" invariavelmente se provam altamente discutíveis; a suposta validade intersubjetiva dessas verdades não consegue se manter; e também fracassa a sua pretensão à posse de verdades objetivas comparáveis às das ciências naturais ou da lógica pura e da matemática[4].

Esse território já foi batido demais e não precisamos fazer explorações mais aprofundadas aqui, mas talvez uma comparação simples seja útil. Se o conhecimento moral realmente fosse comparável à objetividade na matemática ou nas ciências físicas, a validade intersubjetiva desse conhecimento certamente poderia ser demonstrada para nós de modos tão convincentes como aqueles que nos deixam satisfeitos quanto à "verdade objetiva" de tantas proposições na matemática ou nas ciências físicas. Nós provavelmente nos convenceríamos de que o conhecimento moral é "objetivo" se nos fosse mostrado que, assim como na matemática ou nas ciências naturais, os especialistas no assunto empregam procedimentos bem definidos e reproduzíveis que eles concordam ser apropriados para avaliar a validade de suas asserções; e se, além disso, nos fosse mostrado que aqueles que utilizam os procedimentos apropriados convergem para um acordo quanto à verdade de certas leis ou proposições gerais; finalmente, que as "leis" quanto às quais eles concordam constituem um corpo significativo e original de proposições – no caso do conhecimento moral, leis morais que limitam definitivamente o território de nossas escolhas morais. Entretanto, no que diz respeito às pretensões morais, é mais do que sabido que esses indicadores de objetividade simplesmente não existem.

Dizer que a investigação moral não conduz à descoberta de leis morais objetivas e absolutas não nos obriga a partir para o outro extremo: dizer que o discurso moral é totalmente "subjetivo", arbitrário, uma simples questão de gosto, uma esfera sem nenhum apelo à razão ou à experiência. Entre os dois extremos, há uma série de alternativas que abrem espaço para o debate, baseado na razão e na experiência humanas (Fishkin 1984). Como a natureza deste livro deve ter deixado claro, ainda que não possamos justificar a democracia demonstrando que ela pode ser derivada de absolutos morais "objetivamente verdadeiros", creio que podemos justificá-la sobre fundamentos que resistam satisfatoriamente aos testes da razão e da experiência.

Portanto, pode-se dizer que embora os guardiães não possam realmente deter o conhecimento de uma "ciência do governo", seus juízos morais seriam, não obstante, tão superiores aos das pessoas comuns que o governo lhes deveria ser confiado. Mas se, por um lado, admitir que os guardiães não compreendem uma "ciência do governo" objetiva não é fatal para essa ideia, por outro lado essa admissão aumenta muito os problemas práticos de identificar e nomear os guardiães e afastar aqueles que demonstram não ser qualificados. Antes de tratar desses problemas, contudo, precisamos refletir sobre um tipo diferente de "ciência" que se diz justificar um sistema de guardiania – não a dos guardiães de Platão, é claro, mas a de outros que afirmam possuir o conhecimento de uma ciência do governo.

O conhecimento instrumental

É possível argumentar que governar adequadamente não exige o conhecimento moral. Portanto, minhas críticas às pretensões a esse conhecimento não são pertinentes. Pois o que governar exige é apenas o conhecimento instrumental, ou seja, um entendimento correto dos meios mais eficientes para alcançar fins ampla ou universalmente aceitos, como a felicidade ou o bem-estar humanos. O conhecimento instrumental, ainda segundo essa argumentação, é primariamente, talvez exclusivamente, o conhecimento *empírico* sobre a humanidade, a sociedade, a natureza, o comportamento humano e social, as tendências, as leis, os processos, estruturas e assim por diante. Em princípio, portanto, o conhecimento instrumental para bem governar poderia ser uma ciência empírica tal qual as outras.

Toda concepção desse tipo tem a finalidade de validar a noção de que os guardiães devem ser escolhidos dentre as fileiras dos cientistas, engenheiros, técnicos, peritos em administração pública, funcionários públicos experientes ou outros que, presumivelmente, possuem o conhecimento empírico especializado. Na utopia do psicólogo B. F. Skinner, *Walden Two*, os guardiães seriam, naturalmente, cientistas behavioristas (especificamente skinnerianos, parece). Com os leninistas, os guardiães durante a transição para a verdadeira democracia são dotados de uma compreensão única das leis da história e da economia e, vejam só, são exclusivamente marxistas-leninistas. Os especialistas em ciências naturais são predispostos a acreditar que os criadores de políticas seriam muito mais bem qualificados se seguissem os métodos da ciência natural (para um exemplo recente, ver o editorial de Daniel E. Koshland, Jr. em *Science*, 25 de outubro de 1985, 391). Os engenheiros prefeririam... engenheiros. E assim por diante. O pressuposto subjacente é o de que a tarefa de decidir as melhores políticas públicas depende essencialmente do conhecimento empírico; se esse for o caso, o conhecimento necessário é, ou poderia ser, uma ciência empírica, teórica ou prática.

Como exemplo, tomemos as decisões sobre as estratégias americanas para o armamento nuclear. Pode-se argumentar que estas são, em essência, puramente instrumentais, porque praticamente todas as pessoas nos Estados Unidos concordam quanto à primazia de certos fins: a sobrevivência da espécie humana, a sobrevivência de um mundo civilizado, a sobrevivência dos Estados Unidos como o conhecemos e assim por diante. As questões difíceis, portanto, não são quanto aos fins, e sim quanto aos meios. Mas (segundo essa linha de raciocínio) a escolha de meios é estritamente instrumental, não moral; a questão é como alcançar melhor os fins sobre os quais todos concordam. O conhecimento exigido para essas decisões é, portanto, técnico, científico, instrumental e empírico. Pelo fato de esse conhecimento ser de uma complexidade extraordinária e de grande parte dele ser inevitavelmente secreta, ele está inerentemente muito além do alcance dos cidadãos comuns. Por conseguinte, as decisões sobre a estratégia nuclear não devem ser tomadas pela opinião pública ou através de processos democráticos; devem ser tomadas por peritos que têm um conhecimento especial das estratégias para o armamento nuclear. Infelizmente para a democracia, esses peritos são necessariamente uma pequena minoria dos cidadãos americanos.

Por mais que essa argumentação pareça plausível, ela está fundamentalmente equivocada. Para começar, supor que as decisões sobre o armamento nuclear sejam puramente instrumentais e não envolvam questões morais cruciais e altamente controversas é um engano profundo. Consideremos algumas das questões envolvidas: A guerra nuclear é moralmente justificável? Se não for, seria admissível uma estratégia de dissuasão? Em caso afirmativo, em que circunstâncias, se é que elas existem, devem as armas nucleares ser utilizadas? Que alvos são moralmente permissíveis? Por exemplo, devem as cidades e outros centros populacionais ser alvos? Se não, como seria possível destruir o comando e os centros de controle de um adversário, que dirá as indústrias, os transportes e outros centros econômicos, ou até mesmo as forças militares? E por fim, em que circunstâncias além da "vitória" seria melhor terminar uma guerra nuclear ou, num caso extremo, aceitar a derrota como algo preferível à aniquilação?

É evidente que as decisões sobre questões como essa não são meramente instrumentais. Elas também envolvem escolhas morais, algumas das quais são extraordinariamente difíceis e complexas. Embora durante décadas as decisões estratégicas tenham sido tomadas com pouca atenção a suas pressuposições morais, quer por parte dos principais responsáveis pelas decisões (Bracken 1983, 239), quer do público em geral, uma carta pastoral dos bispos católicos norte-americanos em 1983 trouxe várias dessas questões morais à atenção pública ("O desafio da paz", 1983). Em seguida, outros assumiram a tarefa de explorar a dimensão moral das decisões estratégicas sob outras perspectivas, às vezes conflitantes (por exemplo, Russett 1984; MacLean 1986). Seja qual for o juízo a respeito dessas questões morais, o fato de que as decisões estratégicas realmente dependem de juízos morais mina completamente o pressuposto de que essas decisões são puramente instrumentais e poderiam ser tomadas com base em considerações puramente empíricas, científicas ou técnicas.

Isso não vale apenas para as decisões estratégicas. As decisões sobre políticas públicas cruciais raramente ou nunca exigem, para atingir os fins desejados, tão somente o conhecimento dos meios tecnicamente mais eficientes e que possam ser considerados escolhas óbvias por serem universalmente aceitos ou evidentes por si. Como o conhecimento "científico" sobre o mundo empírico não pode ser uma qualificação suficiente para governar, a "ciência" empírica pura não é e não pode ser suficiente para constituir uma "ciência soberana" do governo.

Os especialistas como criadores das políticas

Certamente é verdade, contudo, que embora os juízos morais sejam sempre necessários para as decisões inteligentes, como obviamente são nas decisões quanto às armas nucleares, eles nunca são suficientes. Deve-se também fazer juízos a respeito do mundo empírico – o modo como ele opera, que alternativas viáveis ele permite, as consequências prováveis de cada alternativa e assim por diante. Pelo menos alguns desses juízos exigem um conhecimento especializado, o qual não é razoável supor que a maioria das pessoas possua: o conhecimento instrumental. Talvez as políticas para as armas nucleares não sejam um exemplo suficientemente representativo em razão da extrema dificuldade das escolhas morais que envolvem, mas são menos atípicas em sua exigência de conhecimento técnico. Embora as decisões quanto a armamentos nucleares suscitem questões técnicas, estas provavelmente não são mais difíceis que as questões técnicas relacionadas a muitos outros temas complexos.

Uma vez que tanto o entendimento moral quanto o conhecimento instrumental são sempre necessários para juízos relacionados aos cursos de ação política, nem um, nem outro jamais são suficientes. É precisamente neste ponto que necessariamente cai por terra qualquer argumentação a favor do governo de uma elite puramente tecnocrata. Como no caso das armas nucleares, os tecnocratas não são mais qualificados que ninguém para fazer os juízos morais essenciais. Podem até ser menos qualificados. Pois os tecnocratas sofrem de pelo menos três outros defeitos que provavelmente são irremediáveis num mundo como o nosso, pautado por um conhecimento técnico de imensa complexidade. Em primeiro lugar, a formação exigida para adquirir um alto grau de conhecimento especializado é inerentemente limitadora: as pessoas se tornam especialistas em *alguma coisa*, ou seja, em *uma* coisa e, por necessidade, ficam ignorantes a respeito das outras.

Em segundo lugar, a ciência régia de Platão simplesmente não existe, e, portanto, os profissionais dessa ciência não podem existir. Assim, com licença de Platão, não existe uma única arte ou ciência que possa satisfatoriamente pretender unir em si o entendimento moral e o instrumental exigidos para a criação de políticas inteligentes no mundo de hoje. Talvez uns poucos filósofos, cientistas sociais ou até mesmo especialistas em ciências naturais possam ter uma pretensão extravagante assim para a sua própria especialidade. Mas penso que um teste simples desmascararia rapidamente as fraquezas dessas pretensões: que aqueles que as fazem sejam submetidos a um exame pelos especialistas de cada área e julguemos nós o seu desempenho.

A terceira fraqueza dos tecnocratas como criadores de cursos de ação política é que, em muitas questões relacionadas às políticas públicas, os juízos instrumentais dependem de pressupostos que não são estritamente técnicos, científicos e nem mesmo são muito rigorosos. Muitas vezes, esses pressupostos refletem um tipo de juízo ontológico: o mundo é *assim*, não *assado;* ele tende a funcionar *deste* jeito, não *daquele*. Com os armamentos nucleares, por exemplo, as pessoas comuns, como aponta Bracken (1983, 50), tendem a acreditar na famosa lei de Murphy: se as coisas podem dar errado, provavelmente irão dar errado. Embora apoiada por um grande volume de experiência (de fato, provavelmente tão apoiada pela experiência quanto a maior parte das generalizações nas ciências sociais), a lei de Murphy não é, obviamente, uma lei empírica bem validada no sentido estrito. Ela é um juízo próprio do senso comum a respeito de uma tendência das coisas, uma visão ontológica sobre a natureza do mundo.

Em razão desses defeitos no conhecimento especializado, os peritos muitas vezes não conseguem absolutamente entender como o mundo real pode teimar na recusa em jogar de acordo com as regras estabelecidas por eles[5]. Embora as gafes dos especialistas no planejamento do armamento nuclear quase sempre sejam ocultas do público e talvez só sejam descobertas tarde demais, sabe-se o suficiente para indicar que os peritos em armas nucleares não são exceção à experiência geral.

Assim, hoje se percebe como um erro a decisão de aumentar o poder destrutivo dos lançadores de mísseis através da adição de múltiplos Veículos de Reentrada Independente Multiplamente Orientáveis (MIRVs) carregados de ogivas nucleares. Os russos, naturalmente, passaram a empregar MIRVs em seus lançadores, e o problema do controle dos armamentos tornou-se ainda mais difícil. Muito mais tarde, o Pentágono aventou a possibilidade de que talvez os lançadores armados com MIRVs devessem ser substituídos, em ambos os lados, por lançadores menores, cada um carregando uma única ogiva, o que tornaria mais fácil a fiscalização. Entretanto, na época em que a decisão quanto aos MIRVs foi tomada, muitos críticos, argumentando com uma postura sensata – e com um certo juízo ontológico sobre o *modus operandi* do mundo – previram que aconteceria o que realmente aconteceu. Outro fator que não ajudou em nada a fortalecer a confiança nos pressupostos implícitos dos responsáveis pela tomada de decisões foi a revelação de que, em pleno 1982, o centro de alerta do North American Aerospace Defense Command (Norad) ainda não dispunha de um suprimento emergencial de energia confiável. Sabe-se lá como, esse problema simples era algo que havia "escapado à atenção" (Bracken 1983, 113).

Dessa forma, a experiência com as decisões sobre armamentos nucleares dá suporte adicional à conclusão sensata de que os tecnocratas não devem governar, e sim ser governados. Essa conclusão é sintetizada no famoso aforismo de Georges Clemenceau, segundo o qual a guerra é por demais importante para ser confiada aos generais – um princípio amplamente justificado pelo morticínio que fileiras de generais altamente treinados conseguiram causar durante a Primeira Guerra Mundial. A experiência humana, codificada no comentário de Clemenceau e na lei de Murphy, nos dá poucos motivos para confiar que os peritos possuam a sabedoria necessária para governar, conforme promete a teoria da guardiania[6].

Conhecimento: o bem comum

A defesa da guardiania às vezes depende de premissas relativas à composição do bem geral (ou bem público, bem coletivo, interesse geral etc.) e de como o conhecimento do que compõe o bem geral pode ser adquirido.

Para esclarecer essa questão, quero estabelecer um pressuposto simplificado. Partamos do princípio de que uma pessoa adulta, via de regra, provavelmente compreenderá seus próprios interesses melhor que qualquer outra pessoa. No capítulo 7, explicarei por que me parece prudente adotar esse pressuposto para a tomada de decisões coletivas. Porém, de modo a prosseguir com essa argumentação, quero agora pressupor que já o aceitamos. Assim, partamos do princípio de que, ao contrário das crianças, os adultos geralmente não precisam de guardiães paternalistas para tomar decisões em nome deles. Se o bem geral fosse composto apenas de interesses individuais e se pudéssemos concordar quanto a um princípio satisfatório que agregasse esses interesses individuais – um princípio majoritário, talvez – sucederia que, assim como o paternalismo seria desnecessário e indesejável na vida privada, assim também a guardiania seria desnecessária e indesejável na vida pública. Para chegar à melhor decisão coletiva possível quanto ao bem geral, precisaríamos apenas garantir que todos tivessem uma oportunidade adequada de expressar uma escolha entre as alternativas (por exemplo, através do voto) e que o processo de chegar às decisões coletivas seguisse uma regra para agregar essas escolhas individuais numa escolha pública (digamos, através de um princípio majoritário).

Mas se o bem geral consiste de algo *além* de um aglomerado de interesses pessoais, aquilo já não será suficiente. A criação do bem comum exigirá, nesse caso, uma compreensão dos aspectos nos quais o bem geral difere de uma combinação de interesses individuais. Se também é verdade que (como insistia Aristo no capítulo anterior) a maioria das pessoas se preocupa principalmente com seus próprios interesses individuais, deduz-se que não se pode contar com quase ninguém que compreenda o bem geral e muito menos aja em prol dele. Nessas circunstâncias, não seria prudente, talvez, confiar a tarefa de tomar decisões sobre o bem comum a pessoas especialmente treinadas para entender em que ele consiste (e, é claro, fortemente predispostas a gerá-lo)? Em suma, acaso não chegaríamos por um caminho diferente à mesma conclusão de que os melhores governantes seriam guardiães que possuem o conhecimento e a virtude?

Em que consistiria o conhecimento especial, detido pelos guardiães, acerca do bem comum? Obviamente, isso depende do que se entende por bem comum. Explorar essa questão a fundo exigiria uma longa jornada por um matagal repleto de armadilhas linguísticas e conceituais, conceitos nebulosos e falsas trilhas. Abriremos caminho por entre tudo isso em capítulos posteriores. Por ora, é suficiente uma breve exploração.

Antes, porém, de embarcar nessa aventura, é importante lembrar que ainda há obstáculos à formação de uma base racional conclusiva para os juízos morais que mencionei há pouco. Justificar racionalmente um juízo quanto ao bem de uma coletividade não é mais fácil que justificar racionalmente um juízo sobre o bem de um indivíduo. Talvez seja ainda mais difícil. Mais uma vez, ao dizer que os juízos morais são problemáticos, não quero dizer que a busca pela justificação racional seja inútil. Como sugeri antes, as asserções sobre o que é melhor para um indivíduo, um grupo, um país ou a humanidade podem ser muito mais que meras expressões arbitrárias e impensadas de gosto; os juízos morais não precisam ser "puramente subjetivos". Ao julgar a validade de asserções sobre o bem geral, podemos e devemos empregar a razão e a experiência. Não obstante, asseverar que "o bem público definitivamente consiste nisso e naquilo" não pode ser demonstrado como algo "objetivamente verdadeiro" no mesmo sentido que são demonstradas muitas afirmações no campo da matemática, da lógica ou das ciências naturais. Ainda que chegássemos à conclusão de que o bem público é diferente de um aglomerado de bens individuais, nenhum grupo de supostos guardiães poderia sustentar racionalmente a pretensão de possuir uma "ciência do governo" constituída de um conhecimento "objetivamente verdadeiro" do bem público.

Ainda assim, se acreditamos que o bem geral é algo além de um aglomerado de interesses individuais, será que não nos sentiríamos mais inclinados a concluir que, para compreendê-lo, é preciso possuir um grau de conhecimento especializado que não é razoável esperar da maioria das pessoas? É evidente que precisamos saber se o bem geral é diferente de um aglomerado de interesses individuais e, em caso afirmativo, quão diferente. E na medida em que existam diferenças, é preciso saber se a defesa da guardiania sairá fortalecida desses questionamentos.

O bem público: orgânico ou centrado na pessoa?

Desde a Antiguidade, uma presença fantasmagórica assombra a discussão do bem público. É o fantasma criado pelas interpretações organicistas das entidades coletivas.

Quando falamos sobre o bem de uma pessoa, compreendemos (mais ou menos) o que definimos por "pessoa". Mas quando falamos sobre o bem de uma entidade coletiva, que tipo de coisa é essa entidade? Concretamente, é claro que a coletividade pode ser uma pólis, uma cidade, uma comunidade, uma nação, um país, um Estado ou seja lá o que for. Mas pode-se comparar uma cidade a uma pessoa? De que maneira? Muitas vezes nos referimos a uma coletividade, por exemplo uma cidade, como se ela fosse equivalente a um organismo vivo: assim, uma cidade pode ser comparada a uma pessoa. Há séculos, as metáforas orgânicas são aplicadas às coletividades políticas. Mas nem sempre fica claro como devemos interpretar a metáfora. Na *República*, por exemplo, Sócrates refere-se com frequência à "cidade como um todo" como se ela fosse uma entidade holística, tal qual uma pessoa; ele também inverte a metáfora para afirmar que "o indivíduo é como a cidade"[7]. O organismo como metáfora é uma coisa; considerar uma coletividade política um organismo é outra, bem diferente. Será que devemos pensar nas cidades e pessoas como membros, por assim dizer, da classe dos organismos vivos?

Naturalmente, uma metáfora orgânica pretende sugerir um modo especial de pensar sobre o bem geral. Uma interpretação da metáfora orgânica poderia ser a seguinte:

Assim como o bem de uma pessoa é mais que o "bem" de qualquer parte específica da pessoa, assim também o bem de uma coletividade é mais que o bem de suas partes. O bem de uma cidade é mais que o bem de seus cidadãos; o bem geral, portanto, não pode ser reduzido, em última instância, ao bem das pessoas que compõem a coletividade.

Como alguns autores que empregam metáforas *orgânicas* provavelmente rejeitariam essa interpretação, para distingui-la eu a chamarei de visão *organicista* do bem geral.

Uma alternativa à visão organicista poderia ser chamada de *base centrada na pessoa para as decisões coletivas*:

O bem geral de uma cidade ou nação sempre pode ser reduzido ao que é bom para as pessoas da comunidade ou da nação ou para as pessoas que são afetadas por ele. O bem geral não é diferente dos interesses ou do bem das pessoas que compõem a coletividade ou que são afetadas por ela.

Perante esse pressuposto, não podemos, como acontece na visão organicista, incluir furtivamente na definição de bem geral nada além do bem das pessoas, dos seres humanos.

A visão organicista costuma ser considerada superior à visão centrada na pessoa por dois motivos: porque ela reconhece que um sistema, particularmente um sistema vivo, nem sempre pode ser reduzido à soma de suas partes; e porque ela permite a inclusão de valores como a ordem, a comunidade e a justiça, que não se leva em conta na visão centrada na pessoa. Mas ambas essas críticas refletem uma compreensão inadequada do pressuposto centrado na pessoa.

As comunidades como sistemas, não como aglomerados

O postulado centrado na pessoa *não* pressupõe o "individualismo metodológico", a doutrina de que os fenômenos sociais podem ser explicados apenas através da referência a fatos sobre os indivíduos[8]. Uma vez que os sistemas consistem não apenas em partes, mas também em relações entre as partes, as propriedades de um sistema não podem ser sempre reduzidas às propriedades das unidades do sistema. Uma vez que a comunidade não é simplesmente um aglomerado de pessoas, mas consiste também nas relações entre elas e entre os vários subsistemas, segue-se que as características de uma comunidade não podem ser reduzidas às características individuais[9].

A questão não é o fato de que talvez uma coletividade tenha propriedades que não podem ser reduzidas às propriedades dos indivíduos. Se cremos que alguma propriedade de um sistema humano – a justiça, digamos, ou a igualdade política – tem valor, será que o valor dessa qualidade aumenta porque ela beneficia o sistema, independentemente do valor que ela tem para as pessoas no sistema? Ou, ao contrário, será essa propriedade valiosa porque beneficia as pessoas que compõem o sistema? A primeira possibilidade tem significado obscuro. Penso que as tentativas de esclarecê-la invariavelmente encalhariam nesta simples questão: por que devemos nós, seres humanos, valorizar um sistema humano acima e além do valor que ele tem para nós? Se rejeitamos as visões organicistas, uma visão centrada na pessoa ainda nos permitiria apreciar os valores que os seres humanos extraem da vida em comunidade. Para entender isso, consideraremos alguns valores comunitários possíveis.

Interesses privados e coletivos

O pressuposto centrado na pessoa não minimiza, de forma alguma, a importância de valores que dependem da afiliação a um grupo ou a uma comunidade: o altruísmo, o amor, a amizade, o companheirismo, a fraternidade, a participação, a justiça, a ordem, a segurança, a lealdade e assim por diante.

Certamente, os modelos e teorias de sociedade e comportamento que enfatizam o individualismo e minimizam a importância de laços comunitários ou interesses coletivos são centrados na pessoa. Porém, uma visão centrada na pessoa não implica o egoísmo ou o individualismo como fatos ou como valores. Sem dúvida, é verdade que a afiliação a uma comunidade é boa para quase todos, se não para todos. Mas se é assim, esse bem ou interesse deve ser incluído entre os bens ou interesses de todos ou quase todos. Os interesses de uma pessoa podem ser, e geralmente são, mais amplos que os interesses meramente *privados* ou *próprios*. É por isso que, ao definir a visão centrada na pessoa, eu escolhi a palavra "pessoa", e não "indivíduo", pois quero enfatizar a pessoa inteira, incluindo todos os seus aspectos sociais. Se a expressão "interesses humanos" pretende incluir todos os interesses que uma pessoa possa ter como ser humano, a expressão "interesses humanos" inclui a afiliação a uma comunidade; atualmente, a afiliação a muitas comunidades e coletividades. Mas o valor das afiliações comunitárias acresce algo às pessoas que compõem uma comunidade e não a uma entidade orgânica fantasmagórica qualquer que incorre em danos ou benefícios *independentemente das pessoas que dela fazem parte*.

Assim, ao passo que a metáfora orgânica talvez tenha sua utilidade como um modo de enfatizar a interdependência dos seres humanos e os valores da interação e da associação humanas, uma concepção orgânica (para distingui-la de organicista) da sociabilidade humana não implica nada que não seja totalmente compatível com as bases centradas na pessoa para a tomada de decisões coletivas[10]. Se, por outro lado, a linguagem orgânica pretende implicar uma concepção organicista do bem geral, ela me parece claramente errada e não faz nada além de confundir.

Portanto, se aceitamos a visão centrada na pessoa, compreender o bem geral de uma coletividade requer o conhecimento dos interesses das pessoas e nada mais. A afirmação de que os governantes devem possuir o conhecimento de um tipo especial de bem geral, o qual seria diferente de uma combinação dos interesses daqueles que compõem a coletividade ou que são afetados por suas políticas, não pode se sustentar.

Decisões coletivas: o problema da composição

Uma coisa é afirmar que o bem geral é composto apenas de bens pessoais. Mas outra coisa é dizer exatamente *como* o bem geral deve se compor a partir dos bens pessoais. Para compor o bem geral a partir de bens pessoais, precisamos de um princípio satisfatório, uma regra de algum tipo para as decisões[11]. Entretanto, se discussões recentes serviram para demonstrar alguma coisa, foi o fato de que todas as regras para chegar às decisões coletivas são deficientes em algumas circunstâncias. Uma vez que a democracia seria difícil de justificar se não pudesse empregar procedimentos justos para tomar decisões coletivas, os defeitos do princípio majoritário e outras regras decisórias democráticas são frequentemente computados contra a democracia; a implicação seria a de que, por conseguinte, é preciso buscar uma alternativa à democracia.

No capítulo 10, tratarei da questão do domínio da maioria e de suas alternativas. Aqui, o ponto em questão é que a argumentação em defesa da guardiania não fica a dever à argumentação em defesa da democracia no pressuposto de que as decisões coletivas são, às vezes, altamente desejáveis. A não ser que os guardiães fossem sempre unânimes, eles também precisariam de regras decisórias. Se seus guardiães discordam entre si, perguntou o Democrata a Aristo, como é que eles tomam decisões – pelo domínio da maioria? A pergunta do Democrata não pode ser descartada como uma banalidade espirituosa. Embora os defensores da guardiania não gostem de falar das discordâncias entre os guardiães, acreditar que essas discordâncias não ocorreriam é algo que contraria toda a experiência humana. Se as discordâncias ocorressem, como certamente ocorreriam, e se as decisões dos guardiães não fossem meramente arbitrárias, elas exigiriam regras decisórias para solucionar suas discordâncias. Segue-se que, se o problema de encontrar regras decisórias justas é sério para o processo democrático, ele não é menos sério para qualquer processo alternativo de tomada de decisões coletivas, inclusive a guardiania.

Riscos, incertezas e ponderação

A defesa da guardiania frequentemente pressupõe que o conhecimento moral e científico e, por conseguinte, os juízos políticos, podem basear-se nas certezas racionais. Assim, em comparação com os juízos das pessoas comuns, que refletem todas as incertezas da mera opinião, os guardiães conseguem adquirir o conhecimento do que é melhor para a comunidade num grau que se aproxima de algo parecido com a certeza racional. No entanto, qualquer premissa desse tipo negligencia uma característica inerente aos juízos sobre as questões mais importantes relacionadas às políticas públicas: estas precisam ser fundamentadas em avaliações dos *riscos e incertezas e de ponderação*. Análises recentes de algumas tomadas de decisão lançaram luz sobre essa nova falha fatal na argumentação a favor da guardiania, de uma forma que defesas e críticas filosóficas mais antigas não estavam equipadas para discernir.

As decisões quanto às políticas públicas são, no mínimo, quase sempre arriscadas, no sentido de que demandam uma escolha entre certas alternativas cujas consequências são apenas prováveis. Se as consequências fossem certeiras, um pouco da angústia da tomada de decisões desapareceria.

Mas o que é mais desalentador é o terrível índice de risco dos resultados. Suponhamos que alguém enfrente a seguinte situação: uma forma incomum e violenta de gripe surgiu na Ásia e estima-se que atingirá os Estados Unidos. A não ser que um programa seja adotado para atacá-la, a doença matará 600 pessoas. Dois programas alternativos foram propostos. Se um deles for adotado, 200 pessoas serão salvas. Se o outro for adotado, há um terço de probabilidade de que 600 pessoas serão salvas, e dois terços de probabilidade de que ninguém será salvo. Que programa deve ser adotado?

Não há uma resposta indubitavelmente correta para essa questão. Além disso, as respostas que as pessoas dão a questões como essa parecem depender do modo como as alternativas são apresentadas. Descobriu-se experimentalmente que quando as alternativas são formuladas da maneira como as apresentei, a maioria das pessoas escolherá a primeira alternativa. No entanto, com uma formulação diferente – embora logicamente idêntica – a maioria das pessoas escolherá a segunda! Ademais, essa inversão "é tão comum entre os entrevistados mais instruídos quanto entre os desinformados". Perante os riscos das escolhas, as pessoas geralmente fazem juízos logicamente incompatíveis e o desempenho dos especialistas, ao que parece, não é melhor que o das pessoas comuns[12].

Todavia, o problema da escolha racional torna-se ainda mais complexo porque (ao contrário do exemplo que acabamos de ver), geralmente, as probabilidades em si são desconhecidas. Os resultados não são apenas arriscados, no sentido de que podemos atribuir uma probabilidade definida a cada um deles, como quando lançamos dados adequadamente produzidos. Os resultados são genuinamente incertos, no sentido de que o máximo que podemos fazer é adivinhar as probabilidades numa amplitude imensa e vaga. Embora estejamos jogando com dados viciados, não há meio de saber antecipadamente de que forma os dados foram viciados.

Ao mesmo tempo, quase todas as decisões importantes a respeito de políticas exigem juízos a respeito das vantagens relativas da ponderação entre os diversos valores: a igualdade *versus* a liberdade, os salários altos *versus* a competitividade internacional, a poupança *versus* o consumo, os ganhos a curto prazo *versus* os ganhos a longo prazo, e assim por diante.

No geral, os juízos quanto às políticas exigem uma avaliação *tanto* das incertezas *como* das ponderações. Nesses exemplos, a competência superior dos peritos diminui até o ponto de desaparecer. Suponhamos, por exemplo, que pudéssemos escolher entre duas estratégias nucleares. Uma delas traz em si uma chance substancial de que a guerra nuclear possa ser adiada indefinidamente; mas, se ela ocorrer, praticamente a população inteira dos Estados Unidos será exterminada. A outra estratégia tem uma chance consideravelmente menor de evitar a guerra, mas uma guerra provavelmente causaria menos mortes – talvez um quarto da população dos Estados Unidos. É evidente que não há nem pode haver respostas "especializadas" para problemas como esses.

A virtude

Portanto, seria altamente improvável que os guardiães possuíssem o *conhecimento* moral, instrumental ou prático de que necessitariam para justificar seu direito de governar. Mas nem mesmo o conhecimento superior seria suficiente. Será que poderíamos confiar em que nossos supostos líderes *buscariam* o bem geral em vez de simplesmente o seu próprio? Será que eles possuiriam a virtude necessária?

Um defensor da guardiania poderia responder que os guardiães não seriam mais propensos a abusar de sua autoridade do que os funcionários aos quais a autoridade é delegada nos sistemas democráticos. Mas a teoria da guardiania não propõe a *delegação* da autoridade aos governantes. A autoridade dos governantes não seria, de maneira alguma, *delegada*. Com efeito, a autoridade para governar seria permanentemente *alienada*, não delegada. As pessoas não poderiam recuperar – legal, constitucionalmente ou, suponho, racional ou moralmente – a autoridade toda vez que concluíssem isso se tornara recomendável. Seu único recurso seria a revolução. Os guardiães estariam livres dos controles populares, por mais deficientes que estes sejam, às vezes, nas ordens democráticas. E mais, presume-se que eles não sustentariam os valores democráticos. Com efeito, os guardiães sentiriam apenas desprezo pela *opinião* pública, por não ser o verdadeiro *conhecimento*.

Tendo mencionado o aforismo de Clemenceau e a lei de Murphy, talvez eu deva acrescentar algo mais. O terceiro aforismo, que talvez seja ainda mais conhecido e tão ou mais demonstrado pela experiência humana, é a asserção de Lorde Acton de que o poder tende a corromper e que o poder absoluto corrompe absolutamente. O quarto aforismo é de John Stuart Mill:

> Os direitos e interesses de toda e qualquer pessoa só estão protegidos do desrespeito quando a pessoa interessada tem a capacidade e a disposição constante de lutar por eles [...] Os seres humanos só estão protegidos do mal perpetrado por outros na proporção direta de sua autoproteção potencial e efetiva (Mill [1861] 1958, 43).

É óbvio que as generalizações de Mill e Acton, como as de Clemenceau e do apócrifo Murphy, não são realmente "leis" no verdadeiro sentido da palavra. Elas são, isto sim, juízos práticos, regras de prudência, conclusões informadas sobre os modos de funcionamento do mundo. Mas se são descrições mais ou menos corretas do mundo, como creio que são, isso significa que a visão da verdadeira guardiania impõe exigências desumanas sobre os guardiães.

Experiência histórica

Esse juízo é sustentado, penso, pela experiência histórica recente. As condições que tornaram a República de Veneza possível não existem mais e é improvável que reapareçam neste século ou no próximo. Em nossa era, testemunhamos um novo fenômeno histórico, o qual denominamos totalitarismo. Embora as características insólitas e extremas desses regimes tenham muitas vezes sido exageradas, eles aguçaram ao extremo a nossa consciência das imensas potencialidades do mau uso do governo contidas na sociedade moderna. Pois a sociedade humana possui um potencial para a dominação centralizada que está além de todos os limites anteriores. Em todo o mundo, regimes autoritários com grandes variações em sua estrutura, ideologia e desempenho afirmaram sua legitimidade como os únicos e verdadeiros guardiães do bem comum. Sua história justifica, no mínimo, três conclusões.

Em primeiro lugar, a verdade essencial do aforismo melancólico de Acton foi reafirmada. Em segundo lugar, observamos nesses sistemas uma forte propensão ao fracasso, porque o poder dos líderes conduz a uma tendência à distorção da informação por aqueles que se reportam a eles e pelas extravagâncias irrefreadas dos próprios líderes. Em terceiro lugar, ninguém desenvolveu um modo satisfatório de identificar, recrutar e educar os guardiães por suas responsabilidades ou de remover os guardiães insatisfatórios no primeiro escalão. Assim, faltam a esses regimes, de maneira gritante, líderes que possuam a virtude e o conhecimento – moral, instrumental e prático – exigido para justificar seu poder como guardiães.

Ao mesmo tempo, a teoria e a prática democráticas passaram por alterações fundamentais a fim de poder lidar com os problemas modernos do conhecimento, da informação, da compreensão e da utilização dos especialistas. Embora Platão e outros críticos tenham muitas vezes atacado a democracia como o regime do governo da opinião pública crua, imediata e desinformada, essa interpretação é apresentada pelos inimigos da democracia, não por seus amigos. Até mesmo entre os defensores da democracia direta, quase todas as pessoas, exceto as mais simplórias, pressupõem que as decisões na assembleia só ocorriam depois que a educação, a investigação aberta, a discussão e outras formas de instrução cívica tenham esclarecido as questões em debate. As democracias modernas, com seus sistemas complexos de representação, delegação, conhecimento especializado dos comitês e dos administradores, aumentaram imensamente a quantidade e a qualidade da informação e do entendimento que influenciam as decisões. É tolo e inadequado contrapor um retrato idealizado do governo de uma elite sábia e virtuosa a uma "massocracia" disfarçada de democracia, como fizeram Platão e muitos inimigos da democracia depois dele.

Por que os filósofos não devem ser reis, e vice-versa

Apesar de todos os seus defeitos, a argumentação a favor da guardiania presta um serviço importante ao pensamento político ao insistir no conhecimento e na virtude como qualidades essenciais da liderança numa boa república. Seria perigoso para o futuro da teoria e da prática democráticas depreciar a importância dessas qualidades.

A prudência e a sabedoria prática, não obstante, nos aconselham a rejeitar como ilusória a noção de que o melhor regime político é inalcançável "a não ser que os filósofos governem como reis nas cidades, ou aqueles que agora chamamos de reis e governantes estudem genuína e adequadamente a filosofia, ou seja, não antes que o poder político e a filosofia se fundam e as várias naturezas daqueles que hoje buscam um e outra de maneira mutuamente excludente sejam forçosamente impedidos de fazê-lo" (*Plato's Republic*, Grube, trad. ingl., parágr. 473d, p. 133).

Ora, as duas atividades são mutuamente excludentes. Não quero dizer que os governantes não possam ter uma inclinação mais ou menos "filosófica", como alguns já tiveram. Mas ter uma inclinação filosófica é uma coisa; ser um filósofo é outra. Não utilizo o termo "filósofo" no sentido profissional da atualidade, como alguém que lecione num departamento acadêmico de filosofia, escreva para periódicos de filosofia e assim por diante. Refiro-me a alguém como Sócrates e Platão, alguém engajado numa busca apaixonada da verdade, do esclarecimento e do entendimento, particularmente da justiça e do bem humanos[13]. Os governantes não tendem a se interessar muito por tal busca e poucos julgariam os resultados reconfortantes. Tampouco os filósofos à maneira de Platão têm muito desejo de governar, pois governar impediria a sua busca da verdade, como eles bem sabem. O próprio Platão sabia disso. Portanto, alguns acadêmicos argumentam que a *República* deve ser uma ironia: Platão quer que compreendamos por que a república fictícia retratada por ele é impossível. Seja isso verdade ou não, em sua famosa metáfora da caverna ele nos diz que alguém que saísse da caverna, com as luzes de uma fogueira distante tremeluzindo nas paredes, e visse o que é real e verdadeiro sob a luz do sol, relutaria em voltar para a caverna. Entretanto, o mundo da política pertence à caverna, onde a verdade nunca é totalmente acessível.

A prudência e a sabedoria prática competem com a visão da guardiania em mais algumas áreas. Uma democracia imperfeita é um infortúnio para o povo, mas um regime autoritário imperfeito é uma abominação. Se a prudência aconselha uma estratégia "minimax" – isto é, escolher a alternativa melhor entre as piores alternativas – a experiência do século XX é um argumento poderoso contra a guardiania.

Mas se em vez disso escolhermos uma estratégia "maximax", ela também nos levará a endossar a democracia, e não a guardiania. Pois em seus resultados ideais, a democracia é melhor. Num sistema ideal de guardiania, somente os guardiães podem exercitar a mais fundamental de todas as liberdades, a liberdade de participar na criação de leis vinculativas para cada pessoa e para a sua comunidade. Mas numa democracia ideal, todo o povo compartilha dessa liberdade.

É verdade que um regime democrático acarreta o risco de que as pessoas cometam erros. Porém, o risco de errar existe em todos os regimes do mundo real, e os erros mais crassos foram cometidos pelos líderes de regimes não democráticos. Além disso, a oportunidade de cometer erros é também uma oportunidade de aprender. Assim como rejeitamos o paternalismo nas decisões individuais porque ele impede o desenvolvimento de nossas capacidades morais, assim também devemos rejeitar a guardiania nos assuntos públicos, pois ela atrofia o desenvolvimento das capacidades morais de todo um povo. Em sua melhor forma, somente a visão democrática pode fazer algo que para a guardiania é impossível: oferecer a esperança de que, ao engajar-se no governo, todas as pessoas, e não apenas algumas, possam aprender a agir como seres humanos moralmente responsáveis.

TERCEIRA PARTE
Uma teoria do processo democrático

Capítulo 6
Justificativas: a ideia de valor intrínseco igual

Demonstrar que os argumentos a favor do anarquismo e da guardiania são insatisfatórios é muito diferente de demonstrar que a democracia é a melhor alternativa possível. Como justificar racionalmente uma crença no processo democrático ou, se "racionalmente" soa exigente demais, como justificar, ao menos razoavelmente, essa crença?

Para responder a essa questão, partimos do pressuposto de que, para viver juntos numa associação, seus membros necessitarão de um processo de tomada de decisões quanto aos princípios, regras, leis, políticas e condutas da associação, e assim por diante. Espera-se dos membros que ajam em conformidade com essas decisões: elas são *vinculativas*. Uma vez que as decisões associativas como essas são significativamente diferentes das escolhas e decisões individuais, podemos chamá-las de decisões coletivas *governamentais* ou *vinculativas*.

Para conviver numa associação, portanto, as pessoas precisam de um *processo* para chegar às decisões governamentais: um processo político. Correndo o risco de simplificar demais as alternativas, aponto como uma das soluções possíveis um processo hierárquico: certos líderes tomariam as decisões. Idealmente, talvez, esses líderes seriam um grupo relativamente pequeno e possuiriam conhecimento e virtude num grau extraordinário. Essa solução ideal seria, sem dúvida, um governo de guardiães. Porém, a alternativa para a qual me volto agora é um processo democrático de governo. No capítulo 8, apresentarei um conjunto de critérios que distinguem o processo democrático não apenas da guardiania, mas de outras alternativas também. Enquanto isso, podemos conviver adequadamente com a noção da democracia como o "governo do povo", ou, para restringir a ideia um pouco mais, como o governo do *demos*, um corpo de cidadãos constituído de membros considerados iguais no que se refere ao objetivo de se chegar às decisões governamentais.

A democracia como algo que tende a produzir o melhor sistema político viável como um todo

Muitas tentativas de justificar a democracia referem-se a sistemas democráticos que se aproximam bastante de seu ideal. Entretanto, os sistemas políticos ideais e os Estados ideais em particular nunca existiram, não existem e é quase certo que nunca existirão. Quero, portanto, mencionar uma justificativa para a democracia que, embora demasiado fluida e não filosófica para convencer os teóricos e filósofos da política, pode ter um apelo muito mais amplo que os argumentos mais filosóficos. Na verdade, eu não me surpreenderia se essa justificativa fosse a convicção silenciosa de muitos teóricos da democracia e, ao mesmo tempo, a base não filosófica de sua empreitada.

A justificativa é simplesmente esta: quando a ideia de democracia é ativamente adotada por um povo, ela tende a produzir o melhor sistema político viável ou, pelo menos, o melhor Estado como um todo. Sob esse ponto de vista, muitas das justificativas filosóficas apresentadas para a democracia podem ser verdadeiras. Mas elas falam aos ideais políticos, não diretamente à experiência humana. Um exame severo da experiência humana – histórica e contemporânea – revela que entre as sociedades políticas que de fato existiram ou que existem agora, as que mais se aproximam de satisfazer os critérios da ideia democrática são, no todo, melhores que as demais. Isso não significa que as verdadeiras "democracias" sejam ou tenham sido algum dia altamente democráticas quando comparadas com os rígidos critérios dos ideais democráticos. Mas como elas preenchem esses critérios de um modo mais completo que outros regimes e em razão da cultura política gerada pela ideia e pelas práticas da democracia, elas são, no todo e com todas as suas imperfeições, mais desejáveis que quaisquer alternativas não democráticas viáveis.

Como julgar a validade de uma afirmação dessas? Não podemos decidir razoavelmente se a democracia é justificável até que a tenhamos comparado com suas alternativas. Por exemplo, seria a democracia superior a um sistema de guardiania como o que foi imaginado por Platão na *República*? Para fazer tal comparação, não somente teríamos de entender muito sobre a democracia, como um ideal e uma realidade viáveis; também teríamos de entender a alternativa como um ideal e uma realidade viáveis. Todavia, ao fazer tais comparações, precisamos evitar a comparação entre laranjas ideais e maçãs reais, um procedimento planejado de forma que as maçãs reais sejam inferiores às laranjas ideais. Embora frequentemente se compare, explicita ou implicitamente, o desempenho ideal de um regime e o desempenho real de outro, é difícil saber como entendê-los. Parece mais adequado comparar o ideal democrático e o ideal da guardiania; a realidade da democracia na prática e a realidade dos regimes hierárquicos na prática. Mas evidentemente, essa é uma tarefa hercúlea. Completá-la tomaria a maior parte deste livro. Consequentemente, a argumentação neste capítulo e no próximo deve ser lida como algo que depende dos argumentos apresentados nos capítulos seguintes.

A ideia de igualdade intrínseca

Uma objeção óbvia à afirmação de que o melhor sistema viável tende a existir quando um povo adota ativamente a ideia de democracia é a de que esse argumento só faz sentido se soubermos o que significa "o melhor". Que critérios devemos utilizar na avaliação do valor da democracia como um ideal, ou mesmo como uma realidade?

Acredito que quase todas as tentativas de responder uma questão como essa recaem, em última instância e ainda que apenas por dedução, numa premissa tão fundamental que ela está contida em quase toda a argumentação moral. Ela é o que se pode chamar de ideia de igualdade intrínseca.

Uma versão desta ideia está contida num trecho bem conhecido do *Segundo tratado sobre o Governo*, de Locke:

> Embora eu tenha dito acima [...] que *todos os homens são iguais por natureza*, não se pode esperar que eu compreenda todos os tipos de *Igualdade*: a *Idade* ou a *Virtude* podem dar ao Homem uma Precedência justa: A *Excelência das Partes* e o *Mérito* podem situar outros acima do Plano Comum: o Nascimento pode sujeitar alguns, e a *Aliança* ou os *Benefícios* outros, a prestar o devido Respeito àqueles que a Natureza, a Gratidão ou outros Aspectos possam ter feito merecedores; e no entanto, tudo isso é compatível com a *Igualdade*, que une todos os Homens, quanto à Jurisdição ou o Domínio de uns sobre os outros, Igualdade à qual me referi como apropriada para o Tema em questão, ou seja, o *Direito igual* que todos os Homens têm à sua *Liberdade Natural*, sem estar sujeitos à Vontade ou à Autoridade de nenhum outro Homem. (Locke [1689/90], 1970, cap. 6, parágr. 54, p. 322)

Locke atribuía aos homens um tipo de *igualdade intrínseca* que, embora irrelevante em muitas situações, definitivamente seria decisiva para certos fins, especificamente para os fins de governo. Embora Locke molde sua versão numa forma especial, ele tem em comum com muitos outros uma crença fundamental segundo a qual, ao menos em assuntos que requerem decisões coletivas, "todos os Homens" (ou todas as pessoas?) são, ou deveriam ser assim considerados, iguais num sentido importante. Chamarei a essa noção subentendida a Ideia de Igualdade Intrínseca.

Em que aspectos são as pessoas intrinsecamente iguais, e que requisitos, se é que os há, essa igualdade impõe a um processo de tomada de decisões coletivas? É mais fácil dizer o que a Igualdade Intrínseca *não* significa, como faz Locke, que dizer mais precisamente o que ela de fato significa. Para Locke, a igualdade intrínseca evidentemente significa que ninguém tem o direito natural de sujeitar outra pessoa à sua vontade ou autoridade. Disso se segue que "ninguém pode ser [...] sujeitado ao Poder Político de outra pessoa sem o seu *Consentimento*" (cap. 8, parágr. 95, p. 348)[1]. Para alguns, porém, a igualdade intrínseca significa que todos os seres humanos têm valor intrínseco igual, ou, na ordem inversa, que nenhuma pessoa é intrinsecamente superior a outra[2]. Para John Rawls, que considera a ideia de igual valor intrínseco excessivamente vaga e elástica, a igualdade intrínseca das pessoas consiste, na verdade, em sua capacidade de ter uma concepção de seu próprio bem e de adquirir um senso de justiça[3]. Para outros, a igualdade intrínseca significa que o bem ou os interesses de cada pessoa devem receber igual consideração; esse é o famoso Princípio da Igual Consideração de Interesses (por exemplo, Benn 1967, 61 ss.).

Saber como essas diversas interpretações se relacionam e se todas dependem conclusivamente da ideia de valor intrínseco igual são questões não resolvidas, que não precisam nos deter aqui[4].

No entanto, como a república de Platão, a democracia poderia ser pouco mais que uma fantasia filosófica, não fosse pela influência persistente e amplamente difundida da crença de que os seres humanos são, de um modo fundamental, intrinsecamente iguais – ou que, pelo menos, muitos deles o são. No curso da história, em especial na Europa e nos países de língua inglesa, a ideia de igualdade intrínseca derivou boa parte de sua força da doutrina comum ao Judaísmo e ao Cristianismo (e também compartilhada pelo Islã) de que somos todos, igualmente, filhos ou criaturas de Deus. Com efeito, foi exatamente sobre essa doutrina que Locke baseou sua asserção da igualdade natural de todas as pessoas num estado de natureza.

Mesmo quando o raciocínio moral pretende se manter independente de suas origens religiosas, como tem sido comum acontecer nos últimos séculos, a Ideia de Igualdade

Intrínseca ainda é pressuposta. Assim, temos a máxima de Bentham, "todos devem valer como um e ninguém como mais que um", máxima que, segundo John Stuart Mill, "poderia ter sido escrita tendo o princípio da utilidade como um comentário explicativo" (Mill [1863] 1962, 319)[5]. O que Bentham quis dizer e o que todos os utilitaristas tomam como premissa é que, sejam lá quem forem Jones e Smith, e como quer que se descreva o padrão definitivo de *bem* (como felicidade, prazer, satisfação, bem-estar ou utilidade), a felicidade (ou coisa que o valha) de Jones deve ser contada nas mesmas unidades que a de Smith. Não devemos medir a felicidade de Jones em unidades menores porque ele é um trabalhador rural analfabeto e a de Smith em unidades maiores porque ele é um artista com gostos refinados. Mesmo quando J. S. Mill defendeu a ideia de que alguns prazeres são melhores que outros, ele continuou a basear-se no axioma da igualdade intrínseca, pois para ele, bem como para Bentham, o valor relativo de um objeto ou atividade dependia de sua contribuição para o prazer ou a felicidade do recipiente, e não do valor intrínseco e particular do recipiente[6].

Sem dúvida, o utilitarismo é vulnerável em muitos aspectos e sempre esteve sujeito a intensos ataques, particularmente daqueles que tentam demonstrar um curso de ação, um dever, uma obrigação ou um direito corretos que não se justifiquem somente por suas consequências utilitárias. Mas esses filósofos, de Kant a Rawls, geralmente também adotam uma premissa de igualdade intrínseca.

A persistência e a generalidade da premissa da igualdade intrínseca na argumentação moral sistemática podem ser atribuídas à existência de uma norma tão profundamente arraigada em todas as culturas ocidentais que não podemos rejeitá-la sem negar nossa herança cultural e, portanto, negar quem somos. Porém, um dos motivos para a adoção dessa premissa – um motivo que apela mais à sensatez da própria que à história e à cultura – é a dificuldade em apresentar uma justificativa racional para qualquer alternativa a ela. Certamente a ideia de igualdade intrínseca pode ser rejeitada sem autocontradição[7]. Mas, com efeito, rejeitá-la equivale a afirmar que algumas pessoas devem ser consideradas e tratadas como *intrinsecamente* privilegiadas independentemente de quaisquer contribuições sociais que possam fazer. Justificar tal asserção é uma tarefa monumental que, pelo que me consta, ninguém conseguiu realizar ainda.

Porém, a questão persiste: o que significa, de fato, a igualdade intrínseca? O aspecto que me parece mais pertinente ao processo democrático está expresso no Princípio da Igual Consideração de Interesses. Entretanto, o que esse princípio requer está longe de ser evidente. Tentarei esclarecê-lo através da complementação de seu significado e em seguida, à maneira de Locke, através da afirmação do que ele *não* significa.

Para começar, o princípio dá a entender que durante um processo de tomada de decisões coletivo, os interesses de cada pessoa sujeita à decisão devem (dentro dos limites da viabilidade) ser precisamente interpretados e divulgados. Obviamente, sem esse passo, os interesses de cada "sujeito" não poderiam nem ser considerados, muito menos receber igual consideração. No entanto, o princípio não dá a entender que o "sujeito" cujos interesses devem ser considerados também deve ser o "intérprete". Tampouco o "intérprete" tem de ser, necessariamente, quem toma as decisões.

Suponhamos que os sujeitos sejam Able, Baker e Carr, mas que Dawson seja o melhor intérprete possível de seus interesses, enquanto o melhor tomador de decisões é Eccles, que deve dar igual consideração aos interesses de Able, Baker e Carr. O princípio exigiria não apenas que (1) Dawson interpretasse e expressasse com exatidão os interesses de Able, Baker e Carr; (2) Eccles entendesse perfeitamente a interpretação de Dawson; e (3) Eccles tomasse a decisão após ter ponderado a fundo e levado em consideração os interesses de cada qual, conforme a interpretação de Dawson, mas que (4) ao decidir, Eccles desse "igual consideração" aos interesses de cada. Isso quer dizer que Eccles trataria Able, Baker e Carr como detentores do direito igual a ter seus interesses atendidos, sendo que ninguém teria um direito intrinsecamente privilegiado. Suponhamos que o interesse de Able fosse mais bem atendido pela decisão X, o de Baker por Y e o de Carr por Z. O princípio proibiria Eccles de escolher Z, digamos, com base no fato de que a pretensão de Carr a Z seria intrinsecamente superior (por quaisquer motivos) à pretensão de Able a X ou à de Baker a Y. Eccles teria de buscar uma decisão *neutra* em relação a Able, Baker e Carr[8].

Duas falhas na Ideia de Igualdade Intrínseca

Por si só, porém, a Ideia de Igualdade Intrínseca não é robusta o suficiente para justificar muitas coisas a título de conclusão – e certamente não o é para justificar a democracia. É frágil em pelo menos dois aspectos. Em primeiro lugar, os limites que impõe sobre as desigualdades são extremamente largos. Ela não significa, por exemplo, que todos tenhamos direito a cotas iguais de votos, direitos civis, seguros de saúde ou coisa nenhuma. Mesmo que descartasse algumas alocações, ainda permitiria uma imensa amplitude. Se meu vizinho tem uma disfunção renal e precisa de diálise para sobreviver, cotas iguais significariam que nós dois, ou nenhum de nós, teríamos direito a ela, o que certamente não faria nenhum sentido.

Podemos ver os limites do princípio mais claramente com o auxílio da "gramática da igualdade" de Douglas Rae (Rae 1981). Em algumas situações, a melhor solução de Eccles seria distribuir cotas que proporcionassem "bens" de *igual valor para cada pessoa*. O que tem "igual valor para cada pessoa" poderia ser determinado considerando-se as necessidades, desejos, satisfações, objetivos ou o que quer que fosse de cada pessoa. Isso é a "igualdade concernente à pessoa". Porém, embora possa parecer que a igualdade intrínseca sempre exija a igualdade concernente à pessoa, talvez às vezes Eccles optasse sensatamente por conceder a Able, Baker e Carr idênticos lotes, quantias ou cotas de "bens". Essa é a igualdade concernente ao lote. Geralmente a igualdade de lotes irá ferir a igualdade concernente à pessoa, e vice-versa.

A Ideia de Igualdade Intrínseca também deixa em aberto outras questões profundamente perturbadoras que Dawson, o intérprete, e Eccles, que toma as decisões, terão de responder. O que Dawson, o intérprete, deve considerar como os "interesses" de Able, Baker e Carr – suas próprias preferências, por exemplo, seus desejos, suas necessidades, ou algum outro bem substantivo? O princípio também não diz a Eccles, que toma as decisões, se deve conceder a cada pessoa os bens adequados *diretamente* ou se, em vez disso, deve tentar garantir que Able, Baker e Carr tenham todos as mesmas *oportunidades* de obter os bens substantivos adequados. Suponhamos que Eccles conclua que os interesses de Able, Baker e Carr sejam mais bem servidos quando se proporciona a eles oportunidades iguais. Será que sua igualdade intrínseca exige que Eccles conceda a cada um deles os meios ou instrumentos idênticos para obter seus interesses, por exemplo, doze anos de escolaridade essencialmente idêntica? Ou, em vez disso, deveria Eccles tentar garantir que Able, Baker e Carr tenham todos uma *probabilidade* igual de atingir suas metas, por exemplo através de uma educação especial (e mais cara) para Able, que é intelectualmente superdotado em certos aspectos, e para Baker, que está em desvantagem cultural?

A segunda falha é uma consequência da primeira. Como já mencionei, nada na premissa da igualdade intrínseca implica que Able, Baker e Carr sejam os melhores juízes de seu próprio bem ou de seus próprios interesses. Suponhamos que seja verdade que algumas poucas pessoas como Eccles não apenas entendem muito melhor que as outras o que constitui seu bem individual e comum, e também como concretizá-lo, mas que sejam ainda completamente confiáveis quanto a essa capacidade. Seria então perfeitamente compatível com a Ideia de Igualdade Intrínseca concluir que essas pessoas de conhecimento e virtude superiores, como Eccles, devem governar todas as outras. E mais: se o bem de cada pessoa merece igual consideração, e se um grupo superior de guardiães poderia melhor garantir igual consideração, disso se depreende que a guardiania seria definitivamente desejável e que a democracia seria definitivamente indesejável.

No capítulo seguinte, portanto, apresentarei um outro princípio, igualmente familiar, que chamarei de Presunção de Autonomia Pessoal. Associado à Ideia de Igualdade Intrínseca, ele ajuda a criar uma base sólida para as crenças democráticas.

Contudo, antes de nos voltarmos para a autonomia pessoal, é importante perceber outro conteúdo que podemos atribuir ao termo "interesses". Os defensores da democracia geralmente têm interpretado os "interesses" ou "bens" mais fundamentais dos seres humanos de três modos. É de interesse dos seres humanos ter oportunidades de alcançar o máximo de liberdade possível, desenvolver plenamente suas capacidades e potencialidades como seres humanos e obter a satisfação de todos os outros interesses que eles mesmos julgam importantes, dentro dos limites da viabilidade e da justiça para com os outros. Pode-se argumentar que a democracia é um meio essencial para alcançar esses interesses fundamentais, embora esteja longe de ser uma condição suficiente para atingi-los.

A democracia como um instrumento para a máxima liberdade possível

Desde o século XVII, os defensores da democracia têm salientado fortemente a relação desta com a liberdade. Sob esta perspectiva, a democracia é instrumento da liberdade de três maneiras:

Liberdade geral

Há muito tempo, tanto os defensores como os opositores da democracia admitiram que ela está ligada à liberdade de uma forma diferente de qualquer outro tipo de regime. Uma vez que certos tipos de direitos, liberdades e oportunidades são essenciais para o processo democrático em si, esses direitos, liberdades e oportunidades necessariamente devem existir enquanto existir o processo. Isso inclui o direito à livre expressão, à organização política, à oposição, às eleições justas e livres e assim por diante. Consequentemente, o escopo mínimo da liberdade política num sistema democrático inclui de modo intrínseco uma gama bastante ampla de direitos importantes[9]. Mas é improvável que esses direitos políticos fundamentais existam isoladamente. A cultura política necessária para dar suporte à existência de uma ordem democrática – aquilo que Tocqueville denominou as *maneiras* de um povo, "especificamente, as características morais e intelectuais do homem social, tomadas coletivamente" (1840, 2:379) – tende a enfatizar o valor dos direitos, liberdades e oportunidades pessoais. Dessa forma, não apenas como um ideal, mas também na prática, o processo democrático está envolto numa aura de liberdade pessoal.

Como resultado dos direitos intrinsecatemente necessários para o processo democrático, juntamente com uma cultura política e uma esfera mais ampla de liberdade pessoal relacionadas a esse processo, a democracia tende a proporcionar um território mais extenso de liberdade pessoal que qualquer outro regime poderia prometer.

Liberdade de autodeterminação

Todavia, a democracia relaciona-se de uma forma única com a liberdade sob mais um aspecto: ela expande até os limites máximos a oportunidade das pessoas de viver sob leis de sua própria escolha. A essência desse argumento pode ser mais bem resumida da seguinte forma: governar-se a si próprio, obedecer a leis que a própria pessoa escolheu para si mesma, ter *autodeterminação*, são fins desejáveis. No entanto, os seres humanos não podem alcançar esses fins vivendo no isolamento. Para viver satisfatoriamente, devemos viver em associação com outros seres humanos. Porém, viver em associação com outrem necessariamente exige que às vezes se obedeça a decisões coletivas que são vinculativas para todos os membros da associação. O problema, portanto, é descobrir uma forma pela qual os membros de uma associação possam tomar decisões que sejam vinculativas para todos e ainda governar a si próprios. A democracia é a melhor solução porque maximiza as oportunidades de autodeterminação entre os membros de uma associação.

A exposição mais célebre deste argumento encontra-se no *Contrato social*; com efeito, nessa obra Rousseau se dispôs explicitamente a "encontrar uma forma de associação que defenda e proteja a pessoa e os bens de cada associado com toda a força comum e por meio da qual cada um, unido a todos os outros, não obstante obedeça apenas a si próprio e pemaneça tão livre como antes" (Rousseau [1762], 1978, livro 1, cap. 6, p. 53).

A justificativa para a democracia como algo que maximiza a liberdade de autodeterminação também foi endossada por todos aqueles, de Locke em diante, que acreditavam que o governo deve basear-se no consentimento dos governados. Pois nenhuma outra forma de governo pode fazer tanto, ao menos em princípio, para garantir que a estrutura e os processos do governo em si e as leis que ele sanciona e executa dependam de forma significativa do consentimento genuíno dos governados. É numa democracia, e somente numa democracia, que as decisões quanto à constituição e às leis são decididas por uma maioria. Por contraste, todas as alternativas viáveis à democracia permitiriam que uma minoria decidisse essas questões vitais.

Essa afirmação pode ser, e muitas vezes foi, contestada em três frentes. Em primeiro lugar, ainda que a democracia garanta, em princípio, que essas questões serão decididas pela maioria, a minoria em desvantagem não será necessariamente governada por leis de sua própria escolha. Enquanto um membro da maioria pode "obedecer apenas a si próprio e permanecer tão livre quanto antes", um membro da minoria pode ser forçado a obedecer a uma legislação imposta por outros – a maioria – e, nesse sentido, será menos livre que eles. Rousseau tentou contornar essa dificuldade afirmando que o contrato social original exige um acordo unânime, mas que "exceto por esse contrato primitivo, o voto da maioria sempre obriga todos os outros" (livro 4, cap. 3, p. 110). Seu argumento, porém, é fraco demais e insuficientemente elaborado para ser persuasivo. Infelizmente, Rousseau não está só, pois a justificativa do domínio da maioria continuou a ser um problema desconcertante, do qual tratarei no capítulo 10. Mas não precisamos nos deter nele aqui, pois se as únicas alternativas não democráticas ao domínio da maioria, sem exceção, pressupõem alguma forma de domínio da minoria, a afirmação de que a democracia maximizará as oportunidades de liberdade por meio da autodeterminação ainda é válida, uma vez que, sob quaisquer alternativas não democráticas, o número de membros que desfrutam da liberdade de governar a si mesmos seria necessariamente menor que numa democracia.

Porém, esse novo modo de apresentar aquela afirmação agora a torna vulnerável a uma nova objeção: se uma associação política baseada no governo da maioria amplia a liberdade de autodeterminação num grau maior que uma associação baseada no governo da minoria, quanto maior for a maioria exigida, mais ampla será a liberdade de autodeterminação. Em princípio, portanto, a unanimidade seria o melhor princípio de todos. Sob esse ponto de vista, o princípio de unanimidade, que Rousseau (como Locke) limitou a um "contrato original" mítico, seria superior ao princípio da maioria para ser adotado não somente no contrato original, mas também em todas as leis subsequentes. Uma vez que um requisito de unanimidade garantiria que nenhuma lei poderia ser sancionada sem o consentimento de todos os membros, supõe-se que ele também garantiria a liberdade de autodeterminação para cada membro. Porém, na contramão desse final feliz, o princípio da unanimidade tem suas próprias graves desvantagens, que serão exploradas em capítulos subsequentes, nos quais veremos que a unanimidade não é viável nem desejável como regra geral para as decisões coletivas. Todavia, não precisamos adiantar essa discussão. Basta-nos perceber que *se* a unanimidade fosse uma regra decisória desejável e viável para o processo democrático, a justificativa da democracia como fator de maximização da liberdade através da autodeterminação não seria abalada de forma alguma: a democracia maximizaria a liberdade através da unanimidade, não através do princípio da maioria.

No entanto, uma terceira objeção permanece: quando postulamos uma sociedade política democrática, seja ela governada segundo o princípio da maioria, seja pelo princípio da unanimidade, é claro que temos em mente um sistema ideal. Mas como eu disse, os sistemas políticos que existem de fato, inclusive os sistemas democráticos, não estão à altura de seus ideais. E às vezes se diz que as "democracias" reais ficam tão aquém do ideal que, na prática, as minorias dominam as maiorias e a tão alardeada liberdade de autodeterminação, proclamada como um ideal, é efetivamente negada à maioria das pessoas. Os defeitos das "democracias" reais, medidas em comparação com o ideal, são tão conhecidos e tão graves que não se pode simplesmente rejeitar críticas como essas sob a acusação de serem implausíveis. Ao mesmo tempo, contudo, a tarefa de avaliar as "democracias" reais é extremamente difícil, seja em comparação com os regimes não democráticos seja com seus próprios padrões ideais. Essa tarefa será deixada para capítulos posteriores. Entretanto, a maioria dos críticos que fazem a objeção que acabei de descrever preferiria argumentar que o que há de errado com as "democracias" reais é o fato de que elas ficam abaixo dos padrões democráticos. Obviamente, uma objeção desse tipo não necessariamente nega – e é provável que não tenha, de hábito, essa intenção – que, se a democracia alcançasse seus próprios padrões, ela expandiria a liberdade de autodeterminação mais que qualquer outra alternativa viável.

Autonomia moral

Pode-se concordar com tudo o que já foi dito até agora e ainda assim fazer objeções à premissa implícita de que a liberdade de governar a si próprio sob leis da própria escolha é uma meta desejável. Provavelmente, poucos críticos chegariam ao ponto de contestar essa premissa, e a maioria deles partiria do pressuposto de que é verdadeira. No entanto, é necessário questionar: por que seria desejável essa forma de liberdade?

Uma importante parte da resposta encontra-se nas outras justificativas para a democracia que estamos prestes a explorar. Viver sob leis da própria escolha, e dessa forma, participar do processo de escolha dessas leis facilita o desenvolvimento pessoal dos cidadãos como entes morais e sociais, além de permitir que protejam e promovam seus direitos, interesses e preocupações mais fundamentais.

Há, contudo, um motivo mais profundo para valorizar a liberdade de governar a si mesmo, um motivo que não tem tanta relação com sua utilidade como um instrumento para outros fins. Esse motivo é o valor da autonomia moral em si. Por pessoa moralmente autônoma, refiro-me a alguém que se decide quanto a seus princípios morais e às decisões que dependem significativamente deles, após um processo de reflexão, deliberação, análise e ponderação. Ser moralmente autônomo *é* autogovernar-se na esfera das escolhas moralmente pertinentes (cf. Kuflik, 1984, 272).

Este não é o lugar apropriado para discutir a polêmica sobre o significado da autonomia moral[10]. Também não me estenderei sobre os motivos pelos quais a autonomia moral deve ser respeitada[11]. No final das contas, creio que os motivos para respeitar a autonomia moral resumem-se na crença de que ela é uma qualidade sem a qual os seres humanos deixam de ser completamente humanos e em cuja ausência total não seriam humanos em absoluto[12]. Em suma, se é desejável que os seres humanos sejam entes morais, como estou certo de que nenhum leitor irá negar, vale dizer que sua autonomia deve ser respeitada.

Limitar nossas oportunidades de viver sob as leis de nossa própria escolha é limitar o escopo da autonomia moral. Como o processo democrático maximiza o escopo viável da autodeterminação para aqueles que estão sujeitos a decisões coletivas, ele também respeita, num grau máximo, a autonomia moral de todos que estão sujeitos a suas leis.

A democracia como meio eficaz para o desenvolvimento humano

Dizer que o caráter de um regime e as qualidades de seu povo se relacionam de alguma forma é um lugar-comum da filosofia política desde os gregos. Em sua obra *Considerações sobre o governo representativo*, John Stuart Mill ecoou essa visão ancestral:

> Uma vez que o primeiro elemento do bom governo [...] é a virtude e a inteligência dos seres humanos que compõem a comunidade, o ponto de excelência mais importante que qualquer forma de governo pode possuir é a promoção da virtude e da inteligência do próprio povo. A primeira questão concernente a qualquer instituição política é até que ponto ela tende a promover, nos membros da comunidade, as várias qualidades morais e intelectuais desejáveis. (Mill [1861] 1958, 25)

Mas não existe acordo quanto à natureza exata da relação entre os regimes e o caráter humano, nem quanto à direção dessa causalidade. Não obstante, já se disse a favor da democracia que ela tem uma probabilidade maior que outros regimes de promover certas qualidades desejáveis entre seus cidadãos.

Na concepção de Mill, ao proporcionar oportunidades para que todos participem ativamente na vida política, a democracia encoraja, como nenhum outro tipo de regime, as qualidades de independência, autoconfiança e espírito público (53-5). O argumento segundo o qual a participação política desenvolve qualidades pessoais e sociais desejáveis nos cidadãos democráticos foi desenvolvido muitas vezes desde o tempo de Mill, particularmente pelos defensores da democracia participativa (cf. Pateman 1970, 43; Barber 1984, 153).

Embora atraente e plausível, esse argumento, como justificativa para a democracia, sofre de uma grave dificuldade: ele depende inteiramente, afinal de contas, de uma hipótese *empírica* que afirma uma relação entre as características de um regime e as qualidades de seu povo. Determinar a relação entre regime e qualidades pessoais é uma tarefa muito difícil, e os cientistas sociais modernos pouco avançaram em relação às especulações e conjecturas de Platão, Maquiavel e Mill. Embora os teóricos modernos tenham ocasionalmente proposto que uma "personalidade democrática" pode ser necessária para as instituições democráticas ou pode ser produzida por elas, as tentativas de definir as qualidades distintas de uma personalidade democrática e de verificar sua relação com os regimes ou práticas democráticas não têm tido muito sucesso. Por exemplo, a conjectura de que a participação política tende a criar um senso mais forte de valor pessoal, maior tolerância e mais espírito público tem um suporte mínimo da investigação sistemática – quando tem (Sniderman 1975). Os obstáculos metodológicos para verificar a hipótese são tão grandes que eles tornam essa conjectura, no máximo, uma justificativa débil e vulnerável da democracia – justificativa essa que por si só não teria peso quase nenhum.

Todavia, se consideramos as justificativas prévias da democracia, podemos observar essa questão de um outro modo. Vamos supor que acreditemos que as pessoas adultas devam possuir estas qualidades, entre outras: devem possuir a capacidade de cuidar de si próprias, no sentido de ser capazes de cuidar de seus interesses; devem, na medida do possível, ser moralmente autônomas, em particular quanto às decisões de grande importância para si mesmas e para outrem; devem agir com responsabilidade, no sentido de pesar os cursos de ação disponíveis da melhor maneira possível, ponderando suas consequências e levando em consideração os próprios direitos e obrigações e os das outras pessoas; e devem ser capazes de participar de discussões livres e abertas com outras pessoas de modo a poder chegar a juízos morais. A observação, casual ou sistemática, proporciona bons motivos para crer que muitos ou talvez quase todos os seres humanos possuem, ao nascer, o potencial de desenvolver essas qualidades, e que o grau que alcançarão no desenvolvimento delas depende primariamente das circunstâncias nas quais eles nasceram e nas quais ocorre seu desenvolvimento – ou a falta dele.

Entre essas circunstâncias, está a natureza do regime político no qual uma pessoa vive. E somente os regimes democráticos podem propiciar as condições sob as quais as qualidades que mencionei têm a probabilidade de se desenvolver plenamente. Pois todos os outros regimes reduzem, às vezes de maneira drástica, o escopo dentro do qual os adultos podem agir para proteger seus próprios interesses (que dirá os interesses dos outros), exercer a autodeterminação, assumir a responsabilidade pelas decisões importantes e participar livremente com outrem de uma busca pela melhor decisão. Uma vez que a existência de um processo democrático no governo do Estado não pode ser uma condição suficiente para essas características se desenvolverem, e como, de qualquer forma, os regimes reais nunca são plenamente democráticos, os obstáculos metodológicos à verificação empírica permanecem. Mas se as qualidades que descrevi forem desejáveis, parece razoável sustentar que, para que elas possam se desenvolver entre uma grande parte do povo, é necessário, se não suficiente, que o povo governe a si mesmo democraticamente.

A democracia como meio eficaz para a proteção dos interesses pessoais

Talvez a justificativa mais comum apresentada a favor da democracia seja a de que ela é essencial para a proteção dos interesses gerais das pessoas que estão sujeitas às regras ou ações das autoridades do Estado. Ao mesmo tempo que esses interesses incluem a liberdade e o desenvolvimento pessoal, eles também abrangem um vasto número de desejos, vontades, práticas e direitos que as pessoas numa sociedade e situação histórica específicas podem considerar importantes.

Em sua obra *Considerações sobre o governo representativo*, Mill apresentou a seguinte argumentação:

1. Um princípio "de tanta verdade universal e aplicabilidade quanto quaisquer proposições gerais que possam ser dispostas no tocante aos assuntos humanos [...] é o de que os direitos e interesses de toda e qualquer pessoa só estão protegidos do desrespeito quando a pessoa interessada tem a capacidade e a disposição constante de lutar por eles [...]. Os seres humanos só estão protegidos do mal perpetrado por outros na medida em que tenham poder para *proteger* a si mesmos, e façam uso efetivo desse poder".
2. As pessoas só podem impedir que seus direitos e interesses sejam violados pelo governo e por aqueles que influenciam ou controlam o governo se participarem amplamente na determinação da conduta do governo[13].
3. Portanto, "nada pode ser mais desejável que a admissão de todos a uma participação no poder soberano do Estado", isto é, um governo democrático.
4. "Mas uma vez que nem todos podem, em nenhuma comunidade maior que uma pequena vila, participar de nada além de porções muito pequenas dos assuntos públicos, o tipo ideal de governo perfeito deve ser representativo" (Mill [1861] 1958, 43, 55).

Embora as premissas utilitaristas de Mill estejam evidentemente ausentes de sua defesa do governo representativo e embora ele tenha rejeitado a simples identificação entre felicidade e prazer adotada por seu pai e por Bentham, ele continuou a crer que a felicidade era o bem supremo. Consequentemente, suponho que teria sido obrigado a dizer que a proteção dos direitos e interesses das pessoas é desejável porque esses direitos e interesses são meios eficazes para a felicidade humana. Porém, a argumentação de Mill não pressupõe essa premissa num sentido estrito, e não é preciso ser um utilitarista para aceitá-la. Por exemplo, pode-se simplesmente argumentar que, ainda que a proteção dos direitos e interesses da pessoa não leve necessariamente à felicidade, é moralmente apropriado que os direitos e interesses humanos fundamentais sejam protegidos. É importante ter em mente, portanto, que a validade da argumentação de Mill e sua premissa implícita não dependem necessariamente da validade de nenhuma forma de utilitarismo.

Não obstante, é verdade que os utilitaristas clássicos, como Bentham e James Mill, bem como inúmeros sucessores, justificaram a democracia com base na premissa de que satisfazer as próprias vontades leva à felicidade. E que a democracia é desejável porque é – e na medida em que é – um processo político por meio do qual as pessoas podem satisfazer melhor as suas vontades. A forma geral desse argumento é exatamente igual à de Mill, exceto pelo fato de que essa espécie de utilitarismo fala das necessidades, enquanto Mill fala de direitos e interesses.

Por mais disseminada que seja, a tentativa de justificar a democracia como um instrumento para a satisfação das vontades foi atacada por alguns teóricos democráticos. John Plamenatz afirmou, por exemplo, que não há "nenhuma boa razão para crer que, quanto mais sucesso eu tenha em maximizar a satisfação de minhas vontades dentro dos limites possíveis, mais feliz eu poderei ser". Além disso, não podemos comparar governos e, a título de juízo razoavelmente empírico, concluir que "as políticas de um fizeram, no geral, mais que as políticas do outro para capacitar seus sujeitos a maximizar a satisfação de suas vontades", particularmente se os governos não forem do mesmo tipo e os valores e crenças das pessoas em questão diferirem muito. Finalmente, as pessoas não preferem, e não devem preferir, a democracia a suas alternativas porque elas creem que ela seja melhor para maximizar a satisfação de suas vontades. "Nem seus defensores, nem seus críticos, estão preocupados em maximizar a satisfação das vontades ou a conquista de metas. Eles favorecem a democracia porque ela dá direitos e oportunidades aos homens certos; ou a rejeitam porque ela deixa de fazê-lo. Mas esses direitos e oportunidades não são valorizados porque facilitam às pessoas satisfazer ao máximo suas vontades" (Plamenatz 1973, 163, 164, 168)[14].

Ora, uma coisa é dizer que a democracia não pode ser justificada sob o pretexto de que ela maximiza a satisfação das vontades e outra coisa muito diferente é insistir que a democracia não tem nenhuma relação com o que as pessoas querem. Para começar, não é preciso aceitar a psicologia simples do utilitarismo clássico para crer que a felicidade de alguém depende, até certo grau, da satisfação de suas vontades, ou pelo menos de algumas delas. Não consigo imaginar como as pessoas poderiam ser felizes se nenhuma de suas vontades fosse satisfeita. Da mesma forma, é difícil entender por que as pessoas valorizariam um governo que nunca atendesse às suas vontades. Se, como afirmou Plamenatz, as pessoas valorizam a democracia em razão dos direitos e oportunidades que ela proporciona, elas devem querer que seu governo proporcione, proteja e faça valer esses direitos e oportunidades. Se as pessoas achassem que a democracia não satisfaz essas vontades de um modo melhor que quaisquer alternativas viáveis, elas racionalmente prefeririam as alternativas.

Falar de pessoas que querem que seu governo faça certas coisas e evite fazer outras é, sem dúvida, algo muito distante de "maximizar a satisfação das vontades". Digamos que *A* quer satisfazer seu desejo de comer um hambúrguer: isso certamente não se compara com querer que o governo maximize suas oportunidades de comer hambúrgueres. Provavelmente, nenhuma pessoa sã esperaria que um governo satisfizesse ou tentasse satisfazer todas as suas vontades. O que as pessoas esperam que um governo faça ou evite fazer é um subconjunto especial, e para muitas pessoas um subconjunto muito pequeno, de suas vontades. Não obstante, esse subconjunto pode ser extremamente importante. Por exemplo, ele pode incluir o que Mill denominou direitos e interesses e Plamenatz, direitos e oportunidades. Para evitar uma confusão entre esse subconjunto especial, mas muitas vezes importante, e a multiplicidade de "vontades" que as pessoas podem desejar satisfazer, chamarei a esse subconjunto de "preocupações políticas urgentes".

Uma justificativa mais razoável para a democracia, portanto, seria a de que, num grau substancialmente maior que qualquer alternativa, um governo democrático proporciona um processo ordeiro e pacífico através do qual a maioria dos cidadãos pode induzir o governo a fazer o que eles mais querem que ele faça ou a evitar fazer o que eles menos querem que ele faça[15]. Em vez de afirmar que os governos democráticos respondem a isso maximizando a satisfação das vontades, podemos dizer que eles tendem a satisfazer um conjunto mínimo de preocupações políticas urgentes. Mas pode ser que, na prática, não possamos determinar se essa justificativa é válida comparando rigorosamente o desempenho de governos democráticos e não democráticos, de um lado, e as evidências do que os cidadãos querem que seus governos façam ou não façam, de outro. Poderíamos, não obstante, conseguir chegar a um juízo razoável se comparássemos, de um lado, as oportunidades que o processo democrático proporciona à maioria dos cidadãos no sentido de induzir o governo a tentar satisfazer as preocupações políticas urgentes dessa maioria e, de outro lado, as oportunidades no mesmo sentido que um governo não democrático lhes proporcionaria. E, com base nessa comparação, decidiríamos se aquela afirmação é justificável.

Essa é uma tarefa substancial. Entre outras coisas, teríamos de especificar as instituições que, na prática, são necessárias para o processo democrático. Isso terá de ser feito em outros capítulos. Enquanto isso, as críticas de Plamenatz não me parecem suficientes para refutar a argumentação de Mill, tampouco a crença de que os governos democráticos proporcionam aos cidadãos melhores oportunidades de satisfazer suas preocupações políticas urgentes que quaisquer outras alternativas viáveis.

*

Há pouco, aventei a possibilidade de que a Ideia de Igualdade Intrínseca esteja sujeita a duas fraquezas: em primeiro lugar, como ela não especifica o que deve ser considerado como um interesse ou um bem humano, os limites que ela impõe às desigualdades são extremamente fluidos e vagos. Assim, ela não é suficiente por si só para sustentar uma pretensão à igualdade política do tipo exigido pela democracia. O princípio da igualdade intrínseca se torna mais específico e mais intimamente relacionado ao processo democrático quando incluímos entre os interesses humanos as aspirações à máxima liberdade possível, ao desenvolvimento pessoal e às oportunidades de satisfazer preocupações políticas urgentes, de uma forma geral.

Todavia, nem mesmo esses bens tornam clara a interpretação daquele princípio. Quem, então, deve determinar mais especificamente que bens ou interesses devem ser tratados como prioridades? Em suma, quem deve governar? Será que alguém não poderia argumentar sensatamente, como fez Platão na *República*, que apenas uma minoria altamente qualificada de peritos em tais questões é de fato qualificada para tomar essas decisões e, portanto, para governar? Com efeito, essa questão pode surgir mesmo dentro de um sistema "democrático". Será que chamaríamos um sistema de "democracia" se o tamanho do *demos* fosse excedido em muito pelo número de adultos excluídos desse *demos*? Atenas, como vimos no capítulo 1, era um sistema exatamente assim, e os atenienses, que afinal de contas inventaram o termo, a chamavam de democracia. E apesar de toda a sua linguagem do universalismo, Locke, Rousseau e Jefferson, como Aristóteles antes deles e, mais tarde, Mill, se esquivaram de aceitar a inclusão universal na prática. Pois, em seu juízo, o número de pessoas qualificadas para participar da vida política era, em muitos casos específicos, menor que o de pessoas que poderiam ser adequadamente obrigadas a obedecer às leis.

O fato de que eles conseguiam acreditar no governo popular e, ao mesmo tempo, crer que "o povo" não deveria incluir todas as pessoas não demonstra que eles eram necessariamente incoerentes ou hipócritas. O que esse fato revela é uma deficiência na Ideia de Igualdade Intrínseca como uma justificativa para a democracia.

Capítulo 7
A autonomia pessoal

A democracia – o governo do povo – só se justifica com base no pressuposto de que as pessoas comuns são, de modo geral, *qualificadas* para se governar. Pois parece ser evidente por si mesmo que as pessoas não devem governar a si próprias se não estão preparadas para tanto. Afinal de contas, acreditamos que as crianças não são qualificadas para se governar e, por isso mesmo, insistimos que elas sejam governadas por outras pessoas, as quais supomos que estejam mais qualificadas para fazê-lo. No entanto, o pressuposto de que as pessoas em geral – as pessoas comuns – são adequadamente qualificadas para se governar é, na superfície, uma pretensão tão extravagante que os críticos da democracia a têm rejeitado desde quando a ideia filosófica e a prática da democracia surgiram entre os gregos, há mais de dois mil anos.

Um princípio forte de igualdade

O pressuposto de que um número substancial de adultos são adequadamente qualificados para se governar pode ser chamado de Princípio Forte de Igualdade (para distingui-lo, por exemplo, do princípio mais fraco expresso na Ideia de Igualdade Intrínseca). Também podemos nos referir a ele como um pressuposto de *qualificação aproximadamente igual*, e utilizarei ambas as expressões conforme for mais apropriado.

Um pressuposto de qualificação aproximadamente igual suscita, de imediato, três questões: O que ele significa? Como pode ser justificado como algo razoável? A que pessoas ele deve se aplicar?

O princípio forte: uma interpretação preliminar

Vou propor uma interpretação preliminar, sujeita a modificações futuras. Para começar, é importante observar que a aplicação desse princípio poderia restringir a um grupo em particular, por exemplo todos os cidadãos de Atenas. Mas desde o século XVII, asserções dessa natureza foram, muitas vezes, moldadas numa forma universal, como na famosa declaração de que todos os homens foram criados iguais. Hoje, na interpretação de "todos os homens", incluiríamos todas as mulheres, o que não foi feito pelos autores da conhecida expressão.

Imaginemos, como fizemos há pouco, que uma associação humana, concreta ou hipotética, necessite de decisões coletivas que tenham um caráter vinculativo para todos os membros da associação. Que membros são qualificados para participar da tomada de decisões coletivas, e sob que condições? Suponhamos que chegássemos a um acordo provisório quanto ao seguinte pressuposto:

Todos os membros são suficientemente bem qualificados, de modo geral, para participar da tomada de decisões coletivas, de caráter vinculativo para a associação, que afetem significativamente seu bem ou seus interesses. Em todo caso, ninguém é definitivamente mais bem qualificado que ninguém para receber a incumbência de tomar as decisões coletivas e vinculativas.

Note-se que esse pressuposto compreende duas frases que não são proposições equivalentes, no sentido estrito. A primeira afirma que todos os membros alcançam um padrão aceitável de competência. A segunda nega que algum membro possua qualificações tão extraordinárias a ponto de governar só. A primeira frase implica um limite *inferior* hipotético, um nível *mínimo* de competência que *todos* os membros atingem; a segunda frase, um limite *superior* hipotético, um nível *máximo* de competência, que *nenhum* membro alcança[1].

O conjunto de pessoas às quais esse pressuposto é aplicável pode ser chamado de *demos, populus* ou corpo de cidadãos. Seus membros são *cidadãos plenos* (para simplificar, na maioria das vezes vou me referir a eles simplesmente como cidadãos). Por enquanto, partimos do pressuposto de que o *demos* inclui todos os membros da associação, ou seja, que cada membro é também um cidadão pleno. Mas é possível que alguns membros que são obrigados a obedecer às regras da associação sejam, não obstante, excluídos do *demos* e, portanto, não sejam cidadãos plenos. As crianças são um exemplo óbvio.

Se negássemos que o Princípio Forte de Igualdade pode ser aplicado propriamente a todos os membros de uma associação, seria extremamente difícil, senão impossível, argumentar que todos os membros da associação deveriam ser cidadãos plenos, ou seja, dotados do direito de participar plenamente do governo da associação. Pois se, como as crianças, algumas pessoas definitivamente não são adequadas para governar, enquanto outras são, será que esses membros mais qualificados, ainda que em minoria, não deveriam governar o resto da associação? De maneira inversa, porém, se o Princípio Forte de Igualdade de fato se aplica propriamente a todos os membros, com que bases se pode negar razoavelmente que todos os membros devem participar do governo como iguais?

Uma crença racional na democracia pressupõe, portanto, que a Igualdade Forte existe entre os cidadãos (plenos). Mas quem deve ser cidadão, isto é, quais pessoas compartilham da Igualdade Forte? Parece que nos encontramos aprisionados num círculo: a Igualdade Forte existe entre os cidadãos porque os membros de uma associação que compartilham da Igualdade Forte são (ou devem ser) cidadãos. Como nos libertaremos desse círculo? Como definir o *alcance* da Igualdade Forte? Dependendo da resposta, a democracia pode ser universalmente inclusiva ou tão estreitamente exclusiva quanto a República de Veneza, na qual menos de dois mil membros da aristocracia veneziana possuíam o direito de governar as várias centenas de milhares de residentes de Veneza. E quanto aos interesses dos excluídos? Devem receber os mesmos cuidados que os interesses dos cidadãos? Se é este o caso, como e por quê? Evidentemente, o valor moral da democracia, e assim muitas das suas justificativas, irão variar conforme a sua inclusividade.

Portanto, apesar de ser forte nas implicações dentro de seu alcance, o Princípio Forte é fraco nas implicações fora dele. A importância do Princípio Forte, ao que parece, não pode ser separada de seu alcance: a não ser que este seja especificado, temos dificuldade em avaliar a sua relevância. Ao mesmo tempo, nossa disposição de aceitar o princípio dependerá de seu alcance. Se o estendermos bastante – a ponto de incluir os bebês, por exemplo – é provável que ninguém o aceite. No entanto, alguém que rejeite um determinado alcance por considerá-lo inclusivo demais provavelmente aceitará uma versão um pouco mais limitada. Por exemplo, não resta dúvida que um membro da nobreza veneziana teria excluído a maior parte dos residentes adultos da República do alcance do Princípio Forte; todavia, presume-se que ele partiria do pressuposto de que o Princípio Forte era perfeitamente aplicável aos aristocratas do sexo masculino. Dessa forma, tanto a validade do princípio quanto o valor que atribuímos a ele parecem depender de seu alcance. O que precisamos, portanto, é de um modo razoável de determinar simultaneamente se o princípio é justificável e qual é o seu alcance.

Acredito que duas proposições, consideradas em conjunto, ajudarão a resolver esse problema. Ambas são premissas da teoria do processo democrático que será descrita no capítulo 8. Uma delas é o Princípio da Igual Consideração, discutido no capítulo anterior. Como vimos, esse princípio, assim como a ideia geral da igualdade intrínseca, é fraco em suas implicações: por si só, ele poderia justificar a guardiania tão bem quanto a democracia.

Embora a Ideia de Igualdade Intrínseca, por si só, seja fraca demais para sustentar o Princípio Forte de Igualdade, uma fundação sólida pode ser construída através da ligação da Ideia de Igualdade Intrínseca a uma segunda premissa que é um dos alicerces das crenças democráticas (e também do pensamento liberal). Essa premissa é a de que, em geral, ninguém é melhor que você mesmo para ser juiz de seu próprio bem ou interesse ou para agir em prol da concretização destes. Consequentemente, devemos ter o direito de julgar se um curso de ação política é ou não de nosso interesse. Essa premissa sustenta, ainda, a noção de que o que vale para cada um de nós vale, falando de maneira geral, para os outros adultos. O que quero dizer com "curso de ação política" é uma decisão de adotar certos *meios* para obter certos *resultados*[2]. Portanto, de acordo com esse pressuposto, ninguém é mais bem qualificado que nós mesmos para julgar se os resultados são de nosso interesse, sejam eles os resultados que se espera de uma decisão antes que ela seja tomada ou os resultados reais que se seguem à decisão. Podemos optar por delegar a escolha dos *meios* às pessoas que julgamos ser mais bem qualificadas que nós mesmos para selecionar os meios mais apropriados[3]. Mas não podemos abrir mão de nosso direito de julgar se os resultados (pretendidos ou reais) são de nosso interesse, sem agir contrariamente àquele pressuposto. A isso, darei o nome de Presunção de Autonomia Pessoal.

A Presunção de Autonomia Pessoal

É muito mais fácil interpretar a Presunção de Autonomia Pessoal para as decisões individuais que para as decisões coletivas. Se partirmos do pressuposto de que, sob certas condições, é apropriado vincular a uma decisão coletiva todos aqueles que discordam do resultado esperado por acreditar que este é contrário aos seus interesses, a escolha final de um indivíduo não pode ser decisiva, como no caso das decisões individuais. Muitas vezes, é isso que ocorre quando as decisões coletivas vinculativas são tomadas pelo governo da maioria, por exemplo: embora os membros da minoria que perdeu a contenda talvez sintam que o resultado é desfavorável a seus interesses, eles podem ser obrigados a acatá-lo e talvez até mesmo acreditem que isso é correto, uma vez que perderam a eleição.

As implicações da autonomia pessoal para as decisões coletivas tornam-se mais claras quando pressupomos a validade da igualdade intrínseca e o que ela implica para a igual consideração de interesses. Se durante a tomada de decisões coletivas, os interesses de cada pessoa devem ser pesados igualmente com os direitos de todas as outras pessoas, quem dirá quais são os interesses de cada um? Ao adotar a Presunção de Autonomia Pessoal, concordamos que cada pessoa adulta cujos interesses estão envolvidos no resultado deve ter o direito de especificá-los. Como apontei no capítulo anterior, se A afirma que seus interesses são mais bem servidos pela política x que pela política y, deduz-se que: na medida em que as regras e procedimentos destinam-se a levar os interesses de A igualmente em consideração juntamente com os interesses de B, C e outros, o interesse de A *se define* por aquilo que A afirma ser seu interesse, e não pelo que dizem B, C ou alguém mais.

Portanto, aceitar a ideia da autonomia pessoal entre adultos é o mesmo que estabelecer uma *presunção* de que, ao tomar decisões individuais ou coletivas, cada adulto deve ser tratado – para o fim de tomar decisões – como o juiz adequado de seus próprios interesses. Por conseguinte, na ausência de uma demonstração muito gritante de incompetência, a presunção é, em princípio, vinculativa. Em suma:

A Presunção de Autonomia Pessoal: *na falta de uma prova definitiva em contrário, todos são, em princípio, os melhores juízes de seu próprio bem e de seus próprios interesses.*

O efeito prático da presunção é negar que a autoridade paternalista possa vir a ser legítima entre adultos, seja nas decisões individuais ou coletivas, exceto em casos presumivelmente raros. E de maneira inversa, todas as relações de autoridade legítimas que envolvem adultos devem ser compatíveis com a presunção de autonomia pessoal – no sentido de que devem respeitá-la.

Ao contrário da Ideia de Igualdade Intrínseca e do Princípio de Igual Consideração de Interesses, que são juízos morais diametralmente distintos, têm alcance universal e por isso mesmo não admitem exceções, a Presunção de Autonomia Pessoal pode ser descrita como uma regra de prudência. Ela não é um princípio epistemológico: pode-se negar, sensatamente, que A esteja agindo de acordo com os próprios interesses e ainda assim insistir que a regra seja mantida neste caso. Pois uma regra de prudência é um misto de juízos morais e empíricos e, portanto, caracteriza-se pela confusão inerente a uma asserção contingente, que não deriva rigorosamente de axiomas nem de leis empíricas. Em vez disso, uma regra de prudência baseia-se numa compreensão falha e imprecisa da experiência humana. Apresenta todas as imperfeições da contingência. Não estabelece um direito ou um dever absolutamente invioláveis, não pretende dizer o que definitivamente irá acontecer nem estima com precisão o que tem mais probabilidade de acontecer. Ela admite exceções. Mas realmente nos diz a quem cabe o ônus da prova quando se quer demonstrar uma exceção, ou seja, substituir a autonomia pessoal por uma autoridade paternalista.

Mesmo entre os adultos, a autonomia pessoal foi, às vezes, amplamente substituída pela autoridade paternalista. Na relação entre amo e escravo, a autoridade paternalista era a regra geral. E até bem recentemente, metade de todos os adultos estavam legalmente sujeitos ao paternalismo, com base numa premissa considerada quase evidente por si mesma: a de que as mulheres não eram competentes para tomar decisões sozinhas. Hoje, porém, as crianças são o único grande grupo de pessoas sujeitas a uma autoridade paternalista abrangente; assim, constituem a única exceção importante à Presunção de Autonomia Pessoal. Para as crianças, os pais são as autoridades normais, embora em alguns casos especiais a autoridade paternalista sobre uma criança possa ser atribuída a outros adultos. Por outro lado, para os adultos, a autoridade paternalista com respeito às decisões individuais é considerada justificável somente numa pequena porcentagem de casos excepcionais – pessoas tão seriamente afetadas por defeitos congênitos, dano cerebral, psicoses agudas, senilidade e assim por diante que são julgadas incapazes de tomar as decisões elementares, necessárias para a sua própria sobrevivência ou o seu bem-estar mínimo. Até mesmo nesses casos, o ônus da prova sempre cabe legalmente àqueles que propõem a substituição da autonomia pessoal pelo paternalismo.

Mas por que aceitar a presunção? Não seria igualmente razoável rejeitá-la? Todavia, para rejeitá-la como uma presunção para as decisões coletivas e individuais, precisamos acreditar *não apenas* que (1) uma proporção substancial dos adultos são incapazes de entender seus interesses mais fundamentais, ou não são suficientemente motivados para buscar esses interesses, *mas também* que (2) se pode contar com uma classe de autoridades paternalistas para fazer isso por eles. Uma argumentação dessa espécie está sujeita a dois defeitos graves. O primeiro é que a apreensão do bem ou do interesse do eu tende a deixar o outro em desvantagem. O segundo é que a experiência humana apresenta fortes motivos para se rejeitar a segunda proposição.

A posição de desvantagem do outro

Quando examinamos a defesa da guardiania, vimos que, para justificar uma pretensão de que outro ser humano (ou grupo de pessoas) possa conhecer mais que o indivíduo – você, por exemplo – seu bem ou seus interesses, seria necessária uma explicação convincente em que consiste esse conhecimento e do porquê de sua superioridade em relação ao conhecimento do indivíduo. Também vimos que uma defesa satisfatória de tal pretensão exigiria uma resposta a um dos problemas intelectuais mais difíceis e contenciosos de nosso tempo: saber se os juízos morais podem ser justificados intelectualmente e, em caso afirmativo, como.

Felizmente, porém, a justificativa da democracia não depende, a meu ver, de uma resposta *específica* para as intratáveis questões epistemológicas e ontológicas a respeito da natureza dos juízos morais. Ao mesmo tempo que é ilusório pensar que uma demonstração satisfatória da superioridade geral da democracia em relação às suas alternativas possa consistir num argumento direto e axiomático baseado em premissas incontestáveis, que culminasse numa conclusão "absoluta" e "objetivamente válida", é também equivocado, e até mais absurdo ainda, insistir que todos os argumentos com um sabor moral são arbitrários de um modo igual e, por conseguinte, igualmente razoáveis ou insensatos. Meu objetivo é demonstrar por que é muito mais razoável acreditar na democracia que em qualquer alternativa a ela.

É claro que certos casos específicos podem exigir juízos difíceis, complexos e altamente discutíveis; mas é sempre assim nos assuntos que envolvem questões morais importantes, particularmente se essas se mesclam com as incertezas empíricas. Mesmo então, a qualidade de nossos juízos depende de nossa compreensão dos juízos mais gerais em jogo.

Retorno à questão da posição desfavorável do outro. Para julgar se um determinado curso de ação ou uma política é do interesse de *A*, é necessário saber algo sobre as preferências, vontades ou necessidades de *A*, ou saber o que é bom para *A* independentemente de suas próprias preferências, vontades ou necessidades – ou seja, é necessário o conhecimento dos "valores ideais" para *A*, por assim dizer. Quando dispomos as preferências, as vontades, as necessidades e os valores ideais ao longo de um eixo hipotético, uma mudança significativa ocorre no tipo de conhecimento necessário. Ao longo da maior parte do eixo, o eu é privilegiado de uma forma singular, pois somente ele tem acesso à consciência de si próprio. Quanto mais o conhecimento dos interesses de *A* exige o acesso direto à sua consciência, mais vantajosa é a posição de *A*. Se supomos que os interesses próprios de *A* são refletidos de um modo mais preciso por suas *preferências* imediatas, sua pretensão a um conhecimento adequado e até superior de seus interesses é imensamente fortalecida. Da mesma forma, embora as preferências expressas de *A* possam refletir uma visão equivocada de suas *vontades* mais profundas ou duradouras, também no que tange a suas vontades, seu acesso único à própria consciência proporciona, mais uma vez, uma clara vantagem. Ainda que asseverássemos que os interesses humanos consistem, em última análise, não em preferências ou vontades, mas em *necessidades*, é provável que o seu eu esteja, de modo geral, mais bem posicionado que o de outrem para saber a ordem relativa da urgência de suas próprias necessidades.

Alguns psicólogos afirmam que as necessidades dos seres humanos formam uma hierarquia mais ou menos "objetiva" e universal. Mas ainda que isso fosse verdade (presunção que não deixa de ser controversa), só nos permitiria dizer que algumas das necessidades da pessoa – por exemplo, a necessidade de alimento – têm de ser satisfeitas acima de um certo limiar antes que outras tenham igual urgência. Mas quem tem melhores condições de julgar quando esse limiar foi atingido? Essa teoria só faz sentido se baseada na premissa de que as prioridades relativas penetram na consciência da *própria pessoa*, quando podem ser relatadas aos outros ou inferidas a partir das ações da pessoa. Em casos específicos, o observador talvez possa arriscar um palpite melhor quanto ao limiar, mas se isso geralmente acontecesse, toda a base empírica da teoria seria solapada. Assim, quer se considere que os interesses são indicados pelas preferências, vontades ou necessidades da pessoa, o conhecimento de si mesma provavelmente será superior ao de quaisquer outras pessoas e certamente, no geral, não será pior.

Até agora, utilizei deliberadamente os termos "interesse" e "bem" como se fossem intercambiáveis. Suponhamos, porém, que fosse possível demonstrar que o *bem* de uma pessoa consiste num fim ou num valor ideal que não é completamente indicado pelas preferências, vontades ou necessidades. Nesse caso, o acesso incomparável do indivíduo à sua própria consciência não seria uma grande vantagem. No entanto, parece impossível demonstrar a verdade de uma asserção desse tipo. Portanto, temos o direito – com efeito, a obrigação – de abordar com máxima desconfiança a pretensão de que outras pessoas possuem o conhecimento objetivo do bem do indivíduo num grau maior que o conhecimento detido pelo próprio indivíduo.

Uma razão a mais para duvidar da validade dessa pretensão surge quando nos deparamos com certos conflitos de valores aos quais todos estamos sujeitos em determinados momentos, por exemplo o conflito entre a busca da própria felicidade ou do desenvolvimento pessoal; o conflito entre ser justo com a própria família ou com os outros. Ainda que esses conflitos de valores possam surgir dentro de um sistema único e coerente de valores, como o utilitarismo, eles exigem juízos quanto às trocas, que, por sua vez, dependem de um conhecimento detalhado das particularidades do caso concreto. Mais uma vez, o eu tem acesso privilegiado às próprias particularidades, até mesmo à própria singularidade. Mas os conflitos de valores também podem surgir porque diferentes *sistemas* de valor podem especificar diferentes cursos de ação, como frequentemente o fazem; e não parece existir nenhum sistema de ordem superior para o julgamento desses conflitos (Nagel 1979, 129-34). Desse modo, a pretensão de outrem a um conhecimento superior do que é bom para mim não reflete nada além de um sistema de valores em particular, e de forma alguma o que seria melhor sob a perspectiva do meu próprio sistema de valores.

Os interesses e a experiência humana

Não apenas os outros geralmente estão em desvantagem quanto à *compreensão* do bem ou dos interesses do eu. Os *estímulos* dos outros para buscar os interesses do indivíduo são muito mais fracos que os do próprio indivíduo. Como observamos na discussão da guardiania, as autoridades paternalistas precisam de conhecimento e virtude.

E no que tange à virtude, parece-me que a história da experiência humana se configura como um argumento decisivo contra a visão de que, de um modo geral, a proteção e a promoção do bem ou dos interesses de qualquer número significativo de adultos podem ser seguramente confiadas aos outros. Mencionei anteriormente os dois casos históricos que compõem a maior parte da experiência humana no paternalismo abrangente: a escravidão e a sujeição legalizada das mulheres. Será que resta alguma dúvida de que os escravos e as mulheres teriam protegido seus próprios interesses tão bem quanto seus amos e, provavelmente, muito melhor que eles?

Outro exemplo é a exclusão das classes trabalhadoras do sufrágio. Talvez ninguém tenha ilustrado esse caso de maneira mais convincente que Mill, que, talvez num excesso de generosidade, afirmou:

> [não] acredito que as classes que de fato participam [do governo] tenham, em geral, qualquer intenção de sacrificar as classes trabalhadoras a si próprias [...]. Entretanto, acaso o Parlamento, ou qualquer um dos membros que o compõem, nem olha sequer por um instante para qualquer questão com os olhos de um trabalhador? Quando surge um tema que seja de interesse dos trabalhadores, acaso ele é considerado sob um ponto de vista que não o dos empregadores do trabalho? (Mill [1861] 1958, 44)

Considerações como essa levaram Mill a formular um princípio que é, em essência, equivalente à Presunção de Autonomia Pessoal. Como foi corretamente observado por Mill, o argumento da experiência humana, particularmente nos três casos cruciais da escravidão, das mulheres e dos trabalhadores, fortalece a conclusão de que tanto as decisões individuais quanto as decisões coletivas devem respeitar a Presunção de Autonomia Pessoal[4].

A esses três casos, poderíamos agora acrescentar dois outros. Embora a escravidão tivesse sido abolida nos Estados Unidos como consequência da Guerra Civil, os direitos dos negros libertos à participação na vida política foram rapidamente aniquilados em todo o Sul durante o período da Reconstrução. O resultado foi que os escravos libertos e seus descendentes continuaram a viver por mais de um século numa condição de sujeição política e opressão, impostas essencialmente pela violência e pelo terror. Somente quando foram aprovados e firmemente postos em vigor as leis de direitos civis, nos anos 1960, os negros do Sul finalmente tiveram permissão para transformar sua cidadania nominal em participação política plena. Durante todo esse longo período de sujeição política, muitos brancos sulistas procuraram justificar seu domínio – "a supremacia branca" – por meio da afirmação dupla de que os negros não eram competentes para participar da vida política *e* que de qualquer forma, eles, os brancos que detinham o governo de fato, cuidariam plenamente dos interesses essenciais dos negros. Poucas pessoas hoje, inclusive os brancos sulistas, veriam essas afirmações como algo além de racionalizações absurdas de um sistema de governo que falhou completamente na proteção até mesmo dos interesses mais elementares da maioria dos negros sulistas.

O outro caso foi apresentado pela África do Sul. Não consigo imaginar uma defesa razoável da proposição de que os governantes brancos da República da África do Sul algum dia cuidaram dos interesses fundamentais dos milhões de negros que estavam sujeitos ao seu domínio e, no entanto, não possuíam nenhum meio de participar na criação das leis que os sujeitavam à infelicidade, humilhação e tormento que eram o seu quinhão.

Se aceitarmos a Ideia da Igualdade Intrínseca, nenhum processo de criação de leis pode se justificar moralmente se não levar igualmente em consideração os interesses de cada pessoa sujeita às leis. Por um lado, não creio ser possível demonstrar que a democracia é suficiente para garantir a proteção dos interesses básicos de todas as pessoas sujeitas às suas leis. Por outro lado, a história da experiência humana oferece provas convincentes de que é quase certo que as pessoas privadas da oportunidade de defender seus interesses por terem sido excluídas da cidadania não terão seus interesses levados em conta pelo *demos* que as excluiu. Embora a cidadania numa república democrática não garanta que os interesses da pessoa sejam pesados de forma igual na criação das leis, a história certamente demonstra que a cidadania é uma condição necessária.

Autonomia pessoal e desenvolvimento pessoal

O mesmo é válido para o desenvolvimento pessoal. O desenvolvimento pessoal que alguns autores atribuem à cidadania numa ordem democrática é, em grande parte, um desenvolvimento *moral*: a aquisição de um senso mais maduro de responsabilidade pelos próprios atos, uma consciência mais ampla do efeito dos próprios atos sobre outrem, uma disposição maior para refletir sobre as consequências desses atos para os outros e também para levá-las em consideração e assim por diante. É provável que poucas pessoas venham a contestar a premissa normativa de que é desejável promover o crescimento dessas qualidades. Determinar até que ponto essas qualidades são efetivamente produzidas nos cidadãos pela democracia não é, como afirmei no capítulo anterior, uma questão normativa, e sim empírica; e no momento não está claro até que ponto essa asserção empírica consegue se sustentar. Porém, o que importa aqui é o fato de que esse argumento pressupõe que as pessoas devem desfrutar de um alto grau de autonomia pessoal nas decisões individuais e coletivas. Qualquer pessoa cuja autonomia pessoal fosse permanentemente substituída pela autoridade paternalista seria mantida num estado perpétuo de infância e dependência. Consequentemente, se as decisões coletivas sempre fossem tomadas por autoridades paternalistas – por um corpo de guardiães, por exemplo – isso significaria que, na esfera dos assuntos públicos, as pessoas jamais sairiam da infância.

Autonomia pessoal e autodeterminação

O fato de que a autonomia pessoal e, por conseguinte, a inclusão plena na cidadania numa ordem democrática são necessárias à autodeterminação é ainda mais óbvio. Sem a autonomia pessoal, ninguém poderia viver sob as regras escolhidas por outrem; como resultado disso, ninguém seria autodeterminante nem moralmente autônomo e, nesse sentido, não poderia ser uma pessoa virtuosa. O escopo mínimo desejável de autonomia pessoal deve, portanto, ser pelo menos tão amplo quanto o escopo mínimo desejável de autodeterminação e de autonomia moral. E este inclui todos os adultos, com as raras exceções daqueles a quem faltam as faculdades racionais[5].

Uma nova afirmação do princípio forte

Se o bem ou os interesses de todos devem ser pesados igualmente, e se cada pessoa adulta é, em geral, o melhor juiz de seu bem ou de seus interesses, isso significa que *todos os membros adultos* de uma associação são suficientemente bem qualificados, de forma geral, para participar da tomada de decisões coletivas de caráter vinculativo que afetam seu bem ou seus interesses, ou seja, qualificados para ser *cidadãos plenos* do *demos*. Mais especificamente, quando as decisões vinculativas são tomadas, devem ser contadas como válidas – e igualmente válidas – as pretensões de cada cidadão quanto às leis, regras, políticas etc. a serem adotadas. Além disso, nenhum membro adulto é mais qualificado que os outros a ponto de que lhe seja confiada a incumbência de tomar decisões coletivas de caráter vinculativo. Mais especificamente, quando as decisões vinculativas são tomadas, nenhuma pretensão, de qualquer cidadão, quanto às leis, regras e políticas a serem adotadas deve ser contada como superior às pretensões de qualquer outro cidadão.

Portanto, tomados como premissas, o Princípio da Igual Consideração de Interesses e a Presunção de Autonomia

Pessoal justificam nossa adoção do Princípio Forte de Igualdade. O Princípio Forte, por sua vez, é ao mesmo tempo a premissa mais poderosa e mais controversa na teoria do processo democrático. Ao aceitar o Princípio Forte de Igualdade na verdade aceitamos o processo democrático como um requisito para a tomada de decisões vinculativas.

Capítulo 8
Uma teoria do processo democrático

"Nos Estados democráticos", Aristóteles escreveu na *Política*, "o povo [ou *demos*] é soberano; nas oligarquias, por outro lado, apenas uns poucos [ou *oligoi*] detêm o poder" (1952, 110). Democracia significa, literalmente, o governo do povo[1]. Mas o que significa dizer que o povo governa, que o povo é soberano, que um povo governa a si próprio? Para governar, as pessoas devem ter algum modo de governo, um *processo* de governo. Quais são as características distintivas de um processo democrático de governo? Por exemplo, de que modo ele difere do governo de poucos, ou oligarquia?

Para responder a essas questões, convém prosseguir em três etapas. Em primeiro lugar, como a democracia é uma *ordem política*, é necessário estabelecer os pressupostos que justificam a existência de uma ordem política. Em segundo lugar, é preciso especificar os pressupostos que justificam uma ordem política *democrática*. Embora eu vá descrever esses dois grupos de pressupostos de uma forma um tanto abstrata, eles não pretendem abstrair a história e definitivamente não pressupõem a ficção comum na teoria democrática desde Locke, segundo a qual existe um "estado de natureza" anterior do qual surge uma sociedade política, mediante um contrato social. Em terceiro lugar, precisamos descrever os *critérios* essenciais de uma ordem política democrática e indicar como estes derivam dos pressupostos.

Pressupostos de ordem política

Para começar, vamos supor que (numa situação histórica concreta, digamos) algumas pessoas tenham em mente a ideia de formar uma associação para alcançar certos fins; ou, o que é mais provável, que elas queiram adaptar uma associação que já existe para se incumbir desses fins. Emprego o termo "associação" num sentido abrangente; como veremos num momento, ela não precisa ser um Estado.

Para atingir esses fins, a associação precisa adotar certos cursos de ação política que os seus membros terão de seguir coerentemente. Em geral, a obrigação dos membros de agir[2] de um modo coerente com as políticas da associação é expressa numa regra ou lei que inclui penalidades para o seu não cumprimento. Uma vez que os membros são obrigados a obedecer a essas regras ou leis, pode-se dizer que as decisões são *vinculativas*. O coletivo das pessoas que tomam as decisões vinculativas constitui o *governo* da associação. Portanto, essas decisões vinculativas também poderiam ser chamadas de decisões *governamentais* ou decisões *coletivas* de caráter vinculativo.

O fato de que as decisões são vinculativas não significa que a associação seja necessariamente coerciva, empregue a ameaça de sanções violentas para garantir a obediência ou possua outras características semelhantes, comumente utilizadas para distinguir um Estado de outros tipos de associação. Embora o governo da associação possa criar uma expectativa de que os transgressores sejam punidos por funcionários do governo, as decisões podem, em certas circunstâncias, ser vinculativas sem que acarretem punições por parte dos funcionários ou mesmo dos outros membros. Evocar uma expectativa de sanções divinas ou mágicas poderia ser suficiente. Ou o mero processo de aprovar ou anunciar uma regra talvez fizesse com que diversos membros a adotassem como um princípio de conduta, gerando assim um nível bastante satisfatório de obediência. Em resumo, embora a associação talvez fosse um Estado no sentido usual de uma ordem coerciva, ela também poderia não sê-lo; da mesma forma, o governo da associação não necessariamente seria o governo de um Estado. Assim, podemos explanar uma teoria geral do processo democrático que seja aplicável às associações, quer elas constituam um Estado, quer não.

O processo de tomada de decisões vinculativas inclui pelo menos dois estágios analiticamente distintos: o estabelecimento de uma agenda e uma decisão quanto ao resultado. O *estabelecimento da agenda* é a parte do processo durante a qual são escolhidos os temas sobre os quais as decisões serão tomadas (incluindo uma decisão de não decidir o assunto). A *decisão quanto ao resultado,* ou o *estágio decisivo,* é o período durante o qual o processo culmina num resultado, o que significa que um curso de ação política foi definitivamente adotado ou rejeitado. Enquanto o estabelecimento da agenda é a primeira palavra, a decisão quanto ao resultado é a palavra final, o momento de soberania no que diz respeito à questão em pauta. Até que o estágio decisivo seja completado, o processo de tomada de decisões é experimental. Ele pode levar a discussões, acordos, até mesmo a resultados de votações; mas estes são todos preliminares, podem ser invalidados no estágio decisivo e não são vinculativos para os membros. As decisões somente se tornam vinculativas na conclusão do estágio decisivo. Embora essa distinção analítica se aplique a qualquer ordem política, ela é essencial para o esclarecimento da natureza do processo democrático, como ficará evidente mais adiante.

O que constitui o estágio decisivo na tomada de decisões coletivas está longe de ser evidente por si mesmo. Adotar uma constituição ou uma emenda constitucional é, sem dúvida, um estágio decisivo (e se não for, a constituição é fictícia, só existe no papel). Para a maioria das políticas sancionadas numa ordem democrática, porém, o estágio decisivo ocorre dentro dos limites constitucionais existentes. Em princípio, um estágio é decisivo quando todas as decisões prévias podem ser revogadas ou revertidas. Assim, antes do estágio decisivo, pode-se pensar nas decisões como tendo sido *delegadas*, mas não *alienadas*, por aqueles que participam do estágio decisivo – uma distinção à qual retornaremos abaixo.

Pressupostos que justificam uma ordem política democrática

As decisões vinculativas devem ser tomadas apenas pelas pessoas que estão sujeitas às decisões, ou seja, pelos membros da associação, e não pelas pessoas fora dela. Para utilizar uma expressão familiar, nenhum legislador está acima da lei. Esse pressuposto repousa sobre o princípio elementar de justiça segundo o qual as leis não podem ser legitimamente impostas aos outros por pessoas que não são, elas próprias, obrigadas a obedecer a essas leis. Ademais, embora esse pressuposto não baste para garantir que a liberdade de autodeterminação seja respeitada, ele é claramente necessário para a autodeterminação; pois as leis e regras impostas por alguém de fora violariam a autodeterminação de todos aqueles que estão sujeitos a essas leis.

O bem de cada membro merece igual consideração. Essa é uma aplicação direta, a todos os membros, da Ideia de Igualdade Intrínseca descrita no capítulo anterior.

Não se deve jamais exigir de qualquer membro adulto da associação que prove ter a competência necessária para zelar pelos próprios interesses. Pelo contrário: o ônus da prova deve caber a quem queira provar uma exceção, e nenhuma exceção deve ser admissível, moral ou juridicamente, na falta de provas muito convincentes. Dessa forma, pressupõe-se que cada membro da associação é, de maneira geral, um juiz melhor de seus próprios interesses do que outros seriam. As bases para a adoção dessa premissa foram estabelecidas no capítulo 5. Enquanto isso, vamos chamar os membros adultos que satisfazem essa premissa de *cidadãos*; coletivamente, eles constituem o *demos*, *populus* ou *corpo de cidadãos*.

Quando as decisões vinculativas são tomadas, as pretensões de cada cidadão quanto às vantagens das políticas a serem adotadas devem ser contadas como válidas e igualmente válidas[3]. Assim, por meio dos dois pressupostos anteriores, somos levados a concluir que a Igualdade Forte existe entre os cidadãos.

Embora os pressupostos anteriores possam parecer suficientes para justificar o processo democrático, eles precisam ser formalmente complementados por um princípio elementar de justiça que não custa explicitar. Esse princípio, que poucos contestariam, é simplesmente o de que, em geral, as coisas raras e valiosas devem ser distribuídas de maneira justa. A justiça não necessariamente exige uma igualdade nessa distribuição; ela poderia, por exemplo, exigir uma distribuição de acordo com o mérito. Mesmo quando a justiça exige a igualdade, a igualdade justa, como vimos no capítulo 6, pode não exigir porções ou cotas iguais. Mas em certas circunstâncias, a justiça exige que cada pessoa receba uma cota igual ou, se isso for impossível, uma oportunidade igual de obter o item raro.

Critérios para um processo democrático

Suponhamos, portanto, que algumas pessoas desejem constituir uma ordem política. Suponhamos, além disso, que os pressupostos que justificam uma ordem política *democrática* sejam válidos no que concerne a este grupo. Uma vez que esses pressupostos são válidos, concluímos que as pessoas em questão devem adotar uma ordem democrática e que, portanto, o processo através do qual o *demos* chega às suas decisões deve atender a certos critérios. Quando digo que o processo deve atender a certos critérios, quero dizer que se alguém acredita nos pressupostos, é necessário afirmar, de um modo sensato, as vantagens dos critérios; de modo inverso, rejeitar os critérios significa, com efeito, rejeitar um ou mais dos pressupostos[4].

Os cinco critérios são padrões – padrões ideais, digamos – em comparação com os quais os procedimentos propostos devem ser avaliados em qualquer associação à qual os pressupostos se apliquem. Qualquer processo que satisfizesse perfeitamente esses critérios seria um processo democrático perfeito, e o governo da associação seria um governo democrático perfeito. Tomo como certo o fato de que um processo democrático e um governo democrático perfeitos talvez nunca venham a existir na realidade. Eles representam ideias de possibilidades humanas com as quais a realidade pode ser comparada. Ainda que esses critérios nunca possam ser perfeitamente satisfeitos, eles são úteis na avaliação das possibilidades do mundo real, como irei demonstrar. Naturalmente, eles não eliminam todos os elementos discricionários nessa avaliação. Por exemplo, os critérios não especificam nenhum procedimento em particular, como o domínio da maioria, pois não se pode extrair diretamente procedimentos específicos dos critérios. Quaisquer juízos terão de levar em consideração as condições históricas específicas sob as quais uma associação democrática deve se desenvolver. Contudo, não é surpresa para ninguém que a teoria democrática, bem como todas as outras teorias normativas, não pode fornecer respostas totalmente desprovidas de ambiguidades para cada situação concreta na qual é preciso escolher entre propostas alternativas.

Assim, que critérios seriam de uma coerência sem par com nossos pressupostos e nos permitiriam estabelecer as características marcantes de um processo democrático?

Participação efetiva

Ao longo de todo o processo de tomada de decisões vinculativas, os cidadãos devem ter uma oportunidade adequada e igual de expressar suas preferências quanto ao resultado final. Devem ter oportunidades adequadas e iguais de colocar questões na agenda e de expressar seus motivos para endossar um resultado e não outro.

Negar a qualquer cidadão as oportunidades adequadas para a participação efetiva significa que, por causa do fato de que suas preferências são desconhecidas ou incorretamente percebidas, elas não podem ser levadas em consideração. Mas não levar em igual consideração as preferências dos cidadãos quanto ao resultado final equivale a rejeitar o Princípio da Igual Consideração de Interesses.

Igualdade de voto no estágio decisivo

No estágio decisivo das decisões coletivas, cada cidadão deve ter assegurada uma oportunidade igual de expressar uma escolha que será contada como igual em peso à escolha expressa por qualquer outro cidadão. Na determinação de resultados no estágio decisivo, essas escolhas, e somente essas, deverão ser levadas em consideração.

Como essas escolhas são, é claro, o que normalmente denominamos sufrágio, pode-se dizer que esse critério requer a igualdade de voto no estágio decisivo.

Obviamente, algo parecido com esse requisito tem sido um esteio da teoria e da prática democráticas, da Grécia clássica em diante. Mas com base em que lógica? Penso que a justificativa para esse requisito encontra-se no juízo prático segundo o qual a igualdade de voto no estágio decisivo é necessária para proteger adequadamente a igualdade dos cidadãos e a Presunção de Autonomia Pessoal. Sem esse critério, os cidadãos ver-se-iam face a face com uma regressão infinita das desigualdades potenciais em matéria de influência sobre as decisões e não disporiam de um tribunal de recursos no qual, como iguais políticos, pudessem decidir se seus interesses, conforme eles os interpretam, haviam recebido igual consideração. Assim como as desigualdades em outros recursos poderiam trazer vantagens a algumas pessoas no sentido de garantir uma consideração especial de seus interesses (ao mesmo tempo que prejudicariam outras), assim também, na ausência de um requisito de igualdade de voto no estágio decisivo, as desigualdades de voto poderiam trabalhar cumulativamente no sentido de violar o Princípio da Igual Consideração de Interesses.

Note-se, porém, o que o critério da igualdade de voto no estágio decisivo não especifica. Para começar, ele não requer a igualdade de voto nos estágios prévios. Um *demos* poderia decidir, sensatamente, que os interesses de algumas pessoas podem muito bem receber igual consideração se seus votos forem computados com mais peso nos estágios iniciais do processo. Pela mesma lógica, talvez o *demos* delegasse algumas decisões aos corpos de cidadãos nos quais os votos fossem pesados de modo desigual. Arranjos como esses podem ser excepcionais, como o têm sido ao longo da história nos países democráticos, mas eles não necessariamente violariam o critério. Todavia, o critério seria violado se o *demos* não tivesse mais a liberdade de alterar tais arranjos sempre que eles deixassem de atingir seus objetivos ou ameaçassem causar a perda de controle final do *demos* sobre as decisões coletivas.

Ademais, o critério não especifica um método em particular de sufrágio ou eleições. A exigência de que os cidadãos tivessem oportunidades iguais de expressar suas escolhas poderia ser satisfeita se os votos ou os eleitores fossem selecionados aleatoriamente, ou seja, por sorteio. Tampouco a igualdade de voto significa que cada cidadão tenha direito a um voto igual em distritos com o mesmo número de eleitores ou residentes; um sistema de representação proporcional talvez seja tão adequado ou melhor. A maneira pela qual os cidadãos podem expressar melhor suas escolhas e as regras e procedimentos específicos a serem adotados são questões que exigem juízos práticos adicionais. Mas os procedimentos que melhor satisfazem o critério devem ter precedência sobre aqueles que não o satisfazem tão bem. A precedência do melhor procedimento sobre o pior deve ser mantida ainda que todos os procedimentos propostos sejam falhos em alguns aspectos, como frequentemente acontece.

Finalmente, o critério não exige explicitamente que uma associação adote o princípio do domínio da maioria para suas decisões. Ele requer somente que o domínio da maioria e as alternativas a ele sejam avaliados de acordo com este e outros critérios, inclusive os princípios e pressupostos que justificam este critério, tais como o Princípio da Igual Consideração de Interesses; requer, ainda, que seja adotada a solução que melhor o satisfaz. Fica em aberto, portanto, a questão de saber se o domínio da maioria é a melhor solução. Como veremos no capítulo 10, o problema levantado pelo domínio da maioria e as alternativas a ele é um problema de extrema complexidade, para o qual nenhuma solução completamente satisfatória foi encontrada ainda. Julgar qual regra decisória melhor satisfaz o critério da igualdade de voto, seja num contexto geral seja num específico, é uma questão sobre a qual as pessoas comprometidas com a igualdade de voto continuam a discordar.

Penso que é compatível com o uso histórico afirmar que qualquer associação cujo governo satisfaça os critérios de participação efetiva e igualdade de voto governa a si própria, até certo ponto, por meio de um processo democrático. A fim de deixar espaço para algumas distinções importantes por vir, vamos dizer que tal associação é governada por um *processo democrático num sentido limitado*. Embora esse processo tenha um alcance mais limitado que um processo plenamente democrático, os dois critérios discutidos nos permitem avaliar um grande número de procedimentos possíveis. É claro que eles não podem ser decisivos em casos nos quais um procedimento é melhor de acordo com um critério e pior de acordo com o outro. Além do mais, qualquer avaliação geralmente exigiria juízos adicionais sobre os fatos da situação específica ou sobre as tendências gerais e os padrões do comportamento e do agir humano. Não obstante, esses critérios estão longe de ser vazios. Embora eu não vá iniciar uma discussão minuciosa aqui, seria difícil negar que os procedimentos que tornam possível a tomada de decisões por uma amostra de cidadãos selecionada aleatoriamente satisfazem melhor esses critérios que um procedimento através do qual um cidadão toma decisões vinculativas em nome de todos os outros; como também seria difícil negar que um esquema eleitoral que distribua um voto a cada cidadão no estágio decisivo seria melhor que um esquema no qual alguns cidadãos tivessem dez votos e outros, nenhum. Porém, não estou querendo dizer que juízos sobre tais alternativas possam ser deduzidos, como conclusões incontestáveis, de argumentos perfeitamente rigorosos.

Compreensão esclarecida

Como já sugeri, os juízos acerca da existência, da composição e dos limites de um *demos* são altamente contestáveis. Assim, pode-se simplesmente contestar abertamente tais juízos afirmando que alguns cidadãos são mais qualificados que os outros para tomar as decisões necessárias. Essa objeção, naturalmente, suscita a objeção à democracia por parte da guardiania, da qual já tratamos extensamente. Agora, porém, pretendo tratar de uma segunda objeção que poderia ser expressa assim:

Concordo – diria o objetante – que os cidadãos em geral são igualmente bem qualificados. Também concordo que nenhum deles, como nenhum dos outros membros ou não membros, é definitivamente mais bem qualificado a ponto de ter o direito de tomar decisões em vez do *demos*. Apesar de tudo, não creio que os cidadãos sejam tão bem qualificados quanto poderiam ser. Ele cometem enganos quanto aos meios para os fins desejados; também escolhem fins que rejeitariam se fossem mais esclarecidos. Concordo, portanto, que eles devem governar a si próprios mediante procedimentos satisfatórios de acordo com os critérios de um processo democrático, estritamente definido. Entretanto, vários procedimentos diferentes poderiam satisfazer os critérios igualmente bem; entre estes, porém, alguns têm maior probabilidade de levar a um *demos* mais esclarecido – e, por conseguinte, a melhores decisões – que outros. Certamente estes são procedimentos melhores e devem ser escolhidos, em vez de outros.

Pode-se replicar, suponho, que o esclarecimento não tem nada a ver com a democracia. Mas penso que essa seria uma asserção tola e historicamente falsa. Ela é tola porque a democracia geralmente é concebida como um sistema no qual "o governo do povo" torna maior a probabilidade de que o "povo" vá conseguir o que quer, ou o que acredita ser melhor, que em sistemas alternativos como a guardiania, na qual uma elite determina o que é melhor. Mas para saber o que quer, ou o que é melhor, o povo deve ser esclarecido, pelo menos num grau mínimo. E como os defensores da democracia invariavelmente reconheceram este fato e atribuíram uma grande importância ao processo de formação de um *demos* informado e esclarecido, por exemplo através da educação e da discussão pública, essa objeção também é historicamente falsa.

Proponho, portanto, uma ampliação do significado do processo democrático mediante o acréscimo de um novo critério. Infelizmente, não sei como formular esse critério a não ser usando palavras ricas em significado e consequentemente, ambíguas. Porém, vou oferecer esta formulação do critério da compreensão esclarecida:

Cada cidadão deve ter oportunidades iguais e adequadas de descobrir e validar (dentro do prazo permitido pela necessidade de uma decisão) a escolha acerca da questão a ser decidida que melhor sirva aos interesses do cidadão.

Esse critério implica, portanto, que procedimentos alternativos para a tomada de decisões devem ser avaliados de acordo com as oportunidades que proporcionam aos cidadãos para a aquisição de uma compreensão dos meios e fins, dos interesses do cidadão e das consequências esperadas das políticas para seus próprios interesses e os de outrem. Na medida em que o bem ou os interesses dos cidadãos exigem que se dê atenção ao bem público, ou interesse geral, os cidadãos devem ter a oportunidade de adquirir uma compreensão dessas questões. Ainda que esse critério possa parecer ambíguo, ele oferece uma orientação para determinar a forma que as instituições devem assumir. Desse modo, o critério dificulta a justificativa de procedimentos que interromperiam ou suprimiriam a informação nos casos em que ela teria levado os cidadãos a chegar a uma conclusão diferente; ou de procedimentos que dariam a alguns cidadãos um acesso muito maior que a outros a informações de importância crucial; ou ainda, que apresentariam aos cidadãos uma agenda de decisões que teriam de ser tomadas sem discussão, mesmo que houvesse tempo para isso; e assim por diante. Certamente, alguns desses exemplos parecem ser simples, mas um grande número de sistemas políticos – talvez a maioria deles – trabalha de acordo com os piores procedimentos e não com os melhores.

O controle da agenda

Se uma associação preenchesse todos esses critérios, ela poderia ser propriamente considerada uma democracia procedimental no sentido pleno quanto à sua agenda e em relação ao seu *demos*. Os critérios devem ser compreendidos como aspectos do melhor sistema político possível, de um ponto de vista democrático; se por um lado não se pode esperar que nenhum sistema real satisfaça os critérios plenamente, por outro lado os sistemas podem ser considerados mais democráticos ou menos democráticos – e nesse sentido, melhores ou piores – dependendo de quanto se aproximam da satisfação dos critérios.

No entanto, dizer que um sistema é governado por um processo plenamente democrático "quanto a uma agenda" e "em relação a um *demos*" sugere a possibilidade de que os três critérios sejam incompletos. As duas condições de qualificação implicam a possibilidade de restrições – relacionadas a processos democráticos de tomada de decisões que se limitam a uma agenda estrita, afinadas com um *demos* altamente exclusivo, ou ambas. Avaliar se um *demos* é adequadamente inclusivo e exerce o controle de uma agenda apropriada é algo que requer padrões adicionais.

A fim de entender mais claramente por que um quarto critério é necessário, suponhamos que Felipe da Macedônia, tendo derrotado os atenienses na Queroneia, prive a assembleia ateniense da autoridade de tomar quaisquer decisões quanto às políticas externa e militar. Os cidadãos continuam a se reunir cerca de quarenta vezes por ano e decidir várias questões, mas devem silenciar quanto a algumas das questões mais importantes. No que diz respeito aos assuntos "locais", a pólis ateniense não é menos democrática que antes, mas no que tange aos assuntos externos e militares, os atenienses são agora governados hierarquicamente por Felipe ou seus favoritos. Diríamos que naquele tempo Atenas era plenamente democrática, ou talvez que era tão democrática quanto antes?

Embora o controle externo torne a questão do quarto critério mais drástica, o controle da agenda também pode ser tirado dos cidadãos por alguns de seus próprios membros. Imaginemos um país independente no qual os três critérios que discutimos sejam relativamente bem satisfeitos e, além disso, não haja limitações quanto aos assuntos que os cidadãos podem decidir. Sua agenda de decisões coletivas é completamente aberta. Suponhamos que um movimento antidemocrático tome o poder, de algum modo. A fim de aplacar os sentimentos democráticos de seus concidadãos, os novos governantes mantêm a velha constituição simbolicamente em seu lugar. Porém, eles a modificam num único aspecto. Daí em diante, o povo pode utilizar suas antigas instituições políticas democráticas somente em alguns assuntos – questões puramente locais, digamos, tais quais o controle do trânsito, a manutenção das ruas e o zoneamento residencial. Os governantes mantêm tudo o mais estritamente sob seu controle. Ainda que o novo sistema preenchesse os três primeiros critérios com perfeição e, portanto, fosse "plenamente democrático quanto à sua agenda", ele seria um arremedo de democracia. Pois os cidadãos não poderiam decidir democraticamente as questões que considerassem importantes, a não ser as que tivessem permissão dos governantes para continuar na agenda tristemente atrofiada dessa democracia castrada. O controle dos governantes não democráticos sobre a agenda é, às vezes, muito menos espalhafatoso e bem mais sutil. Em alguns países, por exemplo, os líderes militares estão sob o controle nominal dos civis eleitos que, no entanto, sabem que serão removidos do cargo ou submetidos a algo pior se não talharem suas decisões de acordo com os desejos dos militares.

Essas considerações sugerem um quarto critério, o controle final da agenda pelo *demos*.

O demos deve ter a oportunidade exclusiva de decidir como as questões serão colocadas na agenda de assuntos a serem decididos mediante o processo democrático.

O critério do controle final é, talvez, o que está subentendido quando se diz que, numa democracia, as pessoas devem ter a palavra final ou devem ser soberanas. Um sistema que satisfaça esse critério, além dos outros três, pode ser considerado um sistema que tem um processo plenamente democrático em relação ao seu *demos*.

Segundo esse critério, um sistema político adotaria um processo plenamente democrático ainda que o *demos* decidisse não tomar todas as decisões a respeito de todas as questões e, em vez disso, optasse por deixar que algumas decisões, sobre alguns assuntos, fossem tomadas de um modo hierárquico pelos juízes ou administradores, por exemplo. Contanto que o *demos* pudessse efetivamente recuperar qualquer questão para tomar, ele próprio, uma decisão quanto a ela, o critério seria satisfeito. Portanto, nesse aspecto os critérios para um processo democrático apresentados aqui permitem uma latitude maior para a delegação das tomadas de decisões do que o permitido pela excêntrica definição de democracia de Rousseau no *Contrato Social*. Porque ele definiu a democracia de uma forma que torna a delegação inadmissível, Rousseau concluiu que "se houvesse um povo constituído de deuses, ele se governaria democraticamente. Tal governo perfeito não é apropriado para os homens" (Rousseau 1978, livro 3, cap. 4, p. 85).

Assim, o critério do controle final não pressupõe o juízo de que o *demos* é qualificado para decidir todas as questões que exigem uma decisão vinculativa. O que ele pressupõe é o juízo de que o *demos* é qualificado para decidir (1) que assuntos exigem, ou não, decisões vinculativas, (2) dentre esses, que assuntos o *demos* tem qualificação para decidir por si próprio e (3) em que termos o *demos* delega a autoridade. Aceitar o critério como apropriado equivale, portanto, a deixar subentendido que o *demos* é o melhor juiz de sua própria competência e de seus próprios limites. Consequentemente, dizer que certas questões devem ser colocadas além do alcance final do *demos* – no sentido de que o *demos* deve ser absolutamente proibido de tratar dessas questões – é o mesmo que dizer que, nessas questões, o *demos* não é qualificado para julgar sua própria competência e seus próprios limites.

O que defino por delegação é uma concessão revogável de autoridade, sujeita a recuperação pelo *demos*. É claro que, empiricamente, os limites entre a delegação e a alienação nem sempre são nítidos, e o que se inicia como uma delegação pode terminar como uma alienação. Ademais, o problema empírico de avaliar se a agenda final é controlada veladamente por certos líderes que estão fora do processo democrático – como os militares no exemplo citado há pouco – necessariamente se torna mais complexo pela natureza velada do controle. Mas, por mais difícil que seja traçar essa linha na prática, a distinção teórica entre a delegação e a alienação é, não obstante, crucial. Num sistema que empregasse um processo plenamente democrático, as decisões quanto à delegação seriam tomadas de acordo com os procedimentos democráticos. Mas a alienação do controle sobre a agenda final (ou a sua apropriação por líderes fora do processo democrático) violaria claramente o critério do controle final e seria incompatível com o juízo de que a condição plena de qualificação igual existe entre os cidadãos[5].

O critério do controle final completa os requisitos para *um processo plenamente democrático em relação a um demos*. Se todos os membros forem considerados igualmente qualificados, no sentido pleno, e caso se considere que as outras condições estabelecidas anteriormente existem entre eles, os procedimentos segundo os quais essas pessoas, os cidadãos, tomam as decisões vinculativas devem ser avaliados de acordo com os quatro critérios.

Por que a oportunidade igual?

Os critérios especificam que os cidadãos, ou o *demos*, devem ter *oportunidades* adequadas e iguais para agir de certas maneiras. Imagino prontamente duas objeções a essa formulação. Em primeiro lugar, pode-se dizer que as "oportunidades iguais" podem ser reduzidas a nada além de requisitos formais ou legais que ignoram diferenças importantes – nos recursos, por exemplo. Suponhamos que o cidadão *P* seja pobre e o cidadão *R* seja rico. Portanto (assim poderia prosseguir a argumentação), *P* e *R* podem ter "oportunidades iguais" de participar nas decisões coletivas, no sentido de que ambos são legalmente habilitados para tal. No entanto, como *R* tem muito mais acesso que *P* a dinheiro, informação, publicidade, organizações, tempo e outros recursos políticos, não somente *R* provavelmente irá participar mais que *P*, mas também sua influência sobre as decisões terá muito mais peso que a de *P*.

Essa objeção deriva sua força do fato familiar de que a influência é uma função dos recursos, e tipicamente os recursos são distribuídos de modo desigual. Não obstante, essa objeção erra o alvo. Pois "oportunidades iguais" quer dizer exatamente isso, e o que o exemplo demonstra é que as oportunidades de participação de *R* e *P* são decididamente desiguais. Embora a ideia de oportunidade igual seja, com frequência, tão mal interpretada que ela é justificadamente descartada como pouco exigente, quando tomada em seu sentido mais pleno ela é extraordinariamente exigente – tanto assim, com efeito, que os critérios para o processo democrático exigiriam um povo comprometido a instituir medidas muito além das que mesmo os Estados mais democráticos já puseram em execução. Nos capítulos finais, irei apontar algumas possibilidades que me parecem caber no escopo da viabilidade.

Uma segunda objeção poderia ser expressa mais ou menos assim: uma oportunidade de agir tendo em vista um fim necessariamente implica que é possível optar por *não* agir. Se o processo democrático é algo desejável, não deveriam os critérios especificar *deveres* bem como oportunidades (os deveres do cidadão de participar, votar, se informar, e o dever do *demos* de determinar como a agenda será decidida)? Embora eu creia que o processo democrático verdadeiramente implica deveres como esses, eles são deveres morais. Ocupam seu lugar entre uma série de obrigações, direitos e oportunidades com as quais os cidadãos se deparariam numa ordem democrática. Não sei dizer se um cidadão estaria sempre errado em escolher não cumprir as obrigações políticas implícitas nos critérios do processo democrático. Parece-me mais coerente com a Presunção de Autonomia Pessoal, a liberdade de autodeterminação e a autonomia moral garantir que os cidadãos tenham a liberdade de escolher como eles irão cumprir suas obrigações políticas.

Problemas na teoria

A teoria do processo democrático que acabei de descrever pode parecer adequada na forma como se apresenta. No entanto, ela é radicalmente incompleta. Muitos dos pressupostos cruciais dessa teoria são discutíveis demais para serem aceitáveis sem um exame mais cuidadoso. As implicações da teoria também estão longe de ser claras, e, de qualquer forma, as próprias implicações importantes são passíveis de ser contestadas.

No restante deste livro, portanto, tratarei dos problemas mais importantes na teoria do processo democrático. Embora não exista uma solução definitiva para a maioria desses problemas, tentarei chegar tão próximo quanto for possível, neste momento, de uma solução razoável.

1. O argumento a favor do Princípio Forte de Igualdade aparentemente fortaleceria a conclusão de que todas as pessoas sujeitas às leis devem ser incluídas no *demos*. Todas? Não exatamente. Não as crianças, por exemplo: a Presunção de Autonomia Pessoal aplica-se aos adultos. Como vimos antes, os democratas atenienses não consideravam anômalo o fato de que seu *demos* incluía apenas uma minoria dos adultos. Durante grande parte do século XIX, quase todos os defensores da democracia partiam do princípio de que era certo que as mulheres fossem excluídas do sufrágio, ou seja, do *demos*. Na maioria dos países, as mulheres conquistaram o sufrágio somente no século passado e, em alguns países, somente após a Segunda Guerra Mundial. Na verdade, foi somente no século XX que a teoria e a prática democráticas começaram a refletir uma crença de que todos (ou praticamente todos) os adultos devem ser incluídos no *demos* por uma questão de direito. Seria um juízo quanto a quem deve ser incluído no *demos*, portanto, puramente arbitrário ou tão fortemente condicionado pela história e a cultura que nenhum juízo geral seria possível? Embora a teoria e a prática democráticas sustentem substancialmente essa conclusão, acredito que ela é equivocada. Tratarei deste problema no capítulo seguinte.

2. Os critérios para um processo democrático, conforme os descrevi aqui, não especificam uma *regra decisória*. Historicamente, é claro, tem se afirmado que a única regra decisória apropriada ao processo democrático é o domínio da maioria. No entanto, nem mesmo o termo governo da "maioria" se refere a uma regra decisória única e bem definida: ele se refere a uma família de regras possíveis. Estas vão desde a regra segundo a qual a alternativa a ser aceita como vinculativa será a que obtiver o maior número de votos, ainda que esse número seja inferior a 50 por cento, a outras que requerem pelo menos 50 por cento mais um ou uma comparação de cada alternativa com cada uma das demais alternativas. Mas todas as regras numéricas como essas estão sujeitas a defeitos em potencial, tais quais os ciclos nos quais nenhuma preferência majoritária pode ser defini-

tivamente estabelecida. E ainda que esses problemas possam ser resolvidos, a questão permanece: por que deveríamos aceitar qualquer princípio majoritário? Essas questões serão abordadas no capítulo 10.

3. Os defensores da guardiania argumentam que é improvável que qualquer processo de governo conduzido pelos cidadãos comuns alcance o bem público, uma vez que faltam aos cidadãos comuns o conhecimento e a virtude necessários. Todavia, até mesmo os defensores da democracia às vezes argumentam que nenhum *processo* é suficiente para garantir que o bem público (ou o interesse público, o bem de todos etc.) seja alcançado. O que às vezes é descrito como a ideia de *democracia substantiva* prioriza a justiça ou a integridade dos resultados substantivos das decisões, e não o processo mediante o qual essas decisões são alcançadas. Resumindo, a justiça substantiva deve ter precedência sobre a justiça procedimental e os direitos substantivos, prioridade sobre os direitos procedimentais. Separar as questões envolvidas nessa disputa de prioridades é uma tarefa bastante complicada, como veremos nos capítulos 11 e 12. Mas à primeira vista, fica bem claro que o argumento a favor da importância maior da substância em relação ao processo tem seu mérito.

4. Se o processo democrático é um meio através do qual um grupo adequado de pessoas pode governar a si mesmo de pleno direito, o que constituiria um grupo adequado de pessoas para empregar o processo democrático? Será que *qualquer* grupo de pessoas tem direito ao processo democrático? Em suma, se a democracia significa o governo do povo, o que constitui "um povo"? Talvez nenhum problema em toda a esfera da teoria e prática democráticas seja tão intratável como o que é suscitado por essa questão aparentemente inocente. Para melhor apreendê-lo, imaginemos uma coletividade de pessoas. Adaptemos Jonathan Swift a nossos fins e vamos chamá-las de *Eggfolk*. Enquanto muitos *Eggfolk* sustentam a ideia de que são um só povo, outros insistem que eles são, na verdade, divididos em dois povos distintos, os Grandes *Eggfolk* e os Pequenos *Eggfolk*, com mo-

dos e crenças tão diferentes que eles devem governar-se separadamente, tendo cada povo o direito a seu próprio sistema plenamente democrático. Como decidir essa questão? Como descobriremos no capítulo 13, a teoria democrática oferece pouco em termos de respostas. Na verdade, embora existam respostas históricas, pode não haver uma solução teórica satisfatória para este problema.

5. Conforme foi ilustrado pelo problema da regra decisória, o processo democrático precisa ser concretizado de alguma forma no mundo real – em procedimentos, instituições, associações, Estados etc. que verdadeiramente existam. Como observamos, na longa história da democracia no mundo ocidental, as ideias democráticas têm sido aplicadas a dois tipos radicalmente diferentes de sistema político: a cidade-Estado e o Estado nacional. Estes eram radicalmente diferentes em escala e desenvolveram instituições políticas radicalmente diferentes. Será possível, portanto, especificar um conjunto único de instituições necessárias para o processo democrático? Ou será que os requisitos institucionais variam de acordo com a escala de uma sociedade, bem como outros fatores? Retornaremos a essas questões nos capítulos 14 e 15.

6. Inevitavelmente, sempre que as ideias democráticas são aplicadas ao mundo real, a democracia concreta fica significativamente aquém dos padrões ideais. Por exemplo, os critérios para o processo democrático estabelecidos anteriormente nunca foram totalmente satisfeitos e provavelmente não podem sê-lo. Que grau de aproximação podemos considerar satisfatório, num certo sentido – satisfatório o bastante, digamos, para que possamos chamar um sistema real de "democracia"? Esse problema do limiar adequado da democracia é mais que uma simples questão de terminologia. Por exemplo, se sentimos uma obrigação de sustentar governos democráticos, mas não governos autoritários, o limiar torna-se essencial para um juízo de nossas obrigações.

No capítulo 16, argumentarei que um limiar importante da democracia foi alcançado por um número significativo de países modernos, como é evidenciado por um conjunto específico de instituições políticas que, tomadas em conjunto, distinguem o sistema político desses países de todas as "democracias" e repúblicas pré-século XVIII, bem como de todas as "não democracias" no mundo contemporâneo. Embora esses países sejam geralmente denominados "democracias", irei me referir a seus sistemas – que são, como afirmei, identificáveis em virtude de suas instituições políticas – como *poliarquias*. Que condições favorecem o surgimento e a persistência da poliarquia num país – e, de maneira inversa, quais são as condições cuja ausência reduz a probabilidade de que um país vá chegar a esse limiar moderno da democracia? Vamos explorar essas questões no capítulo 17.

7. Uma vez que o limiar alcançado pela poliarquia ainda está muito aquém dos ideais democráticos, seria possível, e se possível, seria desejável, para reduzir um pouco o abismo entre a poliarquia e a democracia, estabelecer e ultrapassar mais um limiar no caminho para a democracia? Uma corrente forte de utopismo no pensamento democrático nos encoraja a responder que sim. Mas uma contracorrente no pensamento moderno, a qual discutirei no capítulo 18, defende a ideia de que outras tendências poderosas, como uma tendência universal à oligarquia, impõem limites insuperáveis às possibilidades da democratização mais ampla.

8. A transformação na escala da democracia ocorrida em consequência da tentativa de aplicar o processo democrátido ao Estado nacional parece ter transformado a vida política nos países democráticos num esforço competitivo entre os indivíduos e grupos com ideias, ideais e objetivos conflitantes. Qual seria, então, o destino daquele ideal ancestral de virtude política e da busca por um bem comum? Essa questão é o tema dos capítulos 19 e 20.

9. Finalmente, o que podemos concluir quanto aos limites e possibilidades da democratização, particularmente num mundo que não para e no qual os limites e possibilidades podem estar atravessando mudanças tão profundas quanto as que ocorreram quando o Estado nacional substituiu a cidade-Estado como o *locus* da democracia? E que

dizer sobre os governos não democráticos que prevalecem agora e podem continuar a predominar na maioria dos países do mundo? Como devemos avaliar os sistemas políticos nos países que *não* são democráticos e que ainda não atingiram nem mesmo o limiar da poliarquia? Nos capítulos finais, pretendo explorar alguns dos limites e possibilidades da democracia.

Capítulo 9
O problema da inclusão

Uma ordem política que preenchesse os quatro critérios descritos no capítulo anterior seria plenamente democrática em relação a seu *demos*. Mas o *demos* poderia incluir todos os membros ou reduzir-se a uma proporção infinitesimal deles. Neste caso extremo, ainda diríamos que a ordem política seria uma democracia? Em caso negativo, que requisitos podemos estabelecer e como poderíamos justificá-los? Esse problema é complexo e a teoria e as ideias democráticas certamente ainda não apresentaram nenhuma solução satisfatória. Essa questão tem duas facetas, na verdade:

1. O problema da inclusão: que pessoas têm uma pretensão legítima à inclusão no *demos*?
2. O escopo da autoridade do *demos*: que limites legítimos existem para o controle de um *demos*? Pode a alienação ser moralmente aceitável?

Esses problemas estão inter-relacionados. A extensão do controle final que um *demos* em particular (uma comunidade local, por exemplo) deve ter sobre a agenda política depende, evidentemente, de um juízo prévio quanto ao escopo das questões que o *demos* é qualificado para decidir. Um juízo quanto à competência do *demos* afeta o escopo de sua agenda; e a natureza de uma agenda afeta o juízo quanto à composição do *demos*. Estabelecido o *demos*, pode-se então determinar o escopo de sua agenda. Estabelecido o escopo de uma agenda, pode-se determinar a composição de um *demos* apropriado para tomar decisões sobre as questões em pauta. Mas parece que, em princípio, um não pode ser determinado de um modo definitivo independentemente do outro.

Neste capítulo, porém, vou enfocar o primeiro problema. O segundo será abordado nos dois capítulos seguintes. O que, então, constitui propriamente um *demos*? Quem deve ser incluído num *demos* propriamente constituído, e quem pode ou não ser excluído dele?

A questão da inclusão num *demos* (ou da exclusão dele) talvez fosse um desafio menos complexo se o *demos* pudesse sancionar regras que fossem vinculativas apenas para si. Algumas associações escapam do problema assim. Ou todos os membros são cidadãos também, caso no qual a associação é totalmente inclusiva, ou todos os membros são livres para deixar a associação a qualquer momento sem nenhuma dificuldade significativa, caso no qual um membro que se oponha a uma regra pode simplesmente se esquivar de aplicá-la mediante seu desligamento da associação. Sem dúvida, uma pessoa de fora poderia argumentar que um *demos* autorregulador estaria agindo de modo insensato ou injusto em relação a si mesmo. Mas uma vez que essa afirmação não justificaria a inclusão dessa pessoa, o problema da inclusão ainda seria evitado.

Porém, nem sempre o *demos* de uma determinada associação limita-se a sancionar regras vinculativas apenas para si. Um sindicato pode pôr em vigor uma regra que impede os não associados de trabalhar num ramo ou local específicos. Sem dúvida, uma exceção ainda mais óbvia e certamente mais importante é o Estado. Ainda que um Estado satisfaça os quatro critérios prévios para um processo democrático, ele poderia sancionar leis que fossem executáveis contra pessoas que não fossem cidadãos, não tivessem o direito de participar da criação das leis e não tivessem dado seu consentimento explícito ou implícito às leis que agora seriam obrigados a obedecer. Com efeito, todos os Estados já fizeram isso no passado, e há motivos convincentes para crer que todos os Estados, até mesmo os mais democráticos, continuarão a fazer isso no futuro.

Se algumas pessoas são excluídas do *demos* de um Estado e, no entanto, são forçadas a obedecer às suas leis, terão elas uma pretensão justificável à inclusão no *demos* ou, caso não a tenham, uma pretensão a ser excluídas da esfera da vigência? Haverá critérios para decidir quando a exclusão é legítima – se é que é legítima – ou quando a inclusão é obrigatória? Quão inclusivo deve ser o *demos*? O argumento em defesa do Princípio Forte de Igualdade oferece as bases necessárias para um critério de inclusão que um processo democrático teria de satisfazer: *o demos deve incluir todos os adultos sujeitos às decisões coletivas de caráter vinculativo de uma associação*. Essa proposição constitui o quinto e último critério para um processo plenamente democrático.

Mas antes de aceitá-lo, devemos considerar diversas soluções alternativas que vêm de longa data na história da teoria e da prática democráticas.

A cidadania como algo totalmente contingente

Uma solução seria dizer que as bases para decidir quem deve ser incluído no *demos* são inerentemente particularistas e históricas, com efeito muitas vezes primevas, e não podem ser determinadas como princípios gerais. Por conseguinte, a cidadania é totalmente dependente de circunstâncias que não podem ser especificadas por antecipação.

Como descrição de uma prática histórica, não se pode encontrar defeito nessa ideia. E como os filósofos políticos não podem fugir completamente das amarras de suas próprias circunstâncias, suas ideias a respeito da questão da inclusão muitas vezes refletem alguns dos preconceitos de seu tempo. Assim, Aristóteles conseguiu justificar filosoficamente a escravidão, afirmando que algumas pessoas "são escravas por natureza e é melhor para elas [...] ser dominadas por um senhor". E embora ele reconhecesse que as práticas variavam em Estados diferentes, ele não achava que os trabalhadores braçais e operários devessem ser cidadãos (1952, 11-1, 107-10). Como veremos em breve, filósofos da política mais recentes como Locke e Rousseau, que, em seus escritos, utilizaram termos universais (tais como "todos os homens"), que implicavam uma ampla extensão de cidadania, não se opunham aos limites estreitos da cidadania característicos de seu próprio tempo.

Mas descrever um fato histórico não é o mesmo que responder a uma questão normativa. Como Rousseau observou acerca de Hugo Grócio: "Seu modo mais persistente de ponderar é sempre estabelecer o direito através dos fatos. Poder-se-ia utilizar um método mais racional, mas não um mais favorável aos tiranos" (1978, 47). Não obstante, a ideia de confiar nas contigências da história para resolver o problema da inclusão tem seus defensores. Talvez o mais explícito deles seja Joseph Schumpeter.

Embora as ideias democráticas frequentemente produzam respostas ambíguas para a questão da inclusão, Schumpeter foi uma exceção. É uma "conclusão inevitável", segundo ele, que devemos "deixar que cada *populus* defina a si próprio [sic]". Ele apoiou sua argumentação num fato histórico incontestável: o que se pensava ser um "povo" e se tomava legalmente por tal variava imensamente, mesmo entre os países "democráticos". Além disso, não há bases para rejeitar nenhuma exclusão como imprópria: "Não importa se nós, os observadores, admitimos a validade dessas razões, ou das regras práticas pelas quais elas são criadas, para excluir certas parcelas da população: o que importa é que a sociedade em questão a admita." Ele insistiu nessa argumentação implacavelmente. Assim, a exclusão dos negros no Sul dos Estados Unidos não nos permite dizer que o Sul não era democrático. O domínio do "partido bolchevique" na União Soviética "não nos permite, *per se*, afirmar que a União Soviética é não democrática. Só poderemos chamá-la assim se o próprio partido bolchevique for administrado de maneira não democrática – como está claro que é" (Schumpeter [1942] 1947, 243-5)[1].

Os dois últimos exemplos ilustram maravilhosamente os absurdos a que podemos ser levados pela falta de quaisquer critérios para definir o *demos*. É inegável que, nos Estados Unidos, os negros do Sul eram excluídos do *demos*. Mas certamente, *nesse sentido* o Sul era não democrático: *não democrático em relação à sua população negra*. Suponhamos que no Sul, como na Rodésia ou na África do Sul, os negros tivessem sido a maioria preponderante da população. Será que Schumpeter ainda teria afirmado que os estados sulistas eram "democráticos"? Não haverá algum número ou proporção de uma população abaixo dos quais um "povo" não é um *demos*, e sim uma aristocracia, uma oligarquia ou um despotismo? Se os governantes são 100 numa população de 100 milhões, podemos chamar a esses governantes de *demos*, e a esse sistema, de democracia? Na argumentação de Schumpeter, a Grã-Bretanha já era, supostamente, uma "democracia" no final do século XVIII, embora somente um adulto em cada vinte pudesse votar.

Consideremos as implicações grotescas do segundo exemplo, no qual Schumpeter assevera que "a República Soviética" poderia ser uma democracia caso o partido dominante fosse internamente democrático. Schumpeter não impõe nenhum limite mínimo para o tamanho relativo do partido. Suponhamos que fosse 1% da população. Ou suponhamos que o Politburo fosse internamente democrático e dominasse o partido, que por sua vez dominaria o Estado, que governaria o povo. Então, os membros do Politburo constituiriam o *populus* soviético e, segundo a interpretação de Schumpeter, o Estado soviético seria uma democracia.

Dessa forma, a definição de Schumpeter não nos deixa nenhum motivo em particular para querer saber se um sistema é "democrático" ou não. Com efeito, se um *demos* pode ser um grupo minúsculo que exerce um despotismo brutal sobre uma vasta população oprimida, a "democracia" é conceitual, moral e empiricamente indistinguível da autocracia. Portanto, a solução de Schumpeter, na verdade, não é solução nenhuma, pois conclui que simplesmente não existem princípios para julgar se alguém é injustamente excluído da cidadania. Mas, como observamos, o argumento leva a alguns absurdos.

Essas consequências absurdas têm origem no fato de que Schumpeter não conseguiu distinguir, e na verdade insistiu em fundir, dois tipos diferentes de proposições:

O sistema X é democrático em relação ao seu próprio *demos*.
O sistema Y é democrático em relação a todas as pessoas sujeitas às suas regras.

Talvez porque estivesse convencido pela experiência histórica de que nenhum Estado como Y jamais existira e provavelmente jamais existiria, ele sentia que uma teoria "realista" da democracia, tal como ele propôs, não poderia realmente exigir que uma "democracia" fosse um sistema como Y. Pois se essa exigência fosse imposta, nenhum Estado democrático existiria ou provavelmente poderia vir a existir. Mas ao levar o historicismo e o relativismo moral até as últimas consequências, ele obliterou a possibilidade de qualquer distinção útil entre a democracia, a aristocracia, a oligarquia e a ditadura de partido único.

A cidadania como um direito categórico

A solução, ou melhor, a não solução de Schumpeter, foi permitir que um *demos* traçasse qualquer linha de sua escolha entre si mesmo e os outros membros. Suponhamos que, em vez disso, alguém insistisse que nenhuma pessoa sujeita às regras do *demos* deva ser excluída do *demos*. Nesse caso, o *demos* equivaleria exatamente ao número de membros da associação.

É possível interpretar Locke, Rousseau e uma longa sucessão de autores influenciados por eles como responsáveis por alguns avanços numa solução que segue essa linha de raciocínio[2]. Sua argumentação se baseia no axioma moral de que nenhuma pessoa deve ser governada sem o seu consentimento, ou, segundo Rousseau, obrigada a obedecer leis que não foram genuinamente criadas por ela. No desenvolvimento dessa argumentação, os autores julgaram útil fazer uma distinção entre o ato inicial de formar a politeia (sociedade, associação, comunidade, cidade ou Estado) e o processo subsequente de criar e executar os códigos da politeia. Assim, Locke e Rousseau sustentaram a ideia de que a formação inicial requer o consentimento de todos que estão sujeitos a ela; mas daí em diante, as leis podem ser sancionadas e executadas se forem endossadas pela maioria. Ambos os autores procuraram explicar por quê, embora a unanimidade seja exigida num primeiro momento, daí em diante a maioria é suficiente. Pretendo ignorar essa questão, pois minha preocupação aqui é outra: ao falar do consentimento de "todos" ou da maioria, a que coletivo de pessoas os autores se referem? Acaso "o consentimento de cada indivíduo" e "a determinação da maioria" de tais indivíduos[3] se referem literalmente a cada membro, no sentido de que a maioria deve ser a maioria de todas as pessoas sujeitas às leis?

Fica claro que nem Locke nem Rousseau pretenderam implicar essa conclusão. Para começar, não resta dúvida que as crianças têm de ser excluídas do *demos*. A exclusão das crianças do *demos* é considerada não problemática com tanta frequência que mal se nota o quanto essa simples exclusão contradiz a pretensão à cidadania baseada no direito categórico de todas as pessoas, pois ela se baseia no fato de que as crianças não são competentes para governar a si mesmas ou a comunidade. Entretanto, se permitimos a exclusão das crianças do *demos* (e falando sério, quem não o faria?), permitimos que um elemento contingente, baseado em qualificações para o governo, limite a universalidade da pretensão baseada no direito categórico. Deixemos isso de lado; vamos ignorar momentaneamente essa dificuldade, embora eu pretenda retornar a ela.

Suponhamos, portanto, que a pretensão baseada no direito categórico seja revista e afirme que todos os *adultos* sujeitos às leis de um Estado seriam membros do *demos* desse Estado. A cidadania e a afiliação não são mais totalmente coextensivas; agora todos os afiliados adultos são cidadãos por direito categórico. Será que Rousseau e Locke tencionavam justificar essa afirmação?

Rousseau certamente não o fez, embora seja fácil perceber por que às vezes se depreende o contrário numa leitura do *Contrato social*. Ali, Rousseau ocasionalmente parece estar afirmando um direito não qualificado à afiliação ao *demos*[4]. Rousseau deixa claro que não é nada disso que ele quer dizer. Assim, ele enaltece Genebra, embora seu *demos* consistisse apenas de uma pequena minoria da população. As crianças eram excluídas, sem dúvida. Mas também as mulheres o eram. Além disso, a maioria dos homens adultos também eram excluídos do *demos* de Genebra. Rousseau tinha plena consciência dessas exclusões. No entanto, ele nem as condenava por serem inconsistentes com seus princípios, nem estabelecia as bases sobre as quais elas poderiam ser justificadas. Em vez disso, ele simplesmente parecia tomá-las como um ponto absolutamente pacífico.

Rousseau pode, na verdade, ter antecipado a solução de Schumpeter. Ao argumentar que é inexato considerar o governo de Veneza como um exemplo de verdadeira aristocracia, ele observa que, embora as pessoas comuns em Veneza não tomem parte no governo, aí a nobreza substitui o povo. Esse é o *populus* de Schumpeter; um *populus* que define a si próprio. Em seguida, Rousseau demonstra que Veneza e Genebra são verdadeiramente parecidas. Dessa forma, o governo de Veneza não é mais aristocrático que o governo de Genebra (1978, 4, cap. 3)!

O que Rousseau não julga importante dizer é que, em ambas as cidades, a maior parte da população sujeita às leis não era apenas excluída da execução e da administração das leis (o governo, na terminologia de Rousseau), mas também de qualquer participação na criação das leis. O povo – ou seja, a maioria das pessoas – não tinha o direito, em nenhuma das duas repúblicas, de se reunir a fim de votar as leis, nem sequer para votar pelos representantes que criariam as leis. Em ambas as cidades, as pessoas estavam sujeitas, portanto, a leis de cuja criação não participaram[5]. Pode-se concluir que nenhuma das duas repúblicas podia ser legítima aos olhos de Rousseau. Mas não foi essa a conclusão a que ele chegou; tampouco ele inferiu isso, ainda que sutilmente.

O que Rousseau parece ter pressuposto, como fizeram outros defensores da democracia desde as cidades-Estado da Grécia antiga, é que um grande número de pessoas em qualquer república – crianças, mulheres, estrangeiros e muitos homens adultos residentes – serão sujeitos, mas não são qualificados para ser cidadãos. Dessa forma, o próprio Rousseau minou o princípio categórico da inclusão que aparentava ter estabelecido no *Contrato social*.

A linguagem de Locke no *Segundo tratado* é tão categórica e universalista quanto a de Rousseau, se não for mais[6]. No entanto, sua aparente asserção de uma pretensão desqualificada e categórica era limitada, explícita e implicitamente por um requisito de competência. Naturalmente, as crianças eram excluídas. Retomarei, mais adiante, o argumento do "pátrio poder" de Locke. É altamente duvidoso que ele pretendesse incluir as mulheres, atribuindo-lhes direito líquido à cidadania[7]. Quanto aos homens adultos, ele explicitamente excluiu "os lunáticos e idiotas [que] nunca são libertos do governo de seus pais" (1970, cap. 6, parágr. 60). Adicionalmente, "os escravos [...] sendo cativos tomados numa guerra justa, são por direito de natureza sujeitos ao domínio absoluto e arbitrário de seus senhores". Ele provavelmente tencionava excluir os criados também (cap. 7, parágr. 85). Assim, a pretensão à cidadania não era categórica, mas sim dependente de um juízo quanto às qualificações relativas de uma pessoa para participar no governo da *commonwealth*. Como Rousseau, Locke torpedeou sua própria visão (se é que essa era a sua visão) de que cada pessoa sujeita às leis criadas pelo *demos* possui um direito categórico e não qualificado à afiliação ao *demos*.

A cidadania como dependente da competência

Locke e Rousseau parecem ter apresentado dois princípios diferentes sobre os quais uma pretensão à cidadania pode se sustentar. Um é explícito, categórico e universal; o outro é implícito, dependente e limitador:

Princípio Categórico: *Toda pessoa sujeita a um governo e às suas leis tem o direito não qualificado de ser membro do* demos *(isto é, um cidadão).*

Princípio Dependente: *Somente as pessoas qualificadas para governar, e todas essas pessoas devem ser membros do* demos *(isto é, cidadãos).*

Se algumas pessoas sujeitas às leis não são qualificadas para governar, é óbvio que os dois princípios levam a conclusões contraditórias. Qual princípio deve ter precedência? Como observamos, Locke e Rousseau sustentavam, ao menos implicitamente, que o segundo princípio tinha precedência sobre o primeiro.

O que estava apenas – ou principalmente – implícito nos argumentos de Locke e Rousseau foi explicitado por John Stuart Mill, que enfrentou abertamente o conflito que ele acreditava existir entre os dois princípios. Como seus predecessores, ele também insistiu que, em caso de conflito, o primeiro princípio deveria ceder ao segundo.

Certamente, numa leitura descuidada, pode-se interpretar Mill como um defensor do princípio categórico[8]. Entretanto, embora num exame casual sua linguagem tenha um tom universalista, na verdade Mill não endossava um princípio categórico de inclusão geral. Não chega a surpreender que ele desenvolva sua argumentação, não do ponto de vista dos princípios do direito abstrato, e, sim, com base em considerações de utilidade social. Seus julgamentos pretendem refletir um equilíbrio entre as utilidades e as desutilidades sociais. E conquanto sua argumentação seja robusta, ela não o leva a um princípio categórico, e sim a um juízo dependente e discutível acerca da utilidade social. Mas como a questão é de utilidade social, a competência relativa também é um fator a ser pesado.

Como todo leitor de *O governo representativo* logo descobre, foi o próprio Mill quem minou sua argumentação em defesa da inclusão universal, ao apresentar um contra-argumento baseado em considerações de competência. Ao longo de sua discussão, ele asseverou explicitamente que o critério de competência deve ter precedência sobre qualquer princípio, seja ele categórico ou utilitário, que torne a inclusão no *demos* uma questão de direito geral entre os adultos sujeitos às leis. No mínimo, ele afirmou, demonstrar que as pessoas são qualificadas para participar do governo exige uma demonstração de que elas "adquiriram os requisitos mais comuns e mais essenciais para tomar conta de si próprias, para buscar inteligentemente os próprios interesses e os de seus aliados mais próximos". Mill julgava que, na Inglaterra de seu tempo, muitas categorias de adultos não conseguiam alcançar esse padrão e não deviam, portanto, ter acesso ao sufrágio até que adquirissem a competência da qual não dispunham então (Mill 1958, 131-8).

Ao dar prioridade ao critério da competência, reconhecer a natureza dependente e socialmente específica dos juízos acerca da competência e aceitar um *demos* restrito como consequência de seu próprio juízo quanto às qualificações de seus conterrâneos, Mill trouxe à baila um problema que fora mascarado por alguns de seus predecessores mais ilustres. Entretanto, ao justificar um *demos* excludente, Mill nada fez além de explicitar o que geralmente havia ficado implícito em toda a teoria e prática democráticas anteriores.

As oportunidades formais de participação disponíveis para os cidadãos nas cidades-Estado democráticas da Grécia, a linguagem universalista na qual as crenças democráticas frequentemente foram apresentadas e a ênfase dada por Rousseau e Mill à participação induziram alguns autores a interpretar as ideias democráticas "clássicas" como algo bem menos "elitista" do que elas eram na verdade[9].

Pode-se optar por descartar esses limites como deficiências transitórias numa ideia política nova e revolucionária que transcendia os limites históricos da prática real. Mas, como vimos, Locke e Rousseau aceitaram, e Mill defendeu, o princípio de que um *demos* pode excluir propriamente um grande número de adultos que estão sujeitos às leis criadas pelo *demos*. E, em princípio, os qualificados podem ser uma pequena maioria. Assim, a solução de Schumpeter não é a única que permitiria que o *demos* se reduzisse a uma elite dominante. O próprio Rousseau, como vimos, considerava Genebra e Veneza como repúblicas verdadeiras, governadas "pelo povo", apesar do fato de que em ambas as cidades o *demos* constituía uma minoria dos adultos.

Os admiradores modernos das ideias democráticas "clássicas" parecem ter invertido a relação entre a cidadania e a competência, como geralmente eram compreendidas dos gregos a Mill. Sob a perspectiva "clássica", nem todo adulto, muito menos toda pessoa, era qualificado para governar e, portanto, para entrar no *demos*. Na verdade, o *demos* consistia apenas naqueles que eram, a seu próprio ver, qualificados para governar. Sob essa perspectiva, era precisamente por ser uma minoria qualificada do povo que os cidadãos tinham o direito de governar e que se podia confiar neles como um todo para governar bem.

Em consequência disso, as ideias "clássicas" tornam a defesa intelectual da democracia fatalmente vulnerável, como se percebe rapidamente quando a contrastamos com a visão da inclusão como um direito categórico. Se todas as pessoas que estão sujeitas às leis têm o direito categórico de participar do processo de criação das leis; se o requisito do consentimento é universal e incontestável, a argumentação a favor da democracia é muito poderosa e, na mesma medida, a argumentação contra as alternativas excludentes – a aristocracia, a meritocracia, o domínio de uma elite qualificada, a monarquia, a ditadura e assim por diante – é debilitada. Se a pretensão à cidadania é um direito categórico e universal de todos os seres humanos, isso significa que, em todos os grupos humanos, sempre existe um *demos,* e este sempre deve ser inclusivo. Em outras palavras, em todos os grupos de pessoas que desejam estabelecer ou manter uma associação com um governo capaz de tomar decisões vinculativas, o Princípio Forte de Igualdade – a mais importante das condições para o processo democrático descritas há pouco – deve, necessariamente, existir.

Mas se o critério da competência suplanta uma pretensão baseada nos direitos, a argumentação a favor da democracia está apoiada em solo pantanoso. A cidadania depende de juízos contingentes, não de direitos categóricos. E os juízos contingentes não levam necessariamente à inclusão universal. Com efeito, os limites entre a democracia, de um lado, e a guardiania, do outro, tornam-se nebulosos e indistintos. Os argumentos a favor de uma ou de outra tornam-se indistinguíveis, exceto por um juízo crucial quanto à quantidade relativa dos membros competentes. E, como já vimos, mesmo entre os filósofos da política, esses juízos práticos e contingentes são facilmente afetados pelos preconceitos característicos de cada época.

Um critério de inclusão

Três questões vêm à tona: em primeiro lugar, é possível contornar o princípio da competência quando da decisão acerca da inclusividade do *demos*? Em segundo lugar, em caso contrário, é possível evitar a natureza contingente e discutível de um juízo quanto à competência? Em terceiro lugar, se não é, podemos desenvolver critérios fortes que tal juízo deva ser capaz de satisfazer?

O fato de que não podemos contornar o princípio da competência na decisão quanto à inclusividade do *demos* é provado, de modo decisivo, pela exclusão das crianças. Praticamente nunca se discute – sem dúvida porque seria algo obviamente indefensável – se as crianças devem ser membros do *demos* estatal ou não devem estar sujeitas às leis criadas pelo *demos*. Que eu saiba, ninguém propõe seriamente que as crianças sejam membros plenos do *demos* que governa o Estado. Uma criança de oito anos não pode ser esclarecida o suficiente para participar em pé de igualdade com os adultos nas decisões referentes às leis que serão executadas pelo governo do Estado. Entretanto, essas leis são impostas às crianças, sem seu consentimento explícito ou implícito. Com frequência, se afirma que, em razão de sua competência limitada, as crianças não devem ser sujeitas às mesmas leis que os adultos – e os sistemas jurídicos tendem a refletir a força desse argumento. As crianças não podem, por exemplo, tomar parte em contratos legalmente executáveis. No entanto, elas não são totalmente isentas da execução de todas as leis.

As crianças nos oferecem, portanto, um exemplo claro de violação do princípio de que um governo deve repousar sobre o consentimento dos governados, ou de que ninguém deve ser sujeito a uma lei que não da própria escolha, ou sujeito a uma lei criada por uma associação que não seja da própria escolha. No entanto, essa violação é quase sempre tomada como um pressuposto ou interpretada como algo que não é uma violação de fato. Um modo de interpretá-la é dizer que o princípio do consentimento só se aplica aos adultos. Mas isso equivale a admitir que algumas pessoas que estão sujeitas às regras de um Estado podem, não obstante, ser propriamente excluídas do *demos* desse Estado.

Com que fundamentos? O único fundamento defensável para a exclusão das crianças do *demos* é o fato de que elas não são ainda plenamente qualificadas. É claro que a necessidade de excluir as crianças com base neste fato era algo perfeitamente óbvio para os primeiros teóricos da democracia. Locke dedica um capítulo inteiro ao "pátrio poder". Depois de chamar nossa atenção para "aquele direito igual que todos os homens têm à sua liberdade natural, sem ser sujeitos à vontade ou à autoridade de qualquer outro homem", ele imediatamente se volta para as exceções, das quais as crianças são as mais numerosas, óbvias e importantes (*Second Treatise*, parágrs. 55, 63, pp. 28, 31). Rousseau também reconhece, ainda que somente de passagem, a autoridade do pai sobre as crianças "até que elas atinjam a idade da razão" (livro 1, cap. 4, p. 49).

O exemplo das crianças basta para mostrar que o critério da competência não pode ser racionalmente evitado, que qualquer delimitação de um *demos* deve, ao excluir as crianças, necessariamente excluir um grande grupo de pessoas sujeitas às leis e que nenhuma asserção de um direito universal de todas as pessoas à afiliação no *demos* pode ser sustentada. Todavia, pode-se argumentar que as crianças constituem uma exceção única e bem definida[10]. Assim, uma vez permitida uma distinção entre as crianças e os adultos, todos os *adultos* sujeitos às leis devem ser incluídos.

Um princípio categórico modificado?

O princípio categórico poderia ser, então, reafirmado da seguinte forma:

PRINCÍPIO CATEGÓRICO MODIFICADO: *Deve-se presumir que todo adulto sujeito a um governo e às suas leis é qualificado para ser membro do* demos *e tem o direito não qualificado a sê-lo.*

Há, porém, duas fontes de dificuldades no princípio categórico modificado. Uma delas é o fato de que os limites entre a infância e a idade adulta apresentam alguns desafios. Existe uma arbitrariedade notória na imposição de uma dicotomia criança-adulto a um processo de desenvolvimento que não apenas é contínuo, mas também varia de uma pessoa para outra. Por conseguinte, podemos discordar razoavelmente quanto a se as pessoas em geral se tornam qualificadas aos vinte e um anos, aos dezoito ou seja lá quando for; e qualquer que seja a idade escolhida, podemos discordar quanto aos casos específicos de pessoas que amadurecem mais ou menos rapidamente que a média. Há também os casos perturbadores para os quais a experiência não oferece soluções claras, nem mesmo quando aliada à compaixão. Como afirma Locke:

> Se, em razão de defeitos que podem ocorrer no curso regular da Natureza, alguém não alcançar um grau de Razão mediante o qual possa ser considerado capaz de conhecer a Lei e portanto, de viver dentro de suas regras, ele *nunca será capaz de ser um Homem Livre* [...] mas continuará sob a Tutela e o Governo de outrem, por ser o seu Entendimento sempre in-

capaz desse Encargo. E assim, os *Lunáticos* e os *Idiota*s nunca se libertarão do governo de seus Pais (*Second Treatise*, cap. 6, parágr. 60, pp. 325-6).

Dessa forma, o princípio categórico modificado corre o risco de cair numa circularidade, ao definir os "adultos" como pessoas presumivelmente qualificadas para governar.

Uma segunda fonte de dificuldades para o princípio modificado advém da presença num determinado país de estrangeiros que podem ser adultos de acordo com qualquer padrão sensato e que estão sujeitos às leis do país no qual residem temporariamente, mas que não são qualificados para participar do governo. Suponhamos que a França tenha uma eleição no domingo e que eu, um americano, chegue a Paris no sábado, como turista. Acaso alguém afirmaria que eu deveria ter o direito de participar da eleição, que dirá adquirir todos os outros direitos políticos da cidadania francesa? Penso que não. Com base em que fundamento eu poderia ser propriamente excluído? Com base no fato de que não sou qualificado[11].

Resumindo:

1. A solução de Schumpeter para o problema da composição do *demos* é inaceitável, pois ela efetivamente apaga a distinção entre a democracia e as ordens não democráticas dominadas por um colegiado da elite.

2. Um princípio categórico de inclusão que suplante a necessidade de um juízo quanto à competência também é inaceitável, pois casos como o das crianças, dos deficientes mentais e dos estrangeiros com residência temporária o tornam insustentável. Se por um lado Locke e Rousseau desenvolveram um princípio categórico, a defesa que fazem dele é pouco convincente. Porém, tudo indica que eles reconheceram essas objeções e nunca tencionaram que sua argumentação fosse tomada como uma rejeição da prioridade do critério de competência.

3. Como os juízos relativos à competência dependem de se pesar as provas e fazer inferências quanto às qualificações intelectuais e morais de categorias específicas de pes-

soas, uma decisão baseada na competência é inerentemente questionável. Certamente, pode-se fazer a defesa sensata de um juízo particular quanto aos limites adequados da inclusão e da exclusão. Mas a localização exata de qualquer limite é necessariamente um juízo altamente discutível e, desde Aristóteles, os juízos práticos dos filósofos da política tendem a refletir os preconceitos de seu tempo. Até mesmo J. S. Mill, cujo apoio ao alargamento dos limites da participação política era excepcional para uma pessoa de sua classe, apresentou, não obstante, motivos convincentes para justificar as exclusões específicas por ele defendidas; entretanto, é quase certo que poucos democratas contemporâneos aceitassem suas exclusões como razoáveis.

Em resumo, se a solução de Schumpeter leva a alguns absurdos, as soluções encontradas nas ideias democráticas originais, seja na Antiguidade clássica ou nos trabalhos de teóricos modernos como Locke, Rousseau e Mill, oferecem uma fundação frágil demais para uma teoria normativa satisfatória do processo democrático. Embora não haja dúvida de que devemos aceitar a necessidade de um juízo quanto à competência, sendo esta de natureza contingente e discutível, precisamos de um critério que nos ajude a reduzir a arbitrariedade de tal juízo.

Uma justificativa para a inclusividade

Embora as fraquezas dos princípios categóricos de inclusão signifiquem que não podemos evitar os juízos contingentes, o fundamento para a adoção do Princípio Forte de Igualdade, apresentado no capítulo anterior, obviamente justifica um amplo critério de inclusividade. Como já afirmei, ao adotar o Princípio Forte como um pressuposto do processo democrático, na verdade afirmamos que todos os adultos devem ser incluídos e sujeitos apenas às exceções que talvez deixem de satisfazer o pressuposto de autonomia pessoal.

A experiência nos mostra que qualquer grupo de adultos excluído do *demos* – por exemplo, as mulheres, os artesãos e os operários, os não proprietários de terras, as minorias raciais – ficarão fatalmente enfraquecidos na defesa de seus próprios interesses. E é improvável que um *demos* exclusivo proteja os interesses daqueles que são excluídos. "O ensino universal deve preceder a libertação universal", escreveu Mill (1958, 132). Mas foi só *depois* da extensão do sufrágio, em 1868, que o Parlamento aprovou a primeira lei a estabelecer as escolas públicas de ensino fundamental. A história desde então prova ainda melhor que quando um grande grupo de adultos é excluído da cidadania, é quase certo que seus direitos não receberão igual consideração. Talvez a prova mais convincente disso seja a exclusão dos negros sulistas da vida política nos Estados Unidos até o fim dos anos 1960.

Ao adotar o Princípio Forte de Igualdade, teremos levado esses fatos em consideração. Esse princípio e as premissas das quais ele deriva oferecem bases adequadas para adotar um critério que se aproxima da universalidade entre os adultos. Essa solução é não só muito menos arbitrária que a de Schumpeter, como ainda é bem mais inclusiva que o *demos* restrito, explícita ou implicitamente aceito na pólis clássica e por Aristóteles, Locke, Rousseau ou Mill. Portanto, o quinto e último critério para o processo democrático é este:

O demos *deve incluir todos os membros adultos da associação, exceto as pessoas em trânsito e as pessoas com deficiências mentais comprovadas.*

Admite-se que a definição de adultos e pessoas em trânsito é uma fonte de ambiguidade em potencial. Provavelmente, nenhuma definição do termo "adulto" é completamente estanque. Um teste prático seria tratar cada membro como um adulto que não sofre de uma deficiência mental grave ou como um adulto do ponto de vista do direito penal. A idade a partir da qual se considera que as pessoas atingiram um limiar mínimo de razão e de responsabilidade por seus atos e, por conseguinte, passam a arcar com os fardos, obrigações e punições aplicados pelo sistema jurídico, pode ser também a idade a partir da qual deve se iniciar o direito à inclusão no *demos*.

O significado desse critério me parece bastante simples: se um *demos* permitisse que o conceito de idade adulta fosse manipulado a fim de privar certas pessoas de seus direitos – os dissidentes, por exemplo –, ele simplesmente deixaria, nesse sentido, de satisfazer o critério da inclusividade.

Tomada com os outros quatro critérios apresentados no capítulo 8, a inclusividade completa os requisitos para um processo democrático. Esses cinco critérios especificam plenamente o processo democrático. Pois, a meu ver, é impossível determinar em que aspectos um processo que satisfizesse esses critérios não seria *democrático* ou como qualquer processo que deixasse de satisfazer um ou mais desses critérios poderia ser considerado *plenamente* democrático.

A teoria do processo democrático

Passo, agora, a um resumo da argumentação contida neste capítulo e adianto algumas objeções e problemas.

Esses critérios nos ajudam a identificar diversos limiares que muitas vezes deram origem a certas confusões. Como observamos, Schumpeter não conseguiu fazer uma distinção entre um sistema político que seja democrático em relação a seu próprio *demos* e um que seja democrático em relação a todos que estão sujeitos às suas regras. Aventei a possibilidade de que um processo político que preencha apenas os dois primeiros critérios pode ser considerado *procedimentalmente democrático num sentido limitado*. Por outro lado, um processo que também satisfaça o critério da compreensão esclarecida pode ser considerado *plenamente democrático no que diz respeito a uma agenda política e em relação a um demos*. Num limiar ainda mais elevado, um processo que, além de tudo, permita o controle final da agenda por seu *demos* é *plenamente democrático em relação a seu demos*. Mas somente se o *demos* for inclusivo o suficiente para satisfazer o quinto critério é que poderemos descrever o processo de tomada de decisões como *plenamente democrático*.

Assim como os critérios especificam plenamente o processo democrático, creio que eles especificam plenamente o que deveríamos querer dizer com *igualdade política*. Na medida em que os critérios não são satisfeitos, as pessoas não podem ser consideradas politicamente iguais; e na medida em que qualquer processo de tomada de decisões possa garantir a igualdade política, as pessoas de um grupo no qual os critérios fossem satisfeitos seriam politicamente iguais.

Os pressupostos e critérios para um processo democrático não especificam nenhum tipo de associação em particular. O que se deduz é que em *qualquer* associação para a qual os pressupostos são válidos, o processo democrático, e somente ele, seria justificado. Historicamente, porém, os defensores da democracia concentraram sua atenção no Estado, e com razão. Quer o Estado seja a mais importante de todas as associações humanas, quer não, ele é inquestionavelmente crucial. É crucial em razão de sua extraordinária influência, poder e autoridade e, por conseguinte, por causa da capacidade daqueles que o governam de controlar os recursos, estruturas, agendas e decisões de todas as outras associações dentro de seus limites. Um povo que aliena seu controle final sobre a agenda política e as decisões do governo do Estado corre o sério risco de também alienar seu controle final sobre outras associações importantes.

Como uma objeção famosa discutida no capítulo anterior provavelmente será reavivada neste ponto, talvez eu precise combatê-la mais uma vez. Acaso os critérios meramente especificam uma igualdade política e um processo democrático "formais" e não "reais"? Suponhamos que os cidadãos sejam extremamente desiguais quanto a seus recursos políticos – renda, riqueza, *status*, por exemplo. Não seriam eles politicamente desiguais? Talvez e quase certamente que sim. No entanto, é um grave engano se opor aos critérios com base nesse fundamento. Pois quando as diferenças nos recursos políticos fazem com que os cidadãos sejam politicamente desiguais, essa desigualdade necessariamente se revela numa violação dos critérios. Com efeito, na medida em que se acredita que os critérios especificam uma ordem política desejável, é preciso que haja uma preocupação quanto aos pré-requisitos sociais, econômicos e culturais para tal ordem, um problema que examinaremos mais tarde.

Pode-se também questionar se algum sistema pode ter a esperança de satisfazer esses critérios plenamente. E, caso contrário, qual seria a relevância dos critérios? Porém, parto do princípio de que, no mundo real, nenhum sistema satisfará plenamente os critérios para um processo democrático. No máximo, o que qualquer república real provavelmente atingirá é uma certa semelhança com um processo plenamente democrático. Creio que qualquer semelhança ficará muito aquém de satisfazer os critérios. Porém, eles servem como padrões com os quais se podem comparar os processos e instituições alternativos a fim de avaliar seus méritos relativos. Os critérios não definem completamente o que pretendemos dizer com uma boa república ou uma boa sociedade. Mas tendo em vista que o processo democrático vale a pena, os critérios nos ajudarão a chegar a juízos que influenciam diretamente o valor ou a virtude relativos dos arranjos políticos.

QUARTA PARTE
Problemas no processo democrático

Capítulo 10
O governo da maioria e o processo democrático

A teoria do processo democrático descrita nos capítulos anteriores não especifica a regra a ser seguida se as decisões coletivas forem tomadas segundo o processo democrático. Será que podemos dizer qual deve ser essa regra?
Essa questão suscita outras.
1. Acaso o processo democrático requer o uso exclusivo do princípio da maioria? Muitos defensores do governo popular, republicano ou democrático defenderam o domínio da maioria[1]. Locke e Rousseau, como afirmei anteriormente, recomendaram a unanimidade no momento do contrato original pelo qual o Estado foi fundado, mas o domínio da maioria daí por diante. Alguns autores contemporâneos – tanto defensores como críticos da democracia – frequentemente sustentam a ideia de que a democracia "significa" ou requer o domínio da maioria (por exemplo, Spitz 1984).
É claro que praticamente todas as pessoas pressupõem que a democracia requer o domínio da maioria, no sentido frágil de que o apoio da maioria deve ser *necessário* para aprovar uma lei. Mas geralmente os defensores do domínio da maioria atribuem a ele um sentido muito mais forte. Nesse sentido mais forte, o domínio da maioria significa que o apoio da maioria deve ser, não apenas necessário, mas também *suficiente* para sancionar as leis[2]. Todavia, a exigência de domínio da maioria nesse sentido forte incorre em vários problemas desconcertantes para os quais ainda não foram encontradas soluções inteiramente satisfatórias.

2. Se o domínio da maioria no sentido forte é insatisfatório, haverá uma alternativa claramente superior? Uma possibilidade seria exigir, para todas as decisões coletivas, o que Locke e Rousseau consideraram necessário para a fundação original do Estado: a unanimidade. Entre o domínio da maioria no sentido estrito e a unanimidade existe uma gama infinita de possibilidades – dois terços, três quartos... Infelizmente, porém, todas as alternativas ao domínio da maioria no sentido estrito também estão expostas a graves objeções.

3. Se nenhuma regra totalmente satisfatória pode ser encontrada, isso significa que o processo democrático é, no sentido estrito, impossível? E se é, haverá um substituto aceitável para o processo democrático que escape das objeções ao domínio da maioria e às suas alternativas?

4. Por último, que regras os defensores da democracia adotam na prática? Por exemplo, o domínio da maioria acaba por ser a solução convencional, apesar de suas dificuldades?

Proponho que empreendamos nossa busca por respostas mediante a apresentação dos argumentos mais fortes que conheço a favor do domínio da maioria e, em seguida, consideremos as principais objeções e alternativas.

Preliminares

Majoritário: Antes de demonstrar por que acredito que o domínio da maioria é uma exigência do processo democrático, quero explicitar alguns pressupostos aos quais, a meu ver, certamente você não se oporá. Vamos pressupor que exista um coletivo de pessoas com limites bem definidos. Elas são comprometidas com a igualdade política e o processo democrático. Elas sentem a necessidade de decisões coletivas. Algum problema até aqui?

Crítico: Nenhum. Na verdade, você estabeleceu premissas que eu estabeleceria ao justificar o processo democrático.

Majoritário: Eu tinha plena consciência disso, é claro. Estou certo de que você também concordará comigo quanto ao fato de que o processo democrático requer algum tipo de regra de decisão, ou mesmo várias delas. Afinal de contas, quando o estágio final da tomada de decisões é alcançado e todos os votos de peso igual foram contados, é necessária uma regra para especificar qual é a alternativa a ser adotada.

Crítico: Sem dúvida. O que você diz me parece óbvio.

Majoritário: E certamente você concorda que para um povo comprometido com o processo democrático, uma regra de decisão adequada deve ser coerente com os critérios e os pressupostos desse processo, é claro.

Crítico: Naturalmente.

Majoritário: Não seria também razoável insistir que, seja qual for a regra de decisão adotada, ela deve ser *decisiva*? O que quero dizer com *decisiva* é que ela garantirá que *algum* resultado será definitivamente alcançado.

Crítico: Um critério de decisividade me parece inteiramente sensato. Posso sugerir, ainda, que uma boa regra de decisão deve ser também prática ou *viável*? E que deve ser *aceitável* para os participantes?

Majoritário: Muito bem! Como eu imaginava, meu amigo, você entrou no espírito da minha busca pela melhor regra para tomar decisões democráticas. Espero poder lhe mostrar por que o domínio da maioria no sentido forte é a melhor regra de decisão, de fato a única regra totalmente compatível com o processo democrático.

Crítico: Aguardo ansioso a sua demonstração.

Majoritário: Deixe-me principiar com uma observação que não é uma "demonstração", como diz você, mas que realmente fortalece o princípio. Qualquer *demos* comprometido com o processo democrático provavelmente irá considerar o domínio da maioria intuitivamente atraente. Permita-me explicar por quê. Se os participantes consideram uns aos outros como iguais políticos – se eles acreditam firmemente que ninguém entre eles deve ser tratado como se fosse mais privilegiado politicamente que os outros – a versão fraca do domínio da maioria certamente lhes parecerá desejável. Pois pensarão, sem dúvida, que não se deve permitir que uma minoria dentre eles prevaleça sobre a maioria. Mas se aceitarem essa premissa, eles também terão de achar atraente a versão forte.

Crítico: Por quê? A versão fraca não implica logicamente a versão forte.

Majoritário: Por que não? Se é errado permitir que a minoria prevaleça sobre a maioria, não é também errado permitir que a minoria bloqueie a maioria? No entanto, é exatamente isso que poderia acontecer sem a versão forte. Pense nisto por um momento: se a minoria sempre pudesse vetar as decisões da maioria, o efeito prático disso seria o domínio da minoria, não é? Consequentemente, uma vez que os membros de algum grupo se vejam como iguais políticos que devem se governar por meio do processo democrático, a versão forte do domínio da maioria provavelmente parecerá mais apropriada e aceitável que qualquer alternativa a ela.

Crítico: Talvez. Entretanto, embora sua conjectura seja bastante plausível, não a considero muito rigorosa. Penso entrever diversas manobras que poderiam derrubar a sua argumentação.

Majoritário: Estou bem certo de que o que acabei de dizer não é uma demonstração rigorosa. Porém, enfatizar o apelo intuitivo que o domínio da maioria provavelmente terá entre as pessoas que se veem como iguais políticas me parece altamente pertinente. Entre outras coisas, esse apelo fala à questão da aceitabilidade, que você mesmo propôs como um critério para uma boa regra de decisão.

Entendo, porém, que o que você está perguntando é se esse apelo intuitivo pode ser justificado racionalmente.

Crítico: Exatamente.

Majoritário: A resposta é claramente sim, desde que concordemos quanto a várias premissas inteiramente razoáveis. Na verdade, pode-se chegar a uma justificativa racional para o domínio da maioria por pelo menos quatro caminhos diferentes.

Crítico: Um bastaria.

Majoritário: Fico muito grato. Mas já que cada uma das quatro justificativas que tenho em mente depende de alguns pressupostos um pouco diferentes, gostaria de explicar todas as quatro.

Crítico: Claro. Aprendi, há muito tempo, que há mais de um caminho para o esclarecimento. Talvez você vá me mostrar uma justificativa à qual não conseguirei resistir.

Majoritário: Espero que sim. Primeiro, porém, gostaria de lhe pedir que aceite um pressuposto inicial. Ao explorar meus quatro argumentos a favor do domínio da maioria, seria conveniente começar pelo pressuposto de que o *demos* vota diretamente os assuntos que estão na agenda das decisões coletivas. Eu também gostaria de pressupor que as alternativas diante do *demos* são, em cada caso, apenas duas. Se você me permitir esses pressupostos iniciais, podemos ignorar algumas complicações que, de outra forma, atrapalhariam a exposição organizada dos argumentos.

Crítico: Esses dois pressupostos simplificam drasticamente o mundo real da política democrática! Embora eu entenda a utilidade de estabelecer pressupostos que ajudem a reduzir a complexidade sem fim do mundo real, vou insistir que, em algum ponto, voltemos ao mundo da experiência real. Como você bem sabe, no mundo real os defensores da democracia vêm tentando, há dois séculos, aplicar o processo democrático aos governos representativos. Além disso, no mundo real, os eleitores e os órgãos legislativos muitas vezes deparam com questões que têm mais de duas alternativas.

Majoritário: Não nego isso. Mas poderemos lidar com essas complicações de um modo mais inteligível se partirmos de um mundo mais simples, embora menos realista.

Quatro justificativas para o domínio da maioria

Ele maximiza a autodeterminação

Majoritário: Para começar, o domínio da maioria maximiza o número de pessoas que podem exercer a autodeterminação nas decisões coletivas. Em face dos limites de um sistema político em particular, da composição do *demos* e da necessidade de uma decisão coletiva sobre algum assunto, o princípio forte do domínio da maioria garante que o maior número possível de cidadãos viverá sob leis que escolheram para si próprios. Se uma lei for adotada por menos que a maioria simples, o número dos que escolheram essa lei será necessariamente menor que o número de cidadãos que teria escolhido a alternativa. Da mesma forma, se fosse necessário mais que a maioria simples para que uma lei fosse adotada – digamos, 60% – uma minoria de 40% (mais um voto) poderia impedir a maioria de 60% (menos um voto) de adotar sua alternativa preferida. Como resultado disso, a alternativa preferida pela minoria seria imposta à maioria[3].

Crítico: Não discordo de seu argumento, mas permita-me fazer duas observações. Em primeiro lugar, a justificativa que você acaba de apresentar depende do pressuposto de que a liberdade expressa na autodeterminação deve ser maximizada nas decisões coletivas. Não seria um argumento desse tipo abstrato demais para despertar o interesse de qualquer pessoa além de um filósofo? Você está dizendo que o domínio da maioria exige que as pessoas leiam e entendam Rousseau ou Emanuel Kant?

Majoritário: É claro que não. Embora minha justificativa possa parecer abstrata, suspeito que ela fundamenta, implicitamente, o modo de pensar de muitas pessoas quanto ao domínio da maioria. É fácil imaginar um cidadão comum dizendo algo assim a seus concidadãos:

Bem, temos de chegar a uma decisão quanto a este assunto. Alguns de nós não gostam de uma das opções à nossa frente, e alguns de nós não gostam da outra. Tentamos quanto foi possível encontrar uma solução a respeito da qual todos concordássemos, ou, caso isso não fosse possível, uma solução que obtivesse um nível mais alto de aceitação que as alternativas diante de nós. Mas não conseguimos nenhuma alternativa melhor que estas. Assim, temos agora de escolher uma delas. Seja qual for o desfecho dessa decisão, alguns de nós não gostarão da lei, embora tenhamos todos de obedecer a ela de qualquer modo. Portanto, que a maioria decida. Dessa forma, pelo menos a maioria de nós viverá sob uma lei que queremos, em vez de permitir à minoria que obtenha o que deseja. Não será essa a única coisa certa a fazer?

CRÍTICO: Percebo como esse argumento despertaria o interesse de muitas pessoas. Passemos, portanto, à minha segunda observação. No início de nossa conversa, concordei em pressupor que algumas decisões coletivas seriam necessárias e que os limites da coletividade fossem estabelecidos. Agora vejo que, ao fazer isso, posso ter entregado o jogo. Cada um desses pressupostos oculta o que pode ser chamado de problema dos limites. O pressuposto de que são necessárias decisões coletivas implica um limite entre as questões que exigem decisões coletivas e as questões que não as exigem. O pressuposto de que os limites da coletividade são fixos rejeita a possibilidade de que uma unidade coletiva com limites diferentes – uma unidade menor, mais local, mais homogênea, digamos, ou maior e mais heterogênea – possa ser melhor.

MAJORITÁRIO: Se tentarmos considerar todos os problemas da teoria e da prática democráticas ao mesmo tempo, nunca chegaremos a lugar algum. Será que não podemos tratar de seus problemas dos limites mais tarde?

CRÍTICO: Aceito.

MAJORITÁRIO: Entrementes, você aceita – não é? – o fato de que *se os membros de uma associação necessitam de decisões coletivas para atingir seus fins e os limites de uma unidade democrática são dados como certos*, o domínio da maioria é necessário para a máxima autodeterminação?

CRÍTICO: Sim. Estou disposto a deixar minhas reservas de lado por ora, mas pretendo voltar a elas mais tarde.

MAJORITÁRIO: Como queira. Mas os problemas que você apresentará certamente serão distintos do problema do domínio da maioria, não é verdade?

CRÍTICO: Talvez esses problemas sejam mais interdependentes para mim que para você.

O domínio da maioria como uma consequência necessária de requisitos razoáveis

Majoritário: Minha segunda justificativa é um tanto análoga à primeira. Mas a argumentação é um pouco mais detalhada e rigorosa. *Grosso modo*, o argumento é o de que quando você aceita quatro critérios razoáveis a serem satisfeitos por uma regra de decisão numa associação democrática, logicamente você deve concordar que o princípio do domínio da maioria, e apenas ele, pode satisfazer esses critérios. Essa proposição foi primorosamente demonstrada numa prova simples, direta e rigorosa de um matemático, Kenneth May, em 1952 (May 1952). Se me permite, eu gostaria de resumir seu argumento.

Crítico: Por favor.

Majoritário: Primeiro, já concordamos que a regra de decisão democrática deve ser *decisiva*. Quando o *demos* se vê perante duas alternativas, x e y (como pressupomos que seria o caso), a regra de decisão deve levar de maneira definitiva a um desses três resultados: x é escolhido, y é escolhido ou nenhum dos dois é escolhido. Em segundo lugar, uma regra de decisão democrática não deve favorecer um eleitor ou outro. May denomina esse requisito *anonimato*: o resultado não deve depender de quais pessoas específicas apoiam ou rejeitam uma determinada alternativa.

Crítico: Uma vez que o que ele chama de anonimato também está implícito num dos critérios do processo democrático – a igualdade de voto – considero esse pressuposto inteiramente sensato. E o terceiro requisito?

Majoritário: O procedimento eleitoral deve também ser *neutro* no que diz respeito às alternativas. Ou seja, ele não deve favorecer nem desfavorecer uma alternativa em relação à outra. Se houver duas alternativas na agenda política, A e B, a regra de decisão não deve ter nenhum viés embutido a favor de nenhuma delas. Por exemplo, suponhamos que A seja uma proposta para a adoção de uma nova política, ao passo que B significa simplesmente deixar a política existente como está. As alternativas são: mudar o *status quo* em algum aspecto ou preservá-lo. A neutralidade exige que a regra de decisão não dê nenhuma vantagem especial nem à mudança proposta, nem ao *status quo*.

CRÍTICO: Um conservador burkeano poderia argumentar que o *status quo* deve receber uma vantagem embutida[4].

MAJORITÁRIO: O *status quo* sempre tem tantas vantagens embutidas que certamente ele não precisa da vantagem adicional de uma regra de decisão parcial! Como esse ponto é extremamente importante, vou desenvolvê-lo um pouco. Suponhamos, como aconteceu em cada país hoje democrático, que se permita que as crianças trabalhem nas minas e fábricas. Com a permissão, as crianças são levadas pela pobreza a trabalhar. Suponhamos ainda que se marque um plebiscito no qual os eleitores poderão votar contra ou a favor de uma proposta de proibir o trabalho infantil nas minas e fábricas (você há de notar que a utilização de um plebiscito nos permite deixar de lado a questão da representação, como fizemos até agora). Chamemos de *A* a proposta de banir o trabalho infantil. Votar contra *A* significa, na verdade, votar em *B*, que é o *status quo*. Se quiser abolir o trabalho infantil, você votará em *A*; se não quiser aboli-lo, votará em *B*, com o que o trabalho infantil continuará a ser permitido. Eu lhe pergunto: por que uma regra de decisão deveria favorecer o *status quo* em relação à mudança, ou seja, favorecer o trabalho infantil em relação à sua abolição? Suponhamos que a constituição de um país exija que nenhuma lei que regulamente o trabalho nas minas e fábricas seja adotada através de referendo, exceto por um voto de dois terços. Agora suponhamos que 66% dos eleitores apoiem a abolição do trabalho infantil, enquanto 34% se opõem a ele. O trabalho infantil não pode ser abolido! Haverá alguma razão possível pela qual o *status quo* deva ser tão privilegiado?

CRÍTICO: Ao escolher o trabalho infantil como exemplo, você conseguiu criar um argumento altamente persuasivo. Ainda assim, não consigo deixar de pensar que em determinadas circunstâncias, uma minoria poderia insistir, com razão, que certos assuntos, não necessariamente tão ofensivos a nosso senso contemporâneo de justiça quanto o trabalho infantil, devem ficar imunes à mudança repentina. Você quer dizer que o critério de neutralidade necessariamente impediria a adoção de uma regra de decisão especial para lidar com essas questões? Se é esse o caso, não estou plenamente convencido de que a neutralidade seja, invariavelmente, um bom critério. Porém, fico feliz em deixar de lado as minhas reservas para que você possa expor sua argumentação por completo.

Majoritário: Muito obrigado. O último pressuposto de May pode, em princípio, lhe parecer um tanto afetado, mas ele faz sentido. Ele propôs que uma regra de decisão seja *positivamente reativa*. Eis o que ele quis dizer com isso: suponhamos que os membros de um *demos* sejam inicialmente indiferentes a A ou B. Eles não têm preferência quanto a um ou outro. Então (talvez como resultado de uma discussão ou reflexão mais profundas), um cidadão passa a preferir A a B, enquanto nenhum cidadão passa a preferir B a A. Certamente, segundo o raciocínio de May, a regra de decisão deve agora levar à escolha de A.

Crítico: Não compreendo a necessidade desse pressuposto.

Majoritário: Deixe-me ver se consigo dotá-lo de uma força intuitiva. Imagine uma regra de decisão que satisfaça os três critérios que mencionei antes. Ela é decisiva, neutra no que diz respeito aos cidadãos (o critério de anonimato de May) e neutra no que diz respeito às questões. Mas ela especifica que a política a ser adotada é a alternativa preferida pela minoria, não pela maioria. Garantir a vitória à minoria desse modo perverso certamente violaria a noção de May de reação positiva. Ou consideremos um caso menos óbvio. Suponhamos que ninguém se importe quanto a se a proposta A ou a proposta B será adotada. Suponho que os cidadãos poderiam, então, lançar uma moeda caso sentissem a necessidade de uma decisão. Mas se um único cidadão, Robinson, agora resolver que A é realmente melhor que B, parece justo que sua escolha seja o fiel da balança. Ninguém mais se importa, além de Robinson. Para ele, importa que A seja a proposta adotada, em vez de B; essa decisão não fere ninguém. Assim, por que não adotar A? Voltando ao argumento anterior, a autodeterminação seria maximizada. Dando um salto à frente rumo a uma perspectiva utilitarista, uma pessoa ficaria mais satisfeita com o resultado, e ninguém ficaria numa situação pior. Portanto, a sensatez determina que A seja escolhida.

Crítico: Posto assim, sou obrigado a concordar.

Majoritário: Bem, se você aceita esse e os outros três critérios como razoáveis, por extensão, como foi demonstrado por May, somente uma regra de decisão pode satisfazer todos os quatro critérios. Como afirmei anteriormente, essa regra de decisão singular nada mais é que a versão forte do domínio da maioria. Uma vez que todos os axiomas parecem altamente razoáveis – e ainda mais razoáveis para alguém comprometido com o processo democrático – a demonstração de May oferece uma justificativa racional e dotada de um poder intelectual considerável a favor da adoção do domínio da maioria em sua forma forte.

Crítico: Já indiquei minhas reservas quanto ao pressuposto da neutralidade no que diz respeito a todas essas questões, mas de resto, estou impressionado com seu argumento. Creio que você deve ter vários outros.

Maior probabilidade de gerar decisões corretas

Majoritário: Sim. Minha terceira justificativa para o domínio da maioria é que, sob certas condições, ele tem maior probabilidade que qualquer outra forma de governo de levar a decisões *corretas*. Como você deve se lembrar, Aristóteles acreditava que os juízos combinados de muitas pessoas diferentes tendem a ser mais sábios de maneira geral e certamente menos sujeitos a erros graves que os juízos de uma ou poucas pessoas. Creio que esse ponto de vista é bastante comum. Na verdade, um ponto de vista semelhante pode ser encontrado em certos trechos da aclamada defesa da liberdade de ideias feita por Mill. A justificativa dos julgamentos conduzidos por um júri de iguais apoia-se nessa mesma noção.

Crítico: Você está querendo dizer que a verdade é o que quer que seja decidido pela maioria como verdadeiro?

Majoritário: De forma alguma. O que estou dizendo é que, sob certas condições, o melhor meio de que dispomos para testar se uma asserção é verdadeira ou correta é saber se a maioria daqueles que estão familiarizados com as provas julgam a asserção verdadeira ou correta.

Crítico: Se examinarmos cuidadosamente o seu qualificativo – "sob certas condições" – ele parece um ninho de vespas.

Majoritário: Para explicar meu argumento, valho-me de uma demonstração desenvolvida no século XVIII pelo filósofo e matemático francês Marquês de Condorcet[5]. Vamos pressupor que em algumas situações, a escolha de um cidadão possa estar certa ou errada, como acontece quando um membro de um júri decide se um réu é culpado ou não de uma acusação criminal. Vamos também supor que, após uma série de decisões como essa, embora todo cidadão esteja às vezes certo e às vezes errado, cada cidadão faça mais escolhas certas que erradas. Nesse caso, a probabilidade de que uma maioria vá tomar uma decisão correta é maior que a probabilidade de que uma minoria vá fazê-lo. Consequentemente, o julgamento da maioria, e não o da minoria, deve prevalecer, não é?

Crítico: Suponho que sim, desde que as únicas alternativas fossem o domínio da maioria ou o domínio da minoria.

Majoritário: Muito bem. Mas Condorcet demonstrou algo muito mais interessante. A probabilidade de que a maioria esteja certa aumenta drasticamente quanto maior for essa maioria. Suponhamos que a probabilidade de que cada membro esteja correto seja só um pouquinho melhor que o acaso, digamos, 0,51. Num grupo de 100, a probabilidade de uma maioria de 51 estar certa é de modestos 0,52. Mas se a maioria aumentar para 55, sua probabilidade de estar certa aumenta para quase 0,60. Para uma maioria de 60, sua chance de estar certa aumenta para quase 70%! Da mesma forma, à medida que aumenta, mesmo que em pequenas quantidades, a probabilidade de que um único cidadão esteja certo, a probabilidade de que a maioria esteja correta aumenta muito rapidamente. Tomemos o mesmo ponto de partida do exemplo que acabei de dar: num grupo de 100, no qual a chance de cada membro estar certo é de apenas 0, 51, a probabilidade de que a maioria fará a escolha certa é de apenas 0,52. Mas se a chance de um membro estar certo é de 0,55, a probabilidade da maioria estar certa é de 0,60[6].

Crítico: Muito bem! Mas de acordo com a demonstração de Condorcet, não devemos insistir nas supermaiorias – uma regra de dois terços, digamos, ou mesmo uma regra de unanimidade?

Majoritário: Não, pelo seguinte motivo: se a probabilidade de que a maioria esteja certa for maior quanto maior ela for, então quanto menor for a minoria, menor será a probabilidade de que *ela* esteja certa. Uma regra que exige uma supermaioria necessariamente significa que a minoria pode bloquear a maioria. Mas quanto maior a supermaioria exigida pela regra, menor é a minoria que seria suficiente para vetar e, assim, impor a *sua* decisão. Porém, quanto menor a minoria, maior será a probabilidade de que ela esteja errada.

Crítico: Não nos esqueçamos do fato de que toda a sua argumentação depende do pressuposto dúbio de que é mais provável que o eleitor médio esteja certo que errado. Se eu rejeitar esse pressuposto, suas provas apontarão na direção oposta – a da substituição da regra majoritária simples por uma regra supermajoritária. E se não me falha a memória, o próprio Condorcet demonstrou, em seguida, que a eleição majoritária pode incorrer em profundas dificuldades quando há mais de duas alternativas. Nós realmente devemos tratar desses problemas.

A maximização da utilidade

Majoritário: Antes disso, quero apresentar minha quarta justificativa, um argumento utilitarista baseado em pressupostos sobre custos e benefícios[7].

Mantendo os pressupostos quanto aos quais concordamos inicialmente a fim de simplificar a argumentação, suponhamos que o *demos* vote as leis diretamente. Agora suponhamos também que, em todas as propostas apoiadas por uma maioria, se a proposta for adotada, cada cidadão da maioria obterá pelo menos tanto benefício (ou utilidade, ou satisfação, ou seja o que for) quanto cada cidadão da minoria perderá. Com base nesse pressuposto, o domínio da maioria necessariamente maximizaria os benefícios médios das leis para todos os cidadãos.

Crítico: Em face de seu pressuposto, sua conclusão é inevitável. O que não está nem um pouco óbvio é a validade de seu pressuposto.

Majoritário: Admito isso. Não obstante, gostaria de reforçar meu argumento com um caso extremo. Vou pressupor que o benefício líquido para cada membro da maioria e a perda líquida de cada membro da minoria sejam exatamente iguais – apenas uma unidade de satisfação. Ainda que 51 cidadãos num *demos* de 100 sejam a favor de uma lei e 49 se oponham a ela, o ganho líquido sob o princípio da maioria seria, digamos, duas unidades de satisfação. *Nenhuma outra regra de decisão consegue um desempenho tão bom.* Vou reforçar ainda mais esse argumento. Se partirmos do pressuposto de que os limites do sistema não podem ser mudados, as decisões obtidas pela regra majoritária seriam superiores a quaisquer alternativas no caso extremo em que os mesmos cidadãos fossem a maioria ou a minoria em *todas* as questões. Por mais brutal e injusto que um sistema político assim parecesse à minoria permanente, considerando-se os limites desse sistema em particular, qualquer alternativa ao domínio da maioria seria necessariamente pior.

Crítico: Aqui estamos, de volta ao problema dos limites. Creio que nós realmente precisamos encarar esse problema de frente.

Majoritário: Concordo. Mas perceba mais uma vez que, se uma minoria permanente se cindisse e estabelecesse seu próprio sistema democrático independente e se meu pressuposto acerca dos ganhos e perdas relativos ainda fosse válido, a melhor regra de decisão para o novo sistema ainda seria o princípio majoritário.

Crítico: Sim, mas seu pressuposto me parece arbitrário. E como saber, de qualquer forma? Você percebe tão bem quanto eu que não podemos realmente medir a satisfação relativa. Suas unidades de satisfação – os famosos "utis" dos utilitaristas clássicos – são uma ficção.

Majoritário: Talvez. Não obstante, nós fazemos tais juízos constantemente, sobre os custos e ganhos relativos. Eu diria que na maior parte das vezes em que chegamos a um juízo quanto a se algo seria ou não pelo bem público, nosso juízo é essencialmente utilitarista. Apesar das notórias dificuldades, tentamos chegar a uma estimativa aproximada dos custos e benefícios em geral. É justamente em razão dessas notórias dificuldades que não podemos determinar esses custos e benefícios com precisão. Como regra geral, portanto, concluímos que uma política deve ser adotada se mais pessoas ganham mais do que perdem; ela não deve ser adotada se mais pessoas perdem mais do que ganham. Juízos como esse podem ser muito amenos e difusos para convencer um filósofo ou um teórico da escolha social. Mas uma vez que essa turma nunca foi capaz de nos dizer como podemos realmente medir a utilidade ou a satisfação de um modo determinado, na maior parte do tempo não temos uma alternativa aos juízos amenos e difusos. Voltando à minha justificativa prévia para o domínio da maioria, creio que ao fazer esses juízos difíceis, a maioria tem mais chance de estar certa que a minoria.

Crítico: É possível. Porém, sua justificativa utilitarista me parece muito mais frágil que as outras. A não ser que você tenha algo mais a dizer, eu gostaria de explicar por quê.

Majoritário: Antes disso, quero apresentar mais um argumento. A justificativa utilitarista para o domínio da maioria é consideravelmente fortalecida por um segundo pressuposto. Suponhamos que os cidadãos que perdem a disputa quanto a uma questão tenham uma expectativa razoável de vencer na próxima. Em outras palavras, não há maiorias ou minorias permanentes. Mais precisamente, vamos pressupor que em cada questão, a chance de um cidadão em particular estar na maioria seja igual à proporção de cidadãos na maioria a favor da lei. Por exemplo, se 60% dos cidadãos são favoráveis a uma lei, as chances de que cada cidadão esteja na maioria são de seis em dez. Por conseguinte, ao longo do tempo, cada cidadão tem uma chance maior que igual de vencer em determinada questão. Quanto maior o consenso (ou seja, quanto maior a maioria média), maior a probabilidade de que um cidadão comum esteja no lado vencedor. Assim, se a maioria média ficasse em torno de 75%, o cidadão comum votaria com a maioria cerca de três em quatro vezes.

No primeiro pressuposto acerca de ganhos e perdas, sob uma perspectiva utilitarista, nenhuma alternativa ao domínio da maioria pode garantir um resultado tão bom numa questão em particular. Se o segundo pressuposto também for válido, nenhuma alternativa poderá garantir ao cidadão médio um resultado tão bom em todas as questões.

Dificuldades

Crítico: Todas as suas justificativas para o domínio da maioria dependem de certos pressupostos. Confesso que se eu conseguisse aceitar totalmente esses pressupostos, seus argumentos me forçariam a concluir que o domínio da maioria é racionalmente justificável e que nenhuma alternativa é tão boa quanto ele. Em resumo, eu teria de dizer que o processo democrático necessariamente acarreta o princípio do domínio da maioria.

Mas como assinalei ao longo de nossa discussão, creio que muitos de seus pressupostos fundamentais dão margem a sérias objeções.

Majoritário: Quais delas você tem em mente?

Crítico: Embora eu concorde com você quanto ao fato de que alguns pressupostos simplificadores podem ser úteis, tenho certeza de que você irá concordar que as complicações criadas pelo mundo real da vida democrática têm de ser levadas em consideração.

MAJORITÁRIO: Sem dúvida. Se eu achasse que o princípio majoritário não pode ser justificado na vida política atual, eu o rejeitaria.

Mais de duas alternativas

CRÍTICO: Bem, seu pressuposto de que o *demos* se depara com apenas duas alternativas é, obviamente, muito pouco realista. No entanto, todas as vezes em que os cidadãos precisam votar em três ou mais alternativas, o princípio do domínio da maioria incorre em graves dificuldades. Para começar, o princípio não é mais sempre decisivo[8].

Com apenas duas alternativas, o que o domínio da maioria requer é perfeitamente claro: a alternativa apoiada pelo maior número de eleitores deve ser adotada. Mas suponhamos que os eleitores se deparem com três alternativas: *A, B* e *C*. Vamos supor, ainda, que cada eleitor classifique as alternativas de acordo com o quanto elas forem desejáveis. Podemos, agora, interpretar o princípio majoritário de diversos modos, dependendo de como os vários eleitores classifiquem as alternativas.

O caso mais fácil se apresenta quando uma alternativa é classificada em primeiro lugar por uma *maioria absoluta* de eleitores. Nesse caso, sob o princípio majoritário, é evidente que essa alternativa deve ser adotada. Aqui está um exemplo bem definido:

	Grupo		
	I	II	III
Classificação das alternativas	A	C	B
	B	B	C
	C	A	A
Votos:	55	25	20

A foi classificado em primeiro lugar por 55 eleitores, a maioria absoluta. A alternativa A é, por conseguinte, adotada – uma interpretação bastante precisa do domínio da maioria.

Todavia, o que diríamos se nenhuma das alternativas fosse classificada em primeiro lugar por uma maioria absoluta? Por exemplo, suponhamos que o Grupo I consistisse em 40 eleitores, o Grupo II em 35 eleitores e o Grupo III em 25 eleitores:

	Grupo		
	I	II	III
Classificação das alternativas	A	C	B
	B	B	C
	C	A	A
Votos:	40	35	25

MAJORITÁRIO: Uma solução possível nesse caso seria empregar o critério de Condorcet a fim de definir a "maioria". O resultado vencedor seria a alternativa que derrotasse todas as outras num voto em cada par de alternativas. Em seu exemplo, isso significaria lançar A contra B, B contra C e C contra A. Aplicando-se essa regra de decisão ao seu exemplo, B derrotaria C por 65-35 (Grupos I e III contra o Grupo II); e B também derrotaria A por 60-40 (Grupos II e III contra o Grupo I). No terceiro voto aos pares, C derrotaria A por 60-40. Assim, B derrotaria A e C, ao passo que C derrotaria A. De acordo com o critério de Condorcet, B é o vencedor absoluto.

Maiorias cíclicas

CRÍTICO: Condorcet tirou você desse buraco, mas não creio que ele possa tirá-lo de um buraco ainda mais fundo.

Em algumas circunstâncias, as classificações dos eleitores poderiam não permitir que o *demos* empregasse o critério de Condorcet, muito menos insistir numa maioria absoluta. Deixe-me mostrar um exemplo:

	Grupo		
	I	II	III
Classificação das alternativas	A	C	B
	B	A	C
	C	B	A
Votos:	40	30	30

Nesse caso, *A* derrotará *B* por 70-30 (Grupos I e II contra o Grupo III); *B* derrotará *C* por 70-30 (Grupos I e III contra o Grupo II); e *C* derrotará *A* por 60-40 (Grupos II e III contra o Grupo I). Nós nos defrontamos agora com um exemplo de *maiorias cíclicas*, que seu mentor Condorcet também discutiu. Como você sabe, esse problema intratável na teoria e prática democráticas recebeu uma atenção extraordinária desde que Kenneth Arrow chamou atenção para ele em 1951. O famoso Teorema da Impossibilidade de Arrow demonstra que, a não ser que se permita que uma pessoa domine todas as outras, não existe uma solução para a maioria cíclica que não viole ao menos um de vários outros pressupostos razoáveis[9]. Que eu saiba, ninguém jamais conseguiu demonstrar que os pressupostos de Arrow são insensatos ou descobriu uma solução para as maiorias cíclicas que seja coerente com esses pressupostos. Assim, a não ser que você esteja preparado para substituir o domínio da maioria pela ditadura, você não pode abrir nenhum caminho para fora do ciclo da maioria que não seja arbitrário.

MAJORITÁRIO: Bem, uma solução possível seria interpretar o princípio majoritário como algo que requer a adoção da alternativa preferida pelo maior número de eleitores – aquilo que os americanos denominam uma "pluralidade" e os britânicos, uma "maioria relativa". Se uma pluralidade ou uma maioria relativa fossem aceitáveis, em seu último exemplo, a alternativa A seria adotada, uma vez que foi classificada em primeiro lugar pela maioria dos eleitores.

Crítico: Mas como meu exemplo demonstra e como todos sabemos por experiência comum, uma pluralidade de eleitores pode ser uma minoria. Neste caso específico, insistir que o princípio majoritário exige uma minoria para vencer me parece autocontraditório. Como poderia o domínio da maioria se justificar se a maioria não existe?

O controle da agenda

Crítico: A votação cíclica cria um outro problema para o processo democrático: o controle da agenda política pode ser utilizado para manipular o resultado. Como você pode constatar em meu último exemplo, a sequência na qual as pessoas votam nas alternativas pode produzir um vencedor arbitrariamente. Suponhamos que um defensor inteligente de uma das alternativas controle a agenda política, talvez como moderador ou dirigente da assembleia. Digamos que a presidente da assembleia queira que A seja a proposta vencedora. Ela primeiro pede aos cidadãos que votem entre B e C. B vence por 70-30. Em seguida, ela pede a eles que votem entre B e a alternativa restante A. Dessa vez, A derrota B por 70-30. Ela então declara A o vencedor. Um mediador que conseguisse manipular a agenda dessa forma poderia também ter obtido uma vitória para qualquer uma das outras alternativas. Acaso isso não anula o critério do controle final?

Majoritário: Não, porque o critério exige que os cidadãos tenham a oportunidade de estabelecer *como* a agenda será determinada. Eles podem decidir, por exemplo, que quando ocorrem ciclos de votação, uma pluralidade de votos será suficiente ou a questão será decidida por uma loteria de algum tipo ou por qualquer outro método que lhes pareça justo e razoável.

Problemas dos limites

CRÍTICO: Voltarei, agora, aos dois problemas dos limites que mencionei há pouco. Um deles, como você se recorda, tem a ver com o limite entre as questões decididas coletivamente e as questões não decididas dessa forma: o limite para as *decisões coletivas*. O outro tem a ver com os limites da *unidade* coletiva em si. Considerando-se o limite para as decisões coletivas à luz de sua primeira justificativa, não seria possível, às vezes, maximizar a autodeterminação permitindo aos indivíduos ou aos grupos que decidam certas questões de maneira autônoma, em vez de submetê-los a uma decisão coletiva?

MAJORITÁRIO: Sem dúvida! Mas não é verdade que resolver como uma questão específica deve ser decidida, seja coletivamente seja de maneira autônoma, é algo que também irá exigir uma decisão coletiva ao menos se – e quando – a questão se tornar um assunto público? A não ser que você queira argumentar que absolutamente nenhuma questão exigirá decisões coletivas, o pressuposto quanto ao qual concordamos é perfeitamente válido. E se nada exige decisões coletivas, certamente não precisamos de um processo democrático, não é mesmo?

CRÍTICO: Aceito seu ponto de vista. Mas não nos esqueçamos de que, para uma associação democrática, maximizar a autodeterminação entre seus membros requer muito mais que a adoção por eles de um princípio satisfatório para as decisões coletivas.

MAJORITÁRIO: Concordo plenamente. Agora, me pergunto se a questão dos limites da unidade não se provará também um problema, não para o princípio majoritário, e sim para a teoria e para a prática democráticas de modo geral.

CRÍTICO: Para descobrir, vamos examinar o problema. Tal qual o processo democrático em si, o princípio majoritário pressupõe a existência de uma unidade política, dentro da qual um corpo de cidadãos deve chegar às decisões coletivas. Mas nada na ideia do domínio da maioria oferece uma justificativa racional para os limites ao redor de uma unidade específica. Dizer que uma decisão deve ser tomada pelo domínio da maioria simplesmente não responde – não consegue responder – a essa pergunta: a maioria de que unidade democrática?

MAJORITÁRIO: É verdade. Mas não vejo como esse argumento afeta a justificativa do domínio da maioria.

CRÍTICO: Suponhamos que exista um país que se governa pelo processo democrático, adota o princípio majoritário para suas decisões coletivas e, no entanto, contém uma maioria e uma minoria permanentes. Portanto, as mesmas pessoas sempre ganham e as mesmas pessoas sempre perdem. Digamos que a maioria permanente seja de 60% e a minoria permanente, de 40%. Assim, 60% dos cidadãos vivem sob leis de sua escolha, enquanto 40% sempre vivem sob leis das quais não gostam, leis impostas a eles pela maioria. Eu não chamaria a isso um modo de maximizar a autodeterminação. Em vez disso, o que se observa é a autodeterminação para a maioria e a determinação externa para a minoria: a dominação da maioria, a meu ver. Acaso a autodeterminação não seria maximizada se os dois grupos se separassem em duas associações políticas independentes? Uma vez que as pessoas em cada associação agora concordam entre si quanto às leis que querem, *todos* viveriam sob leis de sua escolha, ao passo que ninguém seria obrigado a obedecer a leis que lhe foram impostas por outras pessoas.

MAJORITÁRIO: Sua solução é, obviamente, a solução correta, ao menos num sentido formal. Portanto, vamos pressupor que em vez de uma associação, agora temos duas. Mas note, por favor, uma consequência interessante da mudança: os cidadãos em cada associação agora enfrentam exatamente a mesma questão de antes! Que regra de decisão você crê que eles devem adotar para se governar em suas novas unidades, mais homogêneas? Naturalmente, se você quer postular uma conclusão de conto de fadas, na qual existe uma perfeita harmonia em cada unidade para todo o sempre, você não precisa de uma resposta. Mas a política, o Estado e a necessidade de um processo democrático também desapareceriam num fiapo de fumaça. Você dá a entender que os pressupostos que venho sugerindo talvez não se apliquem ao mundo real. Bem, o cenário da "harmonia para todo o sempre" está para o mundo real como a fada dos dentes está para a dor de dentes. Tudo o que estou afirmando é que em qualquer unidade democrática à qual falte unanimidade, isto é, em qualquer unidade democrática real, a autodeterminação seria maximizada pelo domínio da maioria nas decisões coletivas.

CRÍTICO: E o que estou afirmando é simplesmente isto: por mais democráticas que sejam as convicções da minoria, ela pode rejeitar o domínio da maioria *numa unidade política específica*. Em vez disso, a minoria pode insistir em *alterar a própria unidade*, talvez mediante a descentralização das decisões acerca de determinadas questões em unidades mais homogêneas, talvez até mesmo através da conquista da independência total. Na verdade, eu generalizaria esse argumento: partindo do princípio de que o processo democrático é desejável para qualquer coletivo de pessoas, os valores do processo democrático podem às vezes ser mais bem alcançados mediante mudanças nos limites da unidade.

MAJORITÁRIO: Já aceitei seu argumento. Se um dos modos de delimitar uma unidade política servisse melhor aos valores democráticos que outros modos, considerando-se que tudo o mais permanece igual, a unidade melhor deveria ser a selecionada. Todavia, no mundo real, as outras coisas não permanecem iguais, e as questões de limites não são resolvidas facilmente. Mas será que não podemos separar a questão do domínio da maioria da questão dos limites da unidade democrática? O que constitui a melhor unidade dentro da qual alcançar os valores democráticos é uma questão tão difícil e complexa em si que fazer-lhe justiça exigiria uma ampla discussão, que vai muito além da questão do princípio majoritário[10]. Porém, devo insistir neste ponto: meu argumento é que, uma vez que uma unidade específica seja dada, ainda que apenas de modo provisório, entre os membros dessa unidade o princípio da maioria oferece, no geral, uma regra de decisão democrática melhor que qualquer alternativa.

A atenuação do domínio da maioria no mundo real

Crítico: Permita-me tratar de um outro pressuposto. Não creio que seja possível criar uma justificativa razoável para o domínio da maioria sem levar em consideração, explicitamente, a representação. Estou bastante disposto a admitir que, a fim de simplificar a discussão desde o início, foi útil ignorar as complexidades acarretadas pela representação. Mas o domínio da maioria teria apenas uma aplicabilidade limitada no mundo moderno se não pudesse ser justificado pelos sistemas representativos.

Majoritário: Não posso negar sua afirmação. A fim de apresentar uma argumentação mais direta, é útil considerar as associações democráticas nas quais os cidadãos se reuniriam em assembleia e votariam as leis diretamente. Mas admito prontamente que, no mundo de hoje, a democracia é a exceção. Consequentemente, para que o princípio majoritário seja aplicável à democracia moderna, temos de ser capazes de aplicá-lo à democracia representativa. Porém, não sei por que isso haveria de criar dificuldades insuperáveis.

Crítico: No entanto, acaso Rousseau não estava totalmente certo quanto à representação? Não é fato que a representação atenua gravemente o domínio da maioria?

Majoritário: O que você quer dizer com "atenua"?

Crítico: O que quero dizer é que as condições no mundo real geralmente enfraquecem a tradução das preferências da maioria em legislação e administração. Quando você fala do domínio da maioria no mundo real, que maioria você tem em mente: a maioria dos cidadãos, dos eleitores ou dos legisladores? Mesmo nos sistemas de democracia direta, o domínio da maioria é atenuado quando muitos cidadãos se abstêm de participar. Por exemplo, nas assembleias municipais da Nova Inglaterra com as quais estou familiarizado, apenas uma minoria dos cidadãos comparece, e eles não são particularmente "representativos" dos outros cidadãos. Quanto à democracia ateniense, ninguém pode dizer com certeza que porcentagem dos cidadãos comparecia às assembleias ou quão representativas elas eram. Alguns defensores da democracia direta afirmam que nos grandes sistemas, os plebiscitos podem substituir as assembleias; mas os plebiscitos são instrumentos notórios das minorias. Quando nos voltamos para os sistemas representativos modernos, notamos que em alguns, como nos Estados Unidos, a presença nas eleições parlamentares de meio de mandato fica abaixo de 50%. Mesmo onde o comparecimento do eleitorado é relativamente alto, a maioria dos eleitores pode se traduzir numa minoria de legisladores. Ademais, uma minoria de eleitores pode às vezes ganhar uma maioria de cadeiras.

MAJORITÁRIO: Sei disso. Mas os sistemas eleitorais podem ser planejados de modo a garantir que as maiorias eleitorais terminem como maiorias legislativas. Felizmente, um país democrático não precisa adotar o tipo altamente defeituoso de sistema eleitoral empregado na Grã-Bretanha, nos Estados Unidos, no Canadá, na Austrália e na Nova Zelândia. Nesses países, os sistemas eleitorais fazem com que seja possível, e nem um pouco incomum, que os representantes de uma minoria de eleitores conquistem a maioria das cadeiras. Mas é justamente por causa desses defeitos nos sistemas eleitorais dos países de língua inglesa que quase todos os outros países democráticos adotaram sistemas de representação proporcional, os quais geralmente propiciam um encaixe bastante aproximado entre as maiorias eleitoral e legislativa.

CRÍTICO: Mas mesmo sob a representação proporcional, num país com três ou mais partidos significativos no parlamento, como ocorre quase invariavelmente, o processo de formação do gabinete apoiado pela maioria de seus membros não é, de forma alguma, completamente determinado pela eleição anterior. Na verdade, as coalizões no poder podem se dissolver no período entre as eleições, e novas coalizões, diferentes das antigas, podem tomar seu lugar sem que haja uma nova eleição. Eu diria que essa é uma atenuação considerável do domínio da maioria.

MAJORITÁRIO: Concordo. Todavia, não será o princípio majoritário um critério importante comparado com o qual podemos avaliar a legitimidade do governo que eventualmente se formará?

CRÍTICO: Sem dúvida, ele é um critério. Mas quando o aplicamos, observamos com que frequência a prática de fato nos países democráticos do mundo real fica aquém do princípio abstrato. E, na prática, o princípio majoritário não é atenuado apenas pela representação; ele é atenuado também por todos os outros fatores que obstruem a igualdade e o consenso políticos no mundo real.

MAJORITÁRIO: Parece-me que você está apenas dizendo o que já sabemos perfeitamente bem: alcançar algo semelhante ao processo democrático no mundo real é difícil e, em algumas épocas, lugares e condições, praticamente impossível. Mas na medida em que *podemos* alcançá-lo, o princípio majoritário, ainda que atenuado na prática, é a melhor regra de decisão.

CRÍTICO: Somente até certo ponto. Estou sugerindo que, ainda que acreditemos que o princípio majoritário é a melhor regra de decisão para uma democracia ideal, *na prática*, quanto mais o domínio da maioria é atenuado, mais fraca se torna sua justificativa. Em certas condições, o domínio da maioria pode ser tão atenuado que poderíamos preferir, sensatamente, uma alternativa a ele.

MAJORITÁRIO: O que você tem em mente?

CRÍTICO: Nada específico. Mas eu aventaria a possibilidade de que, sob uma perspectiva realista, as decisões governamentais nos países democráticos talvez muitas vezes não sejam exemplos de domínio da maioria, e, sim, de domínio das minorias.

MAJORITÁRIO: Agora você está afirmando que as democracias reais são, na verdade, sistemas de dominação da minoria, como argumentaram autores como Gaetano Mosca, Vilfredo Pareto, Robert Michels, V. I. Lenin e muitos outros críticos da democracia "burguesa"? Se assim é, você me surpreende. Sei que discordamos, de certa forma, quanto ao princípio do domínio da maioria, mas até agora eu não imaginara que, no seu entender, uma aproximação razoável da democracia é impossível de se atingir no mundo real!

Crítico: Espere aí! Não, a meu ver as teorias da dominação da minoria, como as teorias das pessoas que você mencionou, deturpam profundamente a natureza do governo nos países democráticos modernos[11]. O que quero dizer é algo muito diferente. Quero dizer que se você examinar cuidadosamente as decisões específicas dos governos, com frequência elas não podem ser descritas corretamente como decisões *da maioria*. Elas são descritas mais precisamente como as decisões de uma minoria ou de uma coalizão minoritária de minorias. Nas teorias da dominação da minoria, esta minoria é aproximadamente a mesma em todas as decisões cruciais. Nos sistemas de "domínio das minorias", a minoria, ou coalizão minoritária, varia significativamente na composição e nos interesses de uma decisão ou tipo de decisão para outra.

Majoritário: Talvez o "domínio das minorias" seja uma descrição empírica correta do processo de tomada de decisões em alguns países democráticos. Porém, volto a questionar: não consideraríamos um sistema de "domínio das minorias" inferior a um sistema de domínio da maioria? O que você define por domínio das minorias é definitivamente um sistema que se classificaria como o "segundo melhor", não é?

Crítico: Não necessariamente. Ele pode permitir a mais pessoas que conquistem mais vitórias políticas do que seria possível sob um sistema mais majoritário. Nesse sentido, ele poderia maximizar a autodeterminação, a utilidade média e a justiça, mais do que seria possível sob o domínio da maioria no sentido estrito.

Majoritário: Ou talvez não. Isso dependeria das circunstâncias empíricas, certo?

Crítico: Exatamente. Mas se o "domínio das minorias" é melhor que o domínio da maioria em determinadas circunstâncias, então não podemos dizer que o domínio da maioria é sempre o melhor, podemos?

O domínio da maioria maximiza a utilidade média?

Crítico: Voltemos à sua justificativa do domínio da maioria como um modo de maximizar os benefícios líquidos médios das decisões coletivas – ou a satisfação média, as utilidades médias, ou qualquer outro termo que você preferir.

Majoritário: "Benefícios líquidos" serve.

Crítico: Para defender seu ponto de vista, você teve de estipular que se a alternativa *A* fosse adotada, o benefício líquido médio para as pessoas na maioria seria ao menos igual ao benefício líquido médio para os membros da minoria se a alternativa *A* fosse rejeitada (e a alternativa *B*, adotada). Mas esse pressuposto me parece terrivelmente arbitrário. Quando não se mantém, o domínio da maioria não garante que a maioria necessariamente irá julgar os cursos de ação política de acordo com os ganhos líquidos para todos os interessados. A maioria, afinal de contas, não é exatamente o mesmo que um juiz neutro, benevolente e onisciente que opta pelas políticas que irão maximizar a utilidade média (ou prazer ou felicidade médios etc.). A maioria pode, em vez disso, escolher políticas que proporcionem apenas benefícios modestos a seus membros e que, no entanto, sejam tão prejudiciais à minoria que com base num cálculo rigidamente utilitarista – na maximização dos serviços de bem-estar médios, por exemplo – eles devam ser rejeitados. Quanto menor for o benefício médio para os membros da maioria, maior será a perda média para os membros da minoria; e quanto menor for a diferença em números entre a maioria e a minoria (no limite 50% mais um *versus* 50% menos um), pior será o resultado de acordo com padrões rigidamente utilitaristas. Nesses casos, se um árbitro neutro fosse tomar a decisão, ele rejeitaria as políticas da maioria e escolheria as da minoria.

Majoritário: Mas seu árbitro neutro também descarta o processo democrático e o substitui por alguma forma de guardiania. Será isso o que você está propondo como uma alternativa ao domínio da maioria?

Crítico: Não estou propondo uma alternativa. Simplesmente utilizei o artifício do árbitro neutro para demonstrar por que sua justificativa utilitarista para o domínio da maioria é gravemente defeituosa. Também devo acrescentar que, sempre que a maioria deixa de dar consideração igual aos interesses da minoria, ela também viola um princípio do qual dependem tanto a legitimidade do processo democrático quanto o domínio da maioria.

MAJORITÁRIO: Estou bem certo de que eu poderia especificar certas condições sob as quais a maioria não se comportaria da maneira que você descreveu.

CRÍTICO: Não duvido, mas isso não é uma resposta. Se você precisa exigir "certas condições" a fim de justificar o princípio majoritário, você admite que, na falta dessas condições, o processo do domínio da maioria não se justifica mais. Entretanto, não há nada no princípio majoritário que garanta que essas condições existirão e que a maioria irá escolher os resultados que satisfazem os critérios utilitários. Sempre que faltam a um sistema as suas condições hipotéticas, você não consegue justificar o domínio da maioria como algo necessário ou suficiente para os resultados moralmente corretos, ao menos quando julgados pelos critérios utilitaristas. Você não vai dizer que as condições que você especificaria estão sempre presentes, ou vai?

MAJORITÁRIO: É claro que não.

A neutralidade quanto às questões

CRÍTICO: Finalmente, quero questionar um pressuposto crucial para o argumento de May a favor do domínio da maioria: o pressuposto da neutralidade quanto às questões. A questão da neutralidade é algo de uma importância prática excepcional, pois na maioria dos países democráticos o processo de tomada de decisões não é neutro com relação a todas as questões: emendas constitucionais, por exemplo. Outro exemplo: nos sistemas federalistas, os estados, províncias ou cantões que constituem o sistema não podem ser abolidos pelo simples domínio da maioria. Mais um exemplo: em alguns países democráticos, as questões que afetam subculturas religiosas, linguísticas ou regionais importantes não podem ser decididas pelo domínio da maioria. Na verdade, quer constitucionalmente quer por acordo, cada subcultura pode ter o direito de vetar as questões cruciais para os seus valores ou interesses. Em suma, uma análise comparativa dos países democráticos demonstraria que o domínio da maioria sobre todas as questões é relativamente raro[12].

MAJORITÁRIO: O que demonstra quão poucos são os países comprometidos com o processo democrático.

CRÍTICO: Sua resposta é simples demais. Como muitos defensores do domínio da maioria, você pressupõe que as pessoas não podem ser comprometidas com o processo democrático a não ser que elas também sejam comprometidas com o domínio da maioria. Mas creio que você admitiria que, em alguns países democráticos nos quais o escopo do domínio da maioria é restrito, as pessoas são tão comprometidas com a igualdade política e a ideia democrática quanto nas democracias majoritárias. E, a não ser que faça do domínio da maioria sua pedra de toque das definições, você teria de admitir que as instituições políticas dos países não majoritários realizam o processo democrático tão plenamente quanto as instituições políticas dos países mais majoritários.

*

As falhas no domínio da maioria apontadas pelo Crítico causam grande estrago no argumento dos majoritários segundo o qual o processo democrático necessariamente exige o domínio da maioria em todas as decisões coletivas. Porém, da proposição inatacável de que o domínio da maioria é imperfeito – talvez, com efeito, altamente imperfeito – não podemos passar diretamente à conclusão de que ele deve ser substituído por uma regra alternativa para a tomada de decisões coletivas. Antes de chegar a essa conclusão, precisaríamos saber se uma alternativa globalmente superior pode ser encontrada. Como veremos, as alternativas ao domínio da maioria também são profundamente defeituosas.

Capítulo 11
Haverá uma alternativa melhor?

Em face das dificuldades no domínio da maioria indicadas no diálogo entre um majoritário e um crítico, é possível encontrar uma alternativa que seja claramente superior e, ainda assim, compatível com os pressupostos e valores morais da democracia?

Supermaiorias

Uma das soluções propostas é uma regra decisória que exigiria uma supermaioria para a adoção de políticas coletivas – uma prática, como apontou o Crítico, comum nos países democráticos. Em casos extremos, a unanimidade poderia ser exigida. Mas uma coisa é dizer que se todos aprovarem uma política, ela certamente deve ser adotada (o princípio de Pareto). E outra coisa muito diferente é dizer que uma política deve ser adotada *apenas* se todos a aprovarem. Ao dar poder de veto a qualquer pessoa oposta a uma política, o que uma regra de unanimidade faria, na verdade, seria impossibilitar a existência de um Estado. Visto que já consideramos e rejeitamos a defesa do anarquismo, é desnecessário repetir essa discussão aqui[1].

E quanto a uma regra que exigisse menos que a unanimidade, porém mais que uma maioria simples? Será que não se poderia encontrar uma regra, conforme propôs Rousseau, que equilibrasse a necessidade de rapidez e a seriedade da questão a ser decidida? Contudo, essas soluções intermediárias de maioria qualificada estão sujeitas a várias objeções. Em primeiro lugar, ao permitir à minoria que vete uma decisão majoritária, elas reduzem o número de cidadãos que podem exercitar a autodeterminação, a qual, como observou o Majoritário, é maximizada pelo domínio da maioria. Em segundo lugar, nada exceto a unanimidade contornaria o problema intratável dos ciclos de votação. Em terceiro lugar, como o Majoritário também observou, os requisitos supermajoritários privilegiam o *status quo* e, por conseguinte, preservam as injustiças existentes, impedindo toda reforma advinda de uma decisão majoritária.

Se os membros estivessem dispostos a aceitar a última consequência, sob certas condições uma regra que exigisse uma maioria de 64% ou mais resolveria o problema dos ciclos de votação e garantiria que "sempre haja um vencedor"[2]. Entretanto, ao passo que um requisito desse tipo talvez apele aos conservadores fortemente comprometidos com o *status quo* e possivelmente a outros, se a regra fosse restrita a certos tipos de decisões, a posição altamente privilegiada que ela atribui ao *status quo* carece de uma justificativa moral convincente. E empiricamente falando, é provável que a regra ofenda as sensibilidades morais e os fins políticos de pessoas em diversas associações e países democráticos, em número suficiente para prevenir sua adoção geral.

Uma solução talvez fosse combinar as vantagens do domínio da maioria e as possibilidades das supermaiorias através da utilização do domínio da maioria como um primeiro e um último recurso. Os membros poderiam decidir antecipadamente, pelo domínio da maioria, que em certos casos uma supermaioria seria exigida. Esses casos poderiam incluir questões especiais de grande importância e volatilidade, que tocassem, por exemplo, em diferenças linguísticas ou religiosas duradouras; e elas também poderiam incluir os ciclos de votação, se e quando eles fossem detectados. Mas a decisão em si quanto a quais questões exigiriam uma supermaioria teria de ser tomada por maioria simples.

Democracia limitada

O processo democrático obviamente não poderia existir se não fosse autolimitador, isto é, se não se limitasse a decisões que não destruíssem as condições necessárias para sua própria existência (retornarei a esse ponto no capítulo seguinte). Porém, a dificuldade extraordinária de encontrar uma regra decisória aceitável motivou alguns críticos do processo democrático a propor limites que iriam muito além dos autolimites necessários para o processo em si.

Nesse espírito, William Riker, um destacado pesquisador da teoria da escolha social, argumenta que não se pode descobrir nenhuma regra para as decisões coletivas que não produza resultados arbitrários ou incompreensíveis (Riker 1982). Consequentemente, devemos rejeitar como inviáveis, e com efeito impossíveis, todas as tentativas de alcançar um sistema político que satisfaça os requisitos do processo democrático ou, em sua terminologia, da "democracia populista". O que é possível, e a seu ver desejável, é um objetivo consideravelmente mais limitado – um sistema democrático o bastante para permitir aos cidadãos votantes nas eleições periódicas que removam as autoridades eleitas caso se sintam descontentes com o desempenho delas (181-200). Para Riker, um sistema democrático limitado dessa forma (o que ele chama de "democracia liberal") serve aos valores fundamentais expressos na ideia democrática, ainda que o governo não atinja o objetivo impossível de representar sozinho a vontade popular.

Como uma descrição rudimentar das realidades do processo democrático quando aplicado a sistemas em grande escala, bem como dos valores da democracia, a argumentação de Riker tem muito a seu favor (cf. capítulo 16 adiante). Todavia, sua argumentação está sujeita a algumas dificuldades graves. A primeira delas é que, como os críticos apontaram, sua "democracia liberal" não escapa das dificuldades da "democracia populista". Se suas críticas da ambiguidade da escolha social estão corretas, o simples fato de que os cidadãos votam para remover autoridades de seus cargos não fornece bases adequadas para determinar o que o resultado significa³. A segunda dificuldade reside no fato de que não está claro até que ponto os ciclos de votação são um problema genuíno nas associações democráticas; alguns teóricos sociais concluíram que a importância a eles atribuída por Riker e outros é exagerada⁴.

Quase guardiania

Por causa das dificuldades nas regras eleitorais, alguns críticos do processo democrático argumentam que a capacidade dos órgãos legislativos de criar leis é inferior à de um corpo de quase guardiães não eleitos, como a Suprema Corte dos Estados Unidos. Assim, Riker e Barry Weingast (1986) rejeitam o argumento convencional, nos Estados Unidos, de que a Suprema Corte deve deferir ao Congresso em questões de decisões e direitos econômicos, em especial direitos de propriedade. Sua crítica, nas palavras deles próprios, "oferece um embasamento mais completo para o controle judicial das decisões legislativas sobre os direitos de todos os tipos" (26).

No entanto, a autoridade que eles conferem aos quase guardiães na Corte com uma das mãos, eles imediatamente retiram com a outra.

> O exame judicial que permite aos juízes substituir a lógica dos legisladores por sua própria lógica simplesmente transfere o problema da imprevisibilidade e da insegurança dos direitos econômicos do estágio legislativo para o estágio judicial; ele não resolve o problema de proteger os direitos (26)⁵.

Por conseguinte, eles reconhecem, ainda que apenas implicitamente, que enquanto alternativa ao princípio majoritário, a quase guardiania sofre de duas falhas fatais. A primeira é que, embora o escopo da autoridade dos guardiães seja mais limitado, dentro desse escopo sua autoridade está sujeita à maioria das objeções que, como vimos no capítulo 5, oferecem bases firmes para a rejeição da guardiania. A segunda é que, tal qual a guardiania plena, a quase guardiania não consegue fugir das dificuldades do domínio da maioria a não ser que se esteja preparado para adotar um de dois pressupostos heroicamente implausíveis: ou o número de guardiães é reduzido a um, ou eles sempre concordam perfeitamente. Pressupor que uma só pessoa é qualificada para governar, em virtude de sua sabedoria e virtude superiores, é ainda mais implausível que o pressuposto de que apenas uma minoria é qualificada. É igualmente implausível supor, particularmente tendo em vista os registros históricos, que os juízes membros de um tribunal superior sempre irão concordar. Entretanto, se uma corte consiste de vários juízes, e se eles discordam, como é certo que irá ocorrer, isso significa que esse tribunal necessitará de uma regra decisória. Se os desacordos precisarem ser resolvidos por votação e se os votos dos juízes forem contados igualmente, todos os problemas do domínio da maioria e suas alternativas existirão em um microcosmo (Shapiro 1989).

A tirania majoritária *versus* a tirania minoritária[6]

Enquanto os defensores dos sistemas não majoritários às vezes apontam assustados para o fantasma da tirania majoritária que, segundo eles, paira logo acima de nós, à espera da primeira oportunidade para atacar os direitos da minoria, esses defensores geralmente deixam de notar as indicações menos visíveis de um segundo fantasma: a tirania minoritária. Contudo, da mesma forma que um sistema democrático majoritário não oferece nenhuma garantia constitucional de direitos e privilégios comunitários além dos direitos políticos primários de todos os cidadãos, tampouco os arranjos democráticos não majoritários podem, por si sós, evitar que uma minoria utilize sua posição protegida para infligir dano à maioria. Num país majoritário, a proteção dos direitos da minoria depende totalmente do compromisso da maioria dos cidadãos com a preservação dos direitos democráticos primários de todos, com a garantia do respeito por seus concidadãos e evitar as consequências adversas de prejudicar a minoria. Assim também, num país democrático com um sistema não majoritário, a proteção das maiorias contra as minorias abusivas depende do compromisso das minorias protegidas com o não abuso de suas oportunidades de vetar as decisões majoritárias. O argumento de que um veto minoritário pode ser empregado negativamente apenas a fim de bloquear as ameaças da maioria aos direitos e ao bem-estar da minoria, mas não pode ser utilizado para infligir dano indubitável à maioria ou a outra minoria é, como demonstrou o Majoritário em seu diálogo com o Crítico, um argumento falso.

Dessa forma, nem os arranjos majoritários nem os arranjos minoritários conseguem, por si sós, garantir a justiça nas decisões coletivas. Apesar de seus defensores, nem o domínio da maioria nem os diversos arranjos não majoritários podem ser receitados invariavelmente como os melhores sistemas para chegar às decisões coletivas num país democrático.

O domínio da maioria nos países democráticos

Visto que, evidentemente, não se pode forçar o raciocínio teórico a produzir uma conclusão firme de que o domínio da maioria é necessariamente superior ou inferior a algumas das alternativas a ele, seria surpreendente se as associações cujos membros são comprometidos com a ideia democrática houvessem chegado a uma solução única para o problema das regras decisórias. Uma observação casual das organizações "democráticas" parece confirmar esse juízo, uma vez que elas parecem seguir uma variedade imensa de práticas diferentes.

Um corpo de dados pertinente ao embasamento dessa conclusão é a análise de Arend Lijphart dos padrões de governo majoritários e consensuais em vinte e um países, análise que reúne todos os países que têm sido "continuamente democráticos mais ou menos desde a Segunda Guerra Mundial" (Lijphart 1984)[7]. As democracias de Lijphart são, essencialmente, o que irei definir como "poliarquias" no capítulo 15. Antecipando o referido capítulo, vou chamar esses países de "poliarquias estáveis"[8].

Lijphart contrapõe dois modelos de democracia – o "Sistema Westminster", derivado de uma versão idealizada do sistema parlamentarista britânico[9], e o modelo "consensual", representado, por exemplo, pela Suíça e a Bélgica. Por "consenso", Lijphart não quer necessariamente dizer unanimidade. Consequentemente, os sistemas de tomada de decisões nos países que se encaixam em seu modelo consensual não são, em sua maioria, abertos às objeções à unanimidade discutidas no capítulo anterior, embora seus arranjos, como ocorre em todos os domínios das supermaiorias, privilegiem o *status quo* no que tange a pelo menos algumas questões. Assim, ao passo que "a essência do Sistema Westminster é o domínio da maioria" (4), o princípio norteador do modelo consensual é alcançar o consentimento explícito dos grupos sociais mais importantes do país[10].

Os detalhes são esclarecedores. Por exemplo, se o majoritarismo fosse a norma nas poliarquias estáveis, seria de esperar, do ponto de vista teórico, que nos países com sistemas parlamentaristas (ou seja, todos exceto os Estados Unidos), os gabinetes incluiriam, tipicamente, apenas membros do partido majoritário ou do partido de coalizão. A inclusão de membros dos partidos minoritários cujos votos não fossem estritamente necessários para a aprovação das leis seria uma concessão ao consensualismo. No entanto, somente em oito países os gabinetes estão limitados a uma vitória mínima por mais de 85% do tempo (tabela 11.1). Da mesma forma, num sistema estritamente majoritário, uma segunda câmara faz pouco sentido; com efeito, precisamente porque cada câmara praticamente duplicava a outra, os países escandinavos aboliram a segunda casa redundante. Mas o bicameralismo ainda é, de longe, o modelo mais comum nos países democráticos (tabela 11.1).

Os defensores do Sistema Westminster como a epítome das instituições democráticas modernas há muito enaltecem os sistemas bipartidários como algo essencial ao domínio da maioria. O partido que obtém a maioria dos votos e cadeiras tem o direito de governar, enquanto os partidos minoritários constituem a oposição fiel. Contudo, os sistemas bipartidários são uma raridade; hoje, somente os Estados Unidos e a Nova Zelândia podem ser assim caracterizados (e os partidos fragmentados dos Estados Unidos estão muito distantes dos partidos centralizados do Sistema Westminster original). Nem mesmo o país de origem do sistema bipartidário, a Grã-Bretanha, é mais assim (tabela 11.1).

Os defensores de um sistema majoritário também tendem a pressupor que o conflito partidário ocorre com mais frequência quanto a um tipo único de questão (tipicamente, questões socioeconômicas), que permite aos eleitores agrupar-se de um modo bastante coeso mais ou menos no mesmo ponto do espectro político que vai da esquerda à direita. Por conseguinte, o resultado de uma eleição refletirá uma maioria e uma minoria coesas no eleitorado e irá gerar um governo majoritário e uma oposição minoritária no parlamento. Ademais, uma vez que as alternativas das políticas são, tipicamente, formuladas de modo a exigir que se vote contra ou a favor de uma proposta, os defeitos do domínio da maioria frente a mais de duas alternativas são evitados. Por outro lado, quando os ativistas políticos discordam quanto a duas ou mais dimensões de uma questão, como os assuntos socioeconômicos *e* as questões religiosas, é provável que a composição da maioria numa questão vá ser diferente da composição da maioria em outra questão. A formação de uma maioria parlamentar capaz de manter-se unida numa série de questões diferentes requer, portanto, que os líderes sejam flexíveis e formem coalizões e consensos; no limite máximo, o resultado pode ser uma grande coalizão de todos os principais partidos. Num ambiente político como esse, portanto, o Sistema Westminster majoritá-

Tabela 11.1 Sistemas majoritários e não majoritários em vinte e duas poliarquias estáveis

		Número de países		
		Majoritários	Mistos	Consenso
Tamanho dos gabinetes[a]	Margem mínima de vitória			
	Mais de 85% do tempo	8		
	85% ou menos		6	
	Gabinetes superdimensionados			7
Parlamentos unicamerais e bicamerais[b]	Unicamerais	6		
	Híbridos		2	
	Bicamerais			14
Sistemas partidários[c]	Dois partidos	2		
	Mais de dois, menos de três[d]		6	
	Três ou mais			14
Número de dimensões de questões envolvidas nos conflitos partidários[e]	Predominantemente uma[f]	5		
	Duas ou mais			17
Sistemas eleitorais[g]	Sistemas pluralistas e majoritários	6		
	Semiproporcionais[h]		1	
	Representação proporcional			15
Sistemas unitários e federativos[i]	Unitário	16		
	Federativo			6
Controle judicial e veto minoritário[j]	Nenhum dos dois	4		
	Controle judicial sem veto minoritário		6	
	Veto minoritário sem controle judicial		5	
	Veto minoritário e controle judicial			7

Exclui os Estados Unidos. *Fonte*: Lijphart 1984, 152.
Fonte: Lijphart 1984, 92.
Fonte: Lijphart 1984, 121, 122.
Sistemas nos quais o terceiro partido é mais fraco que os outros dois.
Fonte: Lijphart 1984, 130.
Inclui todos os países com nota abaixo de 2 na medida de dimensões de questões de Lijphart: Canadá, Irlanda, Nova Zelândia, Reino Unido e Estados Unidos.
Fonte: Lijphart 1984, 152.
Japão.
Fonte: Lijphart 1984, 178.
Fonte: Lijphart 1984, 193.

rio provavelmente cederá espaço a um sistema consensual. Na avaliação de Lijphart, o conflito partidário só se manifesta numa dimensão unitemática em cinco países com governos poliarcais (tabela 11.1).

Embora o Sistema Westminster recomende um sistema eleitoral plural ou majoritário – as cadeiras no parlamento vão para os candidatos que conquistarem a maioria de votos nos distritos com direito a um membro – essa característica me parece uma peculiaridade histórica dos países de língua inglesa, mais que um requisito rígido para o majoritarismo[11]. Frequentemente se argumenta, porém, que os arranjos eleitorais do estilo Westminster favorecem dois partidos, enquanto a representação proporcional tende a gerar sistemas multipartidários. Dois partidos garantirão que os eleitores, confrontados com apenas duas alternativas, se aglutinem numa maioria, representada pelo partido majoritário, e numa minoria, representada pela oposição fiel. Ao recompensar o partido vencedor com mais cadeiras que sua porcentagem de votos populares lhe garantiria, o arranjo Westminster também melhora as perspectivas do partido majoritário de criar um gabinete estável e capaz de executar as políticas que a maioria dos eleitores supostamente apoiou, ao menos em suas linhas gerais. Embora esses argumentos tenham uma validade duvidosa[12], o fato é que, fora dos países de língua inglesa, a representação proporcional é a norma (tabela 11.1). A representação proporcional e os sistemas multipartidários tendem a caminhar juntos[13]. Tipicamente, em países de representação proporcional, os eleitorados são fragmentados. Um único partido raramente ganha a maioria das cadeiras, que dirá a maioria dos votos eleitorais. Os gabinetes de coalizão são a regra geral. E as coalizões estáveis costumam exigir a construção de um consenso.

As instituições políticas de alguns países impedem o domínio da maioria por alguns outros meios. Nos países federativos, as maiorias nacionais nem sempre conseguem prevalecer sobre as minorias concentradas em certos estados ou províncias. Embora apenas seis países tenham sistemas federativos, estes incluem várias das "poliarquias estáveis" mais antigas (tabela 11.1). Outras formas de veto minoritário sobre as decisões da maioria são ainda mais disseminadas. Na maioria dos países democráticos, o sistema político permite às minorias que vetem os cursos de ação política mediante o controle judicial de constitucionalidade, pelo qual um tribunal superior pode declarar a nulidade da legislação que, no seu entender, transgrida a constituição; mediante pactos e entendimentos que criem algum tipo de arranjo consociacional; ou, ainda, mediante a soma do controle judicial de constitucionalidade, pactos e entendimentos (tabela 11.1).

Os diversos limites ao alcance do governo majoritário podem ser transcendidos quando os plebiscitos são adotados rotineiramente. Mas os plebiscitos nacionais estão confinados quase que exclusivamente à Suíça. Em outras partes do mundo, eles são raros ou inexistentes (tabela 11.2).

Tabela 11.2 Referendos nacionais (1945-80)

Número de referendos	Número de países
169	1 (Suíça)
20-169	0
10-19	3
2-9	5
1	4
0	9

A maioria das poliarquias estáveis, portanto, não adotou sistemas rigidamente majoritários. Dos vinte e um países analisados por Lijphart, ele julga que apenas seis são parcial ou completamente majoritários. Outros seis são "federativo-majoritários", ou seja, nesses países as maiorias nacionais são limitadas pelo federalismo. Todos os outros são "consensuais", e não majoritários (tabela 11.3).

Tabela 11.3

Majoritários
Nova Zelândia
Reino Unido
Irlanda
Luxemburgo
Suécia
Noruega
Federativo-majoritários
Estados Unidos
Canadá
Alemanha
Áustria
Austrália
Japão
Unitário-consensuais
Israel
Dinamarca
Finlândia
França (Quarta República)
Islândia
Consensuais
Suíça
Bélgica
Holanda
Itália
França (Quinta República)

Fonte: *Lijphart 1984, 216.*

Por que o domínio da maioria é menos popular na prática que na teoria democrática

Como podemos explicar a predominância do domínio da maioria limitado e dos sistemas consensuais sobre os sistemas rigidamente majoritários nos países "democráticos" modernos?

Argumentar persuasivamente que as pessoas nos países não majoritários são menos comprometidas com as ideias democráticas que as pessoas nos países majoritários exigiria uma análise comparativa rigorosa que, ao que eu saiba, ainda não foi feita. Um exame casual da tabela 11.9 me parece suficiente para desacreditar esse argumento. Da mesma forma, a não ser que o majoritarismo rígido seja, por definição, um requisito do processo democrático, o que foi refutado no capítulo anterior, demonstrar que os sistemas políticos das poliarquias não majoritárias estáveis são menos democráticos que aqueles dos países mais rigidamente majoritários é uma tarefa que também exigiria uma análise comparativa que nunca foi feita. Mais uma vez, não creio que as comparações casuais comprovem esse ponto de vista.

Uma explicação mais satisfatória é aventada pelo diálogo entre o Crítico e o Majoritário. Como o Crítico demonstra, as justificativas para o princípio majoritário fracassam sob certas condições. Nessas circunstâncias, o processo democrático não necessariamente exclui as alternativas ao domínio da maioria num sentido estrito. Portanto, saber se as pessoas comprometidas com o processo democrático acham razoável adotar o domínio da maioria para todas as decisões coletivas, impor limites sobre o domínio da maioria ou passar aos arranjos consensuais é algo que depende, em parte, das condições sob as quais elas esperam que as decisões coletivas sejam tomadas. Se essas condições mudam, e à medida que elas mudam, os arranjos tidos como adequados em circunstâncias prévias podem ser modificados numa direção ou noutra – rumo a um majoritarismo mais rígido ou a um maior não majoritarismo. Quando os conflitos políticos põem em risco a unidade nacional, por exemplo, os líderes políticos podem substituir as práticas majoritárias por arranjos consensuais que garantam poder de veto a todas as subculturas significativas. Se, e quando, o conflito cessar, esses arranjos consociacionais podem, por sua vez, ceder espaço a um sistema menos consensual e mais majoritário, o que é mais ou menos a história da Holanda da Primeira Guerra Mundial até a década de 1980.

As principais condições que favorecem as práticas majoritárias num país são estas: em primeiro lugar, quanto mais homogêneo for o povo de um certo país, particularmente nas características fortemente associadas com as atitudes políticas, menos provável será que a maioria apoie políticas danosas à minoria e, portanto, maior será a probabilidade de que exista um amplo consenso quanto às vantagens do domínio da maioria. Num caso extremo, o povo de um país seria tão homogêneo que a maioria jamais poderia prejudicar a minoria sem prejudicar simultaneamente seus próprios membros – um pressuposto de Rousseau que, a meu ver, lhe permitiu atribuir à maioria, com tanta confiança, as decisões coletivas a respeito do bem geral.

Em segundo lugar, quanto mais fortes forem as expectativas entre os membros de uma minoria política de que eles serão a maioria de amanhã, mais aceitável lhes parecerá o domínio da maioria, menos necessárias lhes parecerão as garantias especiais quanto a um veto da minoria e mais provavelmente eles verão estas como obstáculos a suas próprias perspectivas futuras como participantes num governo majoritário.

Por fim, seja como consequência das condições anteriores, seja por outros motivos, o domínio da maioria tenderá a angariar mais apoio entre os membros de uma minoria se estes se sentirem confiantes quanto ao fato de que as decisões coletivas jamais ameaçarão, de um modo fundamental, os elementos básicos de seu estilo de vida, seja em questões de religião, língua, segurança econômica, seja em outras.

De maneira inversa, na medida em que faltem uma ou mais dessas condições, alguns grupos tenderão a resistir ao domínio da maioria no sentido estrito e a negar a legitimidade das decisões majoritárias. Como veremos no capítulo 18, a maioria dos países do mundo carece dessas condições (bem como, quase sempre, de outras condições favoráveis à democracia); portanto, este é um dos motivos pelos quais tantos países não são democráticos. Mas mesmo em países com instituições (quase totalmente) democráticas ou poliárquicas, as condições favoráveis ao majoritarismo mencionadas acima são, com frequência, frágeis, ou estão ausentes. Como consequência disso, nesses países democráticos o majoritarismo estrito geralmente foi rejeitado e substituído por vários arranjos consensuais para a tomada de decisões coletivas[14].

Em face de condições que minariam gravemente a aceitabilidade e a legitimidade gerais do domínio da maioria, os democratas geralmente preferem adotar certas limitações ao majoritarismo. Parece-me injustificado afirmar que, ao fazer isso, eles *necessariamente* violam os requisitos do processo democrático.

*

Portanto, a conclusão de nossa exploração do domínio da maioria é a seguinte: a busca por uma única regra capaz de especificar como as decisões coletivas devem ser tomadas num sistema governado pelo processo democrático está fadada ao fracasso. Parece não existir uma regra assim.

Por outro lado, os defeitos no domínio da maioria são graves demais para ser ignorados. Eles nos forçam a considerar com o máximo de ceticismo a afirmação de que a democracia necessariamente exige o domínio da maioria. Entretanto, temos o direito de reservar o mesmo grau de ceticismo para as afirmações de que uma alternativa qualquer seria claramente superior ao domínio da maioria ou mais compatível com o processo democrático e seus valores, pois todas as alternativas ao domínio da maioria são também gravemente defeituosas.

Podemos concluir sensatamente, portanto, que os juízos quanto à melhor regra para as decisões coletivas devem ser feitos somente após uma avaliação cuidadosa das circunstâncias nas quais essas decisões provavelmente serão tomadas. Essa conclusão é compatível com a experiência real em diferentes países democráticos, nos quais as pessoas adotaram uma variedade de regras e práticas.

Ao adotar ou rejeitar o domínio da maioria, as pessoas nos países democráticos não necessariamente violaram o processo democrático ou os valores que o justificam, pois, sob diferentes condições, o processo democrático pode ser adequadamente conduzido sob diferentes regras para a tomada de decisões coletivas.

Capítulo 12
Processo e substância

Quase todo processo de tomada de decisões corre o risco de não desembocar em resultados desejados. Mesmo um processo justo pode às vezes produzir um resultado injusto. Em princípio, um processo pode satisfazer todos os requisitos expostos nos capítulos anteriores da maneira mais completa que for humanamente possível. No entanto, será que, em certas circunstâncias, ele pode levar a resultados moralmente indesejáveis?

Essa possibilidade suscita duas objeções fundamentais ao processo democrático: (1) Ele pode ser prejudicial. (2) Ele pode não realizar o bem comum. Os críticos que creem na primeira tese frequentemente argumentam que, para evitar que as decisões coletivas causem danos, o processo democrático deve ser limitado, restrito ou substituído em alguns aspectos importantes. Os críticos que adotam a segunda tese muitas vezes argumentam que os conflitos de interesse e a escassez de virtude cívica endêmicos nas sociedades democráticas fazem com que o processo democrático sirva, acima de tudo, aos interesses particularistas e, além disso, o tornam incapaz de alcançar o bem comum.

Examinaremos a primeira objeção neste capítulo e no seguinte. Adiarei nosso exame da segunda objeção até os capítulos 20 e 21, depois que tivermos tido a oportunidade de considerar as consequências, para as instituições e práticas democráticas, da inserção da ideia democrática na grande escala do Estado-nação.

Levada às últimas consequências, a afirmação insistente de que os resultados substantivos têm precedência sobre os processos torna-se uma justificativa abertamente antidemocrática da guardiania e a "democracia substantiva" torna-se um rótulo enganoso para algo que é, na verdade, uma ditadura. Mas podem-se tratar esses argumentos antidemocráticos como o que realmente são, conforme procurei fazer na discussão da guardiania. Muito mais pertinentes para a prática e a teoria democrática são as disputas que ocorrem dentro da própria tradição democrática, entre aqueles que creem firmemente que o melhor Estado é aquele governado pelo processo democrático mas que discordam quanto ao equilíbrio apropriado entre os valores procedimentais e substantivos e, particularmente, quanto até que ponto certos limites substantivos devem ser impostos ao processo democrático. No diálogo que se segue, a disputa não é entre um democrata e um antidemocrata; eles são ambos democratas. Porém, um deles defende o processo democrático com base no fato de que ele é fortemente substantivo, bem como procedimental, enquanto o outro, seu crítico, argumenta que o processo democrático por si só não oferece proteção suficiente contra os danos aos interesses substantivos.

Algumas noções equivocadas

DEFENSOR: Embora eu concorde que o problema do processo e da substância seja grave para a teoria e a prática democráticas, também penso que a natureza do problema é, com frequência, obscurecida por certos pressupostos equivocados.

Em primeiro lugar, é um engano achar que, de alguma forma, os procedimentos são despidos de significado moral. Há quem diga, por exemplo, que "não se deve permitir que os procedimentos entravem o caminho da justiça". Entretanto, a justiça é procedimental, bem como substantiva. Muitas vezes, como ocorre nos julgamentos criminais, nenhum processo pode garantir que o resultado seja substantivamente justo: um julgamento justo ainda pode levar a um veredicto equivocado. Não obstante, é possível concluir que um processo tem mais probabilidade que outro de chegar ao resultado correto. Assim, podemos decidir que, nos casos criminais, um júri de iguais é superior a qualquer alternativa viável. Porém, o máximo que até o melhor sistema judicial pode garantir é a justiça procedimental; ele não pode garantir a justiça substantiva. Uma constituição pode garantir o direito a um julgamento justo; ela não pode garantir absolutamente que um julgamento justo sempre vá chegar ao veredicto correto. Mas é precisamente em razão do fato de que nenhuma garantia é possível que atribuímos um valor tão grande a um julgamento justo.

Em segundo lugar, e como consequência do primeiro ponto, é um profundo engano considerar que os requisitos da justiça conflitam com os procedimentos "meramente formais" da democracia. A justificativa do processo democrático nos permite dizer que, sob certos pressupostos, o processo democrático em si é uma forma de justiça: ele é um procedimento justo para chegar às decisões coletivas. Ademais, na medida em que o processo democrático determina a distribuição da autoridade, ele também fornece uma forma de justiça distributiva: uma distribuição adequada da autoridade é um produto justo de uma boa constituição. A justiça distributiva requer uma distribuição justa de recursos cruciais – poder, riqueza, renda, educação, acesso ao conhecimento, oportunidades de desenvolvimento pessoal e valor próprio e outros. Um dos recursos mais importantes em qualquer sociedade é o poder. E a distribuição do poder é determinada, em parte, pela distribuição da autoridade no governo do Estado e de outras associações. Essa autoridade é importante, entre outros motivos, porque esses governos ajudam a influenciar o modo pelo qual muitos outros recursos são distribuídos. Consequentemente, uma escolha entre o processo democrático e os resultados substantivos não é uma simples escolha entre os procedimentos e a justiça, nem mesmo entre a justiça procedimental e a justiça substantiva. É uma escolha entre a justiça do processo democrático – tanto procedimental como distributiva – e outras pretensões à justiça substantiva. O que estou dizendo, em resumo, é que o processo democrático está repleto de valores substantivos.

CRÍTICO: Mas você admite que o processo democrático não exaure todas as pretensões à justiça substantiva. Como você acaba de dizer, há outras pretensões também. Se é assim, não seria perfeitamente razoável pedir que essas pretensões sejam protegidas, de alguma forma, de serem violadas por decisões tomadas mediante o processo democrático?

DEFENSOR: Saber se é razoável pedir limites para o processo democrático depende de saber se é possível apresentar uma alternativa. Isso conduz a um terceiro equívoco. *A não ser que se possa especificar um processo alternativo viável com maior probabilidade de gerar resultados justos,* é errado argumentar que um processo de tomada de decisões coletivas é deficiente apenas porque pode levar a resultados injustos. Ainda que pudéssemos estabelecer critérios independentes de justiça com os quais compararíamos o desempenho de um processo, aparentemente nenhum processo de tomada de decisões coletivas consegue, no dizer de John Rawls, fazer algo além de oferecer uma justiça procedimental imperfeita.

Gostaria de utilizar algumas categorias de John Rawls para esclarecer a possível relação entre a justiça procedimental e a justiça substantiva. Vamos estabelecer que, se um procedimento conseguisse garantir um resultado que pudéssemos definir independentemente como um resultado justo, teríamos uma justiça procedimental *perfeita*. Um exemplo seria um procedimento que, nos tribunais, sempre apontasse os culpados como culpados e inocentasse os inocentes. Como afirma Rawls, "É bem evidente que a justiça procedimental perfeita é algo raro, se não impossível, em casos de muito interesse prático" (1971, 85). Assim, geralmente temos de nos contentar com o procedimento mais viável que pudermos criar, muito embora ele às vezes vá falhar, como acontece num julgamento criminal. Isso é uma justiça procedimental *imperfeita*. Em certos momentos, quando simplesmente não dispomos de um critério independente para o resultado correto, podemos criar "um procedimento correto ou justo de forma que o resultado também seja correto ou justo" (86). Rawls chama a isso uma justiça procedimental *pura*. Um exemplo seria a divisão de um bolo quando um parte e o outro escolhe.

Com frequência, porém, nem a justiça procedimental "perfeita", nem a "imperfeita", nem a "pura" são viáveis. Os critérios independentes podem existir, mas não bastam para nos permitir dizer qual é o resultado correto, exceto dentro de um certo leque de possibilidades. Dentro desse leque, vários resultados podem ser igualmente justos. Rawls cria uma certa confusão ao chamar de "quase puro" um procedimento que garante uma escolha dentro desse leque. Na maioria das vezes, o máximo a que conseguiremos chegar é um procedimento quase puro. Por exemplo, ainda que um país adotasse os famosos dois princípios de justiça de Rawls como os critérios apropriados para sua legislação, "em muitas questões das políticas sociais e econômicas", ele conclui, "temos de cair novamente numa noção de justiça procedimental quase pura" (201). Pode ser útil dispor as categorias de Rawls numa tabela (tabela 12.1).

Tabela 12.1 Justiça procedimental e substantiva

Forma de justiça procedimental	Critério independente?	Um procedimento perfeito?
Perfeita	sim	sim
Imperfeita	sim	não
Pura	não	sim
Quase pura	sim	quase[a]

Fonte: Adaptado de Rawls 1971, 85-86, 201.
[a] Indeterminado dentro de um leque de escolhas aceitáveis de acordo com o critério.

Transcrevo, agora, uma das conclusões de Rawls porque acho que ele está absolutamente certo neste ponto:

> É evidente que qualquer procedimento político viável pode produzir um resultado injusto. Na verdade, não existe um

esquema de regras políticas procedimentais que impeça a aprovação de uma legislação injusta. No caso de um regime constitucionalista ou, com efeito, de qualquer formato político, o ideal de uma justiça procedimental perfeita não pode se concretizar. O melhor esquema viável é o da justiça procedimental imperfeita (198).

Mas até mesmo a justiça procedimental imperfeita pode estar além de nosso alcance. Como o próprio Rawls admite, se seus dois princípios de justiça fossem adotados como princípios constitucionais, a própria generalidade dos princípios deixaria uma grande área indeterminada na sua aplicação às decisões específicas. Consequentemente, como ele afirma, o máximo que poderíamos esperar com alguma sensatez seria sua "justiça procedimental quase pura" (201). E se não pudermos descobrir princípios independentes para julgar os resultados, talvez tenhamos de cair novamente nos procedimentos puros.

Crítico: Espero que você não vá tentar argumentar que uma decisão majoritária seja um desses procedimentos. Você está começando a se parecer com Rousseau quando ele diz: "A vontade geral está sempre certa e sempre pende para a utilidade pública" (1978, livro 2, cap. 3, p. 61). Certamente, você há de admitir que as maiorias frequentemente causaram grandes danos às minorias.

Defensor: Não sou tolo a ponto de negar isso. Não obstante, quero chamar a sua atenção para uma implicação enganosa em seu comentário. Eu gostaria de saber se você quis insinuar que um procedimento para a tomada de decisões coletivas é deficiente quando fere os interesses de algumas pessoas, porque quando isto acontece ele necessariamente deixaria de dar igual consideração aos seus interesses. Se é esse o caso, creio que sua conclusão é equivocada. Uma decisão coletiva que fira os interesses de algumas pessoas não viola necessariamente o princípio da igual consideração de interesses. Na tomada de decisões coletivas, é quase impossível *não* ferir alguns dos interesses de algumas pessoas. Nenhuma solução, procedimental ou substantiva, pode garantir que os interesses de ninguém nunca sofram de forma alguma. Tampouco o processo democrático ou qualquer outro processo viável para chegar às decisões coletivas pode satisfazer sempre, ou quase sempre, a exigência de que ninguém vá ser prejudicado. A questão importante, porém, é saber se o *processo* pelo qual essas decisões são tomadas dá igual consideração aos interesses de todos; dessa forma, ainda que os interesses de alguns fossem feridos, o princípio não seria violado.

Crítico: Mas agora veja o que você está pressupondo: um processo democrático perfeito no qual todos recebem consideração igual. Porém, você sabe tão bem quanto eu que os processos políticos em todos os países democráticos estão muito longe de chegar à altura dos critérios do processo democrático. Você parece falar sobre a democracia num mundo ideal, não sobre a democracia tal qual a conhecemos no mundo real.

Defensor: Não posso negar que a política nos países democráticos não é, em absoluto, perfeitamente democrática. Na verdade, esse é um ponto crucial que devemos ter em mente. Penso que os defensores das limitações substantivas do processo democrático muitas vezes confundem situações nas quais a injustiça substantiva é o resultado de um processo democrático eficiente com outras nas quais a injustiça resulta de uma incapacidade do processo decisório de satisfazer os critérios democráticos. Concordo que, no primeiro caso, não se pode chegar a nenhuma solução compatível com o processo democrático. Todavia, no segundo caso, a melhor solução talvez fosse realizar o processo democrático de um modo mais completo.

Crítico: Mas é no primeiro caso que estou interessado. Até agora, você apenas o rodeou. Não terá chegado a hora de enfrentá-lo?

O processo democrático *versus* a igual consideração

Defensor: Já estamos chegando lá. Mas quando realmente explorarmos a importância dos conflitos possíveis entre as pretensões substantivas e o processo democrático, gostaria que nós fizéssemos uma distinção entre os diferentes tipos de pretensões a um interesse ou bem substantivos:

1. O interesse substantivo é um direito, habilitação ou uma outra pretensão a algo que é parte intrínseca do processo democrático. Com "intrínseca", quero dizer algo que é uma parte essencial da própria concepção do processo democrático em si, tal como o direito à livre expressão ou a liberdade de se reunir.
2. O direito ou bem substantivo é algo *externo* ao processo democrático, mas necessário para ele. Com "externo", quero dizer que ele não faz parte da concepção do processo em si, mas é necessário para o funcionamento adequado do processo. Por exemplo, desde Aristóteles os teóricos da política reconhecem que o funcionamento dos processos democráticos será prejudicado se os cidadãos forem extremamente desiguais quanto aos meios econômicos ou quanto a outros recursos cruciais.
3. O direito ou bem substantivo é externo ao processo democrático e não é necessário para ele, mas é necessário para se respeitar a Ideia da Igualdade Intrínseca. Portanto, um julgamento justo nos casos criminais não é um elemento do processo democrático e pode-se argumentar que não é necessário para ele; porém, um julgamento justo é claramente necessário para a igual consideração.

CRÍTICO: Essa última pretensão me parece particularmente importante, porque ela abre a possibilidade de que o processo democrático às vezes viole um de seus próprios pressupostos, uma premissa essencial para sua própria justificativa como um processo de tomada de decisões coletivas. Essa violação poderia ocorrer de duas formas: (1) O processo democrático talvez deixasse diretamente de proporcionar uma igual consideração pelos interesses de todos, por exemplo, ao dar atenção insuficiente aos interesses dos pobres porque eles são menos articulados, organizados e eficientes. (2) A partir da Ideia de Igualdade Intrínseca, poderíamos especificar certos interesses tão fundamentais que eles nunca deveriam ser ignorados, nem mesmo pelo processo democrático.

Pretensões a bens intrínsecos ao processo democrático

DEFENSOR: Você foi diretamente ao exemplo mais difícil, é claro. Mas os outros são importantes também. Suponhamos que você conseguisse demonstrar que o resultado substantivamente bom que você busca é realmente uma parte intrínseca do processo democrático em si: por exemplo, o direito à livre expressão. Nesse caso, o conflito entre o processo democrático e os resultados substantivos propriamente ditos desapareceria. A solução não estaria em substituir o processo democrático, e sim em concretizá-lo ou aperfeiçoá-lo.

O conflito entre os resultados substantivos e o processo democrático desaparece se (1) alguma forma do domínio da maioria levar aos melhores resultados substantivos; (2) o resultado substantivo em questão for um direito, um privilégio, uma oportunidade ou uma obrigação intrínseca ao processo democrático; (3) na medida em que o critério da compreensão esclarecida for satisfeito, o processo democrático necessariamente conduza aos melhores resultados substantivos.

Domínio da maioria

CRÍTICO: A primeira solução está errada, com certeza. De saída, creio que ambos precisamos rejeitar a noção de que não temos critérios externos para julgar as decisões da maioria e que, portanto, qualquer que seja a decisão da maioria, ela está necessariamente certa. Se fosse assim, o domínio da maioria tornaria possível o que Rawls denominou "justiça procedimental pura". Mas essa argumentação é, em última análise, autoderrotista. Ora, se não temos critérios externos para julgar as ações de uma maioria, isso quer dizer que também não temos nenhum critério para julgar se o domínio da maioria é superior a alguma alternativa, como a guardiania.

Defensor: É fato que concordamos quanto a isso. Seria irracional supor que poderíamos justificar o processo democrático com bases morais se acreditássemos que não existem bases morais fora do processo em si.

Crítico: Então o domínio da maioria não é uma forma da "justiça procedimental pura" de Rawls?

Defensor: Não, e tampouco eu argumentaria que ele é uma "justiça procedimental perfeita". Ele pode ser "imperfeito" ou "quase puro", para usar os termos de Rawls. Mas veja: o problema do domínio da maioria é um pântano através do qual poderíamos nos arrastar até a exaustão. Espero que possamos nos desviar desse terreno pantanoso. Seria mais fácil se pudéssemos concordar que, daqui para a frente, quando falarmos de decisões majoritárias, estaremos nos referindo às decisões nas quais os votos da maioria dos cidadãos têm o direito de prevalecer, embora deixemos em aberto a questão traiçoeira de saber se isso requer o domínio da maioria simples no sentido estrito. Penso que podemos concordar que, sob quaisquer interpretações sensatas do processo democrático, as maiorias normalmente teriam o direito de prevalecer sobre as minorias nas decisões coletivas. O que ambos estamos dizendo é que, mesmo nesse sentido aproximado, o domínio da maioria nem sempre leva necessariamente aos melhores resultados substantivos.

Crítico: E as maiorias podem, às vezes, prejudicar as minorias?

Defensor: Como afirmei antes – e, uma vez que você não fez nenhuma objeção, creio que concorda comigo –, nenhum processo de tomada coletiva de decisões, ainda que alcançasse uma justiça procedimental perfeita, conseguiria sempre evitar causar prejuízos aos interesses de algumas pessoas. Até mesmo Tocqueville, que considerava as maiorias um perigo constante para as liberdades fundamentais, acreditava, não obstante, que "o poder moral da maioria fundamenta-se no... [princípio] ... de que os interesses de muitos devem ser preferíveis aos interesses de poucos"

(Tocqueville [1835] 1961, 1:300). A questão não é saber se as maiorias, agindo por meio do processo democrático, podem às vezes prejudicar os interesses de uma minoria. Isso certamente ocorrerá. Mas a questão é saber se, e como, elas podem ser impedidas de prejudicar *ilegitimamente* os direitos e interesses *fundamentais* de uma minoria.

CRÍTICO: Agora você não estará dizendo que, em algumas circunstâncias, o curso de ação correto não depende de se pesar suas consequências para a utilidade, o prazer, a felicidade ou seja lá o que for? Matar pessoas inocentes, por exemplo, não se justifica porque matá-las é necessário para algum fim coletivo. Da mesma forma, seria errado pesar direitos ou princípios de justiça fundamentais em escalas estritamente utilitárias, nas quais seu peso poderia ser exacerbado pelos ganhos utilitários da maioria (Dworkin 1978, 271; Rawls 1971, 22-27, 356-62). Mas ao argumentar que certos direitos e princípios básicos devem ser considerados invioláveis e certamente devem permanecer invioláveis por qualquer processo político, você não estará concordando comigo quanto ao fato de que eles não deveriam ser violados pelo processo democrático?

Direitos

DEFENSOR: Sim, mas quando chegamos à questão dos direitos fundamentais, a defesa do processo democrático ficará muito fortalecida, mais do que pessoas como você parecem apreciar. Vocês, críticos que argumentam que os resultados substantivos são superiores ao processo democrático, muitas vezes asseveram, especialmente nos Estados Unidos, que os cidadãos de uma democracia possuem "certos direitos fundamentais contra o seu governo". No caso dos americanos, por exemplo, diz-se que eles incluem "certos direitos morais tornados legais pela Constituição" (Dworkin 1978, 91). O exemplo típico é o direito à livre expressão (192). Assim, muitas vezes o direito à livre expressão é visto como uma pretensão substantiva superior ao processo democrático e com direito a ser protegido, caso necessário, contra o próprio processo democrático. O mesmo ocorre com uma série de outros direitos políticos fundamentais: o exercício do voto numa eleição livre e justa, a liberdade de imprensa, a liberdade de se reunir e assim por diante. Eu chamaria a isso uma *teoria dos direitos antecedentes.*

Crítico: Essa teoria me atrai também. Acredito que muitos direitos fundamentais (incluindo os direitos políticos) possuem uma reputação moral, uma base ontológica, digamos, totalmente independente da democracia e dos processos democráticos. Eles servem como limites para o que pode ser feito, ao menos legitimamente, através dos processos democráticos. Um cidadão tem o direito de exercer esses direitos, se necessário, *contra* o processo democrático. Como a liberdade que eles viabilizam é potencialmente ameaçada pelo processo democrático, devemos proteger esses direitos de violações, até mesmo através do processo democrático.

Defensor: Sua visão é, muitas vezes, denominada uma teoria da democracia limitada, num suposto contraste com a democracia ilimitada. Mas creio que esse contraste é enganoso.

Crítico: Mas se você não crê na necessidade de limitar o processo democrático, obviamente deve crer que a democracia não tem nenhum limite adequado.

Defensor: Penso que esse contraste é falso. O direito ao autogoverno mediante o processo democrático é, em si, um dos direitos mais fundamentais que uma pessoa pode ter. Se é que alguns direitos podem ser considerados inalienáveis, certamente você há de concordar que este deve ser um deles. Consequentemente, qualquer violação do direito ao autogoverno necessariamente violará um direito fundamental e inalienável. Mas se as pessoas têm o direito de se governar, isso significa que os cidadãos também são habilitados a ter todos os direitos necessários para tal, isto é, todos os direitos essenciais para o processo democrático. Nessa linha de raciocínio, um conjunto de direitos políticos básicos pode ser inferido com base em um dos direitos mais fundamentais a que os seres humanos têm acesso: o direito a autogovernar-se através do processo democrático.

Crítico: Isso tudo soa muito elevado, mas um "direito a autogovernar-se através do processo democrático" é tão geral que não faz sentido. Como pode um direito tão geral como esse ser posto em vigor? Quero dizer, por um tribunal e não por uma revolução.

Defensor: Sem dúvida, o "direito a autogovernar-se" é geral. É um direito moral geral, não um direito específico sancionado por um tribunal. Porém, esse direito moral geral se traduz numa série de direitos morais *e* legais, muitos dos quais são específicos e legalmente executáveis. Para entender por que isso acontece, considere os critérios para o processo democrático. Estes necessariamente exigem que as pessoas afetadas pelas decisões coletivas possuam certos direitos; na ausência desses direitos, os critérios não são satisfeitos e o processo democrático não existe. Cada critério especifica um direito moral abrangente: o direito de ser incluído como um cidadão pleno na associação envolvida na tomada de decisões coletivas às quais se está sujeito; como um cidadão pleno, direitos à igualdade de voto e oportunidades iguais de participar efetivamente do processo de tomada de decisões, adquirindo uma compreensão esclarecida dos próprios interesses pessoais e exercendo com os outros cidadãos o controle final das decisões coletivas de caráter vinculativo.

Na prática, cada um desses direitos morais abrangentes requer, por sua vez, um conjunto de direitos mais específicos, tanto morais como legais, como o direito à livre expressão. Em alguns casos, esses direitos mais específicos são essenciais não somente para um, mas para vários dos direitos morais abrangentes. A liberdade de expressão, por exemplo, é necessária tanto para a participação efetiva quanto para a compreensão esclarecida; assim também o são a liberdade de imprensa e a liberdade de se reunir. Nos sistemas democráticos em larga escala, o direito de formar partidos políticos e outras associações políticas é necessário para a igualdade de voto, a participação efetiva, o esclarecimento e o controle final da agenda.

Crítico: Está tudo muito bem, mas você não estará sendo muito formalista? Afinal de contas, o que acontece quando a maioria, agindo de acordo com procedimentos perfeitamente democráticos, priva uma minoria de sua liberdade de expressão?

Defensor: Mas você não vê que, num caso desses, a maioria não estaria – não poderia estar – agindo de acordo com "procedimentos perfeitamente democráticos"? Esses direitos específicos – vou chamá-los de *direitos políticos primários* – são parte intrínseca do processo democrático. Eles não estão separados ontologicamente do processo democrático – nem são anteriores ou superiores a ele. Assim como o processo democrático existe num sistema político, todos os direitos políticos primários também têm de existir. Quando os direitos políticos primários não existem num sistema, tampouco existe o processo democrático.

O resultado é que não nos defrontamos com um conflito aberto entre os direitos e liberdades substantivos de um lado e o processo democrático de outro. Pois se a própria democracia é um direito fundamental, a liberdade fundamental de uma pessoa consiste, em parte, na oportunidade de exercer esse direito. Já concordamos quanto ao fato de que, ao exercer seus direitos e liberdades, a maioria pode proteger legitimamente seus interesses de prejuízos causados por uma minoria, embora isso signifique restringir as atividades danosas da minoria.

Mas o processo democrático não é completamente aberto. Se a maioria pretendesse privar uma minoria ou a si mesma de quaisquer direitos políticos primários, o próprio ato de fazer isso violaria o processo democrático. Se a decisão da maioria não fosse simplesmente um erro de sua parte, seria necessariamente verdade que ela não estava totalmente comprometida com o processo democrático em si. Ou, ao contrário, se os cidadãos estivessem comprometidos com o processo democrático, eles não infringiriam os direitos políticos primários de nenhum cidadão, exceto, talvez, por engano.

Crítico: Você está tentando dizer que a tirania majoritária é simplesmente uma ilusão? Se é esse o caso, isso pouco ajudará a minoria cujos direitos fundamentais são pisoteados por uma maioria abusiva. Acho que você precisa considerar seriamente duas possibilidades: a primeira é a de que a maioria infrinja os direitos de uma minoria e a segunda, a de que a maioria possa se opor à democracia em si.

Defensor: Vamos tratar da primeira possibilidade. Essa questão é, por vezes, apresentada como um paradoxo: se a maioria não tem esse direito, ela é, por conseguinte, privada de *seus próprios* direitos; mas se tem esse direito, ela pode privar a minoria de seus direitos. Supõe-se que esse paradoxo mostre que nenhuma solução pode ser simultaneamente democrática e justa. Mas esse dilema me parece espúrio.

É evidente que a maioria talvez tenha poder ou força para privar uma minoria de seus direitos políticos. Na prática, porém, imagino que uma minoria poderosa priva a maioria de seus direitos políticos com muito mais frequência que o contrário. Mas essa questão empírica não é o que estamos discutindo. A questão é se a maioria pode utilizar *legitimamente* seus direitos políticos primários para privar uma minoria de seus direitos políticos primários.

A resposta, claramente, é *não*. Em outras palavras, não pode ser logicamente verdadeiro que os membros de uma associação devam governar-se pelo processo democrático e que, ao mesmo tempo, uma maioria dentro da associação possa privar legitimamente uma minoria de seus direitos políticos primários. Pois, ao fazer isso, a maioria negaria à minoria os direitos necessários para o processo democrático. Na verdade, portanto, a maioria estaria afirmando que a associação não deve governar-se pelo processo democrático. Não é possível ter as duas coisas ao mesmo tempo.

Crítico: Seu argumento pode ser perfeitamente lógico. Mas as maiorias não são sempre perfeitamente lógicas. Elas podem acreditar na democracia até certo ponto e, ainda assim, violar seus princípios. E o que é pior, elas podem *não* acreditar na democracia e, ainda assim, utilizar cinicamente o processo democrático para destruir a democracia. Na sua teoria dos direitos, o que impediria as pessoas de decidir que elas simplesmente não querem ser governadas pelo processo democrático? Será que elas não poderiam utilizar deliberadamente o processo democrático para substituir a democracia por um regime não democrático? Você não estará, agora, frente a frente com um paradoxo para o qual não tem uma solução? Ou um povo não tem o direito de utilizar o processo democrático para destruir a democracia, caso em que ele é incapaz de se governar democraticamente, ou tem esse direito, caso em que ele pode, democraticamente, optar por ser governado por um ditador. Em qualquer um dos casos, o processo democrático está fadado a perder. Sem certos limites, tanto morais quanto constitucionais, o processo democrático contradiz a si mesmo, não é?

Defensor: É exatamente isso que venho tentando demonstrar. Sem dúvida, a democracia tem limites. Mas o ponto aonde quero chegar é que esses limites estão incorporados na própria natureza do processo. Se você excedê-los, necessariamente violará o processo democrático. Deixe-me explicar o que quero dizer utilizando seu exemplo da maioria que é hostil à democracia em si. Do ponto de vista empírico, é obviamente verdade que as pessoas talvez decidam utilizar o processo democrático para destruir esse processo. Afinal de contas, se o processo democrático existe, ele não pode ser uma barreira insuperável para uma maioria que fizesse isso. A questão imediata, contudo, é a se um *demos* pode fazer *legitimamente* o que sem dúvida tem *poder* para fazer, ou, numa terminologia diferente, se ele tem a autoridade para fazer o que tem o poder de fazer. Apresentado dessa forma, o argumento de que um *demos* pode utilizar legitimamente o processo democrático para destruir a democracia é tão mal concebido como o argumento anterior, segundo o qual a maioria pode legitimamente privar uma minoria de seus direitos. Uma vez que ambos os argumentos são essencialmente a mesma coisa, o dilema é tão espúrio num caso quanto no outro. Se é desejável que um povo se governe democraticamente, não pode ser desejável que ele se governe não democraticamente. Se as pessoas creem que a democracia é desejável e justificável, logicamente elas não podem, ao mesmo tempo, crer que ela é indesejável e assim justificar a destruição do processo democrático.

Nada na experiência humana nos diz que a democracia não pode sucumbir. Mas as pessoas comprometidas com o processo democrático teriam a obrigação lógica de preservar os direitos necessários para o processo democrático. Se elas infringirem conscientemente esses direitos, declaram dessa forma que querem rejeitar o processo democrático.

CRÍTICO: Você continua a fugir do ponto que quero demonstrar. Seus exercícios de lógica engenhosos não oferecem mais do que barreiras frágeis contra a tirania majoritária. Aqui estamos nós outra vez: precisamos de garantias institucionais para os direitos e resultados substantivos, não somente para seus procedimentos formais!

DEFENSOR: Concordo plenamente. Na prática, porém, o processo democrático não tende a ser preservado por muito tempo a não ser que o povo de um país acredite preponderantemente que ele é desejável e a não ser que essa crença esteja embutida em seus hábitos, práticas e cultura. A relação entre o processo democrático e os direitos políticos primários não é tão terrivelmente abstrata assim. Está bem ao alcance do raciocínio prático e do senso comum. Ao refletir sobre os requisitos de seu sistema político, um povo democrático, seus líderes, seus intelectuais e seus juristas veriam a necessidade prática de direitos políticos primários e desenvolveriam proteções para eles. Como resultado disso, entre um povo que de modo geral tem um compromisso com a democracia, a crença nas vantagens dos direitos políticos primários bem poderia estar entretecida com a crença na própria democracia. Numa democracia estável, um compromisso com a proteção de todos os direitos políticos primários tornar-se-ia um elemento essencial da cultura política, particularmente porque essa cultura foi gerada, interpretada e transmitida por pessoas com uma responsabilidade especial pela interpretação e execução dos direitos – como fazem os juristas, por exemplo.

A não ser que o processo democrático e os direitos políticos primários necessários para ele sejam sustentados dessa forma pela cultura política de um povo, é improvável que o processo democrático persista.

Crítico: Mas talvez o que seja necessário para garantir que ele realmente persista seja um judiciário com a autoridade constitucional para preservar os direitos fundamentais, seja lá o que queira a maioria.

Defensor: Quando o processo democrático não pode mais ser sustentado em face de uma cultura política fraca ou hostil, é difícil crer que os direitos políticos primários serão preservados por muito mais tempo pelos tribunais ou quaisquer outras instituições. Certamente você não espera que eu creia que uma corte suprema com autoridade para impor direitos substantivos teria evitado a derrocada da democracia pelas forças da ditadura na Itália em 1923, na Alemanha em 1933, no Chile e no Uruguai em 1973 e assim por diante!

Crítico: Ainda que não exista um conflito entre o processo democrático e um vasto leque de direitos fundamentais que são necessários para ele – os direitos políticos primários –, é possível que num sistema democrático moderadamente eficiente e sustentado por uma cultura política democrática possam ocorrer lapsos periódicos na proteção dos direitos políticos primários – a liberdade de expressão, por exemplo. Não seria possível, também, que um processo alternativo corrigisse esses erros sem substituir totalmente o processo democrático? Muitos americanos creem que tal processo existe num judiciário independente com autoridade para declarar inconstitucional qualquer legislação que infrinja os direitos constitucionalmente determinados.

Seu tratamento dos direitos políticos primários também deixa em aberto a possibilidade de que o processo democrático possa prejudicar *outros* direitos e interesses além daqueles contados entre os direitos políticos primários. Aventei anteriormente a ideia de que o processo democrático talvez viole o Princípio da Igualdade Intrínseca, quer por não dar igual consideração aos interesses de todos, quer por prejudicar um interesse fundamental que deveria ser constitucionalmente inviolável. Nesse caso, ao mesmo tempo em que preservaria perfeitamente os direitos políticos primários de cada cidadão e garantisse a igual consideração de outros modos, o processo democrático ainda infringiria algum bem, interesse ou direito inviolável.

Interesses, esclarecimento e debate livre

Defensor: Vocês, que insistem que os resultados substantivos devem ter prioridade sobre o processo democrático, provavelmente acham que sabem quais deveriam ser esses resultados. Mas o que lhes dá a pretensão de ter um conhecimento tão superior? Acaso vocês e a pretensão segundo a qual a guardiania é superior à democracia não encalham no mesmo recife?

Em última instância, sua pretensão de saber quais interesses substantivos devem ser protegidos do processo democrático é autocontraditória. Vocês não podem adquirir o conhecimento dos interesses de outrem, para não falar dos seus próprios, senão através de uma familiaridade e de um debate extensivos com outros. Esse debate teria de ser livre, irrestrito e irreprimido. Mas se um debate assim ocorresse, certamente os outros, a não ser que fossem seriamente limitados em suas capacidades cognitivas, alcançariam um conhecimento de seus interesses tão pleno e esclarecido quanto vocês. Assim, como é que vocês poderiam justificar uma pretensão a uma compreensão mais esclarecida dos interesses dos outros que a compreensão alcançada por eles próprios durante o debate?

Crítico: Talvez você tivesse razão se todos nós participássemos desse debate livre, irrestrito e irreprimido ao qual você se refere. Infelizmente, não vivemos num mundo assim.

Defensor: Concordo. Porém, a meu ver a questão é que o processo democrático é muito superior, nesse aspecto, a qualquer outra alternativa. Embora os critérios do processo democrático nunca sejam perfeitamente satisfeitos, eles podem ser satisfatoriamente preenchidos na medida em que os cidadãos tenham oportunidades de participar de debates livres, irrestritos e irreprimidos. Nenhuma alternativa ao processo democrático propõe um padrão tão rígido quanto esse para a avaliação de seu desempenho.

Crítico: Você ainda está evitando minha questão principal e continua a retratar o processo democrático em termos ideais. No entanto, você sabe tão bem quanto eu que, na prática, a vida política nos países democráticos nunca preenche totalmente os padrões ideais para o processo democrático. Quase sempre, a prática fica muito aquém do ideal. Quando esse é o caso, mesmo no quadro pintado por você podem ocorrer graves injustiças. Os interesses de alguns cidadãos simplesmente *não* recebem igual consideração. Ainda que não houvesse outras violações desse princípio, esses casos certamente exigem um processo alternativo para garantir os resultados substantivos corretos.

Defensor: Se pareço evitar essa questão, é porque eu queria que você visse como uma grande parte do conflito que você supõe existir entre o processo e a substância não é, na verdade, um conflito entre a justiça ou o direito substantivo e o processo democrático. Ao contrário, ele reflete um fracasso do processo democrático. Essa conclusão não é meramente uma questão de importância teórica. Ela é de importância prática, pois nos informa que a solução pode não ser impor limites ao processo democrático ou garantir os resultados corretos mediante um processo alternativo e, presumivelmente, menos democrático. A solução pode ser, em vez disso, melhorar o funcionamento do próprio processo democrático: torná-lo mais verdadeiramente democrático.

Crítico: Está claro para mim que ainda não enfrentamos as principais diferenças entre nós. No início de nossa discussão, você sugeriu que fizéssemos uma distinção entre três tipos diferentes de direitos ou bens. Até agora, só discutimos os direitos e bens substantivos *intrínsecos* ao processo democrático em si, pressupondo que o processo se aproxima razoavelmente de satisfazer seus critérios. Sua última questão me lembra, porém, que ainda precisamos considerar a questão da viabilidade. O que você diz sobre melhorar o processo democrático soa muito bem como objetivo ideal, mas na prática essa solução pode ser muito menos viável que, digamos, um conjunto de garantias constitucionais e uma corte suprema com autoridade final para interpretá-las.

Além disso, você ainda não enfrentou o problema suscitado pelos direitos ou bens substantivos *externos* ao processo democrático, mas necessários para ele. Creio que vejo aqui o início de um belo paradoxo.

Por último, você ainda não enfrentou o problema dos direitos ou bens externos ao processo democrático e não necessários a ele, mas necessários para que se possa manter a Ideia de Igualdade Intrínseca e o Princípio da Igual Consideração de Interesses. Você mencionou, a título de exemplo, um julgamento justo em casos criminais, e eu provavelmente posso fornecer outros.

*

Embora a discussão entre o Defensor e o Crítico se interrompa neste ponto, deixando alguns problemas cruciais sem solução, antes de nos voltarmos para estes no capítulo seguinte eu gostaria de enfatizar a importância da argumentação do Defensor.

A suposta incapacidade do processo democrático de garantir resultados substantivos desejáveis é espúria em alguns aspectos importantes. Precisamos rejeitar, como fez o Defensor, a habitual contraposição entre a substância e o processo. Pois são partes intrínsecas do processo democrático os direitos, bens e interesses substantivos que tantas vezes, e de forma equivocada, parecem ser ameaçados por ele.

Entre esses está o direito ao autogoverno pelo processo democrático. Este não é um direito trivial, mas sim um direito tão fundamental que os autores da Declaração de Independência dos Estados Unidos o chamaram de inalienável. Tampouco o direito ao autogoverno é um direito a um "processo meramente formal", pois o processo democrático não é "meramente processo" nem "meramente formal". O processo democrático não é "meramente processo" porque é também um tipo importante de justiça distributiva, uma vez que ajuda a determinar a distribuição dos recursos cruciais do poder e da autoridade e, dessa forma, influencia a distribuição de todos os outros recursos cruciais. O direito ao processo democrático não é "meramente formal" porque, para que esse direito exista, também devem existir todos os recursos e instituições necessários a ele. Na medida em que esses estiverem ausentes, o próprio processo democrático não existe. Tampouco o direito ao processo democrático é "meramente uma pretensão abstrata". Ele é, na verdade, uma pretensão a todos os direitos gerais e específicos – morais, legais, constitucionais – que são necessários a ele, desde a liberdade de expressão, a liberdade de imprensa e a liberdade de se reunir até o direito de formar partidos políticos de oposição. O fato de que os governantes autoritários não medem esforços para destruir todas as instituições necessárias para o processo democrático demonstra o quanto eles têm consciência de que o processo democrático não é "meramente formal", e sim algo que levaria a uma transformação estrutural de seus regimes.

Visto dessa forma, o processo democrático confere aos cidadãos um leque abrangente de direitos, liberdades e recursos suficientes para lhes permitir participar de maneira plena, como cidadãos iguais, da tomada de todas as decisões coletivas às quais estão obrigados. Se as pessoas adultas têm de participar das decisões coletivas para proteger seus interesses pessoais, inclusive seus interesses como membros de uma comunidade, para desenvolver suas capacidades humanas e para agir como seres autodeterminados e moralmente responsáveis, o processo democrático também é necessário para esses fins. Sob esse ângulo, o processo democrático não somente é essencial para um dos bens políticos mais importantes de todos – o direito das pessoas a se governar –, mas é, ele próprio, um rico pacote de bens substantivos.

Capítulo 13
Processo versus *processo*

A conclusão do capítulo anterior não elide a possibilidade de que o processo democrático prejudique certos direitos substantivos importantes ou outros requisitos da justiça. Como observou o Crítico, isso pode ocorrer de três modos. Em primeiro lugar, alguns grupos, possivelmente uma maioria, poderiam empregar um processo democrático imperfeito para violar direitos intrínsecos ao próprio processo democrático – a livre expressão, por exemplo. Uma vez que, na prática, os critérios rigorosos do processo democrático nunca são plenamente satisfeitos, até mesmo as melhores democracias estão fadadas à imperfeição. Em segundo lugar, os direitos e bens externos ao processo, mas necessários para ele, podem ser inadequadamente protegidos. Por exemplo, o analfabetismo, a pobreza e o baixo *status* podem negar a alguns cidadãos oportunidades iguais e adequadas de participar das decisões. Em terceiro lugar, as decisões tomadas por um processo democrático, perfeito ou imperfeito, podem, não obstante, ferir direitos, interesses ou bens que não são necessários para o processo democrático, mas são exigidos pelo princípio do igual valor intrínseco. Por exemplo, talvez não se garantisse a pretensos criminosos um julgamento justo. Quero chamar essas três possibilidades, taquigraficamente, de "violações" ou "falhas".

Todavia, se, como manda o realismo, partirmos do pressuposto de que as decisões coletivas têm de ser tomadas, qualquer alternativa a um processo democrático perfeito ou imperfeito de tomada de decisões coletivas irá exigir algum *outro* processo para a tomada desse tipo de decisões. No capítulo anterior, vimos que o que parecia ser um conflito simples e direto entre o processo e a substância envolve, na verdade, um conflito muito mais complexo entre um conjunto de bens substantivos e outros bens possíveis. O que vemos agora é que, para dar solução racional a esses conflitos, será preciso pesar os valores do processo democrático contra os valores de um processo alternativo. O que começou como substância *versus* processo termina por ser processo *versus* processo. Com que processos de tomada de decisões coletivas podemos contar para obter os melhores resultados substantivos? Haverá alternativas viáveis que possibilitem resultados melhores que o processo democrático?

Como insistiu o Defensor, seria um erro abolir o processo democrático somente porque ele às vezes não consegue produzir resultados moralmente corretos. Seria errado eliminá-lo se seus defeitos pudessem ser corrigidos por alguns melhoramentos viáveis. Ainda que os defeitos não pudessem ser corrigidos, a eliminação do processo seria um erro, a não ser que uma alternativa viável com uma probabilidade significativamente maior de sucesso pudesse substituí-lo.

Para colocar essas questões de maneira mais esquemática, os fracassos do processo democrático em obter resultados substantivos desejáveis podem ser corrigidos somente de quatro modos. (1) O regime democrático poderia ser substituído por um tipo diferente de regime. Mas como já rejeitamos essa opção, vou pressupor que a questão não é substituir a democracia por um sistema político alternativo. Em vez disso, uma alternativa viável teria de ser criada para retificar apenas certas decisões, leis ou cursos de ação políticos específicos dentro de um sistema principalmente democrático. Dessa forma, (2) um processo democrático imperfeito poderia ser melhorado. Ou (3) falhas específicas resultantes do processo democrático (perfeito ou imperfeito) poderiam ser corrigidas por um processo não democrático. Ou, finalmente, (4) se nem (2) nem (3) fossem viáveis, um certo nível de violação poderia ser aceito, como um preço tolerável a ser pago pelas vantagens do processo democrático. Mas se o preço fosse muito alto, a única opção seria reconsiderar (1).

As imperfeições inevitáveis do desempenho democrático

No mundo real, como concordam o Defensor e o Crítico, as "democracias" nunca são plenamente democráticas: ficam invariavelmente aquém dos critérios democráticos em alguns aspectos. No entanto, nosso juízo das alternativas viáveis depende, em parte, de como o processo democrático funciona na prática. Uma solução apropriada para um país no qual a democracia mal funciona, ou funciona mal, poderia ser sensatamente rejeitada como solução para um país no qual o processo democrático funciona bem.

Evidentemente, precisamos ter alguns sistemas concretos em vista. Quais seriam eles? Proponho que os sistemas em vista sejam o conjunto de países que geralmente computamos como "democracias". Já que essa solução pode parecer vaga e arbitrária para alguns leitores, vou antecipar capítulos posteriores mais uma vez, dizendo que o que defino como um país "democrático" é aquele no qual o governo do Estado é uma poliarquia. Como veremos mais tarde, uma poliarquia é um regime com um conjunto singular de instituições políticas que, reunidas, o distinguem de outros regimes. Pode-se pensar nas poliarquias como governos nos quais as instituições necessárias para o processo democrático existem acima de um certo limiar. Embora as poliarquias sejam a conquista histórica mais completa do processo democrático na grande escala do Estado-nação, as conquistas das poliarquias estão longe de ser completas, de acordo com os critérios do processo democrático expostos no capítulo 8. Como um sistema de democracia em grande escala no mundo real, a poliarquia é o melhor de todos por enquanto; mas, de acordo com os padrões ideais, ela é apenas o segundo melhor sistema.

Nossa questão, portanto, é qual o melhor modo de corrigir as falhas substantivas num país no qual o governo do Estado é uma poliarquia, ou seja, uma democracia imperfeita. Nossas quatro soluções possíveis tornam-se agora: (1) substituir a poliarquia por uma não poliarquia; (2) melhorar o desempenho da poliarquia; (3) em casos específicos de falha, substituir os processos democráticos imperfeitos da poliarquia por uma alternativa não democrática viável, como uma corte suprema; (4) se nenhuma dessas for viável, continuar a tomar as decisões coletivas pertinentes através da democracia imperfeita da poliarquia.

A esta altura, muitos leitores podem duvidar de que um tratamento geral de nosso problema, com as poliarquias tomadas como uma classe, possa ser muito esclarecedor, e talvez achem que, em vez disso, os elementos cruciais de uma solução serão encontrados nas particularidades de um país específico, como me sinto inclinado a pensar que serão. Penso que manter essa advertência em mente nos pode ser útil na reflexão sobre alguns aspectos gerais do problema. A continuação do diálogo entre o Defensor e o Crítico pode nos ajudar a esclarecê-los.

Violações de direitos e bens externos ao processo democrático, mas necessários para ele

CRÍTICO: Embora você tenha tratado longamente da questão dos direitos ou bens intrínsecos ao processo democrático em si, até agora você não conseguiu enfrentar a possibilidade de que falhas ou violações possam ocorrer no que diz respeito aos direitos e bens externos ao processo democrático, mas necessários para ele.

DEFENSOR: Não estou bem certo do que você tem em mente.

CRÍTICO: Você concorda que, para que o processo democrático seja plenamente realizado, são necessárias certas condições?

DEFENSOR: Isso é perfeitamente óbvio.

Crítico: Então, quais são essas condições?

Defensor: Bem, idealmente os cidadãos participariam da vida política como iguais políticos. Como afirmei há pouco, para que os cidadãos fossem iguais políticos, seria necessário que eles tivessem todos os direitos, obrigações e oportunidades implicados pelos critérios do processo democrático. Mas – e acho que isto é o que você questionou – esses direitos, deveres, oportunidades e assim por diante não podem existir a não ser que, por exemplo, muitos recursos políticos cruciais sejam distribuídos de um modo bastante igual entre eles. Tenho em mente o grau de igualdade que Tocqueville pensou ter encontrado entre os americanos na década de 1830, ou, pelo menos, entre os cidadãos adultos do sexo masculino e de cor branca. Falo de propriedade, riqueza, renda, educação, *status* social, informação e coisas desse tipo.

Crítico: Há outras condições?

Defensor: Como mencionei há pouco, a democracia não poderia existir se as pessoas não acreditassem nela. Na verdade, Tocqueville pôs as crenças, os cotumes e os hábitos acima da Constituição e das leis, porque sem o suporte das crenças os sistemas legais perderiam o sentido, como ele achou que acontecia com os sistemas de alguns países sul-americanos de sua época.

Crítico: Assim, na medida em que faltem as crenças, as igualdades socioeconômicas e outras condições essenciais, um processo para a tomada de decisões coletivas está fadado a ser menos que perfeitamente democrático?

Defensor: Inegavelmente, assim é.

Crítico: E não será também inegável que o que denominamos poliarquia é uma democracia imperfeita, ou "segunda melhor", porque as condições necessárias para um processo democrático perfeito não existem?

Defensor: Certamente!

Crítico: Mas por que as condições necessárias não existem? Você concorda que elas não existem por uma dessas duas razões – porque são impossíveis e simplesmente não podem se materializar ou porque, apesar de possíveis, ainda não foram materializadas?

Defensor: Não vejo como eu poderia discutir uma proposição tão óbvia.

Crítico: E por que as condições não se materializaram? Ou a maioria de cidadãos deseja fazê-lo, mas não consegue, em razão das imperfeições do processo democrático, ou a maioria de cidadãos não deseja materializá-las, não é verdade?

Defensor: Sua argumentação lógica agradaria um filósofo medieval. Sim, acho que você está certo até agora.

Crítico: Entretanto, se as imperfeições do processo democrático impedem que uma maioria de cidadãos implementem as condições necessárias para a igualdade política, o único meio de executá-las não seria por meio de algum processo não democrático? Da mesma forma, se uma maioria de cidadãos não quer criar as condições necessárias para o processo democrático, não será também verdade que as condições necessárias não podem ser criadas exceto por um processo não democrático?

Defensor: Suponho que assim seja, ao menos a curto prazo. A longo prazo, as crenças mudam. Mas acho que você construiu habilidosamente uma armadilha que irá pegar seu próprio argumento. Tomemos a primeira alternativa que você acaba de propor. Nesse caso, a minoria que é capaz de impedir a maioria de governar deve também se opor a uma democratização mais ampla. Assim, certamente não se pode contar com esses supostos guardiães para implementar a democracia num sentido maior. No segundo caso, a minoria favorável a uma democratização mais ampla teria de impor seu domínio à maioria relutante. Parafraseando Rousseau, a minoria teria de obrigar a maioria a ser livre. Mas num sistema democrático de modo geral, não vejo como isso seria politicamente viável. O resultado é que, ao mesmo tempo que você se saiu bem ao propor um problema, também bloqueou a possibilidade de uma solução viável.

Crítico: Agora, quem é o escolástico? Você acaba de provar, por raciocínio abstrato, que a Suprema Corte dos Estados Unidos não existe. Parabéns!

Defensor: Talvez não concordemos quanto a se a Suprema Corte realmente invalida meu argumento.

CRÍTICO: Estou certo de que discordamos nesse ponto. Mas se você está certo, isso não o deixa sem uma solução?

DEFENSOR: Não, eu ainda tenho duas. Em primeiro lugar, estou preparado para aceitar algumas falhas e violações como um preço tolerável a pagar pelo processo democrático, mesmo em sua materialização imperfeita. Você talvez chame isso de não solução, mas a sua não solução pode ser a minha solução. Em segundo lugar, há pouco, quando concordei com você quanto ao curto prazo, aventei a possibilidade de mudanças a longo prazo na opinião pública. Penso que a opinião pública nos países democráticos tende a rumar para um comprometimento cada vez mais inclusivo com ideias como a igualdade intrínseca e a igual consideração. As culturas democráticas possuem uma capacidade considerável de corrigir seus próprios defeitos. E, a longo prazo, a opinião geral é mesmo o que acaba por prevalecer nos países democráticos.

CRÍTICO: Vejo que as diferenças entre nós podem despertar juízos práticos quanto à viabilidade das soluções alternativas, e não mais questões teóricas. Mas ainda temos o terceiro tipo de falha a considerar: o dano a um interesse, bem ou direito fundamentais que não são intrínsecos ao processo democrático nem essenciais para seu funcionamento adequado.

Interesses não essenciais para o processo democrático

No capítulo anterior, o Defensor argumenta que pessoas como o Crítico, que insistem que os resultados substantivos devem ter prioridade sobre o processo democrático, precisam explicar como eles sabem quais deveriam ser esses resultados. As observações do Defensor suscitam três questões. A primeira é epistemológica. Como podemos *saber* quais são os interesses de uma pessoa, particularmente os interesses "fundamentais"? A segunda questão é substantiva. É muito fácil falar levianamente de interesses tão fundamentais que eles devem ser invioláveis pelo processo democrático (ou qualquer outro processo), mas concretamente, *quais* são esses interesses e com que fundamento devemos justificar sua inviolabilidade? A terceira questão é procedimental ou institucional. Com que *processos* ou *instituições* podemos contar para melhor proteger esses interesses?

Como saber?

Um dos argumentos a favor do processo democrático assevera que a primeira questão não tem uma resposta racionalmente justificável. Ao mesmo tempo, todavia, ele tenta desarmar as potencialidades antidemocráticas dessa posição ao pressupor, como ponto de partida, que: (1) Se nenhuma pretensão moral é mais válida que outra, isso significa que todas essas pretensões estão em pé de igualdade. (2) Mas se todas as pretensões estão em pé de igualdade, isso significa que todas as pessoas que expressam pretensões diferentes também estão em pé de igualdade. Não seria sensato considerar alguém superior ou inferior a outrem com base em suas pretensões. (3) Por conseguinte, todos devem participar como iguais do processo de chegar a um consenso. (4) E, portanto, deve-se chegar às decisões que dependem de pretensões morais por um processo participativo que, ao menos idealmente, culminará num consenso[1].

Um defeito fatal numa argumentação desse tipo, como insistem alguns críticos do ceticismo moral completo, é que ela é autoderrotista. Se nenhuma pretensão moral é melhor que qualquer outra, (3) e (4), que certamente são pressupostos morais (ou dependem diretamente destes), também não o são. Em suma, por que as pessoas *devem* participar como iguais? Não seria também sensato dizer que, como nenhuma afirmação moral é superior a outra, afirmar (3) e (4) não é mais justificável do que afirmar que os mais fortes devem prevalecer?

Ainda assim, a questão persiste. Como podemos saber quais são os interesses de uma pessoa? Como o Crítico e o Defensor, eu rejeito a tese de que todas as pretensões à compreensão moral são inerentemente inválidas. Em vez disso, proponho a seguinte afirmação:

O interesse ou o bem de uma pessoa são qualquer coisa que essa pessoa escolheria com a compreensão mais plena possível da experiência resultante dessa escolha e de suas alternativas mais relevantes.

Dizer que é do interesse de *A* ter um julgamento justo em casos criminais equivale a dizer que se *A* compreendesse as consequências de ter ou não ter um julgamento justo, ele insistiria na sua realização.

O critério da compreensão esclarecida pode agora adquirir mais substância na medida em que interpretamos seu significado como o de que as pessoas que compreendem seus interesses no sentido estabelecido acima possuem uma compreensão esclarecida de seus interesses[2]. Ao dizer "compreensão mais plena possível" afastei-me deliberadamente do abismo de impossibilidade ao qual seríamos arrastados ao dizer "compreensão plena", uma vez que a compreensão plena presumivelmente exigiria que se vivesse a experiência real em si, bem como suas alternativas relevantes, o que é impossível antecipadamente num sentido estrito[3].

Mas será vazia essa definição? Se não é, como podemos aplicá-la a outra pessoa? Somente podemos fazê-lo por um processo de simpatia esclarecida, por meio do qual tentamos apreender os desejos, vontades, necessidades e valores de outros seres humanos e, por experimentos do pensar, tentamos imaginar o que eles escolheriam fazer se compreendessem as consequências de suas escolhas. Na medida em que formos bem-sucedidos nesse esforço, possuiremos uma compreensão esclarecida dos interesses dos outros. Todavia, uma vez que nós próprios somos limitados em nossa própria compreensão, nossos experimentos do pensar são inerentemente imperfeitos – baseados em nosso próprio conhecimento inadequado e deturpados por nossas próprias visões, convicções e paixões. Até mesmo nossa compreensão esclarecida é falível.

Será que deveríamos rejeitar a ideia de simpatia esclarecida por causa de sua inevitável falibilidade? Acaso a simpatia esclarecida nos obriga a fazer juízos que, de toda forma, são impossíveis de fazer? O fato é que realmente fazemos juízos quanto aos interesses dos outros. Além disso, fazemos distinções entre juízos razoáveis e insensatos sobre os interesses dos outros. Como poderíamos justificar a autoridade dos pais se acreditássemos que é impossível para os pais fazer juízos melhores sobre os interesses das crianças que elas próprias? Ao fazer esses juízos, pressupomos que podemos fazer uso da simpatia esclarecida. Também pressupomos que podemos fazê-lo quando, por exemplo, tentamos julgar se certos adultos são tão incapazes de cuidar de seus próprios interesses básicos que devam ser entregues aos cuidados de uma autoridade paternalista. Também utilizamos a simpatia esclarecida *post hoc* a fim de julgar se aqueles encarregados da autoridade paternalista utilizaram apropriadamente a sua autoridade ou abusaram dela. Presumivelmente, também, utilizamos a simpatia esclarecida quando tentamos dissuadir outros adultos – um parente ou um amigo, talvez – de embarcar num curso de ação do qual acreditamos que irá se arrepender. A não ser que deformemos monstruosamente nossas qualidades comuns, cotidianas, feijão com arroz, não podemos deixar de fazer juízos sobre os interesses de outros ou rejeitar a simpatia esclarecida como um meio de fazê-lo.

O que acabei de dizer pretende ser uma solução para o problema epistemológico dos interesses: como saber quais são eles? Podemos nos perguntar como essa solução influencia a Presunção de Autonomia Pessoal, a qual, como observei anteriormente, não é um pressuposto epistemológico, e sim uma regra de prudência a ser utilizada na tomada de decisões coletivas. Mas suponhamos que tivéssemos certeza de que todos os cidadãos, nas decisões coletivas, realmente baseiam seus juízos numa compreensão esclarecida de seus interesses, incluindo sua preocupação com os outros e com sua comunidade. Como, então, nos seria possível justificar a afirmação de que o que *A* está escolhendo não é de seu melhor interesse? Fazer isso implicaria o pressuposto de que possuímos um conhecimento privilegiado e não acessível a A de um padrão absoluto e independente da própria compreensão esclarecida de A quanto a seus desejos, vontades, necessidades e valores ideais. Mas como já afirmei, no século passado todas as tentativas de provar tal afirmação ruíram sob o ataque de seus críticos. Em face do pressuposto da compreensão esclarecida, jamais se poderia justificar um apelo além dos próprios juízos de A a uma corte superior de juízes independentes armados de um conhecimento supremo do bem de A.

Por outro lado, porém, se não podemos pressupor que todos os cidadãos são guiados por uma compreensão esclarecida de seus interesses, a pretensão à autonomia pessoal em determinar o que é melhor para si não pode exatamente ser tratada como um princípio epistemológico. E precisamente porque não podemos pressupor que os cidadãos são invariavelmente guiados por uma compreensão esclarecida de seus interesses é que o pressuposto da autonomia pessoal nas decisões coletivas não é um pressuposto epistemológico, e sim uma regra de prudência.

Que interesses são superiores ao processo democrático?

Que interesses, portanto, podem ser justificadamente afirmados como invioláveis pelo processo democrático ou, que seja, qualquer outro processo para a tomada de decisões coletivas? Parece-me altamente razoável argumentar que *nenhum* interesse deve ser inviolável exceto aqueles intrínsecos ou essenciais ao processo democrático. Um povo democrático não invadiria essa ampla esfera a não ser por engano; e tal povo talvez optasse por criar salvaguardas institucionais desenhadas para evitar a ocorrência de enganos. Mas fora dessa ampla esfera, um povo democrático poderia escolher livremente as políticas que seus membros julgassem melhores; poderiam decidir qual seria o melhor modo de equilibrar a liberdade e o controle, resolver os conflitos entre os interesses de uns e os de outros, organizar e controlar sua economia e assim por diante. Em suma, a esfera apropriada para as decisões políticas situar-se-ia fora dos interesses invioláveis de um povo democrático na preservação do processo democrático. Por meio do processo democrático e de todos os requisitos desse processo, os cidadãos maximizariam sua liberdade coletiva para decidir as leis e os princípios sob os quais desejassem viver.

É bastante natural que *A* sinta que todos os *seus* interesses e objetivos mais preciosos devam ser invioláveis. E que *B* se sinta assim. E *C*... É provável que os membros de um grupo altamente privilegiado afirmem que seus interesses certamente devem ser invioláveis, particularmente porque, a seu ver, seus interesses coincidem com os interesses da sociedade como um todo. Não chega a surpreender, portanto, que muitas vezes se afirme que os direitos de propriedade têm precedência sobre o processo democrático ou são superiores a ele. Os membros de um grupo desfavorecido podem também afirmar uma pretensão a um interesse superior que deveria ser promovido por outros meios se o processo democrático fracassar em fazê-lo.

Como insiste o Defensor, ao proteger ou promover os interesses de algumas pessoas, as decisões coletivas geralmente ferem os interesses de outras. As decisões quanto aos assuntos públicos são, em grande parte, decisões quanto à distribuição de custos e ganhos, benefícios e danos. Nesses embates, é altamente vantajoso para qualquer grupo conseguir pôr seus interesses acima do alcance das decisões coletivas ou, caso isso não seja possível, ao alcance de um corpo de pessoas responsáveis pela tomada de decisões, as quais estão fora do alcance do processo democrático. Mas, em razão do amplo leque de direitos, interesses, bens e proteções embutidos no processo democrático, como podemos justificar razoavelmente ir além do alcance desse processo?

Embora essa visão me atraia, ela deixa em aberto uma questão perturbadora. Acaso podemos dizer verdadeiramente que os seres humanos não possuem interesses invioláveis além de seu direito ao processo democrático e de tudo que é essencial a ele? Por exemplo, não é fato que todos têm o direito a um julgamento justo nos casos criminais? Se assim é, acaso esse direito não deveria ser inviolável até mesmo pelo processo democrático? Essas questões nos remetem, numa volta quase completa, à terceira questão que propus há pouco. Se certos direitos ou interesses deveriam ser tratados como invioláveis e, portanto, superiores ao processo democrático em si, com que processo ou instituições melhor se pode contar para protegê-los?

Essa questão lança a argumentação num território completamente diferente. Devido ao fato de que agora nos deparamos com um conflito entre direitos fundamentais, precisamos encontrar um processo para resolver esse conflito. Se as pessoas possuem um direito fundamental ao autogoverno, não seria errado prejudicar esse direito pela imposição de restrições ao escopo do processo democrático, além dos requisitos do processo em si? Quando o direito ao processo democrático entra em conflito com outro direito fundamental, que processo deve ser utilizado na resolução do conflito? Oferecer uma resposta puramente filosófica, tal como afirmar que um deve ser equilibrado com o outro, não é o suficiente. Deve-se lidar com o conflito (eu não disse resolver) por algum tipo de processo de tomada de decisões – um processo "político" no sentido amplo do termo. E, presumivelmente, esse processo estaria embutido nas instituições políticas.

Dessa forma, o que começa com uma colocação da substância como alternativa ao processo deve, mais cedo ou mais tarde, transformar-se em juízos práticos sobre os processos alternativos viáveis.

Alguns processos

A partir das distinções feitas pelo Defensor e pelo Crítico, podemos imaginar que o processo democrático pode ferir três tipos de interesses: interesses intrínsecos ao processo democrático, interesses não intrínsecos a ele mas necessários para seu funcionamento e interesses e não intrínsecos a ele nem tampouco necessários para seu funcionamento. Que espécie de arranjos institucionais podem ser adotados a fim de prevenir violações desses tipos de interesses? Proponho que examinemos quatro soluções gerais.

Se quatro soluções podem ser adotadas para lidar com três tipos de violações possíveis, formalmente temos ao menos doze arranjos possíveis. Apesar dessa superabundância de possibilidades em nosso universo teórico, o fato de que cada uma dessas soluções é de caráter geral e, além disso, não talhada para uma situação concreta oferece motivos para pensar que soluções específicas dependerão menos de considerações teóricas que de juízos práticos a respeito do que é apropriado para um país em particular, em razão de sua cultura política, seu desenvolvimento histórico e sua estrutura constitucional. Os princípios gerais não podem nos levar muito longe e estamos nos aproximando rapidamente dos limites de sua utilidade. Portanto, meu objetivo agora é apontar as quatro soluções gerais e mencionar alguns dos problemas associados a cada uma delas.

Os críticos que insistem na primazia dos resultados substantivos sobre o processo democrático tendem a pressupor que, como o processo democrático não pode garantir os resultados desejados por eles, ele deve, portanto, ser substituído por uma alternativa, a qual tem de ser necessariamente uma alternativa não democrática. Mas como observou o Defensor no capítulo anterior, essa conclusão é injustificada, já que a melhor solução pode, às vezes, ser a melhoria do processo democrático. Quero, portanto, mencionar três soluções democráticas e uma solução alternativa não democrática.

Expansão ou redução do demos

Em certas circunstâncias, as violações dos direitos ou interesses fundamentais podem ser minimizadas por uma mudança na composição do corpo de cidadãos, seja pela inclusão ou pela exclusão, por um aumento ou por uma redução desse corpo de cidadãos. Como parto do princípio de que o processo democrático já existe, o problema não poderia ser resolvido por um aumento do corpo de cidadãos; pois uma minoria cujos direitos fossem transgredidos por leis adotadas por uma maioria já estaria, em princípio, incluída no *demos*. Não obstante, vale a pena fazer uma pausa para tomar nota do fato de que provavelmente as piores invasões de direitos fundamentais, incluindo, é claro, os próprios direitos políticos primários, ocorrem quando aqueles que estão sujeitos às leis do *demos* são excluídos dele. Nesses casos, ampliar o processo democrático é, com frequência, exatamente a solução correta: permitir que o *demos* se expanda a ponto de incluir aqueles que são excluídos e, no entanto, prejudicados por certas leis às quais estão sujeitos. Ao exercer seus direitos políticos, os membros recém-incluídos podem agora conseguir modificar as leis danosas aos seus direitos fundamentais.

Mas suponhamos que os cidadãos prejudicados sejam uma minoria e que a maioria não reaja a isso? Às vezes, a solução reside em permitir que tal minoria forme sua própria unidade democrática. Essa solução pode ser apropriada quando a minoria é bem definida, quando o conflito entre a maioria e a minoria é persistente e quando o princípio majoritário permite que a maioria infrinja certos direitos que a minoria considera serem de extraordinária importância. Numa unidade democrática à parte, os membros da antiga minoria podem agora governar a si mesmos sem infringir o princípio majoritário, o qual eles podem, se assim quiserem, aplicar a si próprios. Quanto aos membros da antiga maioria, eles continuam a se governar, mas não governam mais a minoria, agora autônoma. Num dos extremos, essa solução pode exigir a independência total: um Estado passa a ser dois. No outro extremo, apenas a autoridade sobre certas questões específicas é descentralizada: por exemplo, a maioria e a minoria formam governos locais separados, com uma autoridade rigidamente limitada.

Essa solução não somente é perfeitamente compatível com o processo democrático como também, ao fazer com que seja possível para mais cidadãos realizar seus objetivos e escolher suas próprias leis, ela também aumenta a liberdade e a autodeterminação. No entanto, os laços emocionais – os sentimentos de nacionalismo, por exemplo – podem impedir que a maioria aceite essa solução. Além disso, ela não seria necessariamente uma solução desejável se a liberdade conquistada pelo novo *demos* – a antiga minoria – lhe permitisse agir de modo prejudicial ao bem da maioria agora excluída do *demos* menor.

Procedimentos de votação, eleitorais e legislativos

Às vezes, a melhor solução pode ser criar procedimentos de votação, eleitorais ou legislativos que protejam os interesses de uma minoria ou das minorias de forma geral.

Como observamos no capítulo 10, a afirmação de que o domínio da maioria no sentido estrito é o único princípio para a tomada de decisões compatível com o processo democrático e seus pressupostos é altamente suspeita. Ademais, uma variedade de arranjos de votação, cada qual com consequências bem diferentes, pode, com razão, pretender conquistar a igualdade política[4]. Sem dúvida, ainda é preciso enfrentar a questão crucial da qual trataremos no capítulo seguinte, uma questão que jaz, implícita, na solução que propõe uma mudança de unidade: a maioria de qual unidade? Como os critérios do processo democrático não estabelecem somente um arranjo de procedimentos de votação e eleição, estes criam um terreno fértil em oportunidades para minimizar as violações dos interesses fundamentais, sem que isso prejudique o processo democrático.

O mesmo ocorre com os procedimentos legislativos. Para os corpos democráticos, é prática comum a autoimposição de procedimentos que ajudem a garantir que eles ajam cuidadosamente, e não apressadamente; com sabedoria, e não inconsequentemente. Esses procedimentos muitas vezes delegam a alguma minoria a autoridade de barrar, adiar ou modificar o que do contrário seria sancionado por um domínio da maioria livre e desimpedido. Com uma aceitação da obrigação moral de respeitar certos direitos fundamentais, uma sensibilidade às suas próprias fragilidades e uma preocupação quanto à possibilidade de agir insensatamente, um *demos* poderia, portanto, adotar procedimentos desse tipo como uma forma de proteger os direitos fundamentais.

A experiência sugere uma série de possibilidades. Embora na maior parte das poliarquias de hoje as segundas câmaras sirvam principalmente para retificar erros em medidas aprovadas pela outra casa, uma segunda câmara que represente ou reflita interesses diferentes dos interesses da primeira às vezes tem sido recomendada, como o foi na Convenção Constitucional Americana, como um bastião dos direitos da minoria e uma barreira à tirania da maioria. O mesmo ocorre com o veto qualificado que é privilégio do chefe do executivo em muitas constituições. As regras de votação num corpo legislativo podem ter o mesmo objetivo: ao exigir uma maioria especial, como os dois terços, os procedimentos garantem à minoria o poder de vetar uma legislação que considere objetável.

Arranjos como esse podem ser a melhor solução, seja ou não viável ou desejável resolver o problema através da expansão do *demos* ou da mudança da unidade democrática. Pois se o *demos* efetivamente retém a autoridade final sobre seus próprios procedimentos, estes não violam os critérios democráticos. Com efeito, eles podem ajudar a satisfazer o critério da compreensão esclarecida ao tornar mais provável que a maioria compreenda melhor as consequências de suas ações antes de finalmente decidir sancionar e executar uma lei, curso de ação política ou princípio.

Na prática, porém, arranjos como esse trazem em seu bojo dois sérios riscos. O primeiro é que é praticamente impossível garantir que esses arranjos especiais sejam empregados pela minoria somente para proteger seus direitos fundamentais. Geralmente, os arranjos garantem a alguma minoria o poder de modificar as decisões da maioria em questões de *cursos de ação política*, de um modo que uma maioria de cidadãos não escolheria se pensasse bem; ou os arranjos são utilizados para proteger os direitos das minorias à custa dos direitos igualmente válidos, ou superiores, das maiorias. Muitos dos criadores da Constituição Americana, por exemplo, parecem ter acreditado que, para preservar os direitos fundamentais, o presidente precisava ter poder de veto sobre a legislação aprovada pelo Congresso, veto esse que só poderia ser derrubado por uma maioria de dois terços em cada casa. Mas, desde o princípio, os presidentes americanos têm utilizado regularmente seu poder para vetar *cursos de ação política* que desaprovam; ninguém contesta a utilização do veto presidencial exclusivamente nos casos em que fica comprovado que a legislação transgrediu direitos fundamentais – e, com efeito, é provável que ninguém, hoje, conteste que o presidente deve fazê-lo. Da mesma forma, argumentou-se na convenção e também mais tarde que, a fim de proteger os direitos das minorias, cada estado deveria ser representado igualmente no Senado, embora esse requisito necessariamente signifique uma representação desigual para os cidadãos individuais. Entretanto, o peso adicional dado aos estados pequenos em relação à sua população raramente serviu, se é que serviu, para proteger os direitos políticos ou sociais primários.

O segundo defeito grave desses procedimentos é que, na prática, costuma ser extraordinariamente difícil para a maioria alterá-los quando a minoria abusa do poder à sua disposição graças aos procedimentos especiais. Por exemplo, as regras do Senado dos Estados Unidos dificultam e, por muitos anos, praticamente impossibilitaram a interrupção de debates infindáveis. Alguns senadores determinados e dotados do fôlego necessário não apenas conseguiam vetar a legislação apoiada pelo presidente, por uma grande maioria de senadores, pela Câmara e pelo país, mas também conseguiam impedir mudanças reparadoras nos procedimentos em si. Contrariando o argumento de que o direito ao debate ilimitado é essencial para a proteção dos direitos fundamentais, o debate no Senado foi usado durante várias gerações para impedir a aprovação de uma legislação destinada a proteger os direitos fundamentais dos negros. No entanto, as próprias regras que permitiram a uma minoria de senadores derrotar a legislação de direitos civis apoiada por uma maioria – por vezes, esmagadora – de senadores também foram utilizadas para derrotar as propostas majoritárias que alterariam as regras.

Assim, um dos problemas com os procedimentos especiais é que raramente se pode esperar que eles funcionem como deveriam a ponto de ser aceitáveis de acordo com os critérios democráticos, ou seja, a ponto de garantir a delegação mas impedir a alienação do controle final pelo *demos*. Se os procedimentos especiais realmente satisfazem os critérios democráticos, se o controle final da agenda é mantido pelo *demos* ou por uma maioria de seus membros, pode-se afirmar que, num sentido estrito, os procedimentos especiais não resolvem o problema com o qual nos defrontamos no início: como proteger os direitos e interesses fundamentais de violações, se esses direitos ou interesses forem transgredidos pelo processo democrático.

A evolução da opinião pública

Se nem as mudanças feitas no *demos*, nem a designação de procedimentos especiais de votação, eleitorais ou legislativos forem suficientes, uma outra solução possível talvez fosse contar com a evolução da opinião pública. Nosso Crítico sem dúvida rejeitaria essa ideia imediatamente, afirmando que, por ser ela o problema, a opinião pública não poderia ser a solução. Mas esta conclusão seria muito apressada.

Mais adiante, nos capítulos 17 e 18, veremos como e por que a tentativa de aplicar o processo democrático à grande escala do Estado-nação às vezes foi bem-sucedida e às vezes fracassou. Em alguns países, as instituições da poliarquia evoluíram de maneira mais ou menos estável, criaram raízes e resistiram. Encontramos esse grupo de cerca de vinte países num capítulo anterior, no qual eles foram denominados poliarquias estáveis. Na maioria dos países, ao contrário, a poliarquia não se desenvolveu. Em alguns países, nos quais as instituições se desenvolveram recentemente, elas continuam precárias e incertas. Em outros, elas nasceram e depois desmoronaram, com alguns casos de regeneração.

No desenvolvimento histórico do primeiro grupo, as poliarquias estáveis, podemos detectar um padrão, *grosso modo*, na evolução da opinião pública – uma evolução sem a qual, é importante ressaltar, a poliarquia estável não poderia ter se desenvolvido (o que ofereço agora pretende ser uma explicação empírica despretensiosa, não uma argumentação normativa). A experiência desses países revela que, com o passar do tempo, a proteção dos direitos e interesses fundamentais é aprofundada e expandida, e que violações anteriormente apoiadas pela opinião pública provam ser, com o tempo, inaceitáveis. Nesse sentido, a Ideia da Igualdade Intrínseca, a qual exige uma consideração igual dos interesses de todos os que estão sujeitos às leis, gradualmente ganhou força como elemento do consenso institucional e da cultura política. Ao dizer isso, não pretendo ignorar as inadequações e violações do princípio, a morosidade frustrante com que as injustiças graves são corrigidas e os ocasionais movimentos regressivos. Mas numa visão panorâmica, o movimento histórico geral nesses países tem sido rumo a uma expansão das proteções institucionais de muitos direitos e interesses fundamentais. Se assim não fosse, eles jamais teriam se tornado poliarquias, muito menos poliarquias estáveis. Mas a evolução não parou com os direitos e oportunidades necessários às instituições da poliarquia; ao contrário, ela continua e agora inclui direitos e garantias sociais e econômicos, além de muitos outros direitos e interesses (ver Marshall 1950 para o Reino Unido).

Não quero, com isso, dar a entender que essa evolução não resulte de nada além de um debate filosófico bem-comportado. Ao contrário, ela resulta de muita luta e contestação, muitas vezes demoradas e às vezes entremeadas de violência e ameaças à estabilidade da própria poliarquia (ou da poliarquia emergente). Nesse processo de luta e contestação, a crença na igualdade intrínseca e no direito à igual consideração lança raízes cada vez mais profundas; as discriminações de todos os tipos são cada vez mais rechaçadas;

o que é aceito como uma distinção adequada por uma maioria de cidadãos num momento passa a ser percebido como algo arbitrário e injusto por uma maioria posterior, possivelmente uma maioria contida num *demos* que se expandiu, graças a batalhas prévias e bem-sucedidas pelo direito de voto, a ponto de incluir aqueles cujos direitos haviam sido transgredidos até então.

A história, portanto, fundamenta consideravelmente o argumento de que, com o tempo, a opinião pública num país de cultura democrática pode, de modo geral, corrigir os desrespeitos gritantes à igual consideração de interesses. No entanto, é improvável que nosso Crítico seja convencido de que a evolução lenta da opinião pública num país democrático é garantia suficiente. E se não for, e se as outras soluções democráticas forem insuficientes também, devemos nos voltar para soluções não democráticas.

Quase guardiania

Quando os direitos e interesses democráticos não podem ser adequadamente protegidos por meios compatíveis com o processo democrático, a alternativa que resta é garantir sua proteção por autoridades não sujeitas ao processo democrático. Porque essas autoridades tomariam suas decisões dentro do contexto de um sistema democrático de modo geral, porém não seriam democraticamente controlados, elas podem ser chamadas quase guardiães. A forma mais comum de quase guardiania nos países democráticos é um judiciário com autoridade final sobre certas proteções substantivas e procedimentais. O caráter definitivo da decisão judicial deriva normalmente de sua autoridade para declarar inconstitucional a legislação sancionada pelo parlamento – o denominado "controle judicial de constitucionalidade". Treze das vinte e uma poliarquias estáveis têm alguma forma de controle judicial de constitucionalidade (cf. tabela 11.1, supra).

Provavelmente o exemplo mais conhecido da solução da quase guardiania judicial é o judiciário federal norte-

-americano, em particular a Suprema Corte dos Estados Unidos, que desde 1803 tem afirmado, com sucesso, sua pretensão à autoridade para declarar a inconstitucionalidade, e, portanto, a ilegalidade e a nulidade das leis. Em nenhum outro país democrático os tribunais são um instrumento tão eficaz para a imposição de decisões coletivas quanto as cortes federais nos Estados Unidos. Em outras partes do mundo, embora as cortes possam ser constitucionalmente habilitadas para exercer o controle da constitucionalidade, elas costumam ser mais cuidadosas quanto à derrubada de leis sancionadas pelo parlamento. Para proteger os direitos e interesses fundamentais, os cidadãos na maioria das poliarquias estáveis quase sempre contam com o processo democrático conforme é refletido no parlamento, nas eleições e, por vezes, nos plebiscitos nacionais.

Acostumados que estão ao papel crucial das cortes, a maioria dos americanos, inclusive a maioria dos juristas[5], tende a tomar como ponto pacífico o fato de que um judiciário vigilante, capacitado para derrubar políticas nacionais adotadas pelo poder legislativo nacional e pelo executivo, bem como disposto a fazer isso, é essencial para a preservação dos direitos fundamentais. Mesmo se confrontados com o fato de que existem poliarquias estáveis sem controle judicial de constitucionalidade, desconfio que muitos americanos bem informados tenderiam a argumentar que a solução americana deveria ser vista, não como algo único, mas como uma solução geral para o problema da proteção dos direitos e interesses invioláveis. Quão satisfatória, portanto, é a solução da quase guardiania pelo judiciário?

As experiências americana e comparativa, bem como algumas considerações mais gerais, me parecem justificar os seguintes juízos sobre a quase guardiania como uma solução geral.

1. Há, necessariamente, uma razão inversa entre a autoridade dos quase guardiães e a autoridade do *demos* e de seus representantes. Se a autoridade dos quase guardiães fosse abrangente, o *demos* poderia abrir mão do controle da agenda de assuntos públicos e o processo democrático seria

esvaziado. Ainda que a autoridade dos guardiães ficasse restrita somente a certas questões de direitos e interesses fundamentais, nessas questões, o *demos* necessariamente abriria mão do seu controle. Em questões de alcance mais restrito, a razão inversa ainda seria válida: quanto mais amplo o escopo de direitos e interesses sujeitos a uma decisão final pelos quase guardiães, mais estreito deve ser o escopo do processo democrático. Ademais, mesmo dentro de um escopo restrito, o poder dos quase guardiães pode ser mais que meramente negativo, mais que um veto de leis inconstitucionais. Como demonstra a experiência da Suprema Corte (no fim da segregação nas escolas, por exemplo), ao procurar executar direitos e interesses superiores, uma corte pode julgar necessário ir além das meras restrições negativas e tentar estabelecer políticas positivas, às vezes muito detalhadas. Do veto à execução de cursos de ação política que ela decide serem danosos aos direitos fundamentais, uma corte pode ser impelida a passar à imposição de medidas que ela julgue necessárias para os direitos fundamentais e o bem comum. Quanto mais amplo o escopo dos direitos e interesses que os quase guardiães estão autorizados a proteger, mais eles devem assumir a função de criar legislação e cursos de ação política.

2. Nos sistemas federalistas, uma solução convencional é uma corte superior com autoridade para derrubar leis das unidades federais inferiores que violem a constituição nacional. Porém, somente uma minoria de poliarquias estáveis são federalistas; a maioria substancial é unitária. Em cerca de metade dos sistemas unitários, nega-se ao judiciário a autoridade de declarar institucionais as leis aprovadas pelo parlamento nacional[6]. Até mesmo num sistema federalista pode-se negar às cortes o poder de declarar institucionais as leis aprovadas pelo parlamento nacional; sua autoridade para tanto pode ser restrita somente às leis aprovadas pelas unidades inferiores. Tal é, na verdade, a solução adotada pelos suíços (Codding 1961, 33, 105-6, 112).

3. Demonstrar que um judiciário com poder para vetar leis aprovadas pelo poder legislativo *nacional* é essencial para

a proteção dos direitos fundamentais nas ordens democráticas exigiria que se demonstrasse uma destas duas coisas: ou os países democráticos nos quais as cortes não detêm tais poderes não são realmente democráticos ou, de qualquer forma, não são tão democráticos quanto os Estados Unidos; ou, nesses países, os direitos fundamentais são menos protegidos que nos Estados Unidos. Ninguém demonstrou ainda que países como a Holanda e a Nova Zelândia, que não têm o controle judicial da constitucionalidade, ou a Suíça, onde aquele pode ser aplicado apenas à legislação cantonal, são menos democráticos que os Estados Unidos. Tampouco creio que alguém possa vir a fazê-lo com razão.

4. Também ainda não foi demonstrado que os direitos e interesses fundamentais são mais bem protegidos nas poliarquias com quase guardiania judicial que nas poliarquias sem isso. Presumivelmente, num país sem quase guardiães, o *demos* e seus representantes teriam de exercer um grau maior de autocontrole. Em tal país, um direito ou interesse fundamental teria de ser reconhecido como uma norma, e esta teria de ser executada por processos sociais e políticos, e não por restrições legais impostas ao parlamento por guardiães judiciais. Ao longo do tempo, a cultura política pode chegar a incorporar a expectativa de que se possa contar com os guardiães judiciais para aparar as violações dos direitos fundamentais, assim como um maior autocontrole por parte do *demos* e de seus representantes pode tornar-se uma norma mais robusta na cultura política das poliarquias sem guardiania judicial.

5. A julgar por toda a história do controle judicial da constitucionalidade nos Estados Unidos, os guardiães judiciais não oferecem, na verdade, muita proteção para os direitos fundamentais perante as transgressões contínuas por parte do *demos* nacional e de seus representantes. A reputação da Suprema Corte dos Estados Unidos em agir assim baseia-se, principalmente, num período de ativismo judicial que teve início em 1954, quando a Corte era comandada pelo juiz-presidente Warren. No entanto, a maior parte dos casos famosos da Corte Warren envolveram leis estaduais ou locais, e não atos do Congresso.

Contra essas decisões, há um número substancial de casos nos quais a Corte utilizou a proteção da Declaração de Direitos, ou as emendas constitucionais sancionadas após a Guerra Civil para proteger os direitos dos negros recém-libertos, não para preservar os direitos daqueles que eram fracos demais politicamente para proteger-se através da política eleitoral, mas o exato oposto. Os vitoriosos foram, principalmente, os proprietários de escravos à custa dos escravos, os brancos à custa dos não brancos e os proprietários à custa dos assalariados e de outros grupos. Ao contrário de alguns casos relativamente sem importância mencionados há pouco, todos esses casos envolviam direitos e interesses de importância genuinamente fundamental, nos quais um curso de ação política em outra direção teria representado mudanças básicas na distribuição de direitos, liberdades e oportunidades nos Estados Unidos.

6. O fato de que, apesar de sua reputação, a Suprema Corte americana não tem atuado regularmente como um baluarte contra as violações dos direitos e interesses fundamentais pela legislação congressional (como algo distinto das leis estaduais e municipais) é explicado por um fato de grande relevância para os assuntos mais amplos da quase guardiania: a Suprema Corte invariavelmente torna-se parte de qualquer coalizão política que obtenha sistematicamente maiorias nas eleições nacionais. Juristas reconhecidamente opostos ao perfil básico de um presidente ou de uma maioria de senadores não são nomeados pelo presidente e confirmados pelo Senado. Assim, os pontos de vista de uma maioria de juízes da Suprema Corte nunca estão fora de sintonia com os pontos de vista predominantes entre as maiorias legislativas do país por muito tempo. É muito pouco realista supor que as coisas poderiam ser diferentes. Os quase guardiães da Suprema Corte raramente sustentam por mais de alguns anos uma postura contra cursos de ação política importantes buscados por uma maioria legislativa. O que a experiência americana indica, portanto, é que, num país democrático, empregar os quase guardiães para proteger os direitos fundamentais contra transgressões pelo po-

der legislativo nacional (como algo distinto das assembleias legislativas estaduais, provinciais, cantonais ou municipais) não é algo que ofereça uma alternativa promissora aos processos democráticos, exceto, talvez, a curto prazo.

É fácil ver por quê. Os quase guardiães encontram-se tão isolados da opinião pública predominante e conseguem mobilizar recursos tão significativos para a coerção que eles conseguem impor seus pontos de vista, apesar da oposição das maiorias eleitorais nacionais e de seus representantes, ou eles não conseguem – nesse caso, o máximo que podem fazer é lutar na retaguarda, adiando a ação até serem esmagados pela coalizão dominante de funcionários eleitos nacionalmente. Será a primeira explicação politicamente possível em qualquer país democrático? A experiência americana mostra que não[7]. E ainda que fosse possível, a legitimidade dos quase guardiães não seria, em última instância, solapada? Por outro lado, se a função dos quase guardiães é apenas a de adiar mudanças nas políticas nacionais, certamente seria possível conceber um meio mais viável e menos arbitrário de fazê-lo[8].

7. Se, não obstante, a solução da quase guardiania judicial for adotada, pode-se torná-la compatível com o processo democrático se a autoridade dos guardiães judiciais for restrita o suficiente. Para observar como o controle judicial de constitucionalidade e o processo democrático poderiam se reconciliar, precisamos considerar uma vez mais a distinção entre os interesses ou direitos intrínsecos ao processo democrático, aqueles que são externos, porém necessários a ele e aqueles externos e não necessários a ele, porém necessários para que a Ideia de Igualdade Intrínseca e o Princípio da Igual Consideração de Interesses possam ser respeitados. Os critérios para o processo democrático não especificam como o processo em si deve ser conduzido. Pois para uma corte, vetar leis que violassem os critérios em si não seria algo incompatível com estes critérios. Consequentemente, uma corte cuja autoridade para declarar leis como inconstitucionais fosse restrita aos direitos e interesses in-

trínsecos ao processo democrático seria totalmente compatível com o processo democrático[9].

À medida que nos afastamos da primeira categoria, o papel dos quase guardiães fica mais duvidoso. Mesmo assim, para um corpo independente, vetar leis que prejudicassem seriamente os direitos e interesses que, conquanto externos ao processo democrático, fossem comprovadamente necessários a ele não seria, aparentemente, algo que constituiria uma violação do processo democrático. Com a terceira categoria, porém, o conflito é irreconciliável. Uma vez que os direitos e outros interesses necessários para o processo democrático tenham sido efetivamente garantidos, quanto mais os quase guardiães estendem sua autoridade às questões substantivas, mais eles reduzem o escopo do processo democrático.

*

Que podemos concluir desse exame de arranjos alternativos para a proteção dos direitos e interesses fundamentais numa ordem democrática?

Constatamos que é errado apresentar o problema da proteção dos direitos e interesses fundamentais como se fosse uma questão de substância *versus* processo, de direitos e interesses fundamentais contra meros procedimentos. O processo democrático não somente pressupõe uma ampla série de direitos fundamentais: ele próprio é uma forma de justiça distributiva, já que influencia diretamente a distribuição de poder e autoridade sobre o governo do Estado e, por causa da importância das decisões tomadas pelo governo do Estado, também sobre outros bens substantivos.

Portanto, como pudemos observar, é um engano interpretar um conflito entre as pretensões substantivas e o processo democrático como um conflito entre direitos fundamentais de um lado e meros procedimentos do outro. Se tais conflitos ocorrem, eles são conflitos entre um direito ou interesse e um dos direitos mais fundamentais dos seres humanos, um direito tão básico que foi denominado inalienável: o direito das pessoas de governar-se.

Disso advém asseverar que um direito ou interesse particular deve ser inviolável pelo processo democrático não é, como já se disse, afirmar um direito contra "o Estado", como se "o Estado" fosse qualquer Estado. Na verdade, é afirmar um direito contra o processo democrático no governo de um Estado democrático, presumivelmente um bom Estado, portanto, e possivelmente o melhor tipo de Estado viável.

Além do mais, seria errado limitar o processo democrático somente porque ele pode ser, ou de fato é, empregado para prejudicar direitos e interesses fundamentais. Haja vista que qualquer limitação dessa espécie exigiria um processo alternativo para a tomada de decisões coletivas e presumivelmente, portanto, um processo não democrático. Seria errado para o processo democrático violar um direito ou interesse fundamental; assim, também seria errado para qualquer outro processo fazer o mesmo. Portanto, o processo democrático não deve ser substituído por um processo não democrático a não ser que (no mínimo) seja demonstrado de maneira convincente que, a longo prazo, o processo não democrático será superior ao processo democrático.

É enganoso sugerir que haja uma solução universalmente melhor para o problema de como proteger os direitos e interesses fundamentais numa poliarquia. Embora os juristas americanos costumem pressupor que a solução deva incluir uma corte suprema com autoridade para vetar uma legislação nacional que viole os direitos e interesses fundamentais, tal sistema de quase guardiania não é necessário nem suficiente, como mostra o caso americano. Na ausência de uma solução universalmente melhor, soluções específicas precisam ser adaptadas às condições e experiências históricas, à cultura política e às instituições políticas concretas de um país em particular. A quase guardiania sob a forma de uma corte suprema com o poder de controle judicial de constitucionalidade é uma solução que os americanos aceitaram como algo desejável. Ela não se mostra desejável de maneira geral para todas as poliarquias. Obviamente, portanto, para tomar uma decisão sensata quanto às ponderações, há necessidade não apenas de uma avaliação empírica das consequências prováveis dos processos alternativos no contexto concreto de um país em particular, mas também de um juízo quanto ao peso relativo a ser atribuído ao processo democrático, em comparação com outros valores.

Devem-se exigir provas muito convincentes, portanto, para que o processo democrático possa ser substituído pela quase guardiania. E será necessário demonstrar que o processo democrático não conseguiu dar uma igual consideração aos interesses de alguns dos que estão sujeitos às suas leis; que os quase guardiães irão fazer isso; e que o dano causado ao direito à igual consideração supera o dano causado ao direito de um povo de governar-se.

Esse juízo deve depender, em parte, de como se concebem as potencialidades para a responsabilidade moral e o crescimento coletivos numa boa ordem política. Se boa ordem política exige que o *demos* não deva, em circunstância alguma, ter a oportunidade de errar, ao menos no que tange aos direitos e interesses fundamentais, pode surgir a tentação de supor que o *demos* e seus representantes devem ser restringidos pelos quase guardiães que, como verdadeiros guardiães, possuem conhecimento e virtude superiores. Todavia, se a melhor ordem política é aquela na qual os membros ganham, individual e coletivamente, maturidade e responsabilidade ao enfrentar escolhas morais, isso significa que eles devem ter a oportunidade de agir com autonomia. Assim como a autonomia individual necessariamente inclui a oportunidade de errar, bem como a de agir corretamente, isso também se aplica a um povo. Na medida em que um povo é privado da oportunidade de agir com autonomia e é governado por guardiães, ele tem menos probabilidade de desenvolver um senso de responsabilidade por suas ações coletivas. Na medida em que é autônomo, ele pode às vezes errar e agir injustamente.

O processo democrático é uma aposta nas possibilidades de que um povo, ao agir com autonomia, aprenderá a agir com justiça.

Capítulo 14
Quando um povo tem direito ao processo democrático?

A afirmativa de que todas as pessoas – todos os adultos, pelo menos – têm direito ao processo democrático exige que se responda a uma questão anterior. Quando um grupo de pessoas constitui uma entidade – "um povo" – com o direito de se governar democraticamente?

Na medida em que as pessoas que compõem um sistema político são reunidas de um modo injustificável, o valor da democracia para esse sistema é reduzido. Se a Costa Rica fosse anexada à força pelos Estados Unidos e obrigada a tornar-se o quinquagésimo-primeiro estado, por que deveria o povo da Costa Rica – ou nós, como juízes externos – valorizar sua nova democracia federativa tanto quanto o sistema democrático independente que tinham antes? E o princípio do domínio da maioria, como observei anteriormente, pressupõe que a unidade em si é apropriada para o domínio da maioria. Quando a unidade dentro da qual o domínio da maioria funciona é injustificável, o domínio da maioria é injustificável nessa unidade. Será que uma maioria de cidadãos dos Estados Unidos teria o direito de decidir cursos de ação política para a Costa Rica se eles fossem coagidos a se tornar cidadãos de um quinquagésimo primeiro estado?

Na maior parte das vezes, os teóricos democratas ignoraram essas questões intrigantes e difíceis ou ofereceram respostas fáceis. Será que não existem respostas satisfatórias?

O problema da unidade

O que dá a um grupo de pessoas em particular o direito a um governo democrático? Essa questão suscita o problema da aplicabilidade da democracia a vários grupos de pessoas – unidades, por assim dizer – com diferentes limites[1]. Porém, o que à primeira vista parece ser uma única questão divide-se, após um exame mais detalhado, em diversas questões diferentes:

1. Que tipo (ou tipos) de associações devem ser governadas democraticamente pelos membros da associação? Os democratas geralmente pressupõem que pelo menos o governo de um Estado territorial deve ser sujeito ao controle democrático[2]. Porém, muitos democratas modernos defendem a ideia de que outros tipos de associação também devem ser internamente democráticos: os sindicatos, os partidos políticos, as empresas e assim por diante. Alguns defensores da "democracia participativa" parecem crer que praticamente todas as associações devem ser democráticas. Todavia, vou partir do princípio de que o tipo de associação que temos em mente é um Estado territorial.

2. Ainda que nos limitemos aos Estados, dada a longa história das ideias e práticas democráticas é razoável questionar se o tipo de Estado pode influenciar, para melhor ou para pior, a adequação do processo democrático. Para os gregos, como vimos, era evidente por si mesmo que, para ser desejável, a democracia teria de existir numa cidade-Estado, uma vez que um bom Estado só podia existir numa cidade. Ainda no final do século XVIII, Rousseau e Montesquieu concordaram que o melhor Estado para um povo que governa a si próprio não poderia ser maior que uma cidade. Desde então, a ortodoxia democrata afirma que o Estado nacional, ou país, é a unidade apropriada ainda que o país em questão não seja mais que um frágil aglomerado de regiões ou tribos. Mas, como seus predecessores, o Estado nacional é um momento na história. Em 2100, acaso ele ainda parecerá ser o lugar e o limite naturais do processo democrático?

No capítulo 22, discutirei as consequências para a democracia da mudança de escala da cidade para o Estado nacional – além de outras coisas. Aqui, partirei do pressuposto de que o que temos em mente é um mundo formado por Estados nacionais, embora eu pretenda relaxar essa restrição à medida que o argumento se desenvolve.

Mesmo os Estados nacionais podem variar de formato. Os sistemas federalistas suscitam algumas questões para a teoria e a prática democráticas que não surgem nos sistemas unitários. Uma vez que a diferença entre os sistemas federativo e unitário tem relação direta com o problema central deste capítulo, retornarei a ela em breve.

3. Tendo temporariamente deixado de lado essas questões, podemos agora nos concentrar mais facilmente no problema da unidade democrática e seus limites. Quando os defensores da democracia descrevem ou recomendam um sistema democrático, partem do pressuposto de que a democracia existiria em certas unidades políticas concretas: cidades-Estado, Estados nacionais ou seja lá o que for. Eles podem destacar certos exemplos históricos ou atuais dessas unidades, certos grupos específicos de pessoas que vivem dentro de territórios mais ou menos claramente definidos: Atenas, Genebra, França, Suécia... Mas raramente se perguntam por que deveríamos aceitar esses grupos em particular como apropriados para a democracia, e não outros grupos, com limites diferentes. Por que os antigos atenienses haveriam de ter direito à democracia, mas não a Grécia antiga como um todo? Ou por que os gregos modernos, em lugar dos atenienses, ou os noruegueses em lugar dos escandinavos? O Alasca e o Havaí tornaram-se estados dos Estados Unidos. Por que não Porto Rico – ou a Costa Rica? Será uma simples questão de consentimento, e não de coerção?

Consideremos por um momento afirmações como estas:

AFIRMAÇÃO 1: *As pessoas que residem no Quebec têm direito a seu próprio governo democrático, independente do Canadá* (podemos substituir Quebec e Canadá por estados sulistas e Estados Unidos da América; Noruega e Suécia; Irlanda e o

Reino Unido; Irlanda do Norte e República da Irlanda; Bretanha e França; cipriotas turcos e cipriotas gregos...)

Afirmação 2: *As pessoas residentes no Quebec devem ser cidadãs do governo democrático do Canadá* (isso é meramente a imagem espelhada da primeira afirmação, a qual ela rejeita, e as mesmas substituições podem ser feitas).

Afirmação 3: *No que diz respeito a questões que envolvem o controle da natalidade, os habitantes de Connecticut têm o direito de empregar o processo democrático entre eles, independentemente do governo dos Estados Unidos* (por Estados Unidos, pode-se substituir qualquer país democrático; por Connecticut, qualquer localidade nesse país; por controle da natalidade, uma lista infinita de questões que podem estar sujeitas à determinação por unidades menores que o Estado nacional. Por um país democrático, pode-se substituir um sistema político transnacional, como a Comunidade Europeia, e por localidade, os países constituintes; o leque de questões sujeitas ao controle do país pode ser muito amplo).

Afirmação 4, 5 ... n: *Pretensões de autonomia local como as mencionadas acima poderiam ser rebatidas por réplicas segundo as quais o controle das questões específicas em disputa deve ser exercido pela unidade maior e mais inclusiva. Essas réplicas são, naturalmente, simples imagens espelhadas das afirmações de autonomia local.*

Quando examinamos afirmações e réplicas como essas, vemos que elas têm dois lados: são simultaneamente afirmações relativas ao controle ou à autonomia no que tange a certas questões – polícia, saúde, habitação, assuntos externos e assim por diante – e afirmações relativas ao controle dessas questões por um certo grupo de pessoas, que normalmente ocupam um território comum ou talvez não[3]. Podemos chamar a primeira uma afirmação quanto ao *âmbito* apropriado do controle, a segunda uma afirmação quanto ao *domínio* formado pelas pessoas habilitadas a exercer o controle das questões incluídas no âmbito de que retrata.

Esse âmbito pode ir desde uma única questão limitada – estacionamento, por exemplo – até a autonomia completa, a soberania total, a independência plena. Da mesma forma, o domínio pode ser tão minúsculo como o povo de um vilarejo ou um bairro ou tão vasto quanto os habitantes de um país gigantesco ou uma associação de países como a União Europeia. O âmbito e o domínio são, em geral, altamente interdependentes: a afirmação de um está explicitamente ligada à afirmação do outro.

Muito embora as afirmações quanto ao domínio e ao âmbito da autoridade baseiem-se claramente em juízos de valor de algum tipo, o que imediatamente salta aos olhos quando examinamos afirmações específicas é o quanto uma solução sensata vai necessariamente depender das circunstâncias concretas. Assim como as próprias afirmações, as soluções viáveis são fortemente condicionadas pelas crenças, tradições, mitos, experiências históricas em particular, em suma, pela complexa tapeçaria de realidade empírica existente em meio a um grupo concreto de seres humanos. Muitas vezes, também – talvez mais do que se imagina –, as disputas quanto ao âmbito e ao domínio são resolvidas não pela força dos apelos racionais à justiça, liberdade, democracia, autodeterminação, eficiência e outras ideias abstratas, mas sim pela força da violência e da coerção. Os valores abstratos, assim, servem apenas como uma racionalização conveniente para a legitimidade do resultado vitorioso.

Mais uma vez, podemos nos perguntar se o problema admite uma solução geral ou até mesmo se os princípios gerais têm algum efeito sobre as soluções viáveis. Quando começamos a buscar soluções gerais, as dúvidas quanto à sua utilidade tendem a aumentar.

Duas não soluções

Descreverei, agora, duas soluções ilusórias, as quais já encontramos num contexto diferente quando discutimos o problema da inclusão.

Todo povo define a si próprio

Uma das soluções é análoga à resposta de Schumpeter ao problema de quem deve ser incluído no *demos*, exceto pelo fato de que, neste caso, todo *povo* define a si próprio. Dessa forma, os atenienses definiam-se como um grupo distinto de gregos que viviam juntos numa pólis autônoma e democrática. Dois milênios depois, os gregos modernos definem-se como um povo, e os atenienses são agora cidadãos da Grécia maior. Na época da Revolução Americana, os habitantes da Virgínia definiam-se mais como virginianos que como americanos; em 1861, eles se viam como cidadãos da Confederação e não da União; hoje, eles se consideram, inquestionavelmente, como cidadãos dos Estados Unidos. Assim, os antigos atenienses, os gregos modernos, os virginianos do século XVIII, os habitantes dos Estados Confederados no período da Guerra Civil, os americanos hoje, todos se definiram, e a seus concidadãos, de modos historicamente únicos. Após descrever essas mudanças históricas, que mais pode ser dito?

Assim como a participação no *demos*, aqui também o aforismo segundo o qual todo povo define a si próprio pode resumir sucintamente a experiência histórica, mas não oferece fundamentos sólidos para julgar se uma afirmação é melhor que outra ou se o resultado histórico deve ser preservado ou derrubado. Para nos contentarmos com o aforismo, devemos admitir que toda pretensão e sua contrapretensão estão em pé de igualdade. Mas, nesse caso, o único meio de chegar a uma solução seria através da propaganda e da coerção. Nesse sentido, o aforismo falha como solução; simplesmente declara que não existe solução alguma.

A autonomia política como um direito absoluto

E quanto à venerável noção do consentimento? Acaso uma das diferenças cruciais entre incluir o Alasca e incluir a Costa Rica nos Estados Unidos não seria o fato de que os habitantes do Alasca consentiram com isso, enquanto (pressuponho) os costa-riquenhos não o fariam?

Do século XVII em diante, a noção de consentimento foi utilizada para dar base moral à ideia de um Estado democrático. Como garantir o consentimento? Para fazê-lo, por que não considerar a autonomia política um direito absoluto? O que defino por absoluto é que a autonomia sempre seria concedida a qualquer grupo que o desejasse, sob uma única condição: a de que o grupo demonstrasse, de maneira convincente, que sua unidade, fosse ela parcial ou totalmente independente, seria governada pelo processo democrático.

Imaginemos que um país democrático realmente chegasse ao ponto de declarar que a autonomia política é um direito absoluto. Conceder esse direito tornaria impossíveis (ou, no mínimo, ilegítimos) um Estado ou qualquer outra organização coercitivos, pois, perante a coerção de algumas questões, qualquer grupo poderia exigir e conquistar, através da secessão, a sua autonomia. Para todos os fins práticos, o anarquismo seria legitimado. Embora essa conclusão vá encantar os anarquistas filosóficos, se a argumentação do capítulo 3 estiver correta e um Estado democrático for melhor que Estado nenhum, seria um erro conceder a autonomia política como um direito absoluto. Haja vista que uma organização autônoma, até mesmo uma democracia autônoma e inclusiva, poderia causar grandes danos aos interesses dos não membros. Uma vez que um direito absoluto à autonomia política significaria que nenhuma organização poderia exercer adequadamente o poder de modo a evitar prejuízos para os não membros, a ocorrência ou a não ocorrência desses prejuízos dependeria totalmente da ação dos membros do grupo autônomo. A experiência humana oferece poucos motivos para otimismo nesse sentido.

O federalismo

O federalismo, às vezes, pode ser uma solução; mas, como sugere o exemplo da Costa Rica, não o é sempre nem necessariamente. O que defino por federalismo é um sistema no qual algumas questões estão exclusivamente *dentro* da competência de certas unidades locais – cantões, estados, províncias – e constitucionalmente *além* do âmbito da autoridade do governo nacional, e outras questões estão constitucionalmente fora do âmbito da autoridade das unidades menores.

Os sistemas federativos ocupam posição relativamente ambígua nas ideias democráticas, em parte por motivos puramente históricos, mas também porque refletem, em suas constituições, certos aspectos do problema deste capítulo.

O federalismo e as ideias democráticas

A doutrina mais antiga, a qual insistia que a unidade mais apropriada para o governo republicano ou democrático era a pequena cidade-Estado, frequentemente ressaltava também o dano ao bem público que deve resultar da existência de associações relativamente autônomas dentro da cidade-Estado. Assim, Rousseau, o último grande expoente de concepções dessa espécie, argumentava que uma República se beneficiaria mais se consistisse num Estado pequeno, sem associações. Essa receita ajudou Rousseau, como também a seus predecessores, a desviar-se do problema complicado da natureza do bem público num Estado no qual cada cidadão pertence simultaneamente a várias associações políticas diferentes, como seria o caso, por exemplo, de alguém que é cidadão de uma municipalidade, um estado e um país. Se o bem público de uma municipalidade (ou de alguma outra associação) é X e o bem público de uma outra municipalidade ou associação é Y, qual será o bem público de todos os cidadãos num Estado que inclui estas e também muitas outras unidades locais, além de outros tipos de associações[4]?

Entretanto, no próprio tempo de Rousseau, o foco histórico das ideias democráticas estava mudando da cidade-Estado para o Estado nacional e os países. Aconteceu, porém, que os países nos quais as ideias democráticas influenciaram mais profundamente as instituições e as práticas eram de dois tipos, constitucionalmente falando: unitários e federativos. Nos sistemas unitários, as unidades locais eram simplesmente criações do parlamento nacional e estavam totalmente sujeitas a seu controle, ao menos em princípio. O governo nacional delega autoridade aos governos locais; não aliena a sua autoridade. Dessa forma, os arranjos constitucionais permitiriam ao *demos* nacional o exercício pleno do controle da agenda política. Uma maioria nacional pode, se assim decidir, revogar as decisões das unidades locais, por exemplo através da remoção dos assuntos em pauta da agenda dos governos locais.

Todavia, as ideias e práticas democráticas também floresceram nos sistemas federativos – na verdade, antes mesmo de florescer nos sistemas unitários. Com efeito, na Suíça e nos Estados Unidos, onde o federalismo antecede muitas das instituições necessárias ao processo democrático, o sistema federativo era amplamente considerado particularmente favorável à democracia. Assim argumentou Tocqueville em sua famosa análise da democracia nos Estados Unidos. No século XX, porém, com o crescimento do Estado de bem-estar social e a expansão dos controles nacionais sobre a vida econômica, afirmou-se às vezes que o federalismo se tornara obsoleto (Laski 1939). No entanto, essa visão se provou prematura, entre outros motivos em razão do surgimento das instituições federativas em escala transnacional na Comunidade Europeia.

O federalismo transnacional é a imagem espelhada do federalismo dentro de um país. Quando uma nação com uma constituição unitária, como a França ou o Reino Unido, entra num sistema federativo transnacional como a Comunidade Europeia, seu *demos* nacional não detém mais o controle final da agenda política. Contudo, a agenda da unidade transnacional também é rigidamente limitada. Consequentemente, ainda que a comunidade maior funcionasse de acordo com o princípio majoritário, em muitas questões uma maioria de cidadãos naquela comunidade não poderia revogar a decisão de uma minoria da comunidade caso esta fosse uma maioria numa unidade local, isto é, um país. Se partirmos do pressuposto de que o federalismo transnacional irá se fortalecer no século XXI, as questões suscitadas pelo federalismo para a teoria e a prática democráticas estão longe de ser transitórias ou obsoletas.

Para explorar essas questões, pode ser útil imaginar uma conversa entre dois democratas contemporâneos, um deles como expoente do federalismo democrático e o outro como um crítico do federalismo. Chamarei o federalista de James e o seu crítico monístico, de Jean-Jacques.

O problema da agenda

JEAN-JACQUES: Sei que você admira bastante os sistemas federativos, não é, James?

JAMES: Sim, acho que eles têm algumas virtudes especiais, se é isso que você quer dizer.

JEAN-JACQUES: Mas sei muito bem que você também crê firmemente na democracia, não é verdade?

JAMES: Sim, é.

JEAN-JACQUES: Bem, não vejo como essas duas coisas se encaixam.

JAMES: Explique, por favor.

JEAN-JACQUES: Vou tentar. Sei que muitos americanos parecem crer que os Estados Unidos são a encarnação da democracia e que, portanto, tudo o que a Constituição dos Estados Unidos especifica deve ser, necessariamente, essencial para a democracia. Suponho que alguns americanos talvez creiam que, como os Estados Unidos são federativos, isso significa que o federalismo é necessário à democracia. Você não chegaria ao ponto de questionar isso, não é mesmo?

JAMES: Isso seria absurdo. Nem mesmo o federalista mais convicto afirmaria categoricamente que o sistema político da Noruega, por ser unitário, é intrinsecamente menos democrático que o sistema político da Suíça. Se o federalismo é necessário à democracia, os sistemas constitucionais unitários são, por conseguinte, necessariamente não democráticos. Para comprovar que isso é verdade, eu teria de demonstrar que uma cidade-Estado pequena e autônoma sem a necessidade de descentralização em unidades menores seria *necessariamente* não democrática. Isso seria uma rematada tolice.

JEAN-JACQUES: Acaso a verdade não seria o contrário, ou seja, o fato de que os sistemas federativos são *necessariamente* não democráticos?

JAMES: Considero essa possibilidade tão absurda quanto a outra.

JEAN-JACQUES: Mas você concorda, James, que um dos requisitos de um processo plenamente democrático é o exercício do controle final da agenda pelo *demos*?

JAMES: Não posso negar isso.

JEAN-JACQUES: No entanto, num sistema federativo, não há um *único* corpo de cidadãos que possa exercer o controle final da agenda. Então, você não concorda que nos sistemas federativos o processo pelo qual as pessoas se governam jamais poderia ser plenamente democrático, nem mesmo em princípio?

JAMES: Não compreendo muito bem seu raciocínio, Jean-Jacques.

JEAN-JACQUES: Ah, a mente política anglo-americana: naturalmente, você desconfia de meu apelo por ser um apelo à razão, e não à experiência. Portanto, deixe-me tentar tornar o problema mais concreto com um exemplo hipotético. Vamos inventar uma assim chamada democracia com uma agenda muito limitada, digamos, a instrução das crianças. Vamos chamá-la Silvânia, sem nenhum motivo em particular. Se nossos silvanianos quiserem agir em algo que não as escolas, mas não tiverem nenhuma oportunidade de colocar essas questões na agenda de Silvânia ou na agenda de algum outro governo sob seu controle, ainda que eles participem ativa e vigorosamente das decisões quanto à educação, acaso você não os consideraria oprimidos?

JAMES: Sim, sem dúvida. Mas por que os silvanianos *não podem* colocar outras questões na agenda?

Jean-Jacques: Bem, suponhamos que a Silvânia seja controlada por uma nação estrangeira. Vamos chamá-la, simplesmente, de União. A União exclui os desafortunados silvanianos da cidadania, mas lhes permite fazer o que quiserem com suas escolas. Não importa que a União seja um exemplo perfeito de processo democrático: os silvanianos são colonos e sua "democraciazinha" frágil é um bom trabalho de seus governantes no sentido de mascarar a realidade. Os silvanianos podem admirar a democracia de seus governantes, mas não imitá-la.

James: Além de ser bastante forçado, esse exemplo não tem nada a ver com o federalismo. Suponhamos que os silvanianos *não* sejam excluídos da cidadania na União, algo mais provável que seu pressuposto. Eles agora são cidadãos da Silvânia e da unidade mais inclusiva, que passo a chamar de União Federativa. Se, como silvanianos, eles se governam democraticamente nas questões educacionais e, como cidadãos da União Federativa, eles se governam democraticamente em todas as outras questões, e se além disso a agenda federativa é completamente aberta e permite aos silvanianos que coloquem questões de seu interesse na agenda federativa, não vejo nenhuma objeção do ponto de vista democrático. Não digo que não haja outros problemas, mas as oportunidades que os silvanianos têm para se governar satisfazem todos os requisitos do processo democrático. Tomando-se seus dois governos em conjunto, os silvanianos controlam uma agenda completamente aberta. Se partirmos do princípio de que todos os outros critérios são satisfeitos, o que de fato fizemos, acaso não deveremos também concluir que os silvanianos desfrutam de um processo plenamente democrático?

Jean-Jacques: Mas você não acaba de transformar sua União Federativa num sistema unitário, em vez de um sistema federativo? Se é esse o caso, você demonstrou como os silvanianos poderiam ser cidadãos de um sistema democrático, mas não mostrou como o federalismo pode se reconciliar com a democracia. E, especificamente, não demonstrou que um sistema federativo pode satisfazer o requisito do controle final da agenda pelo *demos*. Não terá o *demos* da União Federativa simplesmente *delegado* o controle das questões escolares à Silvânia e a outros governos locais? Mas se é esse o caso, sua reconciliação de federalismo e democracia é espúria. Você demonstrou o que sempre soubemos: que o problema do controle final não precisa surgir nos sistemas unitários. Mas você ainda não demonstrou como o *demos* pode exercer o controle final da agenda nos sistemas federativos. Na verdade, creio que sua solução pode implicar algo extremamente interessante: que o problema não pode ser resolvido *exceto* através da transformação dos sistemas federativos em sistemas unitários!

JAMES: Parabéns por sua lógica brilhante, mas acho que você errou o alvo. Suponhamos que, sob os arranjos constitucionais definidos quando a Silvânia se tornou parte da União Federativa, o controle da Silvânia sobre as escolas seja permanente e inalienável. Você não admitiria que, sob essas condições, o sistema seria definitivamente federativo? E definitivamente não unitário?

JEAN-JACQUES: Sim, eu teria de concordar que o sistema não é unitário, e sim, federativo. Uma definição é uma definição é uma definição... Mas não sei bem a que conclusões você pretende chegar. Ainda não vejo sua União Federativa como plenamente democrática.

JAMES: Bem, sob um certo aspecto, pode-se dizer que o *demos* da União Federativa alienou o controle das escolas para a Silvânia e outros governos locais. Da mesma forma que a agenda da Silvânia é completamente fechada quanto a tudo, exceto quanto às escolas, a agenda da União Federativa é permanentemente fechada nas questões que envolvem as escolas. Não obstante, embora o governo seja claramente federativo por esses motivos, a solução se parece muito com aquela oferecida por um sistema unitário com governos locais! Sim, a agenda da União Federativa *é* fechada no que diz respeito às escolas. Mas ela é completamente aberta com relação a tudo o mais. Digamos que a agenda federativa é quase aberta.

JEAN-JACQUES: Suponho que eu tenha de tolerar uma certa poluição da linguagem a fim de que você possa continuar sua argumentação.

JAMES: Obrigado. Agora, exatamente como ocorre num sistema unitário, se tomarmos os dois governos em conjunto, os silvanianos controlam uma agenda completamente aberta. O que não puder ser incluído na agenda da Silvânia pode ser colocado na agenda *federal*. Se cada cidadão da União Federativa tem um equivalente local na Silvânia, não há nada no sistema federativo que impeça seus cidadãos de exercer o controle final da agenda de assuntos públicos. Em deferência à sua opção pela argumentação abstrata, irei agora resumir minha argumentação com uma proposição geral. Desde que em uma de suas unidades todos os cidadãos tenham acesso a uma agenda quase aberta, o federalismo não é inerentemente menos capaz que um sistema unitário de preencher os critérios do processo democrático.

JEAN-JACQUES: Talvez não inerentemente. Todavia, em algumas circunstâncias sua solução não seria satisfatória. E quanto mais robusto o sistema federativo, mais insatisfatória ela tenderá a ser.

JAMES: O que você quer dizer com "robusto"?

JEAN-JACQUES: Quero dizer que as unidades locais exercem o controle exclusivo de algumas questões realmente importantes. Não me refiro ao federalismo anêmico dos Estados Unidos de hoje, por exemplo, onde, constitucionalmente, o governo federal pode regular ou controlar direta ou indiretamente a maioria das atividades dos estados e municípios. Na prática, os Estados Unidos estão próximos de ser um sistema unitário. Portanto, imaginemos que na União Federativa, a Silvânia e as outras trinta províncias possuam a autoridade final sobre as políticas que os cidadãos da União consideram muito importantes: a poluição, digamos, ou a conservação dos recursos naturais. Agora suponhamos que, ao passo que uma maioria de silvanianos e outros cidadãos da União querem controles rígidos da poluição, da mineração de superfície e coisas desse tipo, em uma das províncias, a Carbônia, os cidadãos se oponham a todos esses controles. Nessas circunstâncias, não existe uma agenda na qual as pessoas da Silvânia e de outras províncias possam colocar a questão da poluição da Carbônia[5]. Nesse caso, um sistema unitário – ou um sistema federativo anêmico – satisfaz os critérios do processo democrático melhor que um sistema federativo robusto.

JAMES: Assim é. Mas seu argumento parece implicar que um grupo maior e mais inclusivo sempre tem o direito de impor sua vontade sobre um grupo menor, simplesmente por ser maior. Você realmente crê nisso? Será que o grupo maior não tem de ser, de alguma forma, *legítimo* enquanto entidade democrática?

JEAN-JACQUES: Creio que sim. Mas, aparentemente, estamos de volta ao problema do qual partimos. Até agora, nenhum de nós ofereceu uma resposta satisfatória. E ainda não falamos sobre o problema do domínio da maioria.

O federalismo e o princípio majoritário

JAMES: Para mim, não está claro qual é o problema.

JEAN-JACQUES: Vamos lá: suponhamos que um sistema político resolvesse dar a uma minoria especialmente privilegiada o poder de invalidar a maioria em questões de cursos de ação política. Você teria dificuldade em considerar democrático esse sistema, não é verdade?

JAMES: Deixando de lado a questão discutível de uma corte suprema com autoridade sobre assuntos constitucionais, não. Se uma minoria especialmente privilegiada pudesse fazer valer suas preferências quanto aos cursos de ação política que a maioria quisesse adotar, eu diria que o sistema não seria apenas uma clara violação do domínio da maioria, mas simplesmente não democrático.

JEAN-JACQUES: Estou certo que sim. Então, vamos partir do princípio de que estamos agora falando de cursos de ação política, e não de questões constitucionais básicas: uma maioria quer o curso de ação política *X*, uma minoria quer o curso de ação política *Y*. Concordamos que a essência do princípio majoritário é que se uma maioria prefere X a Y, X deve ser adotado. Entretanto, não é verdade que nos sistemas federais, uma maioria nacional nem sempre consegue prevalecer sobre uma minoria, nem mesmo em questões simples de cursos de ação política?

JAMES: Acho que percebo que rumo você está tomando. Esse é simplesmente um outro modo de olhar a questão do controle da agenda, não é?

JEAN-JACQUES: Sim, mas sob o ponto de vista do domínio da maioria. Suponhamos que questões como X e Y sejam uma prerrogativa constitucional das unidades locais – estados, províncias, cantões, regiões ou seja lá o que for. Suponhamos que, por acaso, as pessoas da minoria que querem que Y aconteça estejam concentradas numa unidade local constitucionalmente protegida, na qual elas formam uma maioria. Se, para fins de debate, partirmos do pressuposto de que uma maioria no parlamento nacional reflete mais ou menos precisamente os cursos de ação política de uma maioria nacional de cidadãos, isso significa que, num sistema unitário, o parlamento nacional poderia afastar um governo local por processos perfeitamente legais. Se uma maioria de todos os cidadãos prefere a política X à política Y, o parlamento nacional pode adotar a política X e fazê-la vigorar numa unidade local, mesmo que a maioria nesse local em particular ainda prefira Y. Num sistema federativo, em alguns casos a minoria prevaleceria, e a maioria nacional não poderia fazer nada quanto a isso, constitucionalmente falando.

JAMES: Em alguns casos, sim. Mas eu me pergunto se hoje, nos sistemas federativos, o governo nacional não poderia encontrar um modo de prevalecer, se a questão fosse realmente importante.

JEAN-JACQUES: Obrigado. Você fez minha defesa por mim. O que você está dizendo é que em alguns países como os Estados Unidos, o federalismo tornou-se bastante anêmico. Nos sistemas federativos anêmicos, a autoridade do governo nacional sobre os cursos de ação política locais aumentou tanto que esses sistemas mal diferem dos sistemas unitários. Portanto, parece que de modo a lidar com os problemas da sociedade moderna, os sistemas federativos tiveram de se tornar sistemas unitários de fato. Posso encerrar minha defesa?

JAMES: Ainda não. Nos Estados Unidos, por exemplo, a educação pública ainda está quase toda dentro da jurisdição exclusiva dos estados, que por sua vez delegam autoridade aos governos municipais. Na verdade, o item de maiores gastos nos orçamentos estaduais é a educação.

JEAN-JACQUES: Porque a educação *é* importante, seu exemplo me ajuda a completar meu argumento. Consideremos nossas repúblicas hipotéticas, a Silvânia e a União Federativa. Você deve se lembrar de que a agenda da Silvânia é fechada a tudo exceto às escolas, enquanto a agenda da União Federativa é fechada apenas às questões relacionadas às escolas, e a nada mais. Agora suponhamos que uma maioria de cidadãos da União Federativa chegue à conclusão de que suas escolas estão num estado tão deplorável que padrões educacionais mais uniformes devem ser impostos ao país. Se a União fosse unitária, duvido que você ou eu achássemos que seria tirânico ou mesmo não democrático se políticas nacionais fossem impostas a fim de elevar o padrão dos sistemas de ensino locais. Muitos países democráticos fazem exatamente isso. Mas porque a União Federativa não é unitária, e sim federativa, a maioria do país é impedida de agir em prol da melhoria das escolas. No entanto, os silvanianos talvez sejam uma minoria de todos os cidadãos, e mesmo em Silvânia aqueles que se opõem ao controle federal podem não ser mais que uma maioria simples.

Consigo imaginar diversos exemplos nos quais a justiça apoiaria as reivindicações de Silvânia por autonomia em alguma questão específica. Mas neste exemplo em particular, não seria injusto, bem como não democrático, se a minoria – possivelmente uma minoria minúscula – tivesse permissão para agir como quisesse em relação aos padrões educacionais? Se, na verdade, o governo federal fosse impotente para agir? Se o princípio majoritário pode ser justificado, ele não o será neste exemplo? E se esse exemplo não o justifica, o que poderia fazê-lo?

James: As respostas às suas perguntas talvez sejam mais difíceis de encontrar do que você pensa. Para mostrar por quê, eu gostaria de deixar a Silvânia e a União Federativa de lado e discutir um sistema político altamente abstrato. Este pode também forçar-nos a enfrentar a questão da agenda.

Jean-Jacques: Um sistema político altamente abstrato? Afinal de contas, você está transferindo sua fidelidade para a deusa da Razão?

James: Sempre a admirei. De qualquer forma, eis meu sistema abstrato: imaginemos dois quadrados, um dentro do outro. P é um sistema menor que M, o sistema maior e mais inclusivo. P de pequeno, M de maior. Entendeu? Nada poderia ser mais simples.

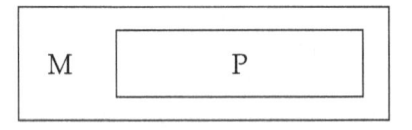

M	P

Devo avisá-lo de que não pense que reproduzi a Silvânia e a União Federativa mais uma vez. Agora, partamos do pressuposto de que P e M são governados democraticamente e de que os direitos políticos primários de todos os cidadãos são plenamente respeitados. Será que a maioria de M sempre deve ter o direito de prevalecer sobre a maioria local em P, quanto às escolas, talvez? Ou, invertendo a questão, será que a maioria local em P deve ter, constitucionalmente, o direito de prevalecer em algumas questões – digamos, escolas – contra a maioria ampla em M?

Jean-Jacques: Suponho que isso dependa do que você considera "ter direito".

James: Com esse termo, quero dizer excluir a mera conveniência, eficiência ou utilidade. Talvez fosse conveniente ou eficiente para as pessoas em M permitir às pessoas em P que se governassem em certas questões, como as escolas. Isso é simplesmente para dizer que M é um sistema unitário e que a maioria em M acha útil delegar autoridade a P. Obviamente, esse não é o problema do qual estamos tratando aqui. Dizer que a maioria em *P* às vezes tem o direito de prevalecer sobre a maioria em *M* é dizer que, na verdade, as pessoas em *P* têm o direito de se governar em certas questões e que *M* não deve infringir esse direito. Ao mesmo tempo, porém, pressupõe-se que todos os cidadãos em *M*, inclusive aqueles em *P*, estão totalmente protegidos no exercício de seus direitos políticos primários.

JEAN-JACQUES: Mas se o direito não é meramente uma conveniência ou eficiência, e se ele não é um direito político primário – um direito necessário ao processo democrático – nesse caso, que tipo de "direito" seria? Acaso as pessoas têm um "direito" moral fundamental ao governo "local", como o "direito" à livre expressão – um direito moral tão básico que deveria ser constitucionalmente garantido? Acho que não consigo entender como um tal "direito" pode ser justificado.

JAMES: Nem eu. Entretanto, acho que ambos cremos em tal direito de qualquer modo. Eu explico por quê. Imagino que, apesar de meu aviso há pouco, você realmente vem pensando em *P* como uma unidade local e em *M* como uma unidade nacional. Como resultado disso, deduzo de sua argumentação recente que você nutre uma simpatia pela reivindicação do povo de *M* quanto a exercer algum controle sobre as escolas em *P*.

JEAN-JACQUES: Sim, é verdade. Confesso que estava pensando em *M* como, digamos, a França ou mesmo os Estados Unidos, e em *P* como um município ou talvez um estado ou *departement*.

JAMES: Mas suponhamos, em vez disso, que *P* seja um país como a França e a Grã-Bretanha e que *M* seja um sistema transnacional como a Comunidade Europeia. Onde ficam suas simpatias agora? Você quer que o sistema educacional francês seja controlado pela Comunidade Europeia? Vejamos: suspeito que você sinta maior simpatia pelas pretensões das pessoas em *P* de exercer o controle da educação de seus filhos do que pelas pretensões de *M* de governar as pessoas de *P* nessas questões.

JEAN-JACQUES: Como você acaba de afirmar, isso é verdade.

JAMES: Portanto, podemos dizer que M simplesmente delega a autoridade sobre a educação a P? Mas em que sentido M possui essa autoridade, para começar? Certamente não no sentido legal ou constitucional. Moralmente? Uma unidade maior *sempre* deve ter autoridade sobre a unidade menor? Até mesmo um crítico severo do federalismo como você irá fincar pé e resistir em algum ponto.

JEAN-JACQUES: Percebo que não foi à deusa da Razão que você prestou uma homenagem, e sim à deusa da Confusão. Acho que não chegamos a lugar algum nessa questão do federalismo e do domínio da maioria.

JAMES: Creio que chegamos, sim. Seja mediante a razão ou a confusão, chegamos a uma conclusão muito importante. O princípio da maioria em si depende de premissas sobre a unidade: que a unidade dentro da qual ele vai funcionar seja, ela própria, legítima, e que as questões às quais ele é aplicado pertençam apropriadamente à jurisdição dessa unidade. Em outras palavras, saber se o âmbito e o domínio do governo da maioria são apropriados numa unidade particular depende de pressupostos que o princípio majoritário nada pode fazer para justificar. A justificativa para a unidade está além do alcance do princípio majoritário e, por isso mesmo, basicamente além do alcance da própria teoria democrática.

Quanto maior, melhor?

JEAN-JACQUES: Creio que nossa confusão deve ser o resultado de uma falha em distinguir entre duas questões diferentes: será uma unidade com um dado domínio e âmbito mais democrática que outra, num sentido razoável? E será uma unidade, num sentido razoável, mais desejável? Quanto à primeira questão, vejo duas possibilidades. Uma consiste puramente em números. Como Rousseau sugeriu há muito tempo, necessariamente ocorre que quanto maior o número de cidadãos, menor é o peso de cada cidadão na determinação do resultado. Se aceitarmos essa ideia de que quanto maior o peso de cada cidadão, mais democrático é o sistema, segue-se que, sendo outras coisas iguais, um sistema maior acaba por ser menos democrático que um sistema menor. Assim, dada uma escolha, um democrata deve sempre preferir a unidade menor.

JAMES: Meu caro Jean-Jacques, temo que sua deusa o tenha abandonado. Se fosse verdade que um sistema menor sempre deve ser mais democrático que um sistema maior, o sistema mais democrático consistiria de uma só pessoa, o que é absurdo.

JEAN-JACQUES: Você deve ter notado que minha conclusão era estritamente condicional: "se aceitarmos essa ideia", eu disse. Mas não a aceitamos. Portanto, só nos resta a segunda possibilidade que acabei de mencionar. Digamos que um sistema seja mais democrático na medida em que permite que os cidadãos se governem em questões que lhes são importantes. Então, em muitas circunstâncias, um sistema maior seria mais democrático que um sistema menor, uma vez que sua capacidade para lidar com certas questões – a poluição, a política fiscal e monetária, o desemprego, o seguro social, a defesa e assim por diante – seria maior. Sob esse ponto de vista, uma unidade grande o suficiente para lidar com questões de importância para as pessoas envolvidas será sempre mais democrática que qualquer unidade menor.

JAMES: Creio que você ainda está defendendo seu ponto de vista com uma certa ironia. Não será óbvio que assim como os números levam a absurdos quando utilizados por si sós, o critério da capacidade do sistema, se utilizado por si só, nos obriga a afirmar que um sistema absurdamente grande é o mais democrático – possivelmente um sistema que englobe toda a população do planeta?

JEAN-JACQUES: Para evitar os absurdos de cada critério tomado por si só, que tal tomá-los em conjunto e procurar um equilíbrio ideal entre o tamanho do sistema e sua capacidade?

JAMES: Que ideia esplêndida! Creio que talvez você tenha descoberto um rumo para a busca de uma solução, se é que ela existe. Mas perceba duas coisas. Em primeiro lugar, não vejo como o raciocínio teórico poderá nos levar muito longe na busca por um equilíbrio ideal. Precisaremos de muito mais ajuda do que a proporcionada apenas por sua deusa. Teremos de fazer juízos empíricos e utilitários complexos e discutíveis. Além disso, uma vez que as condições empíricas serão variáveis, há todo motivo para crer que se um equilíbrio perfeito for encontrado, ele não será o mesmo em períodos históricos e circunstâncias diferentes. Por fim, não podemos pressupor que um simples grupo de pessoas se beneficie mais de apenas um sistema. A coleta do lixo, o fornecimento de água, as escolas, a poluição, a defesa – cada um desses pode gerar um *optimum* diferente. O resultado pode bem ser um sistema complexo com alguns, ou muitos, níveis de governo democrático, cada uma deles funcionando com uma agenda um pouco diferente.

Jean-Jacques: Certamente um sistema mais complexo que os limites bastante rígidos de um sistema federativo ofereceriam, concorda?

James: Creio que tenho de concordar. Porém, quero agora levantar o segundo ponto que sua proposta me sugere. Você percebe como as duas questões que você nos insta a distinguir – qual unidade é mais *democrática*? E qual unidade é mais *desejável*? – confundem-se em nossa busca por um *optimum*. Suponhamos que, no balanço final, uma solução talvez seja mais desejável que a outra, porém menos democrática. Como decidir qual é a melhor?

Jean-Jacques: Até agora nem discutimos o que teríamos em mente ao dizer que um sistema mais *desejável* pode, às vezes, ser menos democrático. Evidentemente, partimos do princípio de que podemos julgar as *vantagens* de um sistema político por padrões diferentes do processo democrático. Presumivelmente, podemos também julgá-lo por seus resultados. Também partimos da premissa de que, em certas circunstâncias, seria justificável trocar um pouco de democracia por alguns outros fins desejáveis: um pouco menos de democracia no processo, um pouco mais de bons resultados finais.

James: Sim, certamente parece que estamos partindo desses pressupostos. Mas as trocas nem sempre são necessárias. Você deve concordar que, se possível, seria desejável melhorar a democracia, a autodeterminação e a liberdade de uma só vez, não é mesmo?

JEAN-JACQUES: Como é que eu poderia discordar?

JAMES: E se os arranjos federativos possibilitassem isso, você teria de concordar que seriam algo desejável, não é verdade?

JEAN-JACQUES: Se isso fosse possível, eu teria de concordar. Mas por favor, diga-me o que tem em mente.

JAMES: Já dei a entender o que é. Suponhamos que os silvanianos sejam membros de um Estado unitário. Vamos chamá-lo de União. Mas suponhamos que eles simplesmente acreditem muito mais apaixonadamente que outros cidadãos da União na importância da educação e que, ao contrário de outros unionistas, estejam dispostos a pagar impostos mais altos a fim de alcançar a melhor instrução possível para seus filhos. Eles também acreditam firmemente em certos métodos educacionais e matérias nos quais os outros unionistas não acreditam. Infelizmente para os silvanianos, eles são uma minoria na União e jamais conseguem que suas políticas sejam adotadas. Finalmente, porém, devido a estas e a outras discordâncias, os unionistas decidem que querem transformar sua União unitária numa União federativa, o que lhes permitirá, entre outras coisas, o controle de seu sistema educacional e dos impostos necessários para mantê-lo. O federalismo torna tudo melhor para todos: os silvanianos conseguem o que queriam, mas os outros cidadãos da União federativa também. Agora, Jean-Jacques, você concorda que a solução federativa é um ganho claro para a democracia, a autodeterminação e a liberdade, não é?

JEAN-JACQUES: Naturalmente, sou obrigado a concordar. Mas não concordo que esses mesmos resultados possam ser alcançados apenas pelo federalismo, como você parece dar a entender. Será que os unionistas alcançaram exatamente a mesma coisa ao conceder aos silvanianos autoridade sobre as escolas e poderes adequados para a aplicação de impostos? No entanto, eles não precisariam alienar esse controle. Se as crenças mudassem, ou se os silvanianos fossem à falência e dessa forma prejudicassem a economia nacional, a União poderia tentar alguma outra coisa.

JAMES: Imagino que esta seja uma questão de quão seguros os silvanianos se sentiriam quanto a seu futuro, se uma maioria nacional pudesse retomar a sua autoridade sempre que quisesse. O que você chama de federalismo "robusto" evitaria isso, e até mesmo o federalismo anêmico o inibiria.

JEAN-JACQUES: Acho que estamos voltando atrás.

JAMES: Você também há de notar que afastamos ainda mais as soluções do campo do raciocínio teórico puro. Aplicar padrões de desempenho na avaliação do valor relativo dos arranjos alternativos exigirá um conhecimento empírico – ou um simples trabalho de adivinhação – que é impossível descobrir em qualquer descrição abstrata das alternativas. Assim, parece impossível chegar a uma conclusão defensável quanto à unidade adequada da democracia pelo raciocínio estritamente teórico. Sei que essa conclusão pode perturbá-lo, Jean-Jacques, mas o raciocínio teórico não é capaz de nos dar as respostas que procuramos: teremos de contar com o juízo prático. Entretanto, parece que nem mesmo o juízo prático consegue produzir uma resposta geral que sirva para todas as épocas e lugares. Uma resposta satisfatória depende muito de particularidades.

JEAN-JACQUES: Antes de abandonarmos por completo os princípios gerais, quero insistir que, embora não se possa obter uma resposta teoricamente, isso não significa que os juízos precisam ser arbitrários. Se fosse assim, quase todos os juízos políticos seriam arbitrários. Certos pressupostos dos quais depende a validade do processo democrático também podem ser postos em jogo. Um juízo sensato exigiria particularmente que avaliássemos as soluções alternativas à luz de dois princípios anteriores: o de que os interesses de cada pessoa merecem consideração igual e o de que, na falta de uma demonstração convincente em contrário, presume-se que um adulto possa entender seus próprios interesses melhor que qualquer outra pessoa. Esses princípios são gerais demais para levar a respostas conclusivas, particularmente diante de uma grande complexidade empírica. Mas penso que eles podem nos ajudar a encontrar respostas sensatas.

Critérios para uma unidade democrática

Como concluíram Jean-Jacques e James, não podemos resolver pela simples teoria democrática o problema do âmbito e do domínio adequados das unidades democráticas. Como o princípio majoritário, o processo democrático pressupõe uma unidade adequada. *Os critérios do processo democrático pressupõem a legitimidade da própria unidade.* Se a unidade em si não é adequada ou legítima – se seu âmbito ou domínio não são justificáveis – ela não pode ser legitimada por simples procedimentos democráticos. E como James e Jean-Jacques também concluíram, fazer um juízo sensato acerca do âmbito e do domínio das unidades democráticas exige que ultrapassemos em muito a esfera do raciocínio teórico e mergulhemos na esfera do juízo prático.

No entanto, como insinuou Jean-Jacques, seria um equívoco concluir que não resta nada a dizer[6]. Parece-me razoável dizer que uma afirmação acerca do domínio e do âmbito apropriados de uma unidade democrática se justifica na medida em que satisfaz sete critérios. De maneira inversa, quanto menos uma afirmação satisfizer esses critérios, menos justificável ela será.

Porém, nenhum desses critérios é adequado se tomado por si só. A condição oculta em cada um deles é a famosa "sendo todas as outras coisas iguais" e, em particular, "desde que todos os outros seis critérios sejam igualmente satisfeitos".

1. O domínio e o âmbito são facilmente identificáveis. É particularmente importante que o domínio – as pessoas que compõem a unidade – seja claramente delimitado. Esse é, sem dúvida, um dos motivos pelos quais os limites territoriais, ainda que não estritamente essenciais, são utilizados com tanta frequência para especificar o domínio de uma unidade, particularmente quando refletem fatores históricos ou geofísicos óbvios. Ao contrário, quanto mais indeterminados o domínio e o âmbito, mais a unidade, uma vez estabelecida, tenderia a envolver-se em discussões jurisdicionais ou até mesmo em guerras civis.

2. O povo no domínio proposto deseja ardentemente a autonomia política no que diz respeito às questões classificadas no âmbito proposto, quer este seja tão limitado quanto o controle local de um conselho escolar ou tão amplo quanto a soberania total. Impor a autonomia política a um grupo cujos membros não a desejam (porque, por exemplo, eles querem manter ou obter a participação numa unidade mais inclusiva ou menos inclusiva) pode ser tão coercitivo quanto recusar a autonomia a um grupo que a deseja. Ademais, na medida em que os membros da unidade proposta discordam – algumas pessoas querem a autonomia política, outras não –, qualquer solução seria coercitiva.

3. As pessoas no domínio proposto desejam ardentemente governar-se de acordo com o processo democrático. De maneira inversa, a afirmação de um grupo quanto à autonomia política é menos justificável na proporção direta do desrespeito de seu novo governo pelo processo democrático. O direito ao autogoverno não implica o direito de formar um governo opressivo.

4. O âmbito proposto está dentro de limites justificáveis, no sentido de que não viola direitos políticos primários (uma reafirmação do terceiro critério) ou outros direitos e valores fundamentais. De maneira inversa, menos justificável será a pretensão de autonomia de um grupo quanto mais fortes forem os motivos para crer que, se ele conquistar a autonomia, causará grande dano a seus próprios membros ou às pessoas fora de seus limites.

5. Dentro do âmbito proposto, os interesses das pessoas na unidade proposta são seriamente afetados por decisões sobre as quais elas não têm nenhum controle significativo. Como observamos, a pretensão de participar das decisões importantes pode ser mais bem satisfeita, em alguns casos, mediante a inclusão de todos aqueles que, no momento, estão excluídos de uma unidade. Em outros casos, uma solução melhor seria permitir às pessoas que já estão incluídas numa unidade a formação de uma unidade relativamente (ou mesmo totalmente) autônoma no que tange às questões dentro de um dado âmbito. De maneira inversa, uma preten-

são – seja quanto à inclusão ou à independência – não pode ser justificada quando é promovida por pessoas cujos interesses não são significativamente afetados pelas decisões daquela unidade.

6. O consenso entre as pessoas cujos interesses são significativamente afetados será maior do que seria com quaisquer outros limites viáveis. Por este critério, todas as outras coisas sendo iguais (os outros critérios sendo igualmente satisfeitos), um conjunto de limites é melhor que outro na medida em que ele permite a mais pessoas fazer o que querem: neste sentido, o critério reafirma o valor da liberdade pessoal. E como observou James, a melhor solução pode às vezes melhorar simultaneamente a liberdade, a autodeterminação e a democracia. De maneira inversa, é claro, uma unidade proposta é menos desejável na proporção direta do quanto ela aumenta o conflito quanto aos objetivos e, portanto, aumenta o número de pessoas que não conseguem alcançar os seus.

7. Medidos por todos os critérios pertinentes, os ganhos devem superar os custos. Esse, naturalmente, nada mais é que um critério geral de escolha racional e, portanto, é em si vazio: é um critério abrangente que só ganha corpo devido aos outros critérios. Mas serve para nos lembrar de que qualquer solução para o problema do âmbito e do domínio de uma unidade democrática certamente irá gerar tanto custos quanto ganhos. Estimar custos e ganhos, como pudemos observar, exige que utilizemos uma série de critérios diferentes. Além dos benefícios líquidos, conforme medidos pelos seis critérios anteriores, ainda outros são pertinentes: os custos e ganhos para a comunicação, a negociação, a administração, a eficiência econômica e assim por diante. Quase sempre os critérios vão exigir juízos qualitativos. As estimativas quantitativas serão ilusórias, uma vez que geralmente vão omitir, mascarar ou ofuscar a maior parte dos juízos cruciais. Assim, raramente ou jamais será possível demonstrar de maneira conclusiva que uma solução é definitivamente a melhor. Já que não é possível determinar uma solução claramente melhor, os defensores de uma solução

específica vão exagerar os ganhos e ignorar os custos; enquanto isso, seus oponentes vão exagerar os custos e minimizar os ganhos.

No mundo real, portanto, é muito mais provável que as respostas à questão do que constitui "um povo" para fins democráticos venham da ação e do conflito político – os quais são, com frequência, acompanhados de violência e coerção – que de inferências racionais derivadas dos princípios e práticas democráticos. Haja vista que a teoria democrática não pode nos levar muito longe na solução desse problema em particular. As ideias democráticas, como afirmei, não produzem uma resposta definitiva. Elas pressupõem que uma resposta já foi, ou será, proporcionada pela história e pela política.

Afirmar que as pessoas adultas têm o direito de participar de um processo democrático para chegar às decisões coletivas às quais elas podem ser obrigadas a obedecer não é o mesmo que dizer que toda pessoa tem direito à cidadania numa unidade política destinada a proteger e promover melhor seus interesses. Em razão do fato de que um mundo de sistemas democráticos perfeitamente consensuais é impossível de se realizar, as unidades políticas que os cidadãos de uma república democrática podem construir para si próprios nunca vão corresponder perfeitamente aos interesses de cada cidadão. Toda solução específica, concreta e viável para o problema da melhor unidade será, quase com certeza, algo que beneficiará mais os interesses de alguns cidadãos que de outros, no final das contas. Aqui, mais uma vez, apesar das promessas perfeccionistas das ideias democráticas, a melhor unidade alcançável será, para alguns cidadãos, a melhor alternativa.

No entanto, dentro dos limites históricos de tempo e lugar e julgadas mediante critérios sensatos, algumas unidades alternativas *são* melhores que as outras. A dificuldade não reside no fato de que é impossível fazer juízos sensatos quanto ao que é melhor ou pior. A dificuldade está no fato de que esses juízos, além de ser muito discutíveis, apresentam uma forte tendência a não ser conclusivos.

QUINTA PARTE

Os limites e as possibilidades da democracia

Capítulo 15
A segunda transformação democrática: da cidade-Estado para o Estado-nação

As ideias e práticas democráticas modernas são o produto de duas transformações importantes na vida política. A primeira, como vimos, varreu a Grécia e Roma antigas no século V a.C. e recuou do mundo mediterrâneo antes do início da Era Cristã. Mil anos mais tarde, algumas cidades--Estado da Itália medieval também se transformaram em governos populares, que no entanto recuaram durante o Renascimento. Em ambos os casos, o lugar das ideias e práticas democráticas e republicanas era a cidade-Estado. Em ambos os casos, os governos populares foram, em última instância, submersos no domínio imperial ou oligárquico.

A segunda transformação importante, da qual somos herdeiros, iniciou-se com o afastamento gradual da ideia de democracia de seu lugar histórico na cidade-Estado rumo à esfera mais ampla da nação, país ou Estado nacional[1]. Como movimento político e, às vezes, como conquista – não somente como ideia – essa segunda transformação adquiriu, no século XIX, um grande impulso na Europa e no mundo de língua inglesa. Durante o século XX, a ideia de democracia deixou de ser, como fora até então, uma doutrina provinciana adotada apenas no Ocidente por uma pequena parte da população mundial e concretizada por alguns séculos num pedaço minúsculo do mundo. Embora esteja longe de ser uma conquista mundial, na segunda metade do século XX a democracia, no sentido moderno, ganhou força quase universal como uma ideia política, uma aspiração e uma ideologia.

A transformação

Todavia, este segundo grande movimento de ideias e práticas democráticas transformou profundamente o modo pelo qual a noção de um processo democrático foi, ou pode ser, alcançada. A causa mais poderosa dessa transformação, ainda que não a única, é a mudança de lugar da cidade-Estado para o Estado nacional. Além do Estado nacional, existe agora a possibilidade de associações políticas supranacionais ainda maiores e mais inclusivas. Embora o futuro seja conjectural, o aumento na escala da ordem política já produziu um Estado democrático moderno profundamente diferente da democracia da cidade-Estado.

Por mais de dois mil anos – da Grécia clássica ao século XVIII – um dos pressupostos dominantes no pensamento político ocidental tem sido o de que nos Estados democráticos e republicanos, o corpo de cidadãos e o território do Estado devem ser ambos pequenos – com efeito, minúsculos, pelos padrões modernos. Geralmente, partia-se do princípio de que o governo democrático ou republicano era adequado apenas para Estados pequenos[2]. Por conseguinte, a ideia e os ideais da pólis, a pequena cidade-Estado unitária de familiares e amigos, perduraram até bem depois que as cidades-Estado em si tivessem quase desaparecido como fenômeno histórico.

Apesar das derrotas notáveis dos persas pelos gregos, a longo prazo a pequena cidade-Estado não foi páreo para um vizinho maior decidido a tornar-se um império, como bem demonstraram a Macedônia e Roma. Muito mais tarde, o surgimento do Estado nacional, com frequência acompanhado de uma concepção ampliada do que é ser uma nação, superou as cidades-Estado e outros principados diminutos. Atualmente, apenas umas poucas exceções como San Marino e Liechtenstein sobrevivem como legados pitorescos de um passado desaparecido.

Como resultado do surgimento dos Estados nacionais a partir de meados do século XVII em diante, a ideia de democracia não teria tido um futuro viável se seu lugar não houvesse sido transferido da cidade-Estado para o Estado nacional. No *Contrato social* (1762), Rousseau ainda se apegava à visão mais arcaica de um povo que deteria o controle final do governo de um Estado pequeno o bastante em população e território a ponto de permitir que todos os cidadãos se reunissem para o exercício de sua soberania numa única assembleia popular. Entretanto, menos de um século depois a crença de que a nação, ou o país, era a unidade "natural" do governo soberano era algo tido como tão óbvio que, em sua obra *Considerations on Representative Government*, John Stuart Mill descartava, numa única frase que resumia o que para ele e seus leitores podia ser tomado como uma verdade óbvia, a sabedoria convencional de mais de dois mil anos, ao rejeitar o pressuposto de que o autogoverno necessariamente exigia uma unidade pequena o bastante para permitir a reunião de todo o corpo de cidadãos em assembleia (Mill [1861] 1958, 55).

Porém, nem Mill conseguiu ver por completo quão radicalmente o grande aumento em escala necessariamente transformaria as instituições e práticas da democracia. Ao menos oito consequências importantes advieram daquela mudança histórica de lugar da democracia. Tomadas em conjunto, elas criam um contraste agudo entre o Estado democrático moderno e os ideais e práticas mais antigos dos governos democráticos e republicanos. Consequentemente, esse descendente moderno da ideia democrática convive com memórias ancestrais que evocam, sem cessar, o lamento fúnebre segundo o qual as práticas atuais se afastaram em demasia dos ideais antigos (como se as práticas antigas não estivessem, elas próprias, muito aquém dos ideais antigos).

Oito consequências

Passo a resumir as principais consequências do enorme aumento em escala. Nos capítulos seguintes, discutirei várias delas em profundidade.

Representação

A mudança mais óbvia, sem dúvida, é que os representantes substituíram quase por completo a assembleia dos cidadãos da democracia antiga (a frase de Mill na qual ele descarta a democracia direta ocorre num trabalho sobre o governo *representativo*). Já descrevi o modo pelo qual a representação, originalmente uma instituição não democrática, veio a ser adotada como um elemento essencial da democracia moderna (capítulo 2). Mais algumas palavras podem ajudar a pôr a representação em perspectiva.

Como um meio de ajudar a democratizar os governos dos Estados nacionais, a representação pode ser compreendida como um fenômeno histórico e como uma aplicação da lógica da igualdade a um sistema político em grande escala.

Os primeiros esforços bem-sucedidos para democratizar o Estado nacional ocorreram, tipicamente, em países que já dispunham de corpos legislativos destinados a representar interesses sociais bastante distintos: dos aristocratas e dos comuns, o interesse dos proprietários de terras, o interesse comercial e similares. À medida que os movimentos por maior democratização ganharam força, portanto, o desenho de um poder legislativo "representativo" não precisou ser tecido a partir das fibras diáfanas das ideias democráticas abstratas; já existiam órgãos legislativos e representantes concretos, ainda que não democráticos. Em consequência disso, os defensores da reforma, os quais a princípio raramente tinham a intenção de criar uma democracia inclusiva, procuraram tornar os órgãos legislativos existentes mais "representativos" através da ampliação das liberdades, da adoção de um sistema eleitoral que tornaria os membros mais representativos do eleitorado e da garantia de eleições livres e conduzidas com justiça. Além disso, procuraram garantir que o representante executivo mais importante (o presidente, o primeiro ministro, o gabinete ou o governador) fosse escolhido por uma maioria do legislativo (ou da casa popular) ou pelo eleitorado em geral.

Embora essa breve descrição de um caminho geral para a democratização não faça justiça a muitas variações importantes em cada país, algo mais ou menos nessa linha ocorreu nos primeiros Estados nacionais a serem democratizados. Isso ocorreu, por exemplo, nas colônias americanas antes da revolução – um período de cento e cinquenta anos de desenvolvimento pré-democrático cuja importância é, muitas vezes, subestimada – e, após a independência, nos treze estados americanos. É certo que, ao criar os Artigos da Confederação após a independência, os líderes americanos tiveram de criar um congresso nacional praticamente do nada; e, logo em seguida, o Congresso dos Estados Unidos foi moldado em sua forma mais duradoura na Convenção Constituinte de 1787. No entanto, ao criar a Constituição, os delegados da Convenção sempre tomaram, como ponto de partida, as características específicas do sistema constitucional britânico – principalmente o rei, o parlamento bicameral, o primeiro ministro e o gabinete – ainda que tivessem alterado esse modelo para adaptá-lo às novas condições de um país formado por treze estados soberanos, sem um monarca para servir como chefe de Estado ou os pares hereditários para compor uma câmara de lordes. Embora sua solução para a escolha de um chefe executivo – um colégio eleitoral – demonstrasse ser incompatível com os impulsos democratizantes da época, na prática o presidente rapidamente passou a ser escolhido por meio de um processo que, para todos os efeitos, era uma eleição popular.

Na Grã-Bretanha, onde ao final do século XVIII o primeiro-ministro já havia se tornado dependente da confiança das maiorias parlamentares, um dos principais objetivos dos movimentos pela democratização de 1832 em diante era ampliar o direito de votar nos membros do Parlamento e garantir que as eleições parlamentares fossem justas e livres[3]. Nos países escandinavos, nos quais, como na Inglaterra, os corpos legislativos já existiam desde a Idade Média, a tarefa era tornar o primeiro-ministro dependente do parlamento (e não do rei) e expandir o sufrágio para as eleições parlamentares. O mesmo ocorria na Holanda e na Bélgica. Embora entre a revolução de 1789 e a Terceira República em 1871 a França houvesse tomado um caminho um pouco diferente (a expansão do sufrágio geralmente acompanhara o despotismo executivo), o que os movimentos democráticos reivindicavam não era algo tão diferente do que estava acontecendo em outros lugares. As instituições políticas do Canadá, da Austrália e da Nova Zelândia foram moldadas por suas próprias experiências coloniais, as quais incluíam elementos significativos de governo parlamentar, bem como pelos sistemas constitucionais britânico e norte-americano.

O propósito dessa história resumida é enfatizar o fato de que os movimentos pela democratização dos governos dos Estados nacionais na Europa e na América não se iniciaram a partir de uma tábula rasa. Nos países que foram os principais centros de democratização bem-sucedida do final do século XVIII até cerca de 1920, os órgãos legislativos, sistemas de representação e até mesmo as eleições já eram instituições conhecidas. Em consequência disso, algumas das instituições mais marcantes da democracia moderna, inclusive o próprio governo representativo, não foram simplesmente o produto de raciocínios abstratos sobre os requisitos de um processo democrático. Ao contrário, resultaram de modificações específicas e sucessivas de instituições políticas já existentes. Se elas tivessem sido gestadas apenas por defensores da democracia trabalhando exclusivamente com projetos abstratos para o processo democrático, os resultados provavelmente teriam sido muito diferentes.

Todavia, seria um equívoco interpretar a democratização dos corpos legislativos existentes como nada mais que adaptações *ad hoc* de instituições estabelecidas. Uma vez feita a transição de lugar da democracia para o Estado nacional, a lógica da igualdade política, agora aplicada a países muito maiores que a cidade-Estado, implicava claramente que a maior parte da legislação teria de ser sancionada, não pelos cidadãos em assembleia, mas por seus representantes eleitos[4]. Pois ficou evidente então, como é evidente agora, que o número de cidadãos que podem se reunir em assembleia (ou que têm a oportunidade de fazer algo a mais além de votar) deve necessariamente decrescer à medida que o número de cidadãos em geral cresce além de um número relativamente pequeno, ainda que indefinido. Terei algo mais a dizer sobre o problema da participação em breve. Aqui, o que pretendo deixar claro é que o governo representativo não foi enxertado na ideia democrática simplesmente devido à inércia e à familiaridade das instituições que já existiam. Aqueles que tomaram para si a tarefa de modificar essas instituições tinham plena consciência do fato de que, a fim de poder aplicar a lógica da igualdade política à grande escala do Estado nacional, a democracia "direta" das assembleias de cidadãos precisava ser substituída (ou, ao menos, complementada) pelos governos representativos. Essa observação foi feita repetidas vezes até que, como em Mill, ela pudesse ser inteiramente considerada um princípio. Até mesmo os suíços, com sua longa tradição de governo de assembleia nos antigos cantões, reconheceram que os plebiscitos nacionais não conseguiam desempenhar adequadamente as funções de um parlamento nacional.

Entretanto, como previu corretamente Rousseau no *Contrato social*, a representação estava destinada a alterar a natureza da cidadania e do processo democrático. Como veremos, a democracia em grande escala carece de algumas das potencialidades da democracia em pequena escala. O que nem sempre se percebe é que o reverso também é verdadeiro.

Expansão ilimitada

Uma vez que a representação fora adotada como solução, as barreiras ao tamanho de uma unidade democrática determinada pelos limites de uma assembleia numa cidade-Estado foram eliminadas. Em princípio, nenhum país ou população podiam ser vastos demais para um governo representativo. Em 1787, os Estados Unidos tinham uma população de cerca de quatro milhões, o que já era algo gigantesco de acordo com os padrões da pólis grega ideal. Alguns delegados à Convenção Constitucional ousaram prever os

Estados Unidos no futuro com 100 milhões ou mais de habitantes, um número finalmente ultrapassado em 1915. Em 1950, quando a Índia estabeleceu seu sistema republicano parlamentar, sua população chegava a cerca de 350 milhões e continuava a crescer. Por enquanto, é impossível especificar um teto máximo teórico.

Limites para a democracia participativa

Como consequência direta do crescimento em escala, porém, algumas formas de participação política são *inerentemente* mais limitadas nas poliarquias, comparadas ao que eram nas cidades-Estado. Não quero dizer que a participação nas cidades-Estado democráticas ou republicanas verdadeiramente alcançassem algo nem sequer próximo dos limites de suas potencialidades. Mas existiam, em muitas cidades--Estado medievais, possibilidades teóricas que não existem num país democrático, mesmo que pequeno, por causa da magnitude absoluta de seu corpo de cidadãos e (com menos importância) de seu território. O limite teórico da participação política efetiva, mesmo com os meios de comunicação modernos, diminui rapidamente à medida que diminui a escala. A consequência disso é que, em média, um cidadão dos Estados Unidos, ou mesmo da Dinamarca, não consegue participar da vida política tão plenamente quanto o número médio de um *demos* muito menor, num Estado muito menor. Quero retomar esse ponto no capítulo seguinte.

Diversidade

Embora a relação entre escala e diversidade não seja linear, quanto maior e mais inclusiva uma unidade política, mais seus habitantes tendem a exibir uma grande diversidade de modos pertinentes à vida política: nas fidelidades locais e regionais, nas identidades étnicas e raciais, na religião, nas crenças políticas e nas ideologias, nas ocupações, nos estilos de vida, e assim por diante. A população relativamente homogênea de cidadãos unidos por laços comuns à cidade, língua, raça, história, mitos, deuses e religião, a qual era uma parte tão manifesta da visão de democracia da antiga cidade-Estado, tornou-se algo impossível, para todos os efeitos práticos. No entanto, o que agora é possível, como podemos perceber, é um sistema político além da concepção dos defensores pré-modernos do governo popular: governos representativos com eleitorados inclusivos e um amplo leque de direitos e liberdades pessoais, os quais podem ser encontrados em grandes países de extraordinária diversidade.

Conflito

Em consequência dessa diversidade, porém, as divisões políticas se multiplicam, o conflito torna-se um aspecto inevitável da vida política e o pensamento e as práticas políticas tendem a aceitar o conflito, não como uma aberração, mas como uma característica normal da política.

Um símbolo admirável dessa mudança é James Madison, que, na Convenção Constitucional Americana de 1787, e mais tarde em sua defesa desta no *Federalista*, bateu de frente com a visão histórica que ainda se refletia nas objeções antifederalistas ao absurdo e à iniquidade da tentativa de formar uma república democrática numa escala tão grotesca quanto a que seria formada pela união federal das treze colônias. Numa polêmica brilhante, Madison argumentou que, uma vez que os conflitos de interesse fazem parte da natureza do homem e da sociedade e a expressão desses conflitos não poderia ser suprimida sem que se suprimisse a liberdade, a melhor cura para os males do sectariano seria o aumento da escala. Como ele pretendia demonstrar, uma vantagem clara do governo republicano na escala maior do Estado nacional seria, ao contrário da visão tradicional, uma probabilidade muito menor de que os conflitos políticos gerassem um conflito civil grave do que a probabilidade de que isso ocorresse no círculo mais limitado da cidade-Estado.

Portanto, em contradição com a ideia clássica, segundo a qual se pode esperar que um corpo de cidadãos mais homogêneo não apenas compartilhe crenças semelhantes acerca do bem comum, como também aja de acordo com essas crenças, a noção de bem comum é submetida a uma grande distensão a fim de poder englobar os laços, fidelidades e crenças heterogêneos formados num corpo de cidadãos diversos, com uma multiplicidade de cisões e conflitos. Na verdade, essa distensão esgarça de tal modo o conceito de bem comum que cabe nos perguntarmos se ele pode, agora, ser pouco além de uma lembrança comovente de uma ideia antiga, a qual mudanças irreversíveis tornaram irrelevante para as condições da vida política moderna e pós-moderna. Retornaremos a esse problema nos capítulos 20 e 21.

Poliarquia

A mudança de escala e suas consequências – o governo representativo, maior diversidade, um aumento nas cisões e conflitos – contribuiu para o desenvolvimento de um conjunto de instituições políticas que, como um todo, distinguem a democracia representativa moderna de todos os outros sistemas políticos, sejam eles não democráticos ou sistemas democráticos mais antigos. Denominou-se esse tipo de sistema político *poliarquia*, um termo que utilizo com frequência[5].

A poliarquia pode ser compreendida de vários modos: como um resultado histórico dos esforços pela democratização e liberalização das instituições políticas do Estado-nação; como um tipo peculiar de ordem ou regime políticos que, em muitos aspectos importantes, difere não apenas dos sistemas não democráticos de todos os tipos, como também de democracias anteriores, em pequena escala; como um sistema (à moda de Schumpeter) de controle político no qual os funcionários do mais alto escalão no governo do Estado são induzidos a modificar sua conduta a fim de vencer eleições quando em competição com outros candidatos, partidos e grupos; como um sistema de direitos políticos (discutidos anteriormente, no capítulo 11); ou como um conjunto de instituições necessárias ao processo democrático em grande escala. Embora esses modos de interpretar a poliarquia sejam diferentes em aspectos interessantes e importantes, eles não são incompatíveis. Ao contrário, se complementam. Simplesmente enfatizam diversos aspectos ou consequências das instituições que servem para distinguir as ordens políticas poliárquicas das não poliárquicas.

Daqui a pouco, examinarei a poliarquia no último sentido, como um conjunto de instituições políticas necessárias à democracia em grande escala. Em alguns dos capítulos seguintes, veremos como o desenvolvimento da poliarquia depende de certas condições essenciais; como, na ausência de uma ou mais dessas condições, a poliarquia pode sucumbir; e como a poliarquia pode às vezes ser restaurada após conflitos civis e governos autoritários. Também trataremos da atual extensão da poliarquia no mundo e de suas possibilidades no futuro.

Pluralismo social e organizacional

Um outro fator paralelo ao tamanho maior da ordem política e às consequências descritas até aqui – a diversidade, o conflito, a poliarquia – é a existência, nas poliarquias, de um número significativo de grupos e organizações sociais que são relativamente autônomas umas com relação às outras e também no que diz respeito ao próprio governo: é o chamado *pluralismo* ou, mais especificamente, o pluralismo social e organizacional[6].

A expansão dos direitos individuais

Embora não tão diretamente relacionada à mudança na escala, uma das diferenças mais significativas entre a poliarquia e todos os outros sistemas democráticos e republicanos mais antigos é a expansão estarrecedora dos direitos individuais ocorrida nos países com governos poliárquicos.

Na Grécia clássica, como vimos no capítulo 1, a liberdade era um atributo da afiliação a uma cidade em particular, na qual um cidadão era livre em virtude das determinações da lei e do direito de participar das decisões da assembleia (supra, p. 22 e p. 345, notas 16 e 17). Pode-se afirmar que, num grupo pequeno e relativamente homogêneo de cidadãos ligados por laços de família, amizade, vizinhança, comércio e identidade cívica, a participação com os concidadãos em todas as decisões que afetam a vida comum e, por conseguinte, o exercício da autodeterminação quanto à vida da comunidade, são liberdades tão fundamentais e abrangentes que os outros direitos e liberdades perdem muito de sua importância. No entanto, como contrapeso a essa idealização, é necessário acrescentar que as comunidades pequenas geralmente são menos conhecidas por sua liberdade que por sua opressividade, particularmente com relação aos não conformistas. Até mesmo Atenas demonstrou ser intolerante para com Sócrates. Por mais excepcional que fosse a convicção de Sócrates, ele não tinha o "direito constitucional" de pregar ideias dissidentes.

Por contraste, como indiquei no capítulo 13, em países com governos poliárquicos, o número e a variedade de direitos individuais que são legalmente especificados e efetivamente sancionados aumentaram com o passar do tempo. Além disso, como a cidadania nas poliarquias expandiu-se até incluir quase toda a população adulta, praticamente todos os adultos detêm direitos políticos primários; os escravos, metecos e mulheres excluídos da cidadania plena nas democracias gregas adquiriram todos os direitos da cidadania nos países democráticos modernos. Finalmente, muitos direitos individuais, como o direito a um julgamento justo, não são restritos apenas aos cidadãos: são extensivos a outros também, em alguns casos a toda a população de um país.

Seria absurdo atribuir essa extraordinária expansão dos direitos individuais nas poliarquias simplesmente aos efeitos do tamanho. No entanto, ainda que a escala maior da sociedade seja apenas uma dentre várias causas, e provavelmente nem mesmo a mais importante, ela indubitavelmente contribuiu de alguma forma para a expansão dos direitos individuais. Para começar, a democracia em grande escala requer as instituições da poliarquia e, como vimos, essas instituições necessariamente incluem direitos políticos primários – direitos que vão muito além daqueles que os cidadãos detinham nas primeiras ordens democráticas e republicanas. Ademais, a maior escala provavelmente estimula uma preocupação quanto aos direitos como alternativas à participação nas decisões coletivas. Pois, à medida que a escala social aumenta, cada pessoa necessariamente conhece e é conhecida por uma proporção cada vez menor de todas as outras. Na verdade, cada cidadão é um estranho para um número cada vez maior de outros cidadãos. Os laços sociais e o conhecimento pessoal entre os cidadãos cedem à distância social e ao anonimato. Nessas circunstâncias, os direitos pessoais vinculados à cidadania – ou simplesmente à condição de pessoa – podem assegurar uma esfera de liberdade pessoal que a participação nas decisões políticas não pode. Além disso, à medida que crescem a diversidade e as cisões políticas e o conflito entre antagonistas políticos se torna um aspecto normal e aceito da vida política, os direitos individuais podem ser vistos como um substituto para o consenso político. Se pudesse haver uma sociedade sem conflitos de interesse, ninguém teria muita necessidade de direitos pessoais: o que um cidadão quisesse seria querido por todos. Embora nenhuma sociedade jamais tenha sido tão homogênea ou consensual, até mesmo onde o consenso é imperfeito, mas elevado, a maioria das pessoas poderia ter certeza de fazer parte da maioria com tanta frequência que seus interesses básicos sempre seriam preservados nas decisões coletivas. Mas se os conflitos de interesse são normais e os resultados das decisões, altamente incertos, os direitos pessoais oferecem um modo de garantir para todos um certo espaço livre que não pode ser facilmente violado pelas decisões políticas comuns.

A poliarquia

A poliarquia é uma ordem política que, em âmbito mais geral, distingue-se por duas características amplas: a cidadania é extensiva a um número relativamente alto de adultos e os direitos de cidadania incluem não apenas a oportunidade de opor-se aos funcionários mais altos do governo, mas também a de removê-los de seus cargos por meio do voto. A primeira característica distingue a poliarquia de sistemas mais exclusivos de governo nos quais, embora a oposição seja permitida, os governos e seus oponentes legais são restritos a um grupo pequeno, como foi o caso na Grã--Bretanha, na Bélgica, na Itália e em outros países antes do sufrágio em massa. A segunda característica distingue a poliarquia dos regimes nos quais, embora os adultos em sua maioria sejam cidadãos, a cidadania não inclui o direito de se opor ao governo e de removê-lo do poder por meio do voto, como ocorre nos regimes autoritários modernos.

As instituições da poliarquia

Mais especificamente, e para dar mais conteúdo a essas duas características gerais, a poliarquia é uma ordem política que se distingue pela presença de sete instituições, todas as quais devem existir para que um governo possa ser classificado como uma poliarquia.

1. *Funcionários eleitos*. Os funcionários eleitos são constitucionalmente investidos do controle político das decisões governamentais.
2. *Eleições livres e justas*. Os funcionários eleitos são escolhidos em eleições frequentes, conduzidas de modo justo, nas quais a coerção é relativamente rara.
3. *Sufrágio inclusivo*. Praticamente todos os adultos têm o direito de votar na eleição dos funcionários do governo.
4. *Direito de concorrer a cargos eletivos*. Praticamente todos os adultos têm o direito de concorrer a cargos eletivos no

governo, embora os limites de idade possam ser mais altos para ocupar o cargo do que para o sufrágio.
5. *Liberdade de expressão*. Os cidadãos têm o direito de se expressar, sem o perigo de punições severas, quanto aos assuntos políticos de uma forma geral, o que inclui a liberdade de criticar os funcionários do governo, o governo em si, o regime, a ordem socioeconômica e a ideologia dominante.
6. *Informação alternativa*. Os cidadãos têm o direito de buscar soluções alternativas de informação. Ademais, existem fontes de informação alternativa protegidas por lei.
7. *Autonomia associativa*. Para alcançar seus vários direitos, inclusive aqueles relacionados acima, os cidadãos também têm o direito de formar associações ou organizações relativamente independentes, inclusive partidos políticos independentes e grupos de interesse.

É importante entender que essas afirmações caracterizam direitos, instituições e processos reais, e não simplesmente nominais. Na verdade, os países do mundo podem receber classificações aproximadas dependendo do quanto essas instituições estão presentes, no sentido realista do termo. Consequentemente, as instituições podem servir como critérios para decidir que países são governados por poliarquias hoje, ou o foram no passado. Essas posições e classificações podem então ser utilizadas, como veremos mais tarde, para investigar as condições que favorecem ou prejudicam as chances da poliarquia.

Poliarquia e democracia

Porém, é óbvio que não estamos tratando da poliarquia apenas porque ela é um tipo de ordem política característica do mundo moderno. Aqui, ela nos interessa principalmente em razão de sua influência sobre a democracia. Qual *é*, portanto, a relação entre a poliarquia e a democracia?

Em poucas palavras, as instituições da poliarquia são necessárias à democracia em grande escala, particularmente na escala do Estado nacional moderno. Vistas sob um ângulo um pouco diferente, todas as instituições da poliarquia são necessárias para a consecução mais viável possível do processo democrático no governo de um país. Dizer que todas as sete instituições são necessárias não é o mesmo que afirmar que elas são suficientes. Em capítulos posteriores, quero explorar algumas possibilidades para maior democratização dos países governados pela poliarquia.

A relação entre a poliarquia e os requisitos do processo democrático é especificada na tabela 15.1.

Uma avaliação da poliarquia

É uma característica dos democratas que vivem em países governados por regimes autoritários nutrir a esperança fervorosa de que, um dia, seu país vá atingir o limiar da poliarquia. É uma característica dos democratas que vivem em países há muito governados por uma poliarquia crer que a poliarquia não é democrática o suficiente e que deveria se tornar mais democrática. Entretanto, apesar de os democratas descreverem muitas visões diferentes de qual deve ser o próximo estágio da democratização, até agora nenhum país transcendeu a poliarquia e alcançou um estágio "mais elevado" da democracia.

Embora os intelectuais nos países democráticos nos quais a poliarquia existe sem interrupções há várias gerações com frequência se cansem de suas instituições e desprezem suas falhas, não é difícil compreender por que os democratas que são privados dessas instituições as consideram altamente desejáveis, com arestas e tudo. Ora, a poliarquia oferece um amplo leque de direitos humanos e liberdades que nenhuma outra alternativa do mundo real consegue igualar. É intrínseca à poliarquia em si uma generosa zona de liberdade e autonomia que não pode ser profunda e persistentemente invadida sem que a própria poliarquia seja destruída. E como

Tabela 15.1 A poliarquia e o processo democrático

As seguintes instituições...	são necessárias para satisfazer os seguintes critérios
1. Funcionários eleitos 2. Eleições livres e justas	I. Igualdade de voto
1. Funcionários eleitos 3. Sufrágio inclusivo 4. Direito de concorrer a cargos eletivos 5. Liberdade de expressão 6. Informação alternativa 7. Autonomia associativa	II. Participação efetiva
5. Liberdade de expressão 6. Informação alternativa 7. Autonomia associativa	III. Compreensão esclarecida
1. Funcionários eleitos 2. Eleições livres e justas 3. Sufrágio inclusivo 4. Direito de concorrer a cargos eletivos 5. Liberdade de expressão 6. Informação alternativa 7. Autonomia associativa	IV. Controle da agenda
3. Sufrágio inclusivo 4. Direito de concorrer a cargos eletivos 5. Liberdade de expressão 6. Informação alternativa 7. Autonomia associativa	V. Inclusão

as pessoas nos países democráticos têm, como vimos, um gosto por outros direitos, liberdades e prerrogativos, essa zona essencial é ainda mais ampliada. Embora as instituições da poliarquia não garantam a facilidade e o vigor de participação dos cidadãos que, em princípio, poderiam existir na pequena cidade-Estado, tampouco garantam que os governos sejam cuidadosamente controlados pelos cidadãos ou que as políticas correspondam invariavelmente aos desejos de uma maioria de cidadãos, elas reduzem ao extremo a possibilidade de que um governo vá insistir por muito tempo em políticas que ofendam profundamente a maioria dos cidadãos. Além disso, essas instituições até mesmo tornam rara a possibilidade de que um governo imponha políticas que despertem a oposição de um número substancial de cidadãos, os quais tentariam derrubar essas políticas mediante o uso vigoroso dos direitos e oportunidades à sua disposição. Se por um lado o controle dos cidadãos sobre as decisões coletivas é mais anêmico do que o controle robusto que eles exerceriam caso o sonho da democracia participativa viesse a se concretizar, por outro lado a capacidade dos cidadãos de vetar a reeleição e as políticas dos funcionários eleitos é um meio poderoso ao qual eles recorrem frequentemente para evitar que os funcionários imponham políticas indesejáveis a muitos cidadãos.

Portanto, comparada a suas alternativas históricas e reais, a poliarquia é uma das criações mais extraordinárias do engenho humano. No entanto, ela fica inquestionavelmente aquém de realizar o processo democrático. De um ponto de vista democrático, muitas questões podem ser levantadas quanto às instituições da democracia em grande escala no Estado nacional, conforme existem hoje. A meu ver, as questões mais importantes, às quais dedico o restante deste livro, são as seguintes:

1. Como podemos (se é que podemos), nas condições do mundo moderno e pós-moderno, concretizar as possibilidades da participação política que estavam presentes em teoria, embora quase nunca fossem totalmente concretizadas na prática, nas democracias e repúblicas em pequena escala?

2. Acaso a poliarquia pressupõe condições que faltam, e continuarão a faltar, à maioria dos países? Portanto, será que a maior parte dos países são inadequados à poliarquia e, ao contrário, predispostos ao colapso da democracia e ao domínio autoritário?

A SEGUNDA TRANSFORMAÇÃO DEMOCRÁTICA

3. Será que a *democracia* em grande escala é mesmo possível, ou será que as tendências à burocratização e à oligarquia necessariamente privam a democracia de seus significado e de sua justificativa essenciais?

4. Acaso o pluralismo inerente à democracia em grande escala enfraquece fatalmente as chances de se alcançar o bem comum? Na verdade, será que existe mesmo um bem *comum* em algum grau significativo?

5. Por fim, seria possível ir além do limiar histórico da poliarquia e chegar a uma realização mais completa do processo democrático? Em suma, dados os limites e as possibilidades de nosso mundo, será realista a possibilidade de uma terceira transformação?

Capítulo 16
Democracia, poliarquia e participação

Uma das consequências de se transferir a ideia da democracia da cidade-Estado para o Estado nacional é que as oportunidades que os cidadãos têm de participar plenamente das decisões coletivas são mais limitadas do que seriam, ao menos teoricamente, num sistema muito menor. Para a maioria das pessoas hoje em dia, esses limites parecem ser algo muito natural. No entanto, a natureza da ideia democrática e suas origens não permitem que morra por completo a esperança de que os limites possam ser transcendidos mediante a criação de novas (ou da recriação de antigas) formas e instituições democráticas. Consequentemente, uma forte contracorrente favorável ao ideal de uma democracia plenamente participativa persiste entre os defensores da democracia, que muitas vezes retomam a visão democrática mais antiga, refletida no *Contrato social* de Rousseau e nas imagens da democracia grega (não tanto como ela existia na realidade histórica, mas sim na pólis idealizada).

Algumas das questões centrais surgem à medida que Jean-Jacques e James retomam seu diálogo:

JAMES: Tenho notado muitas vezes, Jean-Jacques, que embora você aceite todos os benefícios da democracia moderna, incluindo o direito de dizer tudo o que quiser – um direito que você, obviamente, aprecia muito, já que o exerce com tanta frequência – você sempre parece, não obstante, denegrir as instituições e as conquistas dessa mesma democracia. Às vezes acho que, nos países democráticos, o colapso da democracia tem menos risco de ser provocado por seus oponentes que por seus defensores utopistas. Com amigos como você...

Jean-Jacques: ... a democracia não precisa de inimigos. Definitivamente um golpe baixo, James. Esse não é o seu estilo e não está à sua altura, meu bom amigo. Você fala da democracia. Se a critico, é porque o que você e outros insistem em chamar de "democracia moderna" não é, nem pode ser, muito democrática. Por que não dar às coisas os seus verdadeiros nomes e chamar a democracia moderna de "oligarquia"?

James: Desculpe se o ofendi, Jean-Jacques. Achei meu comentário totalmente exato. Mas vejo que você está pronto para brigar, portanto, vou me abrigar enquanto você mira e abre fogo. Vá em frente, por favor.

Jean-Jacques: Obrigado. Não será perfeitamente óbvia a razão pela qual o que você chama de "poliarquia" é um substituto lamentável para a verdadeira democracia?

James: Desculpe, mas aprendi que a expressão "verdadeira democracia" geralmente significa ou uma democracia irreal ou uma opressão real, e geralmente ambas. Porém, aguardo seu esclarecimento. Até farei a pergunta que você quer que eu faça: por que a poliarquia seria um substituto lastimável para a verdadeira democracia?

Jean-Jacques: Porque nenhum governo na escala de um país pode realmente ser democrático. A democracia, como era compreendida na era clássica, significava, acima de tudo, a participação direta dos cidadãos; ou a democracia era *participativa* ou era uma farsa. Seguindo a tradição antiga, Rousseau concordava com a ideia de que, para que os cidadãos fossem realmente soberanos, deveriam ser capazes de se reunir para governar numa assembleia soberana. Para tal, o corpo de cidadãos tinha de ser pequeno – e, naquele tempo, o território do Estado também. Como ele observou, quanto maior o número de cidadãos, menor terá de ser, necessariamente, a porção média de governo que caberá a cada cidadão. Num grande Estado, essa porção é infinitesimalmente pequena. Ele observou: "O povo inglês pensa ser livre.

Ele se engana enormemente. Ele é livre apenas durante a eleição dos membros do Parlamento. Tão logo eles são eleitos, o povo inglês é um escravo, é nada" (Rousseau 1978, livro 3, cap. 15, p. 102). Sei que isso é difícil de entender para as pessoas acostumadas apenas com a poliarquia, mas um ateniense teria compreendido tudo imediatamente.

JAMES: Não quero nos desviar de nossa argumentação começando uma discussão interminável sobre "o que Rousseau quis dizer realmente", a qual deixarei de bom grado para aqueles que apreciam esse tipo de coisa. Assim, vou ignorar a definição perversa de democracia no *Contrato social*, onde Rousseau estipula que, numa "democracia", o povo não apenas deve criar as leis, mas também administrá-las. Portanto, a "democracia" era impossível. "Se houvesse um povo de deuses, ele se governaria democraticamente. Um governo tão perfeito não é adequado aos homens." Em sua definição, ele está totalmente certo. Mas o que ele chamou de república, nós chamaríamos de democracia direta ou, o que é ainda mais exato, uma democracia de assembleia. Também vou ignorar o fato de que somente no *Contrato social* ele considerou a representação algo totalmente inaceitável. Em sua obra anterior, ele a via como uma solução sensata; o mesmo ocorreu na obra seguinte. Suponho que para ele, como para nós, era óbvio que, sem os governos representativos, a Polônia e a Córsega, por exemplo, jamais poderiam ser repúblicas (ver, especialmente, Fralin 1978).

JEAN-JACQUES: Concordo que esta argumentação não pode progredir com base em investigações acadêmicas sobre Rousseau. Não o mencionei com o intuito de ter um Grande Nome a meu favor e assim persuadir você melhor, pois ambos sabemos que isso não prova nada – embora Deus saiba que essa é uma forma comum de argumentação nessas questões. Eu o mencionei apenas porque creio que ele estava totalmente certo quanto às consequências do tamanho para a participação política.

JAMES: Talvez isso vá surpreendê-lo, mas eu também penso assim. Não vejo como alguém poderia negar que a oportunidade para cada cidadão de participar *diretamente* nas decisões coletivas, exceto através do voto, tem de ser inversamente proporcional ao tamanho. É justamente por isso que os defensores da democracia em larga escala admiravam tanto a representação. A representação é a solução óbvia para um problema que, de outra forma, seria insolúvel.

JEAN-JACQUES: Mas você não acaba de admitir que a representação não resolve o problema da participação? E também não admitiu, por conseguinte, que o problema da participação simplesmente não pode ser resolvido num grande sistema? Portanto, ele só pode ser resolvido em termos clássicos: através da democracia em pequena escala.

JAMES: O que você e outros defensores da democracia de assembleia parecem não reconhecer é quão rapidamente sua própria argumentação se volta contra vocês. Já concordei que, à medida que cresce o corpo de cidadãos, as oportunidades para sua participação direta nas decisões devem, necessariamente, declinar. Isso ocorre porque, ainda que nada mais tenha um limite máximo, o tempo tem. A aritmética elementar mostra que se dez cidadãos se reunissem por cinco horas – tempo bastante longo para uma reunião! – o tempo máximo igual que cada um teria permissão de utilizar para falar, para fazer manobras parlamentares e votar seria de trinta minutos. Pequenos comitês são o exemplo perfeito de democracia participativa, ou pelo menos eles podem ser. Mesmo assim, como quase todos nós sabemos por experiência, as pessoas que têm outras coisas a fazer não gostariam de participar de reuniões de comitê com cinco horas de duração muitas vezes por mês. Mas você e Rousseau não estão falando sobre comitês. Vocês estão falando sobre o governo de um Estado, pelo amor de Deus!

JEAN-JACQUES: Bem, não apenas sobre Estados. Outras organizações e associações também podem ser governadas democraticamente.

JAMES: É verdade, sem dúvida. Mas voltemos à aritmética da participação. Uma vez que você vá além do tamanho de um comitê, as oportunidades para que todos os membros participem necessariamente diminuem com muita rapidez e de forma drástica. Veja: se a duração das reuniões de assembleia continuar a ser de cinco horas e o número de cidadãos não ultrapassar cem, cada membro terá três minutos. Com trezentos membros, você chega ao ponto de desaparecimento, com um minuto. O número de cidadãos de Atenas habilitados a comparecer às assembleias na Atenas clássica era vinte mil, segundo uma estimativa comum; as melhores estimativas de alguns acadêmicos são de duas ou três vezes esse número. Com apenas vinte mil, se o tempo fosse dividido igualmente numa reunião de cinco horas, cada cidadão teria menos de um segundo para participar!

JEAN-JACQUES: Espere aí, James, eu sei aritmética. Conheço cálculos como esse. Mas será que não são enganosos? Afinal de contas, nem todos querem participar, ou têm de participar, por meio da palavra. Entre vinte mil pessoas, não há vinte mil pontos de vista diferentes quanto a uma questão, particularmente se os cidadãos se reúnem depois de dias, semanas ou meses de discussões antes da assembleia. Quando chega a hora da reunião, é provável que apenas duas ou três alternativas pareçam dignas de uma discussão séria. Assim, dez oradores, digamos, com mais ou menos meia hora cada para apresentar seus argumentos, seriam mais que suficientes. Ou, digamos, cinco oradores com meia hora cada; isso deixaria algum tempo para perguntas e declarações breves. Digamos, cinco minutos para cada intervenção. Isso permitiria que trinta pessoas a mais participassem.

JAMES: Muito bem! Perceba o que você acaba de demonstrar. Trinta e cinco cidadãos participam ativamente de sua assembleia por meio da palavra. O que os cidadãos restantes podem fazer? *Eles podem ouvir, pensar e votar*. Portanto, numa assembleia de vinte mil, menos de dois décimos de 1% participam ativamente e mais de 99,8% participam apenas ouvindo, pensando e votando! Um grande privilégio, sua democracia participativa.

JEAN-JACQUES: Esses cálculos aritméticos me entediam. Dependendo dos números com os quais você começa, eles acabam como você quiser. Como dizem sobre os computadores, entra lixo, sai lixo.

JAMES: Esses exercícios escolares podem ser maçantes, mas os defensores da democracia participativa simplesmente não querem enfrentar o que eles demonstram. Tudo o que eu peço é que os Verdadeiros Crentes na democracia participativa façam seus próprios cálculos e depois reflitam profundamente sobre os resultados. Se eles fizerem isso, não poderão escapar racionalmente à conclusão de que um sistema democrático no qual a maioria dos membros tem a oportunidade plena e igual de participar só é possível em grupos *muito* pequenos. É tolo debater números precisos, mas posso pressupor que você não pretende restringir o governo democrático a sistemas políticos com menos de poucas centenas de pessoas? Deixe-me ser generoso e supor que seu limite máximo é de mil, talvez até mesmo de dez mil. Nessa escala, a maioria dos cidadãos só poderia participar de uma determinada assembleia ouvindo, pensando e votando. *E é isso que eles também poderiam fazer num sistema representativo.* Qual é a diferença? Uma grande reunião – digamos, com mil ou mais pessoas – é, inerentemente, um tipo de sistema "representativo" porque uns poucos oradores têm de representar as vozes de todos aqueles que não podem falar. Mas sem regras de representação justa, a seleção dos oradores – representantes – poderia ser arbitrária, acidental e injusta. Ao estabelecer regras para a seleção dos oradores, você já está próximo de um sistema representativo. Uma solução óbvia é criar um sistema que permita que qualquer cidadão seja escolhido para falar, e deixar que todos os cidadãos votem para escolher os que falarão por eles. Ou deixar que os representantes sejam escolhidos por sorteio, se você preferir. De qualquer forma, você acabaria por ter um sistema mais justo que sua tentativa de evitar o governo representativo.

JEAN-JACQUES: Ainda haveria uma diferença importante entre a minha solução e a sua. Num sistema representativo, os representantes votariam as políticas a serem adotadas. Numa assembleia com oradores eleitos ou escolhidos ao acaso, os cidadãos votariam as políticas. Portanto, o controle que os cidadãos exerceriam sobre as decisões ainda seria mais direto do que sob um governo representativo.

JAMES: Não nego isso. Mas me pergunto se você não deveria refletir sobre o porquê de Rousseau acreditar que a "democracia", conforme ele a definia perversamente, era impossível: você realmente não pode esperar que os cidadãos passem todo o seu tempo, ou pelo menos a maior parte de seu tempo, nas assembleias. O trabalho do mundo tem de ser feito e eleições periódicas de representantes permitem que isso aconteça. Por acaso você está pressupondo uma sociedade pastoril na qual todo o trabalho do governo possa ser realizado por assembleias de cidadãos que se reúnem cerca de uma vez por mês?

JEAN-JACQUES: Não, não estou. A democracia participativa funciona nos *kibbutzim* de Israel, e os *kibbutzim* são unidades produtivas altamente eficientes, não apenas na agricultura, mas também na industrialização e no marketing.

JAMES: Você está pressupondo, então, que sua democracia participativa exigiria uma sociedade composta exclusivamente de comunas como os *kibbutzim*? E que as pessoas poderiam decidir livremente se gostariam de viver e trabalhar nas comunas? Que eu saiba, uma sociedade assim jamais existiu. Mesmo em Israel, 95% das pessoas não vivem nos *kibbutzim*. Não há um país sequer no qual as comunas puramente voluntárias jamais tenham atraído mais que uma porcentagem minúscula da população. As comunas chinesas, como sabemos agora, foram criadas por meio de uma forte coerção e não sobreviveram quando as pessoas no campo não foram mais forçadas a se juntar a elas.

JEAN-JACQUES: A consciência humana não é fixa para sempre, como você sabe. De qualquer forma, a comuna não é o único modelo. A participação poderia ocorrer em cooperativas de produtores, em governos municipais e assim por diante.

JAMES: Governos municipais? Será que não precisamos fazer uma distinção entre duas receitas radicalmente diferentes para a democracia participativa? Numa delas – a que geralmente é proposta pelos Verdadeiros Crentes – a solução é abrangente: *todos* os governos são totalmente participativos. Com base em nossos exercícios aritméticos, deduzimos que os governos somente poderiam existir em unidades pequenas e completamente autônomas. Nenhuma unidade poderia ser grande a ponto de tornar impossível um governo de assembleia altamente participativo. A meu ver, essa solução é absolutamente utópica. Por outro lado, numa visão mais modesta da democracia participativa, apenas *algumas* unidades são governadas como democracias plenamente participativas. Outras, que são grandes demais para o governo de assembleia, são governadas por sistemas representativos. Se é verdade que todas as instituições da poliarquia são essenciais para o processo democrático no governo de um grande sistema, isso significa que os governos desses grandes sistemas seriam poliarquias. Qual dessas duas soluções você tem em mente?

JEAN-JACQUES: Embora eu não ache que ela vá acontecer amanhã de manhã, naturalmente prefiro a primeira alternativa.

JAMES: Achei que seria essa a sua escolha. Realmente não consigo imaginar como um mundo assim poderia vir a se materializar, partindo-se deste que temos agora. Suponho que um holocausto nuclear talvez o fizesse, mas não creio que você esteja propondo esse meio em particular. Vamos brincar de ser Deus, porém, e pressupor que um mundo parecido com este, com os mesmos níveis atuais de população e tecnologia, vá ser habitado apenas por pessoas que vivam em unidades muito pequenas e politicamente autônomas, cada uma delas governada por uma assembleia altamente participativa de todos os seus cidadãos. Dependendo dos parâmetros com os quais brinquemos, haveria milhares ou dezenas de milhares dessas pequenas democracias participativas.

JEAN-JACQUES: Não confio em você brincando de Deus. Eu confiaria ainda menos se você *fosse* Deus. Mas acho que devo permitir que se divirta. Vá em frente e faça de conta que é Deus, se insiste.

JAMES: Obrigado pela confiança. Agora imaginemos que as pessoas numa das unidades independentes comecem a brigar com as pessoas de outra unidade, a cobiçar as suas coisas ou ainda a querer exercer um controle maior sobre elas. Com o tempo, uma unidade domina a outra. Agora que ela se tornou maior que as unidades vizinhas e tem mais recursos, seus habitantes começam a viver as recompensas do império. Portanto, eles aniquilam mais alguns vizinhos pequenos. Seu pequeno império se expande. Ainda assim, exceto por nosso pequeno império, nada além de minúsculos Estados cobrem o globo. Que perspectivas deslumbrantes se estendem ante esse novo poder imperial em crescimento! Todos os outros Estados minúsculos aguardam sua vez de ser devorados como deliciosos petiscos. O pescador de lagostas pode até chorar muito pelas pobres ostras, mas ele vai comê-las mesmo assim.

JEAN-JACQUES: Como Deus, suponho que você possa criar o que quiser. Mas sua criação me parece artificial, pouco imaginativa ou simplesmente presa à cultura. Por que você pressupõe a inevitabilidade da agressão e do império?

JAMES: Não pressuponho que sejam inevitáveis, apenas altamente prováveis. Você realmente crê que meu cenário é improvável, Jean-Jacques? Então pense em Atenas. Pense em Roma. Reflita sobre a história da humanidade. Ou você quer que eu, brincando de ser Deus, nos devolva ao Éden e expulse o mal do mundo – dessa vez, para sempre?

JEAN-JACQUES: Não, mas por favor, retorne à Terra. Em sua estratosfera joviana, a falta de oxigênio está fazendo com que você perca o senso costumeiro da realidade. Você acha que as pessoas nas unidades de autogoverno independente não resistiriam? É claro que sim. Na verdade, elas certamente construiriam alianças para se proteger da conquista ou da absorção pelo império.

JAMES: Exatamente! E assim, elas dariam os primeiros passos rumo à criação de um sistema maior, um sistema grande demais para a democracia participativa. Sendo democratas, elas raciocinariam com a lógica da igualdade política e criariam, não somente o governo representativo, mas também todas as instituições da poliarquia.

JEAN-JACQUES: Espero que não. Ao partirem de uma crença na importância da participação plena, raciocionarem com a lógica da igualdade e verem-se livres da inércia das instituições de um grande Estado nacional, creio que elas conseguiriam encontrar modos de transcender os limites participativos da poliarquia.

JAMES: Quero que você explique como elas poderiam fazer isso. Mas antes quero que você veja a que ponto chegamos. A não ser que você ache que o mundo todo poderia existir indefinidamente sob a forma de Estados muito pequenos e completamente autônomos (ou se não como Estados, ao menos como associações inteiramente voluntárias), você deve crer que há associações grandes demais para a democracia plenamente participativa. Mas se assim for, acaso essas associações não necessitarão de governos?

JEAN-JACQUES: É claro que elas terão de ser governadas.

JAMES: Então você não terá de escolher uma dessas alternativas? Ou você insistirá que esses governos, ainda que não totalmente participativos, devem satisfazer os critérios do processo democrático na medida do possível, em razão de sua grande escala, ou você não insistirá em que eles devem ser democráticos, e neste caso, deverá estar preparado para aceitar que sejam governados de forma não democrática. Mas toda a sua filosofia política o afasta da segunda alternativa, ao passo que toda a sua filosofia política certamente deve atraí-lo para a primeira. Sob seu ponto de vista, esses governos em larga escala não podem ser perfeitamente democráticos; mas se é preciso que existam, melhor que sejam tão democráticos quanto possível, em vez de não democráticos. Você há de concluir que uma democracia de segunda é preferível à melhor não democracia. Portanto, se a poliarquia for essencial ao processo democrático nesses sistemas de grande escala, você defenderá a poliarquia. Essa é a conclusão de minha argumentação. Será que quanto a essa conclusão, finalmente podemos concordar?

JEAN-JACQUES: Talvez. Mas esse não é o fim do problema da participação. Ainda que eu pudesse admitir que os sistemas de grande escala são desejáveis e que a poliarquia é necessária para que os governos dos sistemas de grande escala sejam democratizados, eu não preciso concluir que as instituições da poliarquia são suficientes para a democratização, nem mesmo nos sistemas de grande escala.

James: Você está certo, sem dúvida. Portanto, concordamos quanto a isso, também.

Jean-Jacques: Entretanto, creio que discordamos quanto às possibilidades da participação. Mesmo nos grandes sistemas, as oportunidades para a participação política podem ser imensuravelmente maiores do que as oferecidas pelas instituições da poliarquia atualmente. Tenho certeza de que a democracia ainda não alcançou seus limites máximos com a poliarquia. Certamente, mudanças que vão além da poliarquia e produzem um novo nível de democratização são possíveis. Precisamos buscar uma nova forma de democracia que expanda as oportunidades de participação e controle democrático, não somente nas unidades menores nas quais o processo democrático poderia ser muito fortalecido, mas nas unidades maiores também.

James: Aprovo seus fins. São os meios que me escapam.

Jean-Jacques: Então nós dois precisamos refletir sobre o problema. Pois certamente ambos precisamos rejeitar a percepção complacente de que a ideia democrática finalmente atingiu o nível mais alto possível de realização com as instituições da poliarquia no Estado-nação.

James: Quanto a isso, concordamos plenamente. Eventualmente, precisaremos explorar os limites e as possibilidades da democracia sob condições que, sensatamente, podemos esperar que venham a existir no tipo de mundo no qual nós e nossos descendentes provavelmente iremos viver.

Capítulo 17
Como a poliarquia se desenvolveu em alguns países e não em outros

Em sua forma mais geral, a democracia é uma forma de governo muito antiga. Com efeito, se nossos ancestrais caçadores-coletores se governavam por meio da discussão e de uma liderança que dependia do consentimento contínuo – como postulam alguns antropólogos – a democracia, no sentido amplo do termo, pode bem ser a forma mais antiga de governo praticada pelos seres humanos. Durante milênios, a democracia pode ter sido quase universal – a forma "natural" e comum de governo tribal. Mas se isso realmente ocorreu, ela foi seguida pelo despotismo tribal, o qual talvez tenha surgido simultaneamente à evolução da sociedade humana, desde as economias de subsistência dos caçadores-coletores até à agricultura e ao pastoreio sedentários (Glassman 1986). Nas sociedades mais complexas e parcialmente urbanizadas presentes no raiar da história, há muito a democracia havia sido superada como uma solução "natural" para o problema do governo pela monarquia e a aristocracia, pelo despotismo e a oligarquia.

Embora o aparecimento do governo popular no século V a.C. entre as cidades-Estado da Grécia e na cidade-Estado de Roma tenha marcado época na evolução das possibilidades políticas, as cidades da Grécia governadas por assembleias continham apenas uma proporção minúscula da humanidade. Embora os habitantes da República Romana no ápice de sua expansão, antes que ela degenerasse num domínio imperial, fossem muito mais numerosos que os gregos, eles compunham uma fração pequena da população mundial. Ainda assim, os romanos excediam a população total das repúblicas italianas no final da Idade Média e no início da Renascença, as quais também não passavam de gotas no grande oceano da humanidade. Uma grande medida de controle popular não apenas era historicamente rara no governo do Estado, mas ainda mais incomum no governo de outras associações – religiosas, políticas, sociais – que muitas vezes eram hierárquicas na forma e despóticas na prática. Assim, vista sob uma perspectiva histórica ampla, a vida sob um governo democrático não é uma condição "natural" para a humanidade; ela é, ou pelo menos tem sido, uma aberração. Só recentemente as ideologias estabelecidas, as filosofias políticas e as crenças documentadas passaram a considerar a democracia uma forma "natural" de governo. Ao contrário, as ideologias estabelecidas geralmente consideram a hierarquia uma ordem natural na sociedade humana.

Porém, como observei na introdução, a "democracia", enquanto ideal ostensivo, componente das ideologias dominantes e mito justificador dos governantes, tornou-se, hoje, quase universal. Nos países autoritários, numa tentativa de conferir legitimidade ao regime, a "democracia" é com frequência simplesmente redefinida, como o foi na União Soviética, no Leste Europeu, na Indonésia e em outras partes do mundo; ou, como ocorreu na América Latina, os regimes militares podem justificar seu domínio como algo necessário para purificar a vida política, a fim de que a democracia possa, em última instância, ser criada ou restaurada. No entanto, por mais que eles distorçam e qualifiquem a ideia de democracia, em quase todos os países atuais, com poucas exceções, os líderes de governo não apenas afirmam que seu governo é para o bem do povo, como os líderes tendem a fazer sempre, em toda parte; mas, além disso, na maioria dos países, tendem a afirmar ser receptivos à vontade do povo; e, em muitos países, eles definem o governo do povo como a mobilização de massa sob a égide de um partido único. Nas afirmações ideológicas, pelo menos, o governo do povo, pelo povo e para o povo ainda não desapareceu da superfície da terra; ele é o padrão que quase todos os regimes agora afirmam seguir.

Entretanto, os países variam enormemente quanto ao grau em que seus governos satisfazem os critérios do processo democrático ou, mais especificamente, sustentam as instituições necessárias à poliarquia. A essa altura, pode ser útil relembrar quais são essas instituições:

1. As autoridades eleitas são investidas constitucionalmente do controle das decisões governamentais quanto às políticas públicas.
2. As autoridades eleitas são escolhidas, e pacificamente afastadas de seus cargos, em eleições frequentes, justas e livres, nas quais a coerção é bastante limitada.
3. Praticamente todos os adultos têm o direito de votar nessas eleições.
4. A maioria dos adultos também tem o direito de concorrer a cargos públicos abertos a candidatos em geral.
5. Os cidadãos têm o direito, protegido por lei, à liberdade de expressão, particularmente a expressão política, incluindo a crítica às autoridades, à conduta do governo, ao sistema político, econômico e social estabelecido e à ideologia dominante.
6. Eles também têm acesso a fontes alternativas de informação que não sejam monopolizadas pelo governo ou por nenhum outro grupo em particular.
7. Por fim, eles têm um direito efetivamente protegido por lei a formar associações autônomas e filiar-se a elas, inclusive associações políticas, como partidos políticos e grupos de interesse, que procuram influenciar o governo mediante a competição eleitoral e outros meios pacíficos.

Embora o número de países com essas instituições tenha aumentado muito no século XX, os regimes não democráticos ainda são muito mais numerosos que as poliarquias. Quanto aos governos de sistemas que não o Estado, os requisitos mínimos para o processo democrático são exceção até mesmo nas poliarquias.

O crescimento da poliarquia

A poliarquia plena é um sistema do século XX. Embora algumas das instituições da poliarquia tenham surgido numa série de países de língua inglesa e de países europeus no século XIX, o *demos* não se tornou inclusivo em país algum até o século XX.

A poliarquia passou por três períodos de crescimento: 1776-1930, 1950-59 e a década de 1980. O primeiro período tem início com as revoluções Americana e Francesa e se encerra alguns anos após o fim da Primeira Guerra Mundial. Durante esse período, as instituições que caracterizam a poliarquia evoluíram na América do Norte e na Europa. No entanto, na maioria dos países que haviam alcançado o limiar da poliarquia por volta de 1920, muitas das instituições eram deficientes pelos padrões atuais até o último terço do século XIX ou ainda mais tarde.

Em muitos desses países, somente no final do século ou ainda mais tarde as autoridades eleitas foram constitucionalmente investidas do controle das decisões governamentais sobre as políticas públicas. Essa evolução crucial foi, muitas vezes, impedida, até que esses países conquistassem a independência nacional; até então, é claro, os governantes estrangeiros eram investidos de algum controle sobre suas decisões. Dos 17 países europeus que eram poliarquias plenas ou masculinas até 1920, apenas sete haviam criado governos eleitos e independentes do controle estrangeiro antes de 1850. Três outros países estabeleceram governos independentes antes de 1900 e os outros sete, apenas após a virada do século[1].

As eleições em muitos desses países também deixaram de satisfazer nossa concepção atual do que é necessário para que sejam livres e justas. Por exemplo, o voto secreto passou a ser adotado, de forma geral, alguns anos após sua apresentação nas eleições no Sul da Austrália em 1858. Na Grã-Bretanha, o voto secreto só foi adotado nas eleições parlamentares e municipais em 1872. Nos Estados Unidos, onde o voto aberto não era incomum, o voto australiano foi amplamente adotado somente depois que as eleições presidenciais de 1884 levaram a diversas acusações de fraude eleitoral. Na França, até 1913, votos eram descaradamente oferecidos pelos candidatos aos eleitores, que então os dobravam e os colocavam na urna.

Um outro obstáculo à poliarquia em muitos países europeus foi a dependência do primeiro-ministro e do gabinete quanto à aprovação de um monarca e, em alguns casos, de uma segunda câmara não eletiva[2]. Dos 17 países europeus já mencionados, somente na França, na Itália e na Suíça os gabinetes ou primeiros-ministros eram totalmente responsáveis perante um poder legislativo eleito antes de 1900. Na Grã-Bretanha, é certo, a dependência do primeiro-ministro e do gabinete quanto às maiorias parlamentares, e não quanto ao monarca, já havia sido estabelecida como um princípio constitucional por volta do fim do século XVIII; mas somente em 1911 o poder da Casa dos Lordes para modificar, adiar e impedir legislação foi praticamente eliminado. Na Holanda, essa responsabilidade foi conquistada durante a primeira década do século, ao passo que, nos países escandinavos, o parlamento tirou o controle das mãos dos monarcas somente após crises constitucionais agudas e prolongadas: a Noruega, em 1884 (embora ela só conquistasse a independência da Suécia e da monarquia sueca em 1905), a Dinamarca em 1901[3], e a Suécia apenas em 1918.

Entretanto, como nenhum desses países tinha um *demos* inclusivo, até mesmo países que, de resto, satisfaziam os requisitos da poliarquia deixaram de alcançar a poliarquia plena até o século XX. Não somente grandes porcentagens da população masculina adulta eram excluídas do sufrágio na maioria dos países, mas, até a segunda década do século XX, somente a Nova Zelândia (1893) e a Austrália (1902) haviam estendido o sufrágio às mulheres nas eleições nacionais (o Sul da Austrália o fez em 1894). Na França e na Bélgica, na verdade, as mulheres só conquistaram o sufrágio nas eleições nacionais depois da Segunda Guerra Mundial. Na Suíça, onde o sufrágio universal foi estabelecido legalmente para os homens em 1848, muito antes que qualquer outro país o fizesse, o sufrágio nas eleições nacionais só foi garantido para as mulheres em 1971. A exclusão do sufrágio significava também a exclusão de muitas outras formas de participação. Por conseguinte, até o século XX, todos os países "democráticos" eram, no máximo, governados como poliarquias masculinas[4]. A proporção de adultos que realmente votavam (ou que participavam de outras maneiras) era ainda menor. Somente em poucos países os eleitores representavam mais de 10% da população total, e mesmo nestes – com exceção da Nova Zelândia –, representavam menos de 20% do total (figura 17.1).

Cada década entre 1860 e 1920 presenciou um aumento no número de países que possuíam todas as instituições da poliarquia, exceto o sufrágio universal. Em 1930, existiam 19 poliarquias plenas e três poliarquias masculinas, todas elas na Europa ou em países de origens predominantemente europeias – os quatro países falantes da língua inglesa e suas ex-colônias (Austrália, Canadá, Nova Zelândia e Estados Unidos), juntamente com a Costa Rica e o Uruguai na América Latina (tabela 17.1).

Porém, o fim desse período inicial de crescimento foi pontuado pelos primeiros exemplos de derrocada da democracia e transição para uma ditadura, com a consolidação do fascismo na Itália (1923-25), a instauração da ditadura Pilsudski na Polônia (1926) e a tomada do poder pelos militares na Argentina (1930). A década de 1930 presenciou mais tomadas autoritárias do poder na Alemanha, Áustria e Espanha, juntamente com a ocupação nazista da Tchecoslováquia. Como resultado disso, tornou-se um lugar-comum ver a democracia nas garras de uma crise profunda e duradoura. Após muitas décadas de expansão constante, a derrocada das poliarquias em países europeus que eram tidos como avançados parecia prenunciar um profundo declínio nas perspectivas para a democracia no mundo.

Entretanto, quando terminou a Segunda Guerra Mundial, o número de países governados por poliarquias – com a inclusão das mulheres no *demos*, essas poliarquias eram agora plenas – saltou para um patamar de 36 a 40 países,

Figura 17.1 Poliarquias com sufrágio restrito e com sufrágio pleno, 1840-1930

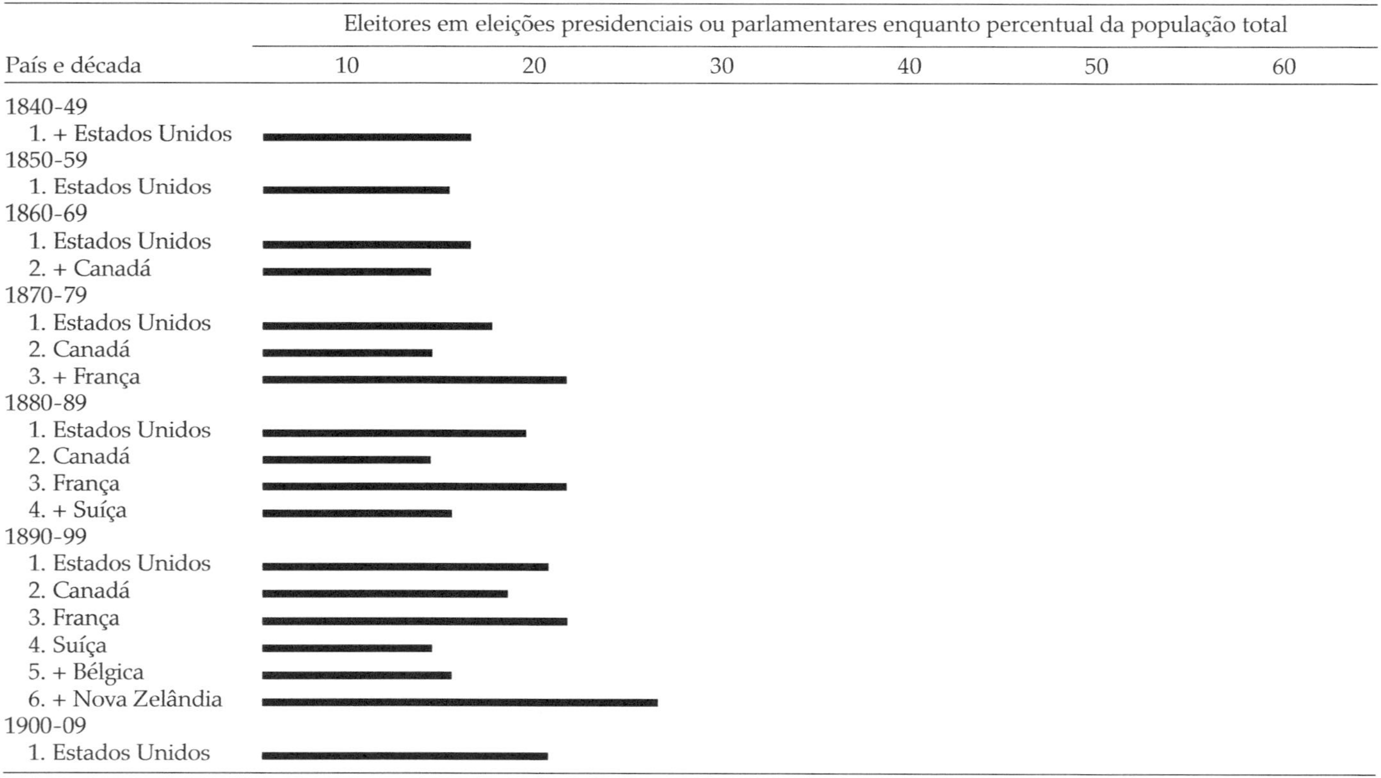

Eleitores em eleições presidenciais ou parlamentares enquanto percentual da população total

País e década	10	20	30	40	50	60
1840-49						
1. + Estados Unidos	▮					
1850-59						
1. Estados Unidos	▮					
1860-69						
1. Estados Unidos	▮					
2. + Canadá	▮					
1870-79						
1. Estados Unidos	▮					
2. Canadá	▮					
3. + França		▮				
1880-89						
1. Estados Unidos		▮				
2. Canadá	▮					
3. França		▮				
4. + Suíça	▮					
1890-99						
1. Estados Unidos		▮				
2. Canadá		▮				
3. França		▮				
4. Suíça	▮					
5. + Bélgica	▮					
6. + Nova Zelândia			▮			
1900-09						
1. Estados Unidos		▮				

(continua)

Figura 17.1 (Continuação)

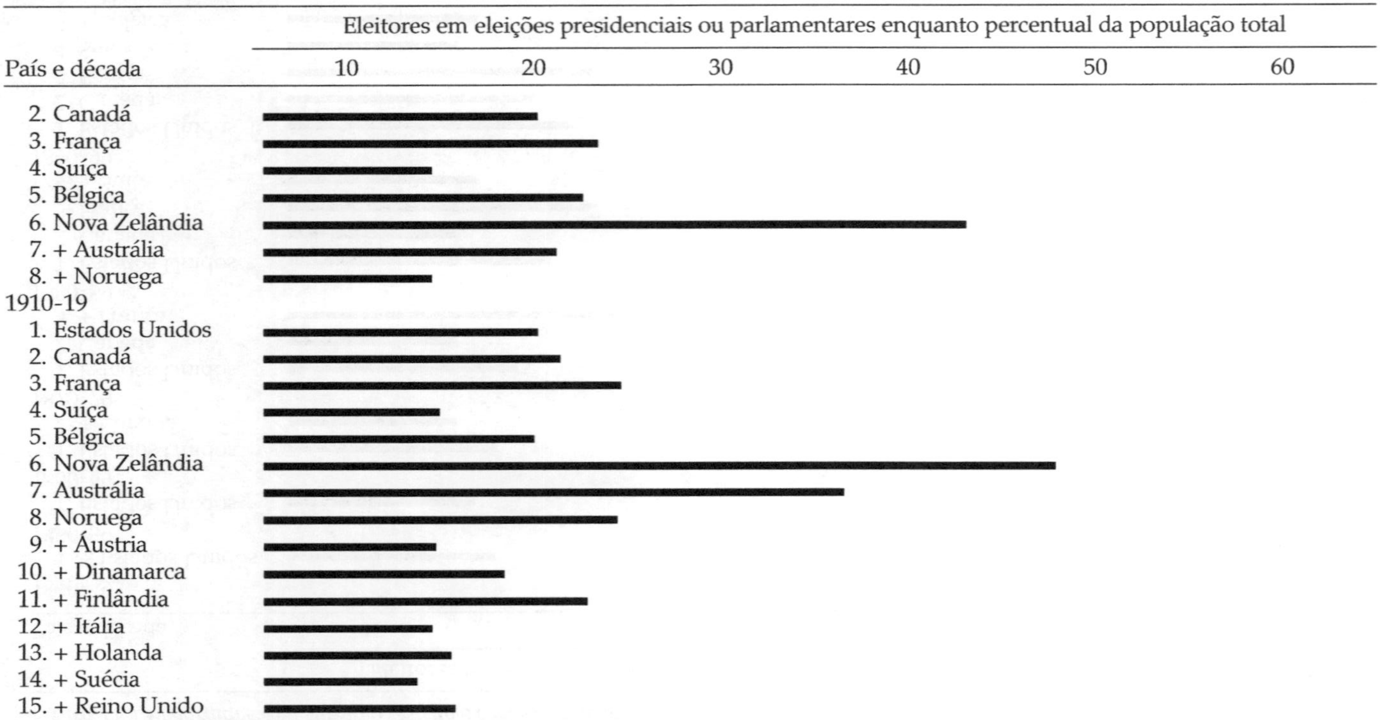
Eleitores em eleições presidenciais ou parlamentares enquanto percentual da população total
País e década
10
20
30
40
50
60
2. Canadá
3. França
4. Suíça
5. Bélgica
6. Nova Zelândia
7. + Austrália
8. + Noruega
1910-19
1. Estados Unidos
2. Canadá
3. França
4. Suíça
5. Bélgica
6. Nova Zelândia
7. Austrália
8. Noruega
9. + Áustria
10. + Dinamarca
11. + Finlândia
12. + Itália
13. + Holanda
14. + Suécia
15. + Reino Unido

1920-29
1. Estados Unidos
2. Canadá
3. França
4. Suíça
5. Bélgica
6. Nova Zelândia
7. Austrália
8. Noruega
9. Áustria
10. Dinamarca
11. Finlândia
12. Holanda
13. Suécia
14. Reino Unido
15. + Costa Rica
16. + Tchecoslováquia
17. + Alemanha
18. + Irlanda
19. + Polônia
20. + Uruguai
[– Itália]

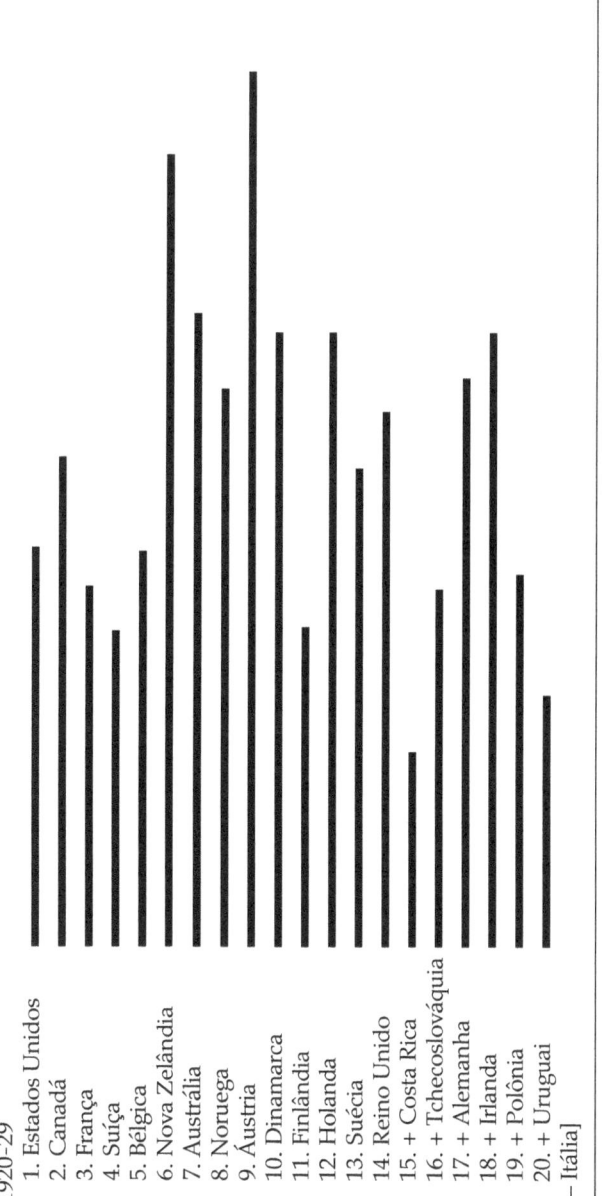

Fontes: Com exceção dos Estados Unidos 1840-49, todos os dados são de Vanhanen 1984. Dados para os Estados Unidos 1840-49 são de *Congressional Quarterly 1979* e *U.S. Bureau of the Census 1960.*

Nota: Para uma explanação mais detalhada dos dados, ver nota à tabela 17.2.

Tabela 17.1 Poliarquias, 1930

Poliarquias plenas	Poliarquias masculinas	Poliarquias falidas
Europa		
1. Áustria	1. Bélgica	1. Portugal
2. Tchecoslováquia	2. França	2. Polônia
3. Dinamarca	3. Suíça	
4. Finlândia		
5. Alemanha		
6. Islândia		
7. Irlanda		
8. Luxemburgo		
9. Holanda		
10. Noruega		
11. Suécia		
12. Reino Unido		
Outros		
13. Austrália		3. Argentina
14. Canadá		
15. Costa Rica		
16. Nova Zelândia		
17. Estados Unidos		
18. Uruguai		

Fonte: Dados não publicados, fornecidos por M. Coppedge e W. Reinicke.

nos quais ela permaneceu por cerca de 30 anos (tabela 17.2). Durante esse mesmo período, porém, também ocorreram derrocadas e golpes autoritários: na Tchecoslováquia, na Polônia e na Hungria nos anos 1940, no Brasil, no Equador e no Peru nos anos 1960 e no Chile, na Coreia do Sul, no Uruguai e na Turquia nos anos 1970. Enquanto isso, com o colapso do colonialismo puro, crescia continuamente o número de países nominalmente independentes; e novos países tipicamente iniciavam a independência com um conjunto completo de instituições políticas democráticas. Todavia, o fato de que em muitos países novos a poliarquia logo foi substituída pelo autoritarismo não chega a surpreender.

Tabela 17.2 Número de poliarquias (masculinas ou plenas) e não poliarquias (por décadas)

Décadas	Poliarquias (masculinas ou plenas)	Não poliarquias	Total	Percentual de poliarquias
1850-59	1	36	37	3
1860-69	2	37	39	5
1870-79	3	38	41	7
1880-89	4	38	42	10
1890-99	6	37	43	14
1900-09	8	40	48	17
1910-19	15	36	51	29
1920-29	22	42	64	34
1930-39	19	46	65	29
1940-49	25	50	75	33
1950-59	36	51	87	41
1960-69	40	79	119	34
1970-79	37	84	121	31

Fonte: Adaptação de dados em Vanhanen 1984, tabela 22, p. 120. Acrescentei a Islândia e Luxemburgo, que Vanhanen omite em razão do tamanho. Para comentários sobre os dados, ver a nota a seguir.

Nota: Como indicado nas notas da fonte da figura 17.1 e desta tabela, os dados são de Vanhanen 1984. Embora o estudo de Vanhanen seja uma obra notável e útil, os indicadores têm algumas falhas que se deve ter em mente na interpretação da figura 17.1 e da tabela 17.2.

O indicador de "democracia" é o ID, ou índice de democratização, o qual é a *Competição* multiplicada pela *Participação* e dividido por 100. O valor-limite de transição para a "democracia" é 5.0.

A *competição* é o percentual da fração total que cabe aos partidos menores dos votos lançados nas eleições parlamentares ou presidenciais, ou em ambas. Assim, num sistema de partido único, esse valor seria 0; num sistema de dois partidos altamente competitivo ele se aproximaria de 50%; e num sistema multipartidário ele poderia até ultrapassar os 50% (como na Holanda em 1970-79, quando era 71,1). Vanhanen adota 30% como valor-limite.

A *participação* é o percentual da população total que realmente votou nas eleições. Vanhanen adota 10% como valor-limite.

Portanto, para que um país se qualifique como uma democracia:
(i) 10% ou mais da população deve participar das eleições (P).
(ii) 30% ou mais dos votos devem ir para outros partidos que não o principal (C).
(iii) O ID, ou P X C, não deve ser inferior a 5,0. Assim, se P está no limite de 10,0%, C deve estar a pelo menos 50%. Se C está no limite de 30%, P deve estar pelo menos a 16,6%.

Portanto, as medidas e os limites são um tanto arbitrários. O ID não necessariamente reflete a situação legal e constitucional de um país ou um nível satisfatório de realização institucional da poliarquia. Não obstante, como demonstra uma inspeção da tabela, uma classificação baseada no sufrágio legal e nas instituições da poliarquia provavelmente não alteraria muito os países da tabela ou as décadas de seu surgimento como "democracias".

Tabela 17.3 *Uma classificação de 168 países, c. 1981-85 (de acordo com quatro critérios da poliarquia: eleições livres e justas, liberdade de organização, liberdade de expressão e a existência de fontes alternativas de informação)*

Classificação	N	Anomalias	Percentual de todos os países
1. Poliarquias plenas	41	1	25
2. Poliarquias com restrições menores	10		6
Poliarquias totais	51		31
3. Quase poliarquias (restrições importantes)	13		8
4. Regimes de partidos dominantes	12	4	10
5. Regimes não democráticos multipartidários	7		4
6. Não democráticos com liberdade de expressão limitada			
Tipo A[a]	8	1	5
Tipo B	18	1	11
Tipo C	17	2	11
Tipo D	5	2	4
7. Não democrático com controle total das organizações, da expressão e da mídia	26		15
Totais	157	11	100

Fonte: Dados não publicados, fornecidos por Coppedge e W. Reinicke

[a] Tipo A é um regime não democrático (RND) com liberdade limitada de expressão e que pratica uma repressão quase total das organizações ou da mídia, mas não de ambas.

Tipo B é um RND com liberdade limitada de expressão e que exerce um controle quase total das organizações e da mídia.

Tipo C é um RND com liberdade limitada de expressão e que pratica um controle quase total da mídia e um controle total das organizações.

Tipo D é um RND com liberdade limitada de expressão, mas um controle total das organizações e da mídia.

Assim, os países recém-independentes da África, que invariavelmente foram inaugurados com constituições aparentemente democráticas, rapidamente mergulharam em ditaduras; na década de 1980, em todo o continente, somente Botswana permanecia nas fileiras da poliarquia. Como contrapeso parcial a esse declínio, alguns microestados entre as ilhas do Caribe e do Pacífico ajudaram a aumentar as fileiras da poliarquia. Juntamente com as transições e a redemocratização na América Latina, o número de poliarquias em meados da década de 1980 chegara a cerca de 50, ou seja, menos de um terço dos 168 países nominalmente independentes que existiam então (tabela 17.3), uma proporção pouco diferente da que existia meio século antes (tabela 17.2).

Considerações teóricas

Como esses exemplos demonstram, os países não são estáticos e as condições podem mudar. Por exemplo, certas condições que a princípio favorecem a poliarquia podem se enfraquecer e, por conseguinte, causar a sua derrocada, como ocorreu no Chile entre 1970 e 1973. Ou condições inicialmente frágeis podem fortalecer-se e assim favorecer a estabilidade de uma poliarquia já existente, como foi o caso na Alemanha Ocidental e no Japão nas décadas seguintes à Segunda Guerra Mundial. Condições cada vez mais favoráveis podem também causar uma transição para a poliarquia num país que até então só vivenciou regimes não democráticos, como a Grã-Bretanha no século XIX, ou podem reforçar a redemocratização num país cuja poliarquia fora derrubada, caso do Uruguai nos anos 1980. Além dessas mudanças em países específicos, mudanças mais amplas e muitas vezes mais lentas também ocorrem: como veremos no capítulo seguinte, o final do século XX, por exemplo, apresenta um ambiente propício à democratização, o que é menos favorável em alguns aspectos e mais favorável em outros, que o primeiro período de crescimento da poliarquia.

Que condições favorecem o desenvolvimento, a consolidação e a estabilidade da poliarquia num país ou, por outro lado, limitam suas perspectivas? Embora as incertezas permaneçam, apesar dos resultados cumulativos de pesquisas ao longo das muitas décadas passadas, quase dois séculos de experiência nos auxiliam a identificar algumas das condições mais importantes.

Até a década de 1960, tentativas de explicar a existência, a ausência e o fracasso da democracia dependiam ou da experiência de apenas alguns países – com uma ênfase exagerada na pertinência do fracasso da democracia na Itália e na Alemanha para seu colapso em outros países – ou dependiam de dados "concretos" prontamente disponíveis, que fossem considerados válidos e confiáveis e consistissem de coisas como a renda *per capita*, o nível de alfabetização, o número de telefones e leitos hospitalares e assim por diante. Outras condições que eram teoricamente cruciais, como as atitudes, as crenças, a cultura política e outras variáveis "abstratas" eram omitidas ou permaneciam altamente conjecturais. Todavia, daí em diante, a expansão quase mundial da ciência política como um campo acadêmico, bem como a adoção de novas técnicas para a coleta e a análise sistemática de dados, contribuíram para que se reunissem mais informações sobre as experiências de uma gama muito mais ampla de países[5]. Em consequência disso, e embora as exigências da teoria ainda sejam superiores ao volume e à quantidade de dados, agora é possível ancorar a teoria na experiência com um pouco mais de firmeza.

Voltando-nos primeiramente para a teoria, é praticamente indiscutível que as perspectivas da poliarquia num determinado país dependem da robustez de certas condições. O problema é determinar quais são essas condições e como suas variações afetam a plausibilidade da poliarquia. Os padrões de desenvolvimento mais pertinentes são estes[6]:

1. Num país com um regime não poliárquico, condições favoráveis se desenvolvem e persistem. Portanto, é muito provável que uma transição para a poliarquia ocorra, que as instituições da poliarquia se consolidem e que o sistema poliárquico persista, ou seja, mantenha-se estável[7]. Portanto,
Em face de condições favoráveis:
Regime não poliárquico (RNP) → Poliarquia estável
2. Num país com um regime não poliárquico, as condições favoráveis não se desenvolvem ou são frágeis. Portanto,

é altamente improvável que ocorra uma transição para a poliarquia e altamente provável que um regime não poliárquico persista. Portanto,
Em face de condições desfavoráveis:
RNP → RNP
3. Num país com um regime não poliárquico, as condições são mistas ou temporariamente favoráveis. Se a poliarquia se desenvolve sob essas condições, as probabilidades são:
3.a. A poliarquia entra em colapso dentro de pouco tempo (menos de vinte anos), há uma transição para um regime não poliárquico e um regime não poliárquico se mantém.
Em face de condições mistas ou temporariamente favoráveis:
RNP → poliarquia → RNP
3.b. Como em 3.a., exceto pelo fato de que o regime não poliárquico também entra em colapso, ocorre uma outra transição para a poliarquia (uma *redemocratização*), a poliarquia é consolidada e se mantém:

Figura 17.2 Transições de regimes não poliárquicos

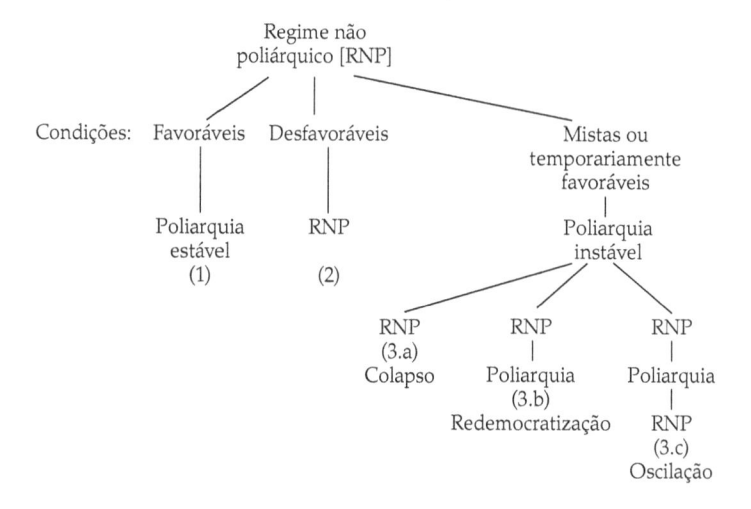

```
                    Regime não
                 poliárquico [RNP]
                        |
Condições:  Favoráveis  Desfavoráveis     Mistas ou
                |            |         temporariamente
                |            |            favoráveis
           Poliarquia       RNP              |
            estável                      Poliarquia
              (1)           (2)           instável
                                              |
                              RNP         RNP         RNP
                              (3.a)        |           |
                             Colapso    Poliarquia  Poliarquia
                                         (3.b)         |
                                     Redemocratização  RNP
                                                      (3.c)
                                                    Oscilação
```

Em face de condições mistas ou temporariamente favoráveis:

RNP → poliarquia → RNP → poliarquia

3.c. Como em 3.b, exceto pelo fato de que a poliarquia não se consolida e o regime oscila entre a poliarquia e a não poliarquia:

Em face de condições mistas ou temporariamente favoráveis:

RNP → poliarquia → RNP → poliarquia → RNP etc.

As cinco sequências são ilustradas na figura 17.2.

Que condições favorecem a primeira sequência – o desenvolvimento, a consolidação e a estabilidade da poliarquia? Em princípio, podemos responder essa questão comparando os países nos quais ocorreu a primeira sequência e os países nos quais ela não ocorreu. Embora isso seja difícil na prática, as comparações nos ajudam a chegar a alguns juízos bem fundamentados. Essa é a tarefa a que nos propomos no capítulo seguinte.

Capítulo 18
Por que a poliarquia se desenvolveu em alguns países e não em outros

Por que a poliarquia estável se desenvolveu em alguns países e não em outros? Formulemos a questão de outro modo: que condições aumentam ou reduzem as chances da poliarquia? Uma vez que as experiências de diferentes países durante o último século e meio geraram todas as sequências descritas no final do capítulo anterior, podemos especificar as condições mais importantes com um grau razoável de confiança. Embora nenhuma condição em particular possa, por si só, explicar a existência ou a ausência da poliarquia num país, se todas as condições que estou prestes a descrever estiverem presentes com solidez, a poliarquia será algo quase garantido; ao passo que, se todas elas estiverem ausentes ou forem extremamente frágeis, as probabilidades da poliarquia serão quase nulas. Todavia, em muitos países, o resultado é mais incerto; enquanto algumas condições talvez sejam relativamente fortes e, portanto, relativamente favoráveis, outras são frágeis e, por conseguinte, desfavoráveis. Além disso, as condições podem mudar, fortalecendo ou reduzindo as chances da poliarquia estável num determinado país.

O controle civil da coerção violenta

Como vimos num capítulo anterior, todos os Estados, inclusive os Estados democráticos, empregam a coerção. Os

Estados empregam a coerção internamente, para executar leis e cursos de ação política, e externamente, em suas relações com outros Estados. Os meios de coerção assumem muitas formas – econômicas, sociais, psicológicas, físicas. As capacidades típicas e características de um Estado são seus instrumentos para a coerção física – organizações militares e policiais cuja tarefa é o emprego (ou a ameaça de emprego) da violência sistemática para manter a ordem e a segurança.

Mas o que impede os líderes de empregar a violência coercitiva no estabelecimento e na manutenção de um regime não democrático? Ao longo da história, as forças militares e policiais se engajaram ativamente na vida política; e mesmo quando essas forças foram controladas por civis, os líderes civis às vezes as utilizaram para instalar e sustentar um regime não democrático. Assim também no mundo moderno, em muitos países os regimes não democráticos são sustentados, ao menos em parte, por instrumentos organizados de coerção violenta. Entretanto, no passado como no presente, em alguns sistemas políticos os líderes escolhidos pelo povo foram capazes de exercer controle sobre os militares e a polícia num grau suficiente para possibilitar a existência das instituições poliárquicas.

Para que um Estado seja governado democraticamente, evidentemente duas condições são necessárias: (1) se as organizações militares e policiais existirem, como é certo que existirão, elas deverão estar sujeitas ao controle civil. Mas o controle civil, ainda que necessário, não é suficiente, pois muitos regimes não democráticos também mantêm o controle civil. Portanto, (2) os civis que controlam os militares e a polícia devem estar, eles próprios, sujeitos ao processo democrático.

O fato de que esse controle das forças militares e policiais pelos líderes civis escolhidos pelo povo é, às vezes, possível explica-se principalmente por dois fatores: o estado corrente da organização e das técnicas militares e a utilização de meios adequados de controle civil. A primeira é uma condição histórica ampla que ajuda a determinar as opções abertas aos líderes políticos durante um período historicamente específico e possivelmente muito longo. A segunda é um conjunto de meios possíveis que os líderes políticos podem decidir empregar, mais ou menos deliberada e intencionalmente para garantir o controle civil.

As consequências políticas da organização e das técnicas militares

Ao longo da história, as chances do governo popular sempre dependeram parcialmente do estado da organização e da tecnologia militares num determinado momento. A organização e a tecnologia militares ajudaram a determinar se as forças militares eram controladas pelos civis e se os civis controladores estavam, eles próprios, sujeitos ao processo democrático. A tendência a adotar o processo democrático no governo do Estado tem sido mais forte nos períodos em que a organização e a tecnologia militares exigem que um grande número de combatentes sejam tirados da população em geral. Um autor propôs até mesmo um Coeficiente de Participação Militar que liga o escopo da participação nos assuntos militares à probabilidade do autogoverno e dos direitos individuais (Andreski 1968). Embora esse "coeficiente" sugira uma correspondência mais exata do que é possível confirmar pela experiência histórica, de fato encontra-se uma correspondência, *grosso modo* (ao menos no mundo ocidental), do seguinte tipo: quanto mais a superioridade militar depende da capacidade de um Estado para mobilizar grandes números de soldados de infantaria levemente armados, maiores têm sido as perspectivas do governo popular[1].

Para entender por que a democracia se desenvolveu na Grécia no começo do século V a.C., por exemplo, mas não nos séculos anteriores ou na Inglaterra ou na França do século XIII, precisaríamos levar em conta, entre outras coisas, a organização e a tecnologia militares. Dos tempos de Homero ao século VII a.C., as cidades-Estado da Grécia foram dominadas pela nobreza. Uma parte importante da explicação encontra-se na tecnologia militar predominante: o cavalo e a biga. Ora, somente os nobres dispunham de meios financeiros para possuir cavalos e bigas de guerra. E os meios superiores de coerção violenta dos nobres na guerra facilitaram também a sua dominação na vida política, uma vez que eles podiam intimidar facilmente grupos mal organizados de cidadão comuns levemente armados com pouco mais do que maças e ferramentas agrícolas. Porém, durante o século VII, a supremacia militar e política da aristocracia foi minada pelo surgimento de uma força de combate nova e superior, a infantaria – os famosos hoplitas retratados em inúmeros vasos gregos. Os cidadãos comuns com mais recursos conseguiam adquirir o equipamento do hoplita – capacete, escudo, corselete, greva e lança – e também dispunham de tempo livre o suficiente para engajar-se no treinamento necessário para o ataque e a defesa na disciplinada ordem unida da falange hoplita. Embora os detalhes do processo não sejam claros, os cidadãos comuns de cuja lealdade e bravura a pólis agora dependia conquistaram uma influência crescente na vida política[2]. A derrubada do governo aristocrático foi, com frequência, facilitada por tiranos populares, que podem ter contado com o apoio da classe hoplita (Ste. Croix 1981, 282). Além do mais, foi o estrato hoplita que, em última instância, ocasionou a transição para a democracia (Fine 1983, 59-61, 99-100; Sealey 1976, 30, 57)[3]. Em Atenas, a democracia aprofundou-se ainda mais graças a um outro desenvolvimento militar: o crescimento da marinha ateniense fez com que até mesmo aqueles que eram pobres demais para obter o equipamento hoplita pudessem agora servir como remadores nas galés – como homens livres, não como escravos. "Aqueles que dirigem os navios", escreveu um panfleteiro do século V, "são os que possuem o poder no Estado" (Finley 1972, 50).

A solução grega para o problema do controle civil sobre as forças militares foi, então, a milícia civil. A milícia podia ser mobilizada rapidamente para a guerra e desfeita com a mesma rapidez em tempos de paz. E mais: era liderada por generais eleitos pela assembleia popular. Em consequência disso, durante os dois séculos de duração do sistema em

Atenas, nenhum líder político conseguia governar por muito tempo sem apoio popular. Até mesmo quando a democracia foi derrubada por um breve período em 411 e 404, as oligarquias foram rapidamente substituídas quando deixaram de conseguir o apoio regular das forças militares, isto é, dos cidadãos da infantaria hoplita e da marinha e de seus generais eleitos. Quando a democracia ateniense foi finalmente sujeita à dominação militar, as forças coercitivas não foram internas, e sim externas – primeiro a Macedônia e, depois, Roma[4].

Embora a organização e a tecnologia militares da República Romana diferissem, de maneiras importantes, de seus equivalentes gregos, a solução foi fundamentalmente a mesma: as legiões do início da República romana consistiam numa milícia composta de cidadãos romanos comuns[5]. Mas quando, nos estágios terminais da República, a milícia de cidadãos havia se tornado uma instituição militar permanente e independente de soldados profissionais e até mesmo mercenários; e quando o uso da violência pelas legiões e por "gangues de rufiões profissionais"tornou-se um lugar-comum na vida política romana, a República estava fadada à ruína (Finley 1983, 117-18). Líderes ambiciosos, com frequência os próprios líderes militares, descobriram que podiam transformar rapidamente os recursos militares em recursos políticos. Após a substituição do governo republicano pelo principado, as coortes pretorianas, que durante a república haviam sido os guarda-costas dos generais, tornaram-se, sob os imperadores, uma força política ativa; juntamente com as legiões das fronteiras, participaram de execuções políticas e do terror, e às vezes criaram, outras vezes derrubaram imperadores. Surgiu o que alguns autores recentes denominam "pretorianismo" – intervenção militar no governo e dominação militar do executivo (Huntington 1957; Huntington 1968; Nordlinger 1977; Perlmutter 1977).

Na Idade Média, mudanças na organização e nas técnicas militares mais uma vez investiram de superioridade os poucos que dispunham de recursos materiais para o cavalo altamente treinado e o equipamento do cavaleiro. O soldado-cidadão desapareceu e, com ele, por muitos séculos, desapareceram as oportunidades históricas para o governo democrático ou republicano na maior parte da Europa. Nos cantões suíços, todavia, a milícia de cidadãos, apoiada pelo serviço militar universal, armada com a lança e defendendo um terreno que favorecia em muito o soldado de infantaria, conseguiu derrotar o cavaleiro. Não surpreende, portanto, que a democracia de assembleia tenha se radicado nos cantões montanhosos que, alguns séculos mais tarde, formariam o núcleo da Confederação Suíça.

Nos séculos XIV e XV, ao demonstrar a vulnerabilidade do cavaleiro, soldados de infantaria ingleses armados de arcos longos destruíram a fundação militar do feudalismo. A importância crítica dos soldados de infantaria foi, mais tarde, realçada pelo desenvolvimento do mosquetão e, com o tempo, do rifle. No século XVIII, a organização e a tecnologia militares vieram a depender da utilização de grandes massas de soldados de infantaria cujas fileiras só podiam ser preenchidas mediante a convocação extensiva de toda a população masculina. Durante cerca de meio século, o que tinha maior peso na batalha, em face do treinamento mais ou menos igual, era a quantidade de homens levemente armados – uma conquista crua e violenta do domínio da maioria. Mas as vantagens da simples quantidade podiam ser aumentadas pelo comprometimento e este podia ser potencializado pela evocação da fidelidade ao país ou à nação[6]. No entanto, ver-se como membro de uma nação, além de ser um privilégio pelo qual se espera que alguém faça certos sacrifícios, também representa uma justificativa de reivindicações mais amplas, inclusive o direito a uma fração justa do governo. O soldado-cidadão era tanto soldado quanto cidadão, ou pelo menos tinha direito a esse privilégio (Janowitz 1978, 178-79). Países com exércitos de massa descobriram, nesse momento, que haviam inaugurado a Era das Revoluções Democráticas. Foi sob essas condições históricas, nas quais as organizações e a tecnologia militares estavam mais favoráveis à democratização do que haviam estado por muitos séculos, que, como vimos no capítulo anterior, as instituições da poliarquia se enraizaram num país após o outro.

Nos Estados Unidos em particular, as perspectivas de governo com violência coercitiva eram mais baixas do que jamais foram em qualquer outro Estado, com a possível exceção da Suíça. Como veremos num instante, as instituições militares disponíveis eram minúsculas. Mas, além disso, a organização e a tecnologia militares favoreciam o soldado de infantaria armado com o mosquetão e, mais tarde, com o rifle. Essas armas eram tão facilmente acessíveis e possuídas numa escala tão ampla que os americanos eram, praticamente, uma nação armada. Num sentido bem concreto, o consentimento dos governados era absolutamente essencial para que houvesse qualquer governo que fosse, pois nenhum governo poderia ter sido imposto ao povo dos Estados Unidos face a uma oposição da maioria.

Porém, o estado da organização e da tecnologia militares que, no geral, tanto favoreceu a poliarquia na América do Norte e na Europa, mudou mais uma vez – agora para um equilíbrio mais desfavorável. A vantagem militar gradualmente passou de tropas numerosas e levemente equipadas a forças equipadas com novas armas, caras e dotadas de crescente capacidade letal – artilharia pesada, morteiros, metralhadoras, tanques e poder aéreo e marítimo, aos quais, por fim, foram acrescentados os armamentos nucleares. Essas armas, ao contrário da lança, do arco, do mosquetão ou do rifle, nunca puderam difundir-se amplamente como objetos caseiros. Concentradas em relativamente poucas mãos, elas tornariam disponíveis enormes recursos de coerção violenta a uma minoria disposta e apta a utilizá-las para fins políticos. Um crescimento na capacidade para criar e empregar organizações burocráticas (a "burocracia racional-legal" de Max Weber), juntamente com novas tecnologias de vigilância, aumentaram ainda mais as possibilidades de coerção centralizada. Sistemas policiais centralizados podiam, agora, ser empregados para destruir a oposição mais eficazmente do que jamais ocorrera na história.

Assim, o desenvolvimento da organização e da tecnologia política e militar no século XX criou um potencial para a coerção centralizada maior do que existira nos séculos XVIII e XIX, se não maior do que nunca. Entretanto, como vimos no capítulo anterior, não somente as poliarquias mais antigas sobreviveram nesse século, como também novas poliarquias vieram a existir. Se o estado da organização e da tecnologia militares não explica esse fenômeno, o que o explica?

A domesticação da coerção violenta

Os Estados democráticos já utilizaram diversos meios, muitas vezes combinados, para garantir que as forças militares e policiais não sejam empregadas na destruição do domínio democrático.

1. Um Estado democrático pode eliminar as capacidades coercitivas das forças militares ou policiais, ou reduzi-las a uma virtual insignificância. Em alguns casos raros, as forças militares foram, na verdade, simplesmente abolidas. O Japão, onde os militares haviam se tornado atores políticos importantes na década de 1930, declarou em sua constituição de 1947 (a qual foi, primariamente, uma criação da ocupação militar dos Estados Unidos), que nunca manteria forças terrestres, marítimas e aéreas. Embora essa cláusula tenha sido enfraquecida pelo desenvolvimento subsequente de uma "reserva policial" nacional e, mais tarde, de uma "força de defesa nacional", seu efeito foi prevenir o ressurgimento dos militares como atores políticos significativos na nova poliarquia. A Costa Rica, que tem tido governos eleitos pelo povo desde 1889, exceto por dois breves períodos nos quais os governos tomaram posse com o apoio de forças militares, concluiu o segundo desses períodos com a abolição de suas forças armadas em 1948-49 (Blachman e Hellman 1986, 156-60).

Embora os Estados Unidos, ao contrário do Japão e da Costa Rica, nunca tenham abolido formalmente suas forças armadas, estas foram pequenas ao longo de quase toda a história do país. Até a Segunda Guerra Mundial, tanto a Grã-Bretanha quanto os Estados Unidos mantinham pequenos exércitos com base na premissa de que seu poder naval era suficiente para prevenir invasões, e as forças navais eram pouco adequadas para a tarefa de coibir a população do país. Nos Estados Unidos, os números para 1830 são típicos das forças em tempo de paz para todo o período que se estende desde então até depois da Segunda Guerra Mundial. Em 1830, o total das forças armadas dos Estados Unidos – exército, marinha e fuzileiros navais – equivalia a uma em cada 1.080 pessoas no país; somente uma em cada 2.073 pessoas estava no exército; os oficiais do exército, 627 ao todo, eram um em 20.575. Em 1860, às vésperas da Guerra Civil, os números não eram muito diferentes. Na eclosão da Segunda Guerra Mundial em 1939, a força militar total dos Estados Unidos era de 334.473 numa população de 131 milhões; os oficiais do exército eram menos de 15.000, ou seja, uma pessoa em 9.045[7].

2. Um Estado democrático pode dispersar o controle das forças militares ou policiais entre uma multiplicidade de governos locais. Assim, nas poliarquias dos países de língua inglesa, as forças policiais estão, em sua maioria, sob o controle local[8]. Historicamente, tanto na Grã-Bretanha quanto nos Estados Unidos, até mesmo as forças militares terrestres foram parcialmente dispersas como milícias locais ou estaduais. Durante o período no qual a supremacia parlamentar se desenvolveu na Grã-Bretanha pré-democrática, a milícia era um contrapeso às forças fixas lideradas pelos oficiais-aristocratas; a milícia era controlada localmente e guarnecida por súditos locais que permaneciam em serviço por períodos curtos, apenas para fins de defesa local. A milícia só foi integrada às forças fixas no final do século XIX (Perlmutter 1977, 40). Durante o século XIX nos Estados Unidos, as milícias estaduais eram, para todos os efeitos, unidades independentes sob o controle dos funcionários do Estado. Na Suíça, as constituições de 1848 e 1874 (ainda em vigor) proibiram a confederação de manter um exército permanente e criaram, em vez disso, uma milícia de cidadãos sob o controle dos cantões em tempo de paz.

3. As forças militares podem ser formadas por pessoas que compartilham das orientações civis e democráticas da população em geral. Como vimos, essa foi a solução em Atenas, onde os hoplitas na terra e os remadores no mar eram cidadãos chamados a servir em defesa da pólis por períodos curtos. Essa foi a solução na Europa pré-democrática dos séculos XVII e XVIII[9]. Foi também a solução da Confederação Suíça, que em 1848 e 1874 tornou o serviço militar universal uma obrigação imposta constitucionalmente. Com a exceção dos oficiais de alto escalão e de alguns outros oficiais que são agora profissionais em tempo integral, as forças militares suíças ainda são compostas de cidadãos em serviço temporário. Na maioria dos outros países europeus desde a Segunda Guerra Mundial, as forças terrestres são compostas principalmente de tropas reunidas por alistamento para breves períodos de serviço – civis de uniforme.

4. Por fim, a doutrinação de soldados profissionais, particularmente dos oficiais, pode ajudar a garantir o controle civil por parte dos líderes democráticos eleitos. O profissionalismo militar como tal não garante o controle civil, muito menos o controle democrático. Porém, o profissionalismo militar certamente tende a criar e a manter crenças sobre o regime ao qual os militares devem fidelidade e obediência e o qual eles são obrigados a defender. Obviamente, essas crenças podem variar, dependendo do regime; o soldado revolucionário profissional pode ser leal à ideia de um regime futuro, ainda por ser criado. Num país democrático, não somente os militares profissionais podem ter recebido sua primeira socialização como civis e, por conseguinte, compartilham de convicções civis quanto à legitimidade da ordem constitucional e às ideias e práticas da democracia, mas também seu senso de obrigação de defender a liderança civil constitucionalmente eleita pode ser fortalecido pelo código profissional da instituição militar.

Todavia, sob certas circunstâncias, o controle civil de uma instituição militar profissional num país democrático corre o risco de ser prejudicado. O controle civil é ameaçado quando o profissionalismo cria um profundo abismo social e psicológico entre os profissionais militares e civis, de forma que, como ocorreu no Brasil nas décadas de 1950 e 1960 (Stepan 1973, 64), os militares se tornam uma ordem social claramente à parte, uma casta militar isolada da sociedade civil. Ou ainda, se os profissionais militares acreditam que os interesses fundamentais da instituição militar estão ameaçados pela liderança civil, é provável que resistam ao controle civil e é possível que o rejeitem inteiramente, como ocorreu no Brasil em 1964, em Gana em 1965 e na Argentina, repetidas vezes, entre 1955 e 1983 (Nordlinger 1977, 66-78; Stepan 1971, 153ff; Stepan 1973, 50-65; Cavarozzi 1986, 31ff.). O controle civil também se torna mais difícil à medida que aumentam as dimensões e a complexidade da instituição militar. Dessa forma, tornou-se notoriamente difícil para um secretário de defesa dos Estados Unidos controlar a enorme instituição de defesa e ainda mais difícil para o Congresso fazer o mesmo.

Por fim, os líderes militares podem rejeitar o controle civil se acreditarem que a estabilidade, a saúde ou a existência do sistema que são obrigados a preservar – seja ele um Estado, uma nação, uma sociedade ou uma ordem constitucional – encontram-se ameaçadas pela liderança democraticamente eleita. Em muitos países latino-americanos, a constituição até mesmo atribui aos militares uma certa responsabilidade quanto à garantia da manutenção da ordem ou do funcionamento adequado da constituição. No Brasil, como observa Alfred Stepan, essas obrigações constitucionais "significam que em qualquer conflito entre o presidente e o poder legislativo, apelos são feitos aos militares pelos civis para que cumpram sua obrigação constitucional de defender as prerrogativas do Congresso" (Stepan 1971, 75). Desordem, conflito civil, atividades de guerrilha, polarizações agudas, crises econômicas contínuas, governos iminentes ou instaurados de líderes ou movimentos ideologicamente inaceitáveis aos militares – todos esses fatores contribuem para a eclosão de um golpe militar, como ocorreu no Brasil em 1964, no Chile e no Uruguai em 1973 e na Argentina em 1976[10].

O estado predominante da tecnologia e da organização militares favoreceu o governo popular em certas épocas e lugares (a Grécia clássica e a Europa e a América do século XIX, por exemplo) e, em outras épocas e lugares (a Grécia antes de cerca de 650 a.C. e a Europa medieval, por exemplo), foi altamente desfavorável em seus efeitos. No século XX, a tecnologia e a organização militares foram, no geral, desfavoráveis. Entretanto, no século XX, não somente as poliarquias mais velhas conseguiram sobreviver, como também novas poliarquias passaram a existir. É óbvio, portanto, que o estado predominante da tecnologia e da organização militares não explica adequadamente a presença ou a ausência da poliarquia.

É evidente que o controle civil dos militares e da polícia é uma condição necessária para a poliarquia e a falência do controle civil basta para explicar a existência de regimes não democráticos em muitos países. Mas o controle civil não basta para a poliarquia, uma vez que alguns regimes não democráticos também mantêm o controle civil de suas forças militares e policiais; com efeito, certos líderes nesses regimes não democráticos empregam os recursos coercitivos superiores dos militares e da polícia para manter seu domínio.

É óbvio, portanto, que não podemos explicar a presença ou a ausência da poliarquia num país apenas pelo controle civil.

Por conseguinte, embora a concentração e o controle da violência coercitiva façam parte da explicação que buscamos, eles não podem ser a explicação completa.

Uma sociedade moderna e de organização pluralista

Historicamente, a poliarquia é fortemente associada a uma sociedade marcada por uma série de características inter-relacionadas: um nível relativamente alto de crescimento e de renda e riqueza *per capita*, um alto nível de urbanização, uma população agrícola em rápido declínio ou relativamente pequena, uma grande diversidade ocupacional, ampla alfabetização, um número comparativamente grande de pessoas que frequentaram instituições de ensino superior, uma ordem econômica na qual a produção é desenvolvida principalmente por empresas relativamente autônomas e cujas decisões são orientadas para mercados nacionais e internacionais em níveis relativamente altos de indicadores convencionais de bem-estar, como médicos e leitos hospitalares para cada mil pessoas, a expectativa de vida, a mortalidade infantil, a porcentagem de famílias com diversos bens de consumo duráveis e assim por diante. Indicadores sociais como esses são tão intimamente inter-relacionados que justificam a conclusão – se é que mais uma justificativa de um juízo histórico tão óbvio ainda se faz necessária – de que todos eles são indicadores de um tipo de sistema social mais ou menos identificável (por exemplo, ver a tabela 1 em Vanhanen 1984, a qual mostra as inter-relações das variáveis explicativas). No extenso e crescente corpo de pesquisa sobre as condições da democracia, provavelmente nada está tão firmemente estabelecido quanto as correlações entre quaisquer dessas medidas e indicadores sociais da democracia ou da poliarquia (ver, por exemplo, Vanhanen 1984).

Como devemos chamar esse tipo de sociedade, que evidentemente tanto favorece a poliarquia? Ela carrega muitos rótulos: liberal, capitalista, burguesa, de classe média, empresarial, moderna (e pós-moderna), competitiva, voltada para o mercado, aberta... A maioria desses termos, porém, salienta demasiadamente certas características subordinadas ou aspectos especiais da sociedade. Talvez algumas dessas qualidades sejam mais bem expressas pela ideia de *modernidade* (por exemplo, níveis historicamente mais altos de riqueza, renda, consumo e educação, maior diversidade ocupacional, grandes populações urbanas, um decréscimo acentuado na população agrícola e a importância econômica relativa da agricultura). Outros aspectos são captados pela natureza *dinâmica* da sociedade (crescimento econômico, padrão de vida em ascensão), e outros por seu caráter *pluralista* (numerosos grupos e organizações relativamente autônomos, particularmente na economia). Portanto, vou me referir a esse tipo particular de sociedade como uma *sociedade moderna, dinâmica e pluralista* e a um país com essas características como um *país moderno, dinâmico e pluralista* (para nossa conveniência, MDP).

Por que uma sociedade MDP favorece a poliarquia

Tantas características de uma sociedade MDP favorecem a poliarquia que seria um equívoco tentar isolar uma ou duas delas como primárias ou causais. Porém, essa multiplicidade de aspectos favoráveis pode ser resumida em duas características gerais: (1) uma sociedade MDP dispersa o poder, a influência, a autoridade e o controle para além de um único centro e os aproxima de uma variedade de indivíduos, grupos, associações e organizações[11]. E (2) ela promove atitudes e convicções favoráveis às ideias democráticas. Embora essas duas características sejam geradas independentemente, elas também se reforçam mutuamente[12].

O que é crucial numa sociedade MDP é que, por um lado, ela inibe a concentração de poder num só conjunto unificado de atores e, por outro, ela dispersa o poder entre uma série de atores relativamente independentes. Devido a seu poder e autonomia, esses atores podem resistir à dominação unilateral, competir entre si por certas vantagens, envolver-se em conflitos e negociações e buscar ações independentes por si mesmos. São características de uma sociedade MDP: a dispersão dos *recursos políticos*, tais quais o dinheiro, o conhecimento, o *status* e o acesso às organizações; a dispersão das *localizações estratégicas*, particularmente em assuntos econômicos, científicos, educacionais e culturais; e a dispersão das *posições de negociação*, tanto manifestas quanto latentes, nos assuntos econômicos, na ciência, nas comunicações, na educação e em outras áreas.

Quero enfatizar alguns dentre os muitos modos pelos quais uma sociedade MDP favorece as crenças democráticas. O crescimento econômico característico de uma sociedade MDP promove a crença de que ganhos conjuntos podem ser obtidos de um aumento nos resultados; na vida política, o jogo não precisa ser zerado; quando a política não é zerada, os oponentes políticos não são necessariamente inimigos implacáveis; e a negociação e a barganha podem levar a acordos mutuamente benéficos. Assim, mesmo quando o governo do Estado fica restrito às elites, como geralmente ocorreu em países que mais tarde tornaram-se poliarquias, numa sociedade MDP é muito provável que surja um sistema político competitivo do qual o acordo é uma característica normal. Mas restringir esse processo competitivo estritamente às elites é algo difícil de se manter numa sociedade MDP. Haja vista que a dispersão de riqueza, renda, educação, *status* e poder cria vários grupos de pessoas que percebem umas às outras como essencialmente similares nos direitos e oportunidades dos quais se julgam detentoras, ao mesmo tempo que desfoca ou muda frequentemente as fronteiras que distinguem os membros de um determinado grupo dos membros de um outro[13]. Portanto, uma sociedade MDP oferece a um grupo excluído a oportunidade de apelar à lógica da igualdade de modo a justificar sua admissão na vida política; e, ao mesmo tempo, enfraquece a capacidade de um grupo privilegiado de justificar seus direitos exclusivos à participação na vida política. A admissão de um grupo excluído é ainda mais facilitada pela rivalidade política e pela competição entre as elites. Quando os membros de um grupo excluído possuem recursos políticos que podem ser transformados em vantagens, como geralmente acontece, alguns membros da classe governante julgam que é proveitoso requisitar sua entrada na vida política em troca de seu apoio.

Consequentemente, uma vez que os membros de uma minoria privilegiada começam a governar o Estado por uma aplicação rudimentar do processo democrático restrita a si mesmos, como fez a aristocracia britânica no século XIX, o desenvolvimento de uma sociedade MDP torna cada vez mais difícil para eles impedir a entrada de grupos excluídos, particularmente os mais próximos a eles nas posições social e econômica. Mas expandir os limites da cidadania é algo difícil de se frear logo antes da inclusão total. Por conseguinte, num sistema no qual a competição política é muito restrita, a dinâmica de uma sociedade MDP tende a empurrá-la rumo à inclusão total. Portanto, à medida que as sociedades MDP se desenvolveram num país após o outro, elas apoiaram o desenvolvimento da poliarquia.

Restrições

A relação entre uma sociedade MDP e a poliarquia não é, contudo, de simples causa e efeito. A rigor, uma sociedade MDP não é necessária nem suficiente para a poliarquia.

1. Embora uma sociedade MDP disperse poder o suficiente para inibir sua monopolização por qualquer grupo em particular, ela não elimina desigualdades significativas na distribuição do poder. Em consequência disso, os cidadãos nas poliarquias estão longe de ser iguais em sua influência sobre o governo do Estado. Portanto, surgem várias questões: acaso o poder é distribuído de forma tão desigual que as poliarquias são, na verdade, governadas por uma elite dominante? Devem as poliarquias ser mais plenamente democratizadas e como, se for o caso? Essas questões serão deixadas para capítulos posteriores.

2. Ademais, uma vez que as poliarquias se desenvolveram em países sem sociedades MDP, evidentemente uma sociedade MDP não é estritamente necessária para a existência da poliarquia. Assim, uma exceção contemporânea importante à relação geral entre a poliarquia e a sociedade MDP é a Índia, onde a poliarquia se estabeleceu quando a população era maciçamente agricultora, analfabeta, muito menos especializada em termos ocupacionais que a população de um país MDP, bem como altamente tradicional e atrelada às regras em seu comportamento e suas convicções. Embora a poliarquia tenha sido suplantada após cerca de um quarto de século pelo domínio quase autoritário da primeira-ministra eleita Indira Gandhi, ela foi restaurada depois de alguns anos.

Ainda mais significativos, porém, são os países nos quais as instituições da poliarquia se tornaram fortemente enraizadas muito antes de desenvolverem sociedades MDP, enquanto ainda eram predominantemente agrárias. Por exemplo, quando as instituições da poliarquia branca masculina se formaram nos Estados Unidos no começo do século XIX, a população era predominantente rural e agrícola. Em 1800, 94% da população vivia em áreas rurais e, em 1830 (apenas alguns anos antes da famosa visita de Tocqueville), 91%; em 1820, 72% da população trabalhadora (conforme definida pelo censo dos EUA) trabalhava em fazendas, e uma década mais tarde, essa população era de 70%. Com efeito, só em 1880 é que os trabalhadores não agrícolas superaram em número os trabalhadores agrícolas, e somente em 1890 o censo registrou uma pequena maioria da população em território urbano (lugares com 2.500 pessoas ou mais) (U.S. Bureau of the Census, Historical Statistics, Séries A 195209, p. 14 e Séries D 36-45, p. 72). Entretanto, como Tocqueville observou (e como observaram outros autores), a sociedade agrária dos Estados Unidos possuía os dois traços cruciais que tornam uma sociedade MDP favorável à poliarquia: ela produzia uma ampla dispersão do poder e promovia vigorosamente as convicções democráticas. Na verdade, os ideólogos do republicanismo agrário, como Thomas Jefferson e John Taylor, estavam tão convencidos de que uma sociedade baseada na agricultura familiar independente era absolutamente essencial para a existência de uma república democrática, que foram incapazes de prever a possibilidade de que uma república poderia continuar a existir nos Estados Unidos mesmo depois que os agricultores se tornassem uma minoria minúscula.

Assim como nos Estados Unidos, as poliarquias também se desenvolveram em outros países nos quais os fazendeiros independentes eram numericamente dominantes: nos países recém-colonizados – o Canadá, a Austrália e a Nova Zelândia – e em meio aos antigos países europeus – a Noruega, a Suécia, a Dinamarca e a Suíça[14].

Embora esses exemplos demonstrem que uma sociedade MDP não é essencial para a poliarquia, não resta dúvida

que as duas características críticas de uma sociedade MDP
– a dispersão do poder e a promoção de atitudes favoráveis
à democracia – são essenciais para a estabilidade da poliarquia a longo prazo.

3. No século XIX, as duas características críticas de uma sociedade MDP eram mais marcadas nas sociedades agrárias de fazendeiros independentes. Mas no século XX, as sociedades de fazendeiros livres praticamente desapareceram, tendo sido substituídas por sociedades MDP, as quais, como a própria poliarquia, são principalmente um produto do século XX. Hoje, países com populações predominantemente agrícolas não possuem nem as sociedades de fazendeiros livres do século XIX nem as sociedades MDP do século XX, e, tipicamente, faltam a eles as duas características essenciais à estabilidade democrática. Consequentemente, ao contrário das sociedades de fazendeiros livres do século XIX, as sociedades agrárias de hoje não proporcionam uma base promissora à poliarquia.

4. Por fim, é claro que uma sociedade MDP não é *suficiente* para a poliarquia, uma vez que nem todos os países MDP se tornaram poliarquias. Exemplos significativos na década de 1980 incluíram a Iugoslávia, a Coreia do Sul e Taiwan. Em cada um desses países, o desenvolvimento de uma sociedade MDP promoveu as ideias, movimentos e oposições democráticas, mas a liderança do regime conseguiu vencê-las. Para entender por que uma sociedade MDP nem sempre é suficiente para produzir a poliarquia, alguns fatores adicionais devem, obviamente, ser levados em consideração. Já discuti um dos mais importantes dentre eles: a concentração do controle sobre os meios violentos. Agora, trataremos dos outros fatores.

As consequências do pluralismo subcultural

Imaginemos uma disputa na qual um grande segmento de um país crê que seu modo de vida e seus valores mais elevados encontram-se seriamente ameaçados por um outro elemento da população. Diante de um conflito dessa espécie, uma poliarquia provavelmente se dissolverá numa guerra civil, será deposta por um regime não democrático, ou ambos. Enquanto um regime não democrático talvez conseguisse suprimir a manifestação pública do conflito latente através do uso de seus recursos para a coerção violenta, uma poliarquia não poderia fazer o mesmo sem deixar de ser uma poliarquia.

Portanto, é razoável supor que as perspectivas da poliarquia são seriamente reduzidas se as crenças e identidades fundamentais entre as pessoas de um país produzem conflitos políticos e, da mesma forma, aumentam se as crenças e identidades são compatíveis e, portanto, não representam uma fonte de conflito. Por conseguinte, na medida em que crescem a força e a singularidade das subculturas de um país, diminuem as chances da poliarquia. Tipicamente, as subculturas se formam em torno de diferenças étnicas, religiosas, raciais, linguísticas ou regionais, bem como da experiência histórica ou dos mitos ancestrais compartilhados. Embora menos comuns, algumas subculturas fortes e distintas formaram-se, em certos países, primordialmente em torno do nexo do partido e da ideologia políticos[15]. Quanto mais forte e mais distinta for uma subcultura, mais seus membros vão se identificar e interagir uns com os outros, e menos vão se identificar e interagir com não membros. Em alguns casos extremos, a maior parte dos membros de uma subcultura passam a vida num isolamento quase total em relação aos não membros. Eles compõem uma nação à parte dentro do país. O casamento, as amizades, o lazer, os esportes, as refeições, os festivais, a educação, as cerimônias, as atividades religiosas e até as atividades econômicas acontecem mais ou menos exclusivamente entre os membros da subcultura.

Por conseguinte, quando os membros de uma subcultura passam a crer que sua vida comum encontra-se seriamente ameaçada pelas ações ou pelos planos de outrem, sua situação não difere muito da situação do povo de um país cuja existência se encontra ameaçada por uma potência estrangeira. Como as pessoas em tal país, os membros de uma subcultura opor-se-ão a qualquer arranjo cujos termos deixem de garantir a preservação de sua herança subcultural. Se seus componentes também constituírem uma subcultura à parte cujos membros se sintam igualmente ameaçados por seus oponentes na outra subcultura, certamente o conflito será ainda mais explosivo. Uma vez que os conflitos subculturais ameaçam a identidade e os modos de vida pessoais e de grupo; uma vez que essas ameaças evocam emoções profundas e poderosas; e uma vez que o sacrifício de identidades e modos de vida não pode ser prontamente resolvido pela negociação, as disputas envolvendo diferentes subculturas muitas vezes tornam-se conflitos violentos e inegociáveis. Num país onde os conflitos são persistentemente violentos e inegociáveis, é improvável que exista uma poliarquia.

Essas especulações teóricas estão bem embasadas na experiência empírica. A poliarquia é, com efeito, significativamente menos frequente em países com um pluralismo subcultural acentuado[16].

Restrições

Entretanto, a relação entre a poliarquia e o pluralismo subcultural é complexa. Uma vez que o pluralismo subcultural é relativamente mais comum entre os países que conquistaram sua independência depois de 1945, que portanto têm vivido o trauma da construção nacional e que registram, ainda, níveis mais baixos de desenvolvimento econômico, uma parte dessa associação pode ser razoavelmente atribuída a outros fatores (Dahl 1971, 112). Além do mais, embora a homogeneidade cultural facilite a poliarquia, está claro que ela não basta para gerar e manter a poliarquia. Percebe-se de imediato que a homogeneidade cultural não gera a poliarquia pelos exemplos da Coreia do Sul e da Coreia do Norte, ambas as quais têm sido governadas por regimes não democráticos, embora estejam entre os países culturalmente mais homogêneos do mundo. Podemos acrescentar à lista de países comparativamente homogêneos com regimes não democráticos o Iêmen do Sul, o Iêmen, a antiga Alemanha Oriental, a Polônia, os Emirados Árabes Unidos e, ao longo da maior parte de sua história, o Haiti[17].

O que é ainda mais importante, a homogeneidade cultural também não é estritamente necessária à poliarquia. Para reforçar essa ideia, sob certas condições a poliarquia pode sobreviver, e até mesmo funcionar relativamente bem, apesar do pluralismo cultural extensivo. Uma solução que se provou bem-sucedida em vários países é a "democracia consociacional"[18].

A democracia consociacional como solução

Os exemplos mais significativos de poliarquias que persistem em condições de extremo pluralismo subcultural são a Suíça, a Bélgica, a Áustria e a Holanda. Os suíços são altamente fragmentados, tanto na religião quanto na língua. Além disso, os vinte e cinco cantões são, com poucas exceções, muito homogêneos internamente, no que diz respeito à religião e à língua; consequentemente, o país como um todo é muito fragmentado em termos territoriais. Os belgas dividem-se linguisticamente entre os flamengos, falantes de holandês, e os valões, falantes de francês. Enquanto a maioria dos belgas são nominalmente católicos, as divisões linguísticas tendem a coincidir com as orientações católicas ou anticlericais. Ademais, os católicos falantes de flamengo e os valões francófonos mais anticlericais estão bem concentrados geograficamente, exceto pela região de Bruxelas. Historicamente, a Áustria foi dividida em três *lager*, ou "acampamentos", distintos e antagônicos, formados ao longo do eixo ideológico, reforçados pelos pontos de vista religiosos e um pouco pela região e pela residência urbano-rural, e concentrados principalmente em três partidos. Na Holanda, o corte transversal de religião e ideologia produziu quatro blocos, ou *zuilen*, distintos (católicos, calvinistas, liberais e socialistas), cada um deles uma subcultura claramente definida com suas próprias crenças, amizades, cônjuges, jornais, escolas, partido político, organizações sindicais, organizações de rádio e televisão e associações voluntárias, quer para atividades culturais, recreativas, esportivas, ligadas aos jovens quer para fins beneficentes[19].

Como podemos explicar a persistência da poliarquia nesses países apesar de suas divisões subculturais? A explicação tem duas partes. Em primeiro lugar, os líderes políticos criaram arranjos "consociacionais" para a resolução de conflitos, mediante os quais todas as decisões políticas importantes exigiam um acordo entre os líderes das subculturas principais; como resultado disso, esses sistemas impediram que as divisões subculturais gerassem conflitos explosivos. Porém, não fosse a presença de certas condições, os sistemas consocionais não poderiam ter sido introduzidos ou teriam falido, como ocorreu em vários outros países. Portanto, a presença dessas condições favoráveis constitui a segunda parte da explicação. Um breve foco nesses dois fatores explicativos nos ajudará a entender por que o consociacionalismo foi bem-sucedido somente em alguns países.

Características da democracia consociacional

Embora os sistemas políticos de países nos quais o consociacionalismo foi praticado variem consideravelmente, Lijphart identificou quatro características da democracia consociacional (1977, 25-44).

Apesar de a democracia consociacional assumir diferentes formas em diferentes países, "o primeiro e mais importante elemento é o governo de uma grande coalizão de líderes políticos de todos os segmentos significativos da sociedade plural". O segundo elemento é o veto mútuo: decisões que afetam os interesses vitais de uma subcultura não serão tomadas sem que seus líderes concordem com elas. Dessa forma, o veto mútuo constitui também um veto de minoria e, ainda, uma rejeição do domínio da maioria. Em terceiro lugar, as subculturas principais são representadas em gabinetes e outros corpos com poderes decisórios mais ou menos proporcionalmente a seus números; a proporcionalidade pode estender-se também às nomeações para o serviço público. Em quarto lugar, cada subcultura desfruta de um alto grau de autonomia no trato dos assuntos que são exclusivamente de sua alçada. Esse princípio "é o corolário lógico do princípio maior da coalizão. Em todos os assuntos de interesse mútuo, as decisões devem ser tomadas por todos os segmentos com graus aproximadamente proporcionais de influência. Todavia, em todos os outros assuntos, as decisões e sua execução podem ser deixadas a cargo dos segmentos distintos" (41).

A Áustria, a Bélgica, a Holanda e a Suíça atestam o sucesso dos sistemas consociacionais na redução dos efeitos potencialmente desestabilizadores dos conflitos subculturais. Um sistema consociacional pode ser permanente, como parece ser o caso na Suíça; ou, após ter mitigado conflitos subculturais durante um período longo o suficiente para estabelecer (ou reestabelecer) um consenso nacional adequado, arranjos consociacionais podem ceder espaço às práticas mais usuais de contestação e competição partidária entre as elites políticas, como ocorreu na Áustria após 1966 e na Holanda na década de 1970[20].

Na Colômbia e na Venezuela, transições bem-sucedidas para a democracia após períodos brutais de guerras civis e ditaduras foram imensamente facilitadas por pactos entre líderes partidários, acordos esses que personificavam alguns elementos do consocionalismo. Na Colômbia, os líderes dos dois partidos históricos, os Conservadores e os Liberais, estabeleceram um pacto desse tipo após uma década que assistiu, politicamente, a uma guerra civil entre eles – a qual custou entre 100.000 e 200.000 vidas e é lembrada como *La Violencia*[21]. Em 1957, no Pacto de Sitges, os líderes dos dois partidos concordaram em formar uma "Frente Nacional" e em abandonar sua rivalidade destrutiva. Os termos principais do pacto foram adotados por um plebiscito nacional em 1958 e incorporados à constituição, a qual garantia que, durante doze anos, cadeiras em ambas as casas do Congresso, nas assembleias regionais e nos conselhos municipais seriam divididas igualmente entre os dois partidos. Todos os cargos de gabinete, cadeiras na Corte Suprema, cargos governamentais e posições públicas também seriam divididos igualmente. Em todos os corpos eletivos, medidas substantivas exigiriam um voto de dois terços. Subsequentemente, os líderes partidários também concordaram que a presidência seria alternada entre os partidos a cada quatro anos até 1972 (Dix 1967, 134-5). Esse sistema consociacional durou até a década de 1970, quando foi gradualmente dissolvido e substituído por um sistema competitivo e adversarial.

A Venezuela havia sido governada por uma ditadura de 1908 a 1946, quando a ditadura foi brevemente substituída pela poliarquia. Porém, três anos de amargos conflitos solaparam a legitimidade do governo civil tão completamente que os militares novamente derrubaram a incipiente poliarquia em 1948 e seguiu-se uma década de ditadura severa e sangrenta. Após a queda dessa ditadura em 1958, os líderes dos três maiores partidos, escolados pela incapacidade de estabelecer uma democracia duradoura durante o Triênio, assinaram um acordo – o Pacto de Punto Fijo – no qual se comprometiam a obedecer os resultados das eleições iminentes e a buscar e apoiar um programa legislativo mínimo com o qual todos pudessem concordar. O pacto também obteve o apoio da associação de empregadores, dos sindicatos, da Igreja e das forças armadas. A transição para a poliarquia, inicialmente com um governo de coalizão sob a liderança presidencial, foi alcançada com sucesso segundo os termos do Pacto de Punto Fijo, o qual formou a estrutura do governo da vida política venezuelana pelos próximos trinta anos (Levine 1973, 43, 235-43 *passim*; Karl 1986, 213ff; Bautista Urbaneja 1986, 229). Embora o consociacionalismo venezuelano fosse menos abrangente que nos outros países mencionados, ele facilitou enormemente o desenvolvimento da poliarquia estável num país que, até então, não conseguira alcançá-la.

Uma série de fracassos contrapõe-se a esses sucessos. No Líbano, um sistema complexo de consociacionalismo que mantivera a paz social entre as numerosas subculturas do país durante trinta anos entrou em colapso em 1975 e foi sucedido por uma guerra feroz e sangrenta. Na Malásia, catorze anos de consociacionalismo ruíram em 1969, e os arranjos não foram restaurados. Um sistema constitucional de consociacionalismo que perdurou em Chipre de 1960 a 1963 acabou numa guerra civil. Arranjos consociacionais nunca foram aceitos pela maioria protestante na Irlanda do Norte. A experiência da Nigéria com a poliarquia, a qual incluía uma versão débil de consociacionalismo, terminou em domínio militar após dez anos[22].

Condições favoráveis

Que condições favorecem o consociacionalismo como um meio de mitigar os intensos conflitos que de outra forma surgiriam devido ao pluralismo subcultural (Lijphart 1977, 53-103; Nordlinger 1972)?

Para começar, embora os arranjos consociacionais possam às vezes superar o que poderia ser uma grande ameaça, surgindo de cisões subculturais num país no qual a poliarquia não correria sério risco em outras circunstâncias, eles não podem criar ou preservar, por si sós, a poliarquia num país no qual as condições lhe são desfavoráveis de um modo geral. Por conseguinte, o consociacionalismo só pode ser bem-sucedido em países nos quais as outras condições que favorecem a poliarquia estão presentes.

Além disso, as elites políticas precisam acreditar que os arranjos consociacionais são altamente desejáveis e viáveis, e elas devem possuir as habilidades e os incentivos para fazê-los funcionar. Embora esse requisito possa parecer óbvio, sua ausência em muitos países torna o consociacionalismo impossível. Ele evidentemente deixou de existir no Líbano em 1975 e jamais existiu na Irlanda do Norte. O desenvolvimento das crenças, habilidades e incentivos entre as elites políticas é auxiliado pela existência dos valores que as rodeiam, principalmente um comprometimento com as instituições democráticas e a independência do país; pela convicção de que a alternativa ao consociacionalismo é uma temerosa luta hobbesiana com consequências desastrosas; e por tradições dentro da cultura de elite que favoreçam a conciliação, a acomodação mútua e o acordo. Essas tradições existiam entre as elites políticas na Holanda, na Suíça e na Bélgica, e até certo ponto, na Áustria, sob a monarquia dos Habsburgos. As crenças, habilidades e incentivos necessários não existiam na Colômbia antes de e durante *La Violencia* ou na Venezuela durante o Triênio, e eram fracas demais para guiar os líderes partidários na Áustria durante a Primeira República entre 1918 e 1933. Nesses três países, as experiências brutais de conflito destrutivo colaboraram, evidentemente, para que se desenvolvesse, entre as elites políticas, uma forte convicção de que o consociacionalismo era essencial na prevenção da alternativa bem pior do conflito hobbesiano. Uma vez formalizados, os próprios arranjos contribuíram para o fortalecimento das atitudes, do comportamento e das habilidades necessárias ao bom funcionamento do consociacionalismo.

Os arranjos consociacionais também são favorecidos quando a força relativa das diferentes subculturas, principalmente de seus números, estão em razoável equilíbrio político, ou pelo menos não estão desequilibradas a ponto de permitir que uma subcultura tenha uma esperança realista de governar sem a colaboração de uma ou várias das outras subculturas. Portanto, as chances do consociacionalismo são melhores quando nenhuma subcultura engloba a maioria da população ou consegue em razão do sistema eleitoral, obter uma maioria de cadeiras e assim formar um governo por si. Por conseguinte, duas subculturas são menos favoráveis que três ou quatro, nenhuma das quais é uma maioria.

Onde existem três ou mais subculturas, os sistemas multipartidários são mais favoráveis que os sistemas bipartidários[23]. Num sistema multipartidário, quando as negociações ocorrem entre os líderes das subculturas, cada uma delas pode ser representada por líderes partidários que refletem as orientações daquela subcultura, os quais, portanto, parecem dignos de confiança e cujos acordos provavelmente serão aceitáveis às massas. Se os partidos também forem centralizados, é provável que os líderes partidários possuam a autoridade para entrar em acordos vinculativos e para isolar suas negociações da discussão e da participação públicas. Em consequência disso, certos acordos podem ser alcançados, e mais tarde aceitos por seguidores – acordos que não poderiam ser alcançados em público ou por negociações conduzidas pela plebe das subculturas.

Acaso o consociacionalismo adapta-se melhor aos países pequenos que aos grandes? Lijphart propõe dois motivos para uma possível resposta afirmativa. Em primeiro lugar, "as elites têm maior probabilidade de se conhecer pessoalmente e de se encontrar com frequência". Em segundo lugar, "os países pequenos estão mais sujeitos a ser e sentir-se ameaçados por outras potências que os países grandes. Esses sentimentos de vulnerabilidade e insegurança incentivam fortemente a manutenção da solidariedade interna" (1977, 65-66).

Soluções alternativas?

Embora os arranjos consociacionais tenham sido claramente bem-sucedidos na superação da divisibilidade em potencial do pluralismo subcultural, a poliarquia sobreviveu em diversos países com diferenças subculturais distintas. Os exemplos mais notáveis são o Canadá, os Estados Unidos e a Índia. Em todos os três, o conflito subcultural foi, às vezes, agudo. No Canadá, a população predominantemente francófona do Quebec distingue-se claramente dos outros canadenses, não apenas na língua, mas também na história, nas tradições e na cultura, todas as quais são reforçadas por seu catolicismo num país quase todo protestante. Embora alguns autores hajam discernido elementos de consociacionalismo na política canadense (McRae 1974, Noel 1974, Ormsby 1974), o elemento-chave de sua solução é o alto grau de autonomia outorgado ao Quebec dentro do sistema federal.

Nos Estados Unidos, as identidades étnicas são politicamente importantes; mas embora o *melting pot* seja mais um mito que uma realidade, subculturas muito mais fortes e mais distintas poderiam ter se desenvolvido entre os numerosos grupos étnicos do país, não fosse pela rápida assimilação (voluntária e forçada) dos imigrantes e de seus filhos na cultura política e geral dominante. Porém, tiveram muito mais consequência a subcultura dos brancos sulistas, bastante homogênea do ponto de vista regional e étnico, e a subcultura dos negros identificável do ponto de vista histórico, social e racial. Combinadas à força na escravidão, elas formaram uma sociedade na qual a acomodação pacífica demonstrou ser impossível, apesar de propostas de longo alcance para um acordo. Estas incluíam a antecipação do consociacionalismo idealizada por John C. Calhoun, sob a forma de um sistema de "maiorias confluentes" e de vetos mútuos (dos quais os negros seriam excluídos, é claro). Apesar de sua derrota na Guerra Civil e da proibição da escravatura, o Sul permaneceu uma subcultura particular, que só podia ser assimilada em seus próprios termos: uma "supremacia branca", que se preservou por todo um século após o final da Guerra Civil graças ao que foi, no final das contas, um veto sulista – um triunfo tardio e irônico da ideia de Calhoun acerca das maiorias confluentes. Com a admissão dos negros sulistas na vida política na década de 1960, após conflitos amargos e muitas vezes violentos, os negros formaram o bloco eleitoral mais homogêneo do país. Mas, como uma minoria comparativamente pequena, eles ainda não conseguiram o poder de gerar acordos consociacionais (exceto debilmente, dentro do partido Democrata) e, em vez disso, operam principalmente dentro do fluido sistema bipartidário da política competitiva e de confrontação.

Embora os conflitos subculturais na Índia sejam frequentes, amiúde mortais e por vezes uma ameaça à unidade do país, o extraordinário número de subculturas formadas por língua, casta, região e religião torna impossível para qualquer uma delas, ou mesmo para uma coalizão de algumas delas, vencer eleições, quanto menos governar. Portanto, os líderes partidários são fortemente motivados a moldar cursos de ação política, programas e propaganda que apelem a eleitores num amplo espectro de subculturas. Em consequência disso, os conflitos subculturais não destruíram a poliarquia na Índia, embora constantemente ameacem a sua sobrevivência.

Por que a poliarquia muitas vezes fracassa em países culturalmente segmentados

Se as condições são favoráveis, um país com subculturas fortes e distintas pode ter sucesso na mediação de conflitos subculturais, a ponto de permitir que a poliarquia sobreviva. Embora arranjos consociacionais representem os casos mais evidentes de sucesso, outras soluções também são possíveis. Mas em muitos países, ou os conflitos são tão agudos, ou as outras condições são tão altamente desfavoráveis à poliarquia, ou com frequência ambos, que não se consegue chegar a nenhum meio de acomodação. Portanto, de um modo geral, a poliarquia é menos provável, e certamente menos frequente, em países com subculturas relativamente fortes e distintas, particularmente se o triunfo político de uma representa uma ameaça fundamental à outra. Em razão do fato de que muitos países menos desenvolvidos não apenas são assolados por conflitos subculturais, mas também carecem de outras condições altamente favoráveis, suas perspectivas de desenvolver poliarquias estáveis são bastante reduzidas.

As crenças dos ativistas políticos

Nenhuma explicação satisfatória para a existência da poliarquia em alguns países e sua ausência em outros pode ignorar o papel crucial das crenças. Imagino que ninguém negaria que o modo como as pessoas agem é fortemente influenciado por suas crenças a respeito de como o mundo funciona, quais são seus limites e possibilidades e quais são o valor relativo e as probabilidades de sucesso dos cursos de ação possíveis. Mas algumas explicações reduzem as crenças a simples epifenômenos que são totalmente causados e explicados por outros fatores. No jargão das ciências sociais, as crenças nada mais são que variáveis incidentais. Penso que essa noção é equivocada. Todas as tentativas teóricas de reduzir completamente as crenças, ideias, ideologias ou culturas a outros fatores gerais me parecem um fracasso total como explicações satisfatórias para uma gama de casos particulares. Porém, essa questão é demasiadamente complexa para ser abordada aqui. Minha intenção é apenas indicar que, ao explicar a presença ou a ausência da poliarquia, considero as crenças como algo relativamente independente, mais ou menos da mesma forma que os outros fatores descritos neste capítulo são relativamente independentes. Sem dúvida, isso não significa que esses fatores são vetores aleatórios. Isso quer dizer apenas que eles não podem ser explicados de um modo mais completo por nenhuma teoria geral – pelo menos não agora.

Tendo dito isso, sinto-me agora obrigado a dizer também que dados concretos acerca das variações nas crenças em diferentes países ainda se limitam a poucos países, a maioria dos quais, como seria de se esperar, são poliarquias. A rigor, portanto, afirmações sobre o impacto das crenças no caráter do regime de um país são, no máximo, hipóteses plausíveis que ainda não podem ser testadas satisfatoriamente, ao contrário dos dados materiais confiáveis e relevantes.

Bons dados de diversos países, aliados à observação comum, efetivamente apoiam o juízo de que as crenças políticas da maioria das pessoas em toda parte tendem a ser bastante rudimentares. Sistemas ricos e complexos de crença política são, aparentemente, uma prerrogativa de pequenas minorias. O conhecimento de diversos aspectos da vida política, incluindo as regras do jogo, tende a ser notadamente maior entre os líderes e os ativistas que entre a população geral de um país, e certamente muito maior que entre os habitantes politicamente apáticos. Os ativistas e líderes políticos apresentam uma tendência maior que a maioria das pessoas a ter sistemas moderadamente elaborados de crenças políticas, a pautar suas ações por suas crenças políticas e a ter mais influência nos eventos políticos, inclusive eventos que afetam a estabilidade ou a transformação dos regimes. Por exemplo, os arranjos consociacionais para a superação de conflitos subculturais profundos invariavelmente foram diretamente criados e administrados por líderes e ativistas, e não por seus seguidores ou pelo público em geral, para quem as crenças conflituosas e passionais podem continuar fortes mesmo enquanto seus líderes buscam táticas pragmáticas e conciliadoras. Assim como o colapso da poliarquia na Venezuela durante o Triênio poderia, justificadamente, ser atribuído às desavenças entre as elites, assim também a transição bem-sucedida para a poliarquia estável em 1958 foi criada, essencialmente pelos mesmos líderes que haviam fracassado durante o Triênio[24].

A legitimidade da poliarquia

Tais dados corroboram três proposições. A primeira é a de que os países variam muito no grau em que os ativistas (e outros) acreditam na legitimidade da poliarquia. A segunda é a de que essas variações são, até certo ponto, independentes das características socioeconômicas do país. Dois países com inúmeras semelhanças em suas ordens sociais e econômicas podem variar significativamente quanto ao grau em que os ativistas (e outros) creem na legitimidade da poliarquia. A terceira proposição é a de que quanto maior for a crença na legitimidade das instituições da poliarquia num determinado país, maiores serão as chances da poliarquia.

Enquanto a terceira proposição parece evidente por si mesma, a primeira, e a segunda em particular, não são tão evidentes assim. Quanto à primeira, a alternativa com maiores chances de agradar aos políticos é, como sempre foi, alguma forma de guardiania. Como mencionei na introdução, os líderes políticos em todo o mundo de hoje, com poucas exceções, justificam seus regimes como democráticos em algum sentido especial ou como preliminares de uma transição para a democracia num estágio futuro. Mas sua rejeição das instituições concretas da poliarquia geralmente se justifica por uma defesa da guardiania, mesmo quando se afirma que a guardiania é somente temporária ou transitória. Na União Soviética, no Leste Europeu, em Cuba e na China, a hegemonia do partido único foi defendida essencialmente por apelos aos princípios da guardiania. Os regimes militares na Argentina, no Brasil, no Chile, no Peru, na Turquia, na Nigéria e em outros países justificaram seu domínio como uma guardiania dos mais qualificados para governar nas circunstâncias históricas singulares, ainda que transitórias, do país. Com efeito, em poucos regimes não democráticos de hoje – se é que em algum deles – os governantes parecem crer que seu domínio não precisa de justificativas; e a justificativa mais prontamente disponível para o domínio não democrático é, como sempre foi, a necessidade de guardiães que tenham conhecimento e virtude superiores.

A segunda proposição é bem ilustrada pela Argentina, onde meio século de regimes militares, pontuado por breves períodos de uma poliarquia instável, não pode ser explicado por completo sem que se leve em consideração o débil comprometimento dos ativistas políticos com os princípios democráticos (cf. O'Donnell 1978; Smith 1978). Ao longo de todo esse período, a Argentina teve os atributos de uma sociedade MDP em maior grau que qualquer outro país na América do Sul; entretanto, ao passo que sua sociedade MDP favorecia o surgimento e a estabilidade da poliarquia, ela não conseguiu superar a debilidade dos comprometimentos democráticos. Da mesma forma, a União Soviética desenvolveu todos os atributos de uma sociedade MDP, exceto pelo nível relativamente baixo de autonomia organizacional e, por conseguinte, de pluralismo[25]. Embora ela seja moderna e dinâmica, nem mesmo a liberalização sob Mikhail Gorbachev possibilitou uma sociedade altamente pluralista. Não creio que se possa explicar totalmente a rejeição de um pluralismo maior pela liderança sem levar em conta a debilidade das ideias, crenças e tradições democráticas na Rússia ao longo de sua história e o comprometimento da liderança, desde 1918, com uma visão de mundo leninista.

Cultura política

Embora as provas fiquem cada vez mais fracas, é plausível que as chances da poliarquia num determinado país sejam influenciadas por outras crenças também: crenças a respeito da autoridade, por exemplo; a eficácia do governo e a relativa eficácia de regimes alternativos no trato de problemas cruciais; o grau de fé ou confiança nos concidadãos ou nos ativistas políticos; as atitudes quanto ao conflito e à cooperação; e, sem dúvida, muitas outras.

Tomadas em conjunto, as crenças, atitudes e predisposições formam uma cultura política, ou talvez diversas subculturas políticas, nas quais os ativistas e os cidadãos são socializados em diversos graus. Um país com uma cultura política fortemente favorável à poliarquia vai abrir caminho através de crises que acarretariam um colapso da poliarquia num país com uma cultura política menos favorável. Em muitos países, com efeito na maioria deles, não existe uma cultura política favorável às ideias e práticas democráticas. Isso não quer dizer que a poliarquia não possa existir, mas que ela tende a ser instável. Tampouco isso significa que uma cultura política mais favorável não possa se desenvolver num país que não a tem hoje. À medida que um país desenvolve uma sociedade MDP, por exemplo, é mais provável que ele desenvolva e sustente crenças, atitudes e relações de autoridade mais favoráveis à poliarquia. Mas a evolução da cultura política é necessariamente lenta e fica para trás das mudanças mais rápidas nas estruturas e processos de uma sociedade MDP em desenvolvimento. E, de toda forma, para muitos países, uma sociedade MDP ainda é algo muito distante.

Influência ou controle estrangeiro

Ainda que todas as condições mencionadas até agora estivessem presentes num determinado país, ele não possuiria as instituições da poliarquia se um país mais poderoso interviesse para impedi-las. Embora essa proposição seja óbvia, ela é frequentemente ignorada por causa de um pressuposto implícito de que a poliarquia resulta de fatores puramente internos. Se não fosse pela intervenção real ou potencial da União Soviética, será que a Polônia, a Tchecoslováquia, a Hungria e a Alemanha Oriental não teriam sido governadas por uma poliarquia? Embora não possamos responder a essas questões com certeza, podemos afirmar com convicção que movimentos rumo à democratização nos três primeiros países citados foram revertidos pela ameaça ou pela realidade de uma intervenção da União Soviética. Da mesma forma, será que a Guatemala não teria solidificado as instituições da poliarquia caso o governo dos Estados Unidos não tivesse intervindo para derrubar o governo eleito de Jacopo Arbenz em 1954?

Embora se possa supor que a dominação externa seja invariavelmente danosa à poliarquia, seus efeitos na mudança política são, na verdade, bastante complexos.

É verdade que, para adquirir uma autoridade constitucional plena sobre suas próprias agendas nacionais, muitos países que se tornaram poliarquias tiveram primeiro que conquistar sua independência. Alguns exemplos são os Estados Unidos, o Canadá, a Austrália, a Nova Zelândia, a Noruega, a Finlândia, a Islândia, as Filipinas e a Índia. Entretanto, a intervenção estrangeira e mesmo a dominação direta não são, de forma alguma, sempre prejudiciais para o avanço da poliarquia. Se o país dominante é, ele próprio, uma poliarquia, ou está a caminho de uma poliarquia, seu domínio pode contribuir para o desenvolvimento de instituições locais favoráveis à poliarquia, como ocorreu com a Grã-Bretanha no Canadá, na Austrália, na Nova Zelândia e na Índia, e com os Estados Unidos nas Filipinas. Se as forças econômicas e os fatores internacionais assim permitirem, o país dominante pode até mesmo iniciar deliberadamente a implantação das instituições necessárias à poliarquia, como o fizeram as forças de ocupação americana no Japão em 1945 e os aliados na Itália, na Alemanha e na Áustria após a derrota das potências do Eixo; ou o país dominante pode ceder, no tempo apropriado e de forma construtiva, às reivindicações locais por democracia, como fez a Grã-Bretanha em suas colônias caribenhas[26].

Porém, o fato de o país dominante ser, ele próprio, uma poliarquia, não garante que ele vá promover a poliarquia em outro país. As políticas do país dominante tenderão a ser influenciadas mais fortemente por considerações estratégicas, econômicas e geopolíticas que por quaisquer preferências especiais pela democracia. Dessa forma, a intervenção militar e econômica dos Estados Unidos na América Central de 1898 em diante tipicamente enfraqueceu a independência e os governos populares e fortaleceu as ditaduras militares[27].

Perspectivas para a democracia no mundo

É muito provável que um país desenvolva e sustente as instituições da poliarquia:

- se os meios de coerção violenta forem dispersos ou neutralizados;
- se possuir uma sociedade MDP;
- se for culturalmente homogêneo,
  ou se for heterogêneo, não estiver segmentado em subculturas robustas e distintas,
  ou se for segmentado, seus líderes tiverem sido bem-sucedidos na criação de um arranjo consociacional para a administração de conflitos subculturais;
- se possuir uma cultura e crenças políticas, particularmente entre ativistas políticos, que apoiem as instituições da poliarquia;
- e se não estiver sujeito à intervenção de uma potência estrangeira hostil à poliarquia.

Da mesma forma, se um país carece dessas condições, ou se as condições inversas estiverem fortemente presentes, um país quase certamente será governado por um regime não democrático. Em países com condições mistas, se a poliarquia vier a existir, ela tenderá a ser instável; em alguns países, o regime pode oscilar entre a poliarquia e um regime não democrático.

Não surpreende que apenas um terço dos países do mundo sejam governados por poliarquias. Por outro lado, seria surpreendente se essa proporção mudasse muito nos próximos vinte anos. No entanto, é provável que a ideia democrática mantenha uma forte atração sobre as pessoas nos países não democráticos, e se ou quando sociedades modernas, dinâmicas e mais pluralistas se desenvolverem nesses países, seus governos autoritários descubram que é cada vez mais difícil resistir às pressões por uma maior democratização.

Capítulo 19
Será inevitável o domínio da minoria?

Depois de ler, nos dois capítulos anteriores, minha explicação do desenvolvimento da poliarquia e das condições que a facilitaram, um crítico que esposasse certa convicção política poderia responder:

Aceito plenamente a sua teoria. Posso até concordar com sua explicação do porquê do desenvolvimento em alguns países e não em outros do tipo de regime moderno que você chama de poliarquia. O que não aceito é sua afirmação de que a poliarquia faz com que os países avancem muito no caminho da democracia. Por mais que esses regimes modernos sejam diferentes dos regimes anteriores no que diz respeito às instituições e estruturas, eles certamente não são muito democráticos. Em vez disso, eu diria que a "democracia" é, acima de tudo, uma fachada ideológica. Quando você observa cuidadosamente o que está por trás dessa fachada, descobre aquele mesmo velho fenômeno familiar da experiência humana: a dominação.

Para reforçar seu ponto de vista, nosso crítico poderia citar um predecessor, Gaetano Mosca:

> Entre os fatos e tendências constantes que se podem encontrar em todos os organismos políticos, um deles é tão óbvio que pode ser percebido pelo olhar mais casual. Em todas as sociedades – das minimamente desenvolvidas, que mal che-

garam ao raiar da civilização às mais avançadas e poderosas – surgem duas classes de pessoas: uma classe que domina e uma que é dominada. A primeira classe, sempre a menos numerosa, desempenha todas as funções políticas, monopoliza o poder e desfruta das vantagens dele advindas, ao passo que a segunda classe, a mais numerosa, é dirigida e controlada pela primeira, de um modo que ora é mais ou menos legal, ora mais ou menos arbitrário e violento; além disso, ao menos na aparência, essa segunda classe fornece à primeira os meios materiais de subsistência e as instrumentalidades essenciais para a vitalidade do organismo político. Na vida prática, todos reconhecemos a existência dessa classe dominante (ou classe política...). (Mosca [1923] 1939, 52)

Gaetano Mosca propõe um argumento que representa um desafio fundamental à possibilidade de que a ideia democrática venha a se concretizar um dia[1]. Esse argumento, *grosso modo*, é o de que a dominação da minoria é inevitável. E porque ela é inevitável, a democracia é impossível. Afirmar que a democracia é desejável, que ela é a melhor forma possível de governo ou que devemos lutar para alcançá-la são proposições que nada têm a ver com as possibilidades humanas. Certamente afirmações como essas podem ser úteis para os governantes porque cumprem o papel de mitos que ajudam a disfarçar a realidade da dominação e a garantir a obediência dos dominados. Mas esses sentimentos nobres não alteram – não conseguem alterar – o fato empírico fundamental de que as minorias sempre dominam. Se as minorias sempre dominam, obviamente as maiorias nunca dominam. E se as maiorias jamais conseguem dominar, a democracia não pode existir. Portanto, o que chamamos de democracia na prática nada mais é que uma fachada para a dominação da minoria.

De uma forma ou de outra, essa concepção é, e provavelmente sempre foi, amplamente difundida, embora possivelmente com uma roupagem menos sombria do que a simples afirmação resumida que acabo de apresentar. Algumas variações foram propostas por Marx, Lênin, Mosca, Pareto, Michels e Gramsci, entre muitos outros[2].

Porém, precisamos fazer uma distinção entre as teorias da dominação da minoria e outras explicações da poliarquia que atribuem grande peso aos prejuízos causados à democracia, à igualdade política e à liberdade pelas desigualdades nos recursos políticos, posições estratégicas e vantagens de negociação, tanto explícitas como implícitas. As interpretações da importância das desigualdades nas poliarquias vão de um otimismo panglossiano a visões apocalípticas, passando por um profundo pessimismo:

1. As desigualdades são tão insignificantes que mal precisam de correções; ou, se precisam delas, podem ser removidas com bastante facilidade.

2. (a) As desigualdades prejudicam seriamente o processo democrático nas poliarquias. (b) Mesmo assim, a poliarquia é significativamente mais democrática e muito mais desejável que as alternativas que carecem de uma ou mais instituições poliárquicas. (c) Não obstante, essas desigualdades podem ser significativamente reduzidas (ainda que não totalmente eliminadas); isso melhoraria consideravelmente a qualidade democrática da poliarquia; e as mudanças apropriadas deveriam, portanto, ser efetuadas.

3. (a) e (b) como acima. Porém, (c) as desigualdades não podem ser reduzidas (pelo menos não sem custos intoleráveis para outros valores, e em alguns casos, não podem ser reduzidas de jeito nenhum) e, portanto, representam um aspecto essencialmente irremediável do melhor sistema que se pode alcançar num mundo altamente deficiente.

4. (a) Os efeitos das desigualdades são tão preponderantes que (b) só permitem que aspectos insignificantes do processo democrático se façam presentes nas poliarquias. (c) Contudo, as desigualdades podem ser eliminadas e pode-se criar a "democracia real" por um processo de transformação revolucionária total. (d) Até que essa transformação revolucionária seja finalmente alcançada, todas as sociedades serão governadas por uma minoria dominante.

5. (a) e (b) como em 4. Mas (c) as desigualdades e seus efeitos são irremovíveis. (d) Portanto, todas as sociedades serão sempre governadas por uma minoria dominante.

Naturalmente, meus resumos nada fazem além de identificar algumas faixas de um espectro mais variado. O ponto de vista panglossiano de (1) não chega a merecer nossa atenção. O exame dos limites e das possibilidades da democracia levado a cabo neste livro poderia ser visto como pertencente à mesma faixa do espectro que (2), embora alguns limites sejam, como vimos, irremediáveis. Ironicamente, os sistemas autoritários que até agora foram o resultado invariável das revoluções e dos regimes leninistas na verdade transformaram a visão apocalíptica da quarta perspectiva em outra variante das teorias terrivelmente pessimistas sobre a classe dominante, que caracterizam a quinta perspectiva.

Neste capítulo, trataremos das teorias sobre a classe dominante do quarto e do quinto tipos.

Embora as teorias sobre a dominação da minoria sejam radicalmente diferentes entre si em alguns aspectos importantes (tratarei de alguns deles daqui a pouco), elas concordam na afirmação de que nas poliarquias ou até mesmo nas "democracias" (excetuadas as "verdadeiras democracias" do apocalipse), uma minoria privilegiada domina os demais. Vou pressupor que os autores que acabo de mencionar representem adequadamente as principais semelhanças e diferenças nas teorias mais importantes sobre a dominação da minoria[3].

O expoente mais importante dessa teoria é Marx, que retrata toda a história como a dominação de maiorias exploradas por uma classe minoritária exploradora. E assim a história deve continuar se repetindo, até que o triunfo definitivo do proletariado finalmente elimine a exploração e a dominação. Mosca, Pareto e Michels procuram superar Marx com teorias da dominação que pretendem ser muito mais objetivas e científicas e infinitamente menos românticas e utópicas. Porque é inevitável que haja uma classe dominante, dizem eles, é completamente fútil esperar que a dominação da minoria um dia chegue ao fim, seja através do *deus ex machina* de Marx, o proletariado, seja através de qualquer outra classe, grupo ou pessoa. Tanto Lênin quanto Gramsci seguem Marx quando afirmam que mesmo onde existem as formas externas da "democracia", o fato é que, sob o capitalismo, a burguesia domina as classes trabalhadoras; mas Lênin e Gramsci diferem profundamente em sua compreensão acerca de como essa dominação é alcançada. Onde Lênin salienta a coerção, Gramsci, como Mosca, enfatiza a hegemonia das ideias e da cultura.

Para que possamos compreender o desafio apresentado às ideias democráticas pelas teorias de dominação da minoria, farei primeiro um resumo geral que dilui as diferenças entre essas teorias, e depois uma exposição mais detalhada que revelará algumas diferenças importantes.

Por que e como as minorias dominam

As teorias da dominação da minoria são persuasivas porque, como salienta Mosca, elas parecem representar de modo fiel os fatos concretos da vida humana. Parecem ser confirmadas não somente por um vasto leque de dados históricos, mas também pela grande quantidade de dados com que nos deparamos como que por acaso enquanto participamos de nossas ações diárias e observamos o que acontece ao nosso redor. Será que uma pessoa ativa na vida organizacional poderia deixar de perceber quão frequentemente é a minoria que toma as decisões, enquanto a maioria quase nada faz além de segui-las?

Podemos nos perguntar: se as maiorias realmente são governadas pelas minorias, por que isso ocorre? Embora os autores citados acima tenham dado uma ênfase especial a diferentes fatores, creio que todos eles concordariam quanto à importância crucial das estruturas e instituições – sociais, econômicas, políticas – relativamente duradouras (embora, em última análise, inconstantes) que moldam, de modo determinante, as escolhas e as oportunidades de um grande número de pessoas durante um tempo relativamente longo. Tomando um caso extremo como exemplo: num país dominado pelos militares, somente uns poucos podem entrar no grupo dominante, por mais que sejam meritocráticos ou igualitários o recrutamento e as promoções. O topo de uma pirâmide tem apenas um espaço limitado e, por definição, todas as teorias sobre a dominação da minoria interpretam o mundo como sendo composto de estruturas de poder cujo topo é consideravelmente menor que a base. Provavelmente, todos os autores mencionados também concordariam que, nos últimos dois séculos, as estruturas e instituições do capitalismo, dos mercados e da sociedade burguesa foram extremamente importantes para que se determinassem os padrões de dominação.

São estruturas como essas que também influenciam a composição específica da classe dominante: que tipos de pessoas têm a probabilidade de entrar nela e que tipos não a têm. Pois é *dentro* dessas estruturas, e em grande parte em razão delas, que os indivíduos e as coletividades – as classes – alcançam a sua dominação. As qualidades pessoais podem, é claro, ajudar uma pessoa a obter e manter uma posição dominante dentro dos limites impostos pelas estruturas. Como Nicolau Maquiavel antes deles, Mosca, Pareto e Michels salientam a utilidade que têm para os líderes a astúcia, a sagacidade, a motivação, a ambição, a clareza de pensamento e, às vezes, a dureza. Marx ressalta o fato de que, em alguns circunstâncias, "um homem sem fortuna, mas dotado de energia, solidez, habilidade e argúcia empresarial pode se tornar um capitalista" (Marx [1984] 1967, 3:600). Mosca, Pareto e Michels também salientam certas qualidades dos dominados que os inclinam a aceitar e até mesmo a ansiar pela dominação. Para Pareto, seria a maior ocorrência, entre os dominados, de hábitos, crenças e predisposições que valorizam a ordem, a tendência a evitar o risco, a obediência, o conformismo e a aceitação dos mitos não racionais[4]. Para Michels, é a necessidade de liderança da massa, sua gratidão política, sua veneração dos líderes e assim por diante (Michels 1962, 85ss., 92ss.) Além disso, e dependendo dos requisitos das instituições e das estruturas de um determinado período político, o conhecimento superior especializado e certos tipos de habilidades podem ser úteis ou mesmo necessários.

Algumas das vantagens pessoais que permitem a certas pessoas o ingresso na classe governante podem ser parcialmente inatas, como a inteligência, mas as vantagens pessoais também dependem de recursos e dotes socialmente determinados. Os recursos e dotes são alocados por herança, classe social, sorte e realizações. Entretanto, como quer que venham a ser obtidos, a educação, a riqueza, o conhecimento, a informação, o *status* e outros recursos expandem as oportunidades das pessoas de ingressar na classe dominante.

Porém, uma vez mais, na medida em que as vantagens transmitidas pelas qualidades pessoais, recursos e dotes aumentam as oportunidades para aqueles que são afortunados o bastante para possui-las, elas só o fazem dentro dos limites estabelecidos pelas principais instituições e estruturas. Como observa Pareto: "As classes dominantes, como outros grupos sociais, desempenham tanto ações lógicas quanto não lógicas, e o elemento principal do que ocorre é, na verdade, a ordem ou sistema, e não a vontade consciente dos indivíduos" (Pareto [1916] 1935, 1576 [parágr. 2254]).

Quanto aos meios empregados pela minoria dominante para garantir e manter sua dominação, todos os teóricos da dominação da minoria dão algum peso tanto à força quanto à persuasão. Mas esses teóricos discordam imensamente na importância relativa que atribuem a esses fatores, e é para essas e outras diferenças que devemos nos voltar agora.

Quem domina quem, como e por quê?

Embora os defensores das teorias da dominação da minoria pretendam oferecer explicações estritamente objetivas e "científicas", suas teorias servem a ideologias e objetivos políticos bem diferentes, aliás agudamente conflitantes. Lênin e Gramsci eram, é claro, seguidores de Marx, embora ambos tenham alterado em muito a teoria do mestre. A versão da dominação da minoria apresentada por todos os três era, em sua implicação geral para a ação política, um instrumento para seus objetivos ideológicos. Mosca, Pareto e

Michels eram fortemente antimarxistas; eles responderam ao marxismo apresentando um alternativa que, se aceita, destruiria a credibilidade deste e assim o enfraqueceria como força política.

Em poucas palavras, podemos afirmar que, em parte devido a esses objetivos ideológicos divergentes, a ideia da dominação da minoria não é um conjunto de teorias mais ou menos compatíveis, mas uma coleção heterogênea de teorias mutuamente incompatíveis.

Uma incompatibilidade menor, embora inconveniente, é a existente nos termos e conceitos. Marx referiu-se à burguesia, ou classe capitalista, como uma classe dominante. Mosca utilizou o termo "classe dirigente" como sinônimo de "classe política" (por exemplo, 1939, 50). Pareto parece preferir o termo "classe governante" (por exemplo, *Trattato* 1923, parágrs. 2033-4). Porém, sua classe governante é também a classe dominante e *a* elite (distinta das inúmeras elites definidas por sua superioridade numa questão particular, seja a habilidade atlética, a arte, a riqueza – ou o que for)[5]. Na teoria política ulterior, talvez de forma mais evidente nos Estados Unidos, *a* elite de Pareto tornou-se a elite *política* ou a elite *de poder*; ou, com implicações bem diferentes, foi transformada nas *elites* políticas (cf. Sartori 1961, 94ss.; Treves 1961, *passim*)[6]. O termo inclusivo que adoto aqui é *minoria dominante*.

Mais importantes que essas diferenças quase triviais em termos e conceitos, as teorias da dominação da minoria divergem ao descrever a composição dessa minoria dominante. Nas sociedades capitalistas modernas, a minoria dominante em todas as teorias aqui consideradas incluiria o empresariado e os principais participantes de grandes empreendimentos econômicos. Mas os teóricos divergem intensamente na importância relativa que atribuem aos políticos, líderes de governo, burocratas, intelectuais e forças políticas e militares, ou a outros líderes. Para Pareto, por exemplo, o governo popular moderno é, na realidade, uma plutocracia de especuladores e outros, que lucram com a vida política e através dela (1935, 4: 1566ss.). Mas sua plutocracia não é tão governada pelos empresários quanto pelos políticos-espoliadores que usam o governo para sua própria vantagem pessoal. Na leitura de Jon Elster, Marx foi forçado pelos acontecimentos a mudar sua concepção sobre o grau de participação da burguesia no governo direto do Estado. Embora os capitalistas fossem a classe dominante, eles não necessariamente estavam, eles próprios, no governo. Antes de 1850, Marx aderiu à posição expressa no *Manifesto Comunista* de que "o poder executivo do Estado moderno nada mais é que um comitê para a administração dos assuntos de toda a burguesia". O Estado servia aos interesses da classe capitalista porque ele era uma extensão direta da vontade daquela classe. Após 1850, porém, ele não conseguiu mais manter essa posição, pois tornara-se evidente para ele que na Inglaterra, na França e na Alemanha aqueles que governavam o Estado diretamente não eram empresários, e sim "a coalizão da Aristocracia da Inglaterra", Bonaparte na França e, na Alemanha, a aristocracia proprietária de terras, a burocracia oficial e o monarca. Portanto, ele tentou preservar sua teoria da dominação capitalista afirmando que a burguesia decidira coletivamente "abster-se do poder político", contanto que seus interesses fossem protegidos (Elster 1985, 411-22).

Especificar a composição da minoria dominante é, naturalmente, essencial para que se possa fazer uma verificação empírica ou refutar uma teoria da dominação da minoria. Voltarei a esse ponto daqui a pouco. Mas as diferenças na composição da minoria dominante também terão consequências teóricas e práticas fundamentalmente diversas. Se a minoria dominante é uma classe homogênea com interesses essencialmente semelhantes e se, além disso, os interesses dessa classe são fundamentalmente conflitantes com os interesses da classe ou classes dominadas, não haverá ou será insignificante a competição eleitoral e partidária entre os membros da minoria dominante, ao passo que a competição política séria entre os representantes da minoria dominante e da maioria dominada presumivelmente não existirá (por motivos que a teoria terá de fornecer). Porém, se a minoria dominante é uma coleção heterogênea de grupos, e se os interesses desses grupos às vezes divergem, a competição política pode, em algumas circunstâncias, induzir os líderes a buscar apoio na maioria, mediante a promoção dos interesses dela. Essa possibilidade, como veremos mais tarde, tem implicações de longo alcance.

Como vimos, as teorias da dominação da minoria também diferem em suas implicações para a possibilidade de que a dominação possa enfim acabar e, por conseguinte, em suas consequências para as esperanças e ações humanas. Embora os defensores das teorias da dominação da minoria tendam a apoiar-se fortemente em noções de determinismo histórico, a investigação de seus pressupostos ou conclusões acerca da autonomia, da liberdade, do livre-arbítrio e do determinismo humanos é uma tarefa grande demais para se realizar aqui, além de não ser estritamente necessária para meu objetivo. Mais relevante é saber se a dominação da minoria é uma característica inevitável da vida humana (ao menos além do estágio das sociedades caçadoras-coletoras) ou se pode ser eliminada. Nesse ponto, Marx e seus seguidores são muito otimistas – com efeito, ao ponto de um utopismo explícito. Devido às forças, às relações e aos modos de produção[7], a dominação da minoria tem sido inevitável, tanto no capitalismo como nas sociedades anteriores a ele. Mas é igualmente inevitável que o capitalismo seja suplantado pelo comunismo. Sob o comunismo, a dominação em todas as suas formas – políticas e econômicas – acabará, e os seres humanos finalmente desfrutarão da liberdade total. Tal é a perspectiva marxista.

Para Mosca, Pareto e Michels, por outro lado, depois que a humanidade evoluiu para além da Idade da Pedra e para civilizações mais complexas, a dominação da minoria tornou-se uma característica inerente à sociedade humana. Mosca e Pareto insistem, com uma repetição quase cansativa, nessa lei inevitável da sociedade humana. Embora as formas da dominação da minoria possam mudar, e ainda que algumas formas sejam "melhores" que outras (e essa era a convicção crescente de Mosca à medida que observava o fascismo na Itália), a dominação da minoria de uma ou outra forma é inevitável.

Ao contrário de Mosca, Michels chegou a apoiar o fascismo italiano; mas em seu famoso *Partidos políticos*, publicado uma década antes da Marcha de Mussolini sobre Roma[8], seu tom é, por vezes, mais trágico que cínico. Após afirmar que "os fenômenos sociológicos" por ele descritos "parecem provar, além de qualquer dúvida, que a sociedade não pode existir sem uma classe 'dominante' ou 'política', e que a classe dominante... constitui o único fator de eficácia duradoura na história do desenvolvimento humano", ele dá o tom trágico: "Assim, a maioria dos seres humanos, numa condição de eterna tutela, estão predestinados pela necessidade trágica a se submeter ao domínio de uma pequena minoria, e devem contentar-se em constituir o pedestal de uma oligarquia" (Michels 1962, 354). Suas "considerações finais" são estas:

> As correntes democráticas da história assemelham-se a ondas sucessivas que quebram sempre na mesma praia. Renovam-se incessantemente. Esse espetáculo duradouro é ao mesmo tempo encorajador e deprimente. Quando as democracias atingem um certo estágio de desenvolvimento, elas passam por uma transformação gradual, adotando o espírito aristocrático, e em muitos casos também as formas aristocráticas, contra as quais lutaram tão ferozmente no começo. Novos acusadores levantam-se para denunciar os traidores; após uma era de gloriosos combates e de poder inglório, eles acabam por fundir-se com a velha classe dominante; após o que, mais uma vez são atacados por novos adversários, que apelam ao nome da democracia. É provável que esse jogo cruel continue para sempre.

Crítica

As teorias da dominação da minoria são, a meu ver, um reflexo distorcido de uma verdade importante sobre a vida humana. As desigualdades significativas no poder sempre foram uma característica universal das relações humanas ao longo da história; elas existem hoje em todos os sistemas democráticos; talvez elas sejam inevitáveis em organizações com mais de algumas dúzias de membros. A condição de igualdade retratada no estado de natureza de Locke, bem como em reconstruções antropológicas da vida dos pequenos grupos de caçadores-coletores nos quais a humanidade vivia cerca de dez mil anos atrás, não se repetiu nas sociedades da história. Tanto faz se essa igualdade existiu amplamente ou se é simplesmente uma fábula contada pelos filósofos e antropólogos; há muito ela nos escapou, talvez irrevogavelmente. O resultado é que mesmo nos países democráticos, os cidadãos estão longe de ser iguais em seus recursos políticos e em sua influência sobre os cursos de ação política e sobre a conduta do governo do Estado (sem contar os governos de outras organizações importantes). Na medida em que os cidadãos numa poliarquia participam de assuntos políticos em termos claramente desiguais – se é que de fato participam deles –, a poliarquia fica aquém dos critérios do processo democrático.

Portanto, as teorias de dominação da minoria podem ser interpretadas como afirmações de que a desigualdade política existe, num grau importante, em todas as associações humanas (exceto, talvez, em grupos muito pequenos sob condições especiais), inclusive em todas as "democracias" históricas e em todas as poliarquias atuais. Mas se essa fosse a mensagem principal dessas teorias, elas seriam indistinguíveis da maior parte da teoria e da análise sociais, e não teriam interesse algum para nós exceto como provas adicionais da difusão e do caráter inevitável da desigualdade. Porém, parece-me óbvio que as teorias da dominação da minoria pretendem afirmar muito mais que isso. Seus autores parecem asseverar que até mesmo uma aproximação satisfatória da democracia é, numa variante da teoria, simplesmente impossível; ou, em outra variante, possível apenas sob condições que até agora não existiram em toda a história e que podem estar muito além do alcance dos esforços humanos num futuro próximo. Uma aproximação satisfatória da democracia é, portanto, inatingível ou requer condições únicas que nunca foram alcançadas. Enquanto isso, segundo essas teorias, tanto nos sistemas democráticos como nos não democráticos, a dominação da minoria é o destino inevitável da humanidade.

Será possível romper ou refutar as teorias da dominação da minoria?

Infelizmente, por uma série de motivos, talvez não seja possível comprovar ou refutar as teorias da dominação, pelo menos não de um modo razoavelmente rigoroso. Para começar, as teorias são apresentadas num nível tão alto de generalidade que é difícil determinar que provas poderiam ser apresentadas para comprovar ou refutar conclusivamente a hipótese central da dominação da minoria. Cada uma dessas teorias provavelmente poderia ser "salva" de uma refutação conclusiva por vários dados disponíveis. Quero retornar à questão das provas num instante; mas por enquanto vale notar que muitas teorias sociais – talvez a maioria delas – resistem à comprovação ou à refutação rigorosas. Se, não obstante, quisermos chegar a certos juízos sobre sua validade, como muitos de nós queremos, geralmente precisamos formar nossos juízos com base em "testes" pouco conclusivos e certamente bastante discutíveis. Assim, o comprometimento de um defensor com uma teoria de alto nível provavelmente será muito mais forte que o comprometimento advindo de uma decisão racional. Nesse aspecto, portanto, as teorias da dominação da minoria não estão sós.

Contudo, quando uma teoria de alto nível também é conceitualmente ambígua, julgar sua validade torna-se uma tarefa ainda mais difícil. É justo dizer que a clareza e a precisão conceituais não estão entre as virtudes das teorias da dominação da minoria. Sua ambiguidade conceitual é em parte, mas não completamente, consequência de um problema não resolvido na teoria social: como especificar o significado dos conceitos e aplicar os conceitos à experiência, na família de termos relacionados que incluem o poder, a influência, o controle, a dominação, a hegemonia, a coerção e assim por diante. Conceitos como esses demonstraram ser notoriamente difíceis tanto de interpretar quanto de usar com rigor no trabalho empírico[9].

Um conceito ou conjunto de conceitos, particularmente complicado é o que envolve noções como poder *potencial* ou latente, em contraposição ao poder *manifesto* (por exemplo, Mokken e Stokman 1976, 39ss.), *deter versus exercer* poder e influência (Oppenheim 1981, 20ss.), a autoridade derivada das *reações antecipadas* de outrem (Friedrich 1937, 16-8) e assim por diante. É característico dos aduladores, por exemplo, tentar antecipar ou prever os desejos de seus superiores.

Quer o assassinato de Thomas Becket tenha realmente sido ordenado por Henrique II quer não, os cavaleiros que o assassinaram sem dúvida acreditavam que estavam agindo de acordo com os desejos do monarca. Uma relação como a de Henrique e seus cavaleiros é comum. Um membro experiente do Congresso, por exemplo, nem sempre precisa de pressões abertas para trabalhar por ações governamentais favoráveis aos interesses de seus eleitores. O controle de uma minoria dominante sem dúvida incluiria uma cota significativa de reações antecipadas, como podemos ver com a maior clareza nos países nos quais as forças militares são atores políticos importantes. Embora os oficiais militares frequentemente tomem o controle do governo e liderem diretamente, eles às vezes cedem o controle nominal aos civis. Os funcionários civis, contudo, são rigidamente limitados por sua constante consciência do fato de que os militares os substituiriam caso eles adotassem cursos de ação política contrários aos desejos dos líderes militares. Essas políticas proibidas não precisam limitar-se aos assuntos militares; elas podem também ser extensivas (como frequentemente o foram na América Latina) a medidas redistributivas como a reforma agrária, a tributação e outras questões sociais e econômicas. Na prática, uma instituição militar dominante raramente permite eleições genuinamente livres, a livre expressão e os partidos de oposição, e portanto pode facilmente ser vista como algo que carece das exigências institucionais da poliarquia. Mas isso nem sempre é verdade. Se as instituições principais da poliarquia parecem existir num país, mas na verdade os militares controlam a agenda governamental por meio da antecipação das reações dos civis, é óbvio que o controle final da agenda não está nas mãos do *demos* e sim dos militares, que podem verdadeiramente ser considerados a minoria dominante no país[10]. Infelizmente, porém, o conceito de reações antecipadas não é fácil de interpretar; é com frequência difícil ou impossível observar o seu funcionamento; e asserções acerca de seu funcionamento são, por conseguinte, difíceis de provar ou refutar[11].

Um limite drástico ao rigor de conceitos como o poder e a influência também é estabelecido pelo fato infeliz de que ainda não foi criada nenhuma medida quantitativa de poder ou influência. Consequentemente, a distribuição do poder nos sistemas reais pode ser descrita apenas em termos qualitativos. Se, como sugeri, a desigualdade de poder é uma característica de todos os sistemas sociais, como podemos avaliar se a desigualdade é maior num sistema que em outro, e quanto? Como podemos comparar diferentes "graus" ou "quantidades" de desigualdade? Quando a simples desigualdade ultrapassa o limiar da coerção e da dominação? Se nossa tarefa fosse comparar a distribuição da renda ou da riqueza em diferentes sistemas, quase sempre poderíamos utilizar indicadores quantitativos aceitáveis. Mas uma vez que não existem nem mesmo indicadores quantitativos razoáveis de poder e influência, na prática precisamos contar com descrições qualitativas que são intrinsecamente inexatas.

Mas além de permitir um certo grau de ambiguidade inaceitável, as teorias da dominação da minoria me parecem desnecessárias e excessivamente vagas. Retornarei a esse problema em breve. O ponto ao qual quero chegar neste momento é que, devido ao seu alto grau de generalidade e de sua indeterminação conceitual, elas provavelmente não podem ser provadas nem refutadas. Em consequência disso, nossos juízos a respeito de sua validade provavelmente dependem, acima de tudo, de como eles se encaixam com nossas ideias anteriores a respeito do mundo. Uma vez que adotemos ou rejeitemos uma teoria de dominação da minoria, nosso ponto de vista pode bem ser como um filtro para as nossas percepções; daí em diante, o processo psicológico familiar da percepção seletiva faz com que o fluxo de dados recebidos sempre confirme a validade do ponto de vista que escolhemos.

Se é verdade que devido a seu alto grau de generalidade e a suas ambiguidades conceituais, as teorias da dominação da minoria não podem ser refutadas, os críticos enfrentam uma tarefa impossível. Mas por que uma tarefa impossível haveria de ser imposta aos críticos? Faz sentido insistir que os defensores nos ofereçam consideravelmente mais em termos de validação do que fizeram até agora. Embora seja demais esperar que essas – ou provavelmente quaisquer outras – teorias sociais importantes possam ser um dia verificadas de um modo que satisfaça todos os seus críticos, é possível delinear o que uma validação convincente poderia exigir. Os defensores de uma teoria da dominação da minoria são obrigados a oferecer respostas satisfatórias para pelo menos três questões: o que significa a dominação da minoria? O que a distingue de outras formas ou graus de desigualdade no poder? Quem domina quem? Através de que meios a dominação é obtida? Que esferas da vida a dominação atinge?

Coerção, persuasão, doutrinação

Quanto aos meios de dominação, os defensores tendem a concordar, como afirmei anteriormente, que as minorias dominam pela coerção e pela persuasão. A persuasão inclui não somente induções (inclusive a corrupção) como a influência sobre as crenças ou a doutrinação, como queira. Como também observei, diferentes teóricos atribuem um peso maior a uma ou a outra. Embora a princípio Marx e Lênin aparentassem crer que a classe dominante comanda primariamente pela coerção, essa concepção tornou-se cada vez mais implausível com o desenvolvimento mais pleno das instituições da poliarquia e a emancipação dos trabalhadores. Consequentemente, marxistas mais recentes passaram a atribuir um grande peso à importância da doutrinação social na produção de uma "falsa consciência" entre os trabalhadores. No caso extremo, a coerção tornou-se desnecessária. Embora as eleições fossem formalmente justas e livres, os trabalhadores haviam sofrido uma lavagem cerebral tão completa pelos ideólogos burgueses que eles eram incapazes de compreender como seus interesses poderiam ser mais bem servidos pela propriedade pública e pelo controle social dos meios de produção. Assim, a dominação tornara-se mais indireta, menos óbvia e menos perceptível.

Provavelmente nenhum marxista foi tão longe quanto Gramsci na substituição da coerção pela hegemonia da cultura e das crenças. Ao enfatizar fortemente esses meios de dominação mais remotos, Gramsci foi, sem dúvida, influenciado pelo trabalho de seu predecessor (e contemporâneo), Mosca[12]. Mosca argumentara vigorosamente que toda classe dominante encontra uma "fórmula política" que justifica sua dominação. Embora o conteúdo da fórmula política varie conforme as necessidades de uma classe dominante em particular – algumas, por exemplo, recorrem às crenças religiosas e ao sobrenatural, outras a crenças ostensivamente racionais como a democracia – todas servem ao mesmo objetivo: conquistar a aquiescência das massas à dominação dos líderes e, o que é mais importante, seu consentimento e apoio voluntários. Contudo, a fórmula política não é um mero instrumento de ilusão das massas criado pelos governantes e imposto a elas. Ela vem ao encontro de certas necessidades humanas profundas e universais, sentidas pelos governantes e pelos governados como uma liderança que pode ser aceita por seus sujeitos não apenas por causa de suas forças materiais e intelectuais superiores, mas também porque tanto os governantes como os governados creem que ela se justifica em bases morais (Mosca 1923, 70-3, 75ss.; Mosca 1925, 36-7). Devido a essa fórmula política, os governantes geralmente lideram, de fato, com o "consentimento" dos governados.

Como Mosca, Pareto e Michels, Gramsci argumentou que uma classe dominante não conseguiria manter sua dominação por muito tempo mediante o uso da força ou mesmo de induções diretas como a corrupção. A dominação da minoria exige uma hegemonia intelectual e cultural de certas ideias e crenças que são amplamente compartilhadas numa sociedade – numa sociedade capitalista, pelos trabalhadores e pela classe média. Firmemente presos nas garras culturais do sistema hegemônico de crenças, até mesmo os trabalhadores apoiam um sistema de dominação que viola seus interesses a longo prazo. Dessa forma, a hegemonia cultural cimenta uma aliança entre as classes, um *blocco storico*, com uma ideologia comum e uma cultura comum (Pellicani 1976, 17). Gramsci afirmou que os intelectuais necessariamente desempenham um papel crucial na criação e na manutenção da hegemonia cultural.

Segue-se da análise de Gramsci que os trabalhadores poderiam obter o poder somente mediante o rompimento das correntes invisíveis das crenças e valores que os atam ao capitalismo. Para fazer isso, eles precisariam de sua própria visão de mundo, sua própria hegemonia cultural, um sistema de crenças que apelasse não apenas aos trabalhadores e aos pobres e oprimidos em geral, como também aos aliados em potencial dos trabalhadores na classe média. Porém, os trabalhadores não são, eles próprios, equipados para criar sua própria cultura hegemônica. Essa é, como sempre foi, a tarefa dos intelectuais. Com esse lance decisivo, Gramsci lança os intelectuais – os criadores, os intérpretes e os transmissores de ideias e crenças – no palco, como atores importantes no drama histórico[13].

Rivalidade, competição e os custos de governar

É característico das teorias da dominação o fato de que elas atribuem pouco peso à importância da competição organizada como um instrumento através do qual as não elites podem influenciar a conduta das elites políticas. Isso não quer dizer que elas ignorem a rivalidade e a competição pelo desenvolvimento pessoal tão características das elites políticas em todos os sistemas. Ao contrário, Mosca e Pareto enfatizam ambos o fato de que não apenas algumas pessoas abrem seu caminho na classe dominante através da habilidade e da astúcia, como também a rivalidade por posições é uma preocupação constante dentro da própria classe dominante. Na segunda parte que ele adicionou à sua edição de 1923 dos *Elementi*, Mosca (que, tendo olhado o fascismo de frente, agora era mais favorável ao governo representativo liberal do que jamais fora) reconheceu que o sufrágio em massa e a competição partidária induzirão uma parte da classe dominante a dirigir seu apelo às massas (411-2). Mas ele descartou esses apelos como demagogia, persistiu em referir-se ao "monopólio" do poder desfrutado pela classe dominante e, assim, deixou de seguir seu *insight* até o fim. Mesmo Pareto, que, na qualidade de economista, insistia que a competição inevitavelmente forçaria as empresas a adaptar seus produtos às preferências dos consumidores, fracassou como sociólogo na aplicação de uma noção semelhante à competição partidária que ele admitiu ocorrer no mercado eleitoral (por exemplo, 1935, vol. 4, parágr. 2262, 1593ss.)

Entretanto, como alguns teóricos posteriores argumentariam, a competição pelos votos entre os partidos políticos decididos a vencer as eleições é análoga à competição entre as empresas num mercado. Em ambos os casos, quando as barreiras são baixas para a formação de novas empresas ou partidos, a dominação por monopólio torna-se impossível de manter – uma conclusão que os líderes nos sistemas políticos autoritários de um só partido entendem perfeitamente. Quando se concede às oposições o direito de formar partidos políticos e participar das eleições, quando as eleições são justas e livres e os cargos mais altos no governo do Estado são ocupados por aqueles que vencem as eleições, a competição entre as elites políticas aumenta a probabilidade de que as políticas do governo respondam em tempo às preferências de uma maioria de eleitores.

Assim, sob a perspectiva da ciência política posterior, Michels cometeu um engano elementar ao aplicar uma generalização dos partidos políticos ao governo de um sistema poliárquico. Suas generalizações derivaram do estudo de uma única organização, o partido Social Democrata Alemão. Sua famosa "lei de ferro da oligarquia" referia-se explicitamente aos partidos políticos:

> Reduzida à sua expressão mais concisa, a lei sociológica fundamental dos partidos políticos (o termo "político" sendo utilizado aqui em seu significado mais abrangente) pode ser formulada nos seguintes termos: "É a organização que dá origem ao domínio dos eleitos sobre os eleitores, dos mandatários sobre os mandadores, dos delegados sobre os delegadores. Quem diz organização diz oligarquia" (1962, 365).

Mas ainda que concordemos que os partidos políticos são oligárquicos, *disso não se deduz que os partidos políticos competidores necessariamente produzam um sistema político oligárquico*. As empresas estão entre as organizações mais oligárquicas nas sociedades modernas; mas como observei, o mentor de Michels, Pareto, escrevendo como economista, jamais teria dito que essas oligarquias competidoras geravam o controle monopolista dos consumidores e do mercado. Nem mesmo Marx, que via as empresas como organizações despóticas, cometeu um engano tão elementar. Muito pelo contrário: foi a competição que *evitou* o monopólio. Se Michels houvesse limitado suas conclusões estritamente aos partidos políticos, seu argumento teria sido muito mais forte. Mas como as citações apresentadas anteriormente demonstram muito bem, Michels prosseguiu até a conclusão não fundamentada de que a democracia é impossível num *sistema político* porque, como ele concluiu a partir da observação de um só partido, ela era impossível num *elemento do sistema* em particular. Se ele tivesse escrito sua obra hoje, seria inconcebível que ele passasse da observação da oligarquia num partido político para a conclusão de que a oligarquia é inevitável num sistema político no qual os partidos políticos são altamente competitivos.

O engano elementar de Michels nos lembra que a maior parte dos teóricos da dominação da minoria discutidos aqui tinham pouca ou nenhuma experiência com os sistemas competitivos nos países com sufrágio amplo ou, decerto, com uma análise sistemática dos sistemas partidários competitivos. Marx, por exemplo, não viveu o bastante para testemunhar o funcionamento da "democracia de massa" na Grã-Bretanha; e Lênin nunca a vivenciou de fato (nem mesmo no exílio na Suíça). Pareto, Mosca, Michels e Gramsci a vivenciaram apenas no princípio.

Não obstante, não podemos concluir que a experiência da poliarquia e da competição partidária os teria levado a abandonar suas teorias de dominação da minoria. Eles ainda poderiam ter salvo suas teorias argumentando que as elites dominantes continuam a governar, não controlando o Estado diretamente, mas, sim, remodelando as preferências dos eleitores e, assim, controlando indiretamente os resultados das eleições.

Elos na corrente de controle entre os governantes e os governados

Assim, à medida que uma dominação *direta* do governo do Estado tornou-se mais difícil de atingir para uma só minoria nas poliarquias com um sufrágio amplo e, portanto, proporcionalmente mais implausível como teoria do privilégio e da dominação, os teóricos voltaram-se para explicações que dependiam do uso de meios *indiretos* de dominação. Nessas teorias, a corrente de controle[14] que vai das ações dos principais agentes, os governantes, até as ações complacentes e favoráveis dos governados torna-se mais longa; ela é mais difícil de observar; apoia-se menos sobre o controle manifesto e mais sobre o poder potencial e as reações antecipadas; e consequentemente é mais difícil de verificar ou refutar. Que eu saiba, ainda nenhuma teoria ou explicação segundo a qual a dominação da minoria é uma característica convencional dos países governados por uma poliarquia proporcionou as provas necessárias para verificar a existência de tal corrente de controle.

Se partirmos sem contestações da premissa de que uma teoria em particular especificou adequadamente a composição da minoria dominante, ela poderia descrever o caminho do controle da minoria sobre a maioria dominada de diversos modos diferentes. Os caminhos seguintes, por exemplo, vão da dominação direta da elite dominante à menos direta (todos os caminhos podem incluir misturas maiores ou menores de controle por meio das reações antecipadas).

1. A minoria dominante controla diretamente as decisões e políticas específicas do governo do Estado.
2. Ela determina diretamente que assuntos são colocados ou não na agenda de tomada de decisões do governo. Por exemplo, ela veta algumas questões que, caso contrário, poderiam ter sido colocadas na agenda.
3. Ela estabelece os limites entre as esferas da atividade governamental e não governamental (através do controle de 1 e 2).
4. Ela cria e mantém crenças predominantes sobre 1, 2 e 3.
5. Ela cria e mantém crenças sobre a legitimidade, as vantagens ou o grau de aceitação das principais estruturas políticas, sociais e econômicas.
6. Ela não *cria*, mas *mantém* crenças sobre 1, 2, 3 e as estruturas de 5.
7. Embora ela não crie nem mantenha crenças sobre 1, 2, 3 e as estruturas de 5, ela ocupa, não obstante, sua posição privilegiada *em razão* dessas crenças.

No que diz respeito aos primeiros seis caminhos de dominação, uma teoria poderia também afirmar que o âmbito do controle exercido pela minoria dominante é um dos seguintes:

(a.1). Ele procura controlar todas (ou quase todas) as questões em 1-6. Ou (a.2) ele tenta controlar apenas as questões de maior importância. [O que é da maior importância pode significar ou (b.1) o que os membros da maioria dominante assim consideram ou (b.2) o que um observador julga ser de maior importância para a minoria dominante por outros critérios.]

(c.1). A minoria dominante possui o controle exclusivo. Ou (c.2) seu controle é repartido com indivíduos e grupos não especificados como membros da minoria dominante.

Para que a dominação da minoria exista, a minoria teria de conseguir superar qualquer oposição significativa ao seu domínio. Todavia, uma teoria poderia oferecer algumas descrições diferentes da oposição ao domínio da minoria. Para simplificar as possibilidades de uma forma um tanto drástica,

(d.1). Os oponentes representam uma ameaça "significativa" à dominação da minoria e agem abertamente como oposição à minoria.
(d.2) A oposição é significativa, mas age veladamente.
(d.3). A oposição não é significativa.

As combinações possíveis são, decerto, absurdamente amplas (formalmente, 486). Entretanto, as distinções estão longe de ser triviais: certas teorias que propõem diferentes combinações (ou subconjuntos de combinações) podem ter implicações profundamente diferentes para as possibilidades e os limites da democracia. Consideremos duas possibilidades muito distintas:

1. Uma minoria controla direta e indiretamente todas as questões na agenda das decisões governamentais. Seu controle é exclusivo. Por causa da criação e manutenção efetivas de crenças que lhe são favoráveis, ela encontra apenas uma oposição insignificante. Assim, essencialmente seu controle e seus interesses não são sequer postos em questão. São indisputados.

2. Uma minoria geralmente consegue assegurar políticas que considera favoráveis a seus interesses mais essenciais. Ela o faz tanto por meio da influência direta nas decisões do governo quanto pela influência indireta das crenças. Porém, ela encontra uma oposição significativa e raramente consegue obter sucesso, exceto na coalizão com outros grupos. Ademais, nas questões que não afetam profundamente os seus interesses mais essenciais, sua influência é muito

mais fraca, seus aliados em menor número, seus adversários muito mais fortes e sua incapacidade de controlar os resultados muito mais comum. Em muitas questões, na verdade, a minoria faz pouco ou nenhum esforço, direta ou indiretamente, para influenciar as políticas. E mais: as autoridades eleitas competem vigorosamente pelos cargos. Em consequência disso, outras minorias também são "dominantes" (no mesmo sentido) nas questões que elas consideram mais importantes: os fazendeiros, digamos, nos subsídios à agricultura, as pessoas mais velhas nas pensões de aposentadoria e no seguro-saúde, os ambientalistas na poluição do ar e da água, os militares nos gastos com a defesa...

É evidente que a primeira possibilidade constitui a dominação da minoria, que a minoria é certamente uma "classe dominante" e que, visto que ela governa o Estado, a democracia é inexistente. Mas será que a segunda possibilidade constitui uma dominação da minoria? Certamente que não; não no mesmo sentido. E embora ela não corresponda exatamente a muitas descrições ideais da democracia sob o domínio da maioria, o componente democrático nesse sistema de domínio das minorias não deixa de ser importante.

O que pretendo aqui não é propor uma teoria que descreva adequadamente qualquer poliarquia em particular, muito menos as poliarquias como classe de sistemas políticos. O que quero dizer é simplesmente que nenhuma das teorias de dominação da minoria que descrevi – ou nenhuma outra, ao que eu saiba – especifica adequadamente os detalhes da corrente de controle que elas propõem, tampouco oferece os dados necessários para demonstrar que a corrente da dominação cuja existência elas afirmam ou insinuam realmente exista.

O problema dos dados

Os dados oferecidos pelos teóricos da dominação da minoria são amplos e vagos[15]. Pareto e Mosca oferecem interpretações históricas abrangentes. Os dados de Michels consistem quase inteiramente no estudo de um único partido político. Talvez porque Gramsci levou adiante sua teoria da hegemonia cultural sob as limitações da vida na cadeia e da censura, talvez também porque a investigação sistemática não lhe apetecesse, o que lhe sobra em intuições e hipóteses lhe falta em dados sistemáticos.

*

As teorias da dominação me parecem incapazes de sustentar a afirmação de que em todas as poliarquias, ou mesmo num candidato plausível como os Estados Unidos, uma minoria governante domina direta ou indiretamente o governo do Estado.

O que essas teorias fazem é dar testemunho da extensão e da difusão da desigualdade. Todavia, não precisamos desse testemunho para nos convencer de que existem desigualdades políticas nas poliarquias, ou que essas desigualdades violam os critérios democráticos, ou que sua persistência representa um sério problema para a teoria e a prática democráticas.

Ao asseverar a existência de uma minoria dominante, essas teorias nos desviam de uma análise realista dos verdadeiros limites e potencialidades da democracia no mundo moderno. Às vezes, elas nos oferecem uma esperança infundada de que uma transformação revolucionária apocalíptica vai nos levar à terra prometida da liberdade perfeita, da autorrealização e da aceitação total do valor igual dos seres humanos; outras vezes, elas não nos oferecem nenhuma esperança e nos aconselham, direta ou indiretamente, a desistir da ideia antiga de uma sociedade na qual os cidadãos, possuidores de todos os recursos e instituições necessários para a democracia, governam a si próprios como cidadãos livres e iguais.

Capítulo 20
Pluralismo, poliarquia e o bem comum

Refletimos há pouco (nos capítulos 12 e 13) sobre se e como se poderia evitar que o processo democrático prejudicasse os direitos e interesses fundamentais de algumas pessoas sujeitas às decisões coletivas, em particular as minorias, que podem perder em votos para as maiorias. Evitar danos é fazer o bem; mas geralmente entendemos que fazer o bem exige mais que evitar danos. Isso também é válido para a conquista do bem comum de um grupo: muitas vezes, a promoção dos interesses e bens que os membros compartilham entre si não se reduz à simples exigência de que os membros não causam dano uns aos outros.

Uma das tradições mais fortes na vida política é a de que entre os membros de qualquer república sempre existe um bem comum, o qual os governantes têm a função e a obrigação de proporcionar. Entretanto, o modo como devemos interpretar a obrigação dos governantes de buscar o bem comum, seja numa democracia, seja num sistema não democrático, nos coloca problemas monumentais. Esses problemas sempre resistiram às soluções simples, diretas, persuasivas e, ao mesmo tempo, racionalmente justificáveis. Eles foram construídos pela análise cética de críticos modernos que pouco sentido veem na noção de um bem comum e, também, nos países democráticos modernos, por uma tal diversidade de grupos, associações e interesses que podemos nos perguntar se existe algum bem *comum* entre os cidadãos de um país, e ainda que exista, como ele pode ser descoberto e como podemos torná-lo realidade.

Algumas das dificuldades na noção de bem comum são reveladas ao longo do diálogo entre um tradicionalista, um modernista e um pluralista.

A ideia de um bem comum

MODERNISTA: Você muitas vezes manifesta a opinião de que, num sistema democrático adequado, os cidadãos buscariam alcançar o bem comum em todas as suas decisões coletivas.

TRADICIONALISTA: Certamente que sim. Não se pode dizer que eu seja o único a afirmar isso. Afinal de contas, essa crença tem dominado o pensamento político ocidental desde os seus primórdios. Creio que também é uma crença fundamental do confucionismo, que continua a ser uma influência importante nas ideias dos líderes e das pessoas comuns em grande parte da Ásia. Pelo que entendo das crenças hindu e budista, embora elas sejam bem menos explicitamente políticas que o confucionismo, ambas parecem adotar um pressuposto desse tipo. Imagino que a maioria das pessoas em toda parte crê que governantes realmente bons lutariam pelo bem comum, ainda que muitas pessoas tenham pouca esperança de que seus líderes de carne e osso venham a fazê-lo. Em resumo, não consigo pensar de imediato em nenhuma outra proposição na vida política que tenha sido endossada por tantas pessoas durante tantos séculos.

MODERNISTA: Quer dizer que essa ideia não se restringe aos sistemas democráticos?

TRADICIONALISTA: Certamente que não. Mas é de uma crença geral desse tipo que advém a noção de que o *demos*, numa democracia, e o povo e seus representantes, numa democracia representativa, devem procurar proporcionar o bem comum[1].

PLURALISTA: Posso interromper? Se partirmos da premissa de que numa democracia "o povo" e seus representantes devem governar em prol do bem comum, e no entanto "o povo" se governa em diversas associações relativamente autônomas, *qual* povo deve governar-se em *quais* assuntos, e o bem comum de *qual público* deve ele buscar?

MODERNISTA: Espere um momento! Vocês, pluralistas, parecem ser viciados em desordem. Se partirmos de sua questão, certamente mergulharemos numa discussão muito caótica. Será que você me permite propor minhas questões primeiro?

PLURALISTA: Sinto muito. Eu só queria ter certeza de que minha questão estava em sua agenda. Por favor, prossiga.

Preliminares

TRADICIONALISTA: Sob pena de ofender nosso amigo Pluralista, mas também no interesse da ordem intelectual, posso propor que iniciemos com o pressuposto de que estamos tratando de um sistema pequeno e unitário? Vamos partir da premissa de que seus cidadãos são membros de um Estado, uma pólis, uma sociedade política soberana e independente. Assim, os cidadãos são membros de uma única associação política (no uso convencional, o Estado) e não têm fidelidades ou obrigações conflitantes com nenhuma outra associação política, tais como um partido político, um grupo de pressão organizado, o governo de uma unidade política mais regional, o governo de uma unidade maior e mais inclusiva e assim por diante.

PLURALISTA: Eu pretendia me calar, mas realmente preciso me opor a isso. Você quer pressupor que não existem associações menores, tais quais a família, grupos de amigos, entidades econômicas e outras? Se é assim, você não está mais falando sobre uma sociedade humana.

TRADICIONALISTA: Não, eu concordo que esse pressuposto seria absurdo. É claro que existem grupos menores, como os que você mencionou. Mas o que quero dizer é que eles não participam, como tais, da vida política. Vamos também pressupor que nosso sistema político simples seja governado diretamente pelo *demos* através do processo democrático. O que estou propondo como um ideal viável é que, em suas decisões coletivas, os cidadãos de nosso pequeno Estado busquem alcançar o bem comum, ou seja, o bem de todos. Diríamos, portanto, que os cidadãos possuem a qualidade da virtude cívica.

MODERNISTA: Ao propor esse ideal, você não estaria fazendo, ainda que implicitamente, dois tipos de afirmações? A primeira é normativa: você está receitando o bem comum como o objetivo ao qual os cidadãos *devem* aspirar nos assuntos públicos.

TRADICIONALISTA: Obviamente que sim.

MODERNISTA: A segunda é uma afirmação empírica quanto à viabilidade: uma vez que você pretende que esse ideal seja pertinente à vida humana, você deve crer que, sob certas condições realizáveis, pode-se esperar das pessoas que se comportem de maneira virtuosa. Presume-se, portanto, que você possa nos oferecer algumas provas de sua afirmação empírica. Quais seriam elas?

TRADICIONALISTA: Eu poderia fornecer alguns exemplos históricos, talvez a Atenas clássica ou as repúblicas das cidades-Estado italianas.

MODERNISTA: Devo dizer que, no meu ponto de vista, a validade de ambas as suas afirmações é altamente duvidosa.

TRADICIONALISTA: Isso não me surpreende. E não me surpreenderei se você estiver ansioso para nos dizer por quê.

O bem comum como um ideal normativo

MODERNISTA: Prefiro dizer disposto, e não ansioso, uma vez que não venho como um inimigo do bem comum, e sim como amigo...

TRADICIONALISTA: Como Marco Antônio para César?

MODERNISTA: ... que busca esclarecimento e, se possível, segurança.

TRADICIONALISTA: Que espero poder oferecer.

Dificuldades filosóficas

Modernista: Espero mesmo que possa. Mas antevejo graves dificuldades. Como receita de virtude cívica, a ideia do bem comum me parece sofrer de três tipos principais de problemas. O primeiro são as dificuldades filosóficas, ontológicas e epistemológicas, que assolaram todas as tentativas de justificar qualquer interpretação específica do bem comum durante todo o século passado. *O que é* o bem comum? Como podemos *saber* o que ele é? Uma vez que essas dificuldades já foram muito discutidas, não pretendo retomá-las aqui[2]. Entretanto, não podemos simplesmente dispensá-las como se fossem uma inconveniência menor. Os obstáculos filosóficos ficam bem no meio do caminho de todas as tentativas de afirmar qualquer interpretação do bem comum.

Tradicionalista: Um aspecto muito lamentável de nossos apuros modernos.

Modernista: Eu me solidarizo com seu lamento. A falta de um consenso quanto ao significado do bem comum – e até mesmo quanto a se tal bem existe – cria dificuldades genuínas para a vida pública. Mas os pesares e as lamentações não vão fazer com que os obstáculos desapareçam.

Tradicionalista: Então, o que você tem a oferecer em vez disso?

Modernista: Em vez de suas lamentações quanto à ausência de uma condição que, de qualquer forma, provavelmente nunca existiu, devemos tomar como um axioma que, a não ser que e até que os problemas filosóficos sejam superados – e não há motivos convincentes para achar que serão –, a existência e a natureza do bem comum serão necessariamente um assunto altamente controverso, não apenas entre os filósofos e teóricos sociais, mas na vida política também. Toda descrição de um ideal político *viável* deve partir do pressuposto de que o conflito quanto ao bem comum é uma parte inevitável da vida política normal.

Tradicionalista: O que você propõe bate de frente com uma longa tradição em contrário. É claro que estou pensando, em particular, na tradição aristotélica, que via o conflito político como um mal que podia e devia ser eliminado da vida pública[3].

Modernista: Sei disso. Mas, nesse aspecto, a tradição a que você se refere está equivocada. E mais: alguns dos regimes mais repressivos que a humanidade já conheceu resultaram da crença dos líderes em que o conflito político é um mal desnecessário que pode e deve ser eliminado. O ponto de vista alternativo, com o qual concordo, é o de que o conflito não só é inevitável como, sob certas condições, pode ser uma fonte de aprendizado e esclarecimento[4].

Tradicionalista: Admito que o conflito quanto ao bem comum e a outras questões é uma característica típica, talvez quase universal, das sociedades políticas. Nego que seja inevitável ou desejável.

Pluralista: Uma vez que vocês dois parecem ter chegado a um impasse, que tal deixar o Modernista prosseguir?

De como as receitas são excessivamente limitadas ou gerais

Modernista: Minha segunda objeção é que, ainda que ignorássemos as dificuldades filosóficas às quais acabo de aludir, toda tentativa que já vi de receitar o bem comum é limitada demais para ser aceitável para todos ou geral demais para ser muito pertinente ou útil.

Tradicionalista: O que você quer dizer com "limitada demais" ou "geral demais"?

Modernista: O que quero dizer com "limitada demais" pode ser ilustrado pelo trabalho de certos autores que querem oferecer critérios ou regras específicos o bastante para influenciar diretamente os requisitos constitucionais ou as políticas públicas. Suas regras invariavelmente se mostram inaceitáveis em muitos casos importantes: elas podem funcionar em alguns casos, mas levam a resultados alarmantes em outros. Um bom exemplo são os famosos princípios de justiça de John Rawls. Como seus numerosos críticos demonstraram, sob certas condições nada improváveis, as regras levam a resultados moralmente questionáveis e até mesmo a alguns absurdos (cf., por exemplo, Rae 1975a; Rae 1979; Fishkin 1983, 14-5, 154ss.).

Na maior parte das vezes, porém, as receitas para o bem comum são excessivamente gerais. Se um autor leva a sério a noção de que o bem comum é o bem comum de *todos*, torna-se extremamente difícil especificar qualquer coisa que, em princípio, passaria em seu teste altamente rigoroso, com a exceção de algumas qualidades muito abstratas e gerais. Como um defensor como você, por exemplo, descreveria o bem comum?

Tradicionalista: Defendo a visão tradicional de que o bem comum consiste em alguns objetivos específicos que promovem, sem qualquer sombra de dúvida, o bem-estar de, literalmente, todos.

Pluralista: "Literalmente todos" significa todas as pessoas do mundo, não é mesmo? É isso mesmo que você quer dizer?

Tradicionalista: É claro que não! Refiro-me a todas as pessoas na pólis ou no Estado em particular.

Pluralista: Aviso que não posso concordar com sua definição de "todos". É moralmente arbitrária. Mas vou me abster de comentários por ora.

Modernista: E quais são os seus "objetivos específicos que promovem, sem sombra de dúvida, o bem-estar de literalmente todos"?

Pluralista: Ou seja, "na pólis ou no Estado em particular".

Tradicionalista: Bem, eles certamente incluem a paz, a ordem, a prosperidade, a justiça e a comunidade[5].

Modernista: Exatamente como eu esperava. Sua descrição deixa todo o conteúdo de "paz, ordem, prosperidade, justiça e comunidade" inteiramente vago. Infelizmente, esses objetivos gerais e louváveis pouco ajudam na tomada de decisões coletivas. E o que é pior, quando um desses objetivos é conflitante com outro, o que não é incomum, eles não ajudam em nada. Por fim, se o bem comum literalmente quer dizer *todos* (isto é, todos aqueles que são membros de uma república em particular), pode-se dizer que não é óbvio, de maneira alguma, que a paz, a ordem, a prosperidade, a justiça e a comunidade são sempre um bem para *todos* os membros da república.

Tradicionalista: Se esses objetivos não fossem o bem de todos numa república, eu diria que esta seria, necessariamente, uma república inferior. A essência de uma boa república reside precisamente no fato de que o bem de um membro não é conflitante com o bem de um outro.

Modernista: Você confirma o meu argumento. Para justificar objetivos que literalmente seriam para o bem de *todas* as pessoas numa república, você acaba de limitar a possibilidade de um bem comum apenas às repúblicas nas quais o bem de um membro nunca entra em conflito com o bem de outro. Na verdade, o bem comum existe em repúblicas nas quais... existe um bem comum. Mas se você exige uma harmonia perfeita para que exista um bem comum, parece-me que sua concepção do bem comum é irrelevante para a maioria dos sistemas políticos que já existiram – na verdade, provavelmente para todos os sistemas políticos do mundo real.

Tradicionalista: Admito que estabeleci um requisito muito rígido. Com frequência, os ideais assim o exigem.

Modernista: Mas esses ideais também devem ser pertinentes às possibilidades humanas. Por outro lado, se você simplesmente atenuar a rigidez de "todos", como se "todos" significasse 99%, 85%, dois terços ou qualquer proporção menor que 100%, uma afirmação de que qualquer valor particular é, com efeito, o bem comum deixa de preencher seu requisito tradicional, e você terá de redefinir o bem comum a fim de que ele não mais inclua todos. Mas, se o bem comum não quer dizer todos, quem fica de fora, e com que fundamento você justifica isso?

Pluralista: Agora você está entrando em meu território. Por que "todos" haveria de significar apenas os membros de uma república em particular? Acaso o bem dos não membros, daqueles que, embora estando de fora, são seriamente afetados pelas decisões coletivas da república, não deveria ser contado também? Se não, por que não?

Critérios razoáveis são conflitantes entre si

MODERNISTA: Se você conseguir se conter um pouco mais, Pluralista, eu gostaria de mencionar a terceira dificuldade que encontro na noção de bem comum. Ainda que, mais uma vez, deixemos os problemas filosóficos de lado, critérios inteiramente razoáveis podem levar a receitas conflitantes para as decisões coletivas. Há pouco, afirmei que os objetivos mencionados pelo Tradicionalista – a paz, a ordem, a prosperidade, a justiça, e a comunidade – podem ser conflitantes; os conflitos exigiriam juízos difíceis quanto às prioridades e às negociações, que os objetivos em si não revelam. Mas o problema é ainda mais complexo. Para ilustrá-lo, quero utilizar um argumento exposto por James Fishkin (1987). Você, Tradicionalista, afirmou que os objetivos que nomeou promovem o bem-estar de todos. Você diria, então, que um curso de ação política que promove um bem-estar mais geral é melhor que um outro que promove menos bem-estar?

TRADICIONALISTA: É óbvio que sim.

MODERNISTA: E você também concordaria que um curso de ação política que promove o bem-estar de mais pessoas é melhor que um outro que promove o bem-estar de menos pessoas?

TRADICIONALISTA: Mais uma vez, é óbvio que sim.

MODERNISTA: Você diria, como fizeram alguns autores, que outras coisas sendo iguais, um curso de ação política que melhore a vida daqueles que estão em condições piores é melhor que um curso de ação que não o faça, embora este possa melhorar a vida daqueles que já estão em melhores condições?

TRADICIONALISTA: Isso não me parece tão evidente, mas com efeito parece ser um juízo bastante razoável.

MODERNISTA: Mas melhorar a vida daqueles que estão em piores condições pode significar ao menos duas coisas. Pode significar melhorar a posição *relativa* dos que estão em piores condições ou elevar "a posição *absoluta* do estrato *mais baixo* de todos" (Fishkin 1987, 10; ver também Bonner 1986, 35ss.)

TRADICIONALISTA: Não sei se consigo ver a diferença.

MODERNISTA: Bem, suponhamos que um sistema tenha três grupos de renda. Eu os chamarei de estratos. A renda anual média das pessoas no estrato *A* é de 100 mil dólares, no estrato *B*, de 20 mil dólares e no estrato *C*, de dois mil dólares. Uma política que alocasse a mesma renda média a cada estrato certamente melhoraria a posição *relativa* daqueles nas piores condições, não é mesmo? Mas uma política que melhorasse a renda do estrato mais baixo para, digamos, cinco mil dólares elevaria sua posição *absoluta*.

TRADICIONALISTA: Sim, isso parece claro.

MODERNISTA: Assim, temos quatro critérios razoáveis que poderiam ser utilizados para avaliar se uma política serve o bem comum, não é?

TRADICIONALISTA: É o que parece.

MODERNISTA: Poderíamos dizer, então, que uma política serve o bem comum quando (1) ela maximiza o bem-estar total, (2) melhora o bem-estar da maioria, (3) melhora a posição relativa daqueles que estão nas piores condições ou (4) eleva a posição absoluta dos que estão em piores condições?

TRADICIONALISTA: Tomados em conjunto, os dois primeiros critérios são simplesmente a velha ideia utilitária do "bem maior do maior número", não é verdade? O terceiro e o quarto não são tão utilitários quanto kantianos em sua derivação.

MODERNISTA: Seja lá como for, o que Fishkin demonstra é que esses quatro princípios são incompatíveis. Sob certas condições que não são nem um pouco improváveis, nenhuma política pode satisfazer simultaneamente os quatro critérios. Além disso, se insistíssemos que uma política teria de preencher apenas três dos quatro critérios para satisfazer nossa ideia de bem comum, mesmo esse requisito, como demonstra Fishkin, pode levar a ciclos decisórios exatamente iguais aos bem conhecidos ciclos de votação: de acordo com um conjunto de critérios, a política *B* seria melhor que a política *A*; de acordo com outro conjunto, a política *C* seria melhor que a política *B*; de acordo com o terceiro, a política

D seria melhor que a *C*; de acordo com o quarto, a política *E* seria melhor que a *D*, mas de acordo com o primeiro conjunto, *A* seria melhor que *E*, e assim por diante infinitamente (Fishkin 1987, 13, 14).

Tradicionalista: Mas será que, após uma reflexão mais aprofundada, não poderíamos encontrar um meio de conceber o bem comum que fosse superior a todos os quatro critérios que Fishkin emprega em sua demonstração?

Modernista: O que quero demonstrar é que ninguém foi capaz de produzir um conceito de bem comum que não seja demasiadamente geral para servir como um guia pertinente para as decisões coletivas, ou um conceito apropriadamente específico, que levaria a políticas inaceitáveis. Não posso deixar de sentir que uma enorme parte da discussão acadêmica a respeito do bem comum é conduzida por acadêmicos com inclinações filosóficas, de quem nunca se exige que apliquem suas ideias rigorosamente às decisões coletivas.

O bem comum como um fenômeno histórico

Modernista: O resultado é que, ainda que os cidadãos quisessem buscar o bem comum, as interpretações amplas não os ajudariam muito a acertar o alvo, ao passo que se tentassem empregar as regras e princípios mais específicos eles às vezes acertariam o alvo errado. Isso influencia minha segunda preocupação. Eu disse, há pouco, que a ideia tradicional do bem comum faz uma afirmação empírica implícita: a de que, sob algumas condições humanas realizáveis, podemos esperar sensatamente que, à medida que participam na vida pública, os cidadãos – a maioria deles, pelo menos – terão como objetivo alcançar o bem comum. Um modo de justificar tal afirmação seria apontar algumas situações históricas nas quais a maioria dos cidadãos o fez. Creio que você sugeriu algumas delas.

Tradicionalista: Estou inclinado a crer que a maioria dos cidadãos atenienses no século V geralmente buscou o bem comum.

Modernista: Mas não temos nada parecido com dados históricos adequados para sustentar sua crença, não é? Com base nos dados disponíveis, suponho que se possa fazer essa inferência razoável; mas também seria razoável inferir que os atenienses frequentemente votavam de acordo com seus interesses individuais ou de grupo. O historiador A. H. M. Jones, altamente favorável à democracia ateniense, conclui que, em assuntos de guerra e paz, os cidadãos ricos e pobres tendiam a votar de acordo com seus interesses econômicos divergentes[6].

Pluralista: E acaso os cidadãos buscavam o bem daqueles que eram excluídos da vida política, particularmente as mulheres e os escravos? Se o faziam, certamente era apenas no sentido de que eles convenientemente racionalizaram a sujeição das mulheres e a existência da escravidão como algo necessário ao bem comum. Mas se o bem comum é meramente uma expressão utilizada para esconder uma defesa de interesses particularistas, a vida política não estaria melhor sem ele?

Modernista: Creio que você também afirmou que houve outros exemplos de cidadãos dedicados ao bem comum.

Tradicionalista: Sim, eu tinha em mente a República de Veneza e talvez outras repúblicas da Itália medieval e renascentista.

Pluralista: Mas aquelas repúblicas eram cheias de conflito![7] E Veneza, que era muito mais tranquila que as outras, era, afinal de contas, governada por uma aristocracia extremamente reduzida. Mesmo se tentássemos pressupor, para os objetivos dessa argumentação, que os governantes geralmente buscavam o bem comum, a experiência veneziana não tem nada que ver com a questão da virtude cívica num sistema democrático com um *demos* inclusivo. Se você não tomar cuidado, sua argumentação vai acabar sendo uma justificativa para o domínio dos poucos esclarecidos que possuem a sabedoria e a virtude necessárias!

Modernista: Tradicionalista, você não está confundindo a receita e a descrição? Como todos nós sabemos, aquilo a que muitas vezes nos referimos como a tradição aristotélica e sua companheira, a tradição republicana, insistem, com efeito, no fato de que a virtude cívica deve ser uma qualidade central de uma boa república. Aristóteles sabia bem a diferença entre a pólis ideal e a pólis real. No entanto, os acadêmicos que retratam favoravelmente as tradições aristotélica e republicana e as contrastam favoravelmente com o que eles veem como desvios modernos delas raramente nos oferecem descrições da vida política real. O que J. G. A. Pocock e outros denominam "humanismo cívico" era um ideal. Ele definitivamente não era uma descrição das realidades da vida política na Grécia, em Roma ou nas repúblicas italianas. Na Itália, a disjunção entre o ideal e a realidade era enorme: Maquiavel é testemunha disso. O que me pergunto, Tradicionalista, é se você talvez não tenha pressuposto, sem perceber muito bem que o fez, que o que os humanistas cívicos receitaram como um ideal era também uma descrição justa da vida política real nas repúblicas italianas.

PLURALISTA: Tal qual pressupor que "o governo do povo, pelo povo, para o povo" realmente descreve a política americana.

MODERNISTA: Ao considerar as afirmações históricas sobre a virtude cívica e o bem comum, parece-me que precisamos distinguir três possibilidades diferentes. A primeira é que uma afirmação histórica pode se reduzir, às vezes, simplesmente ao seguinte: em certos tempos e lugares, os filósofos, teólogos e talvez os líderes políticos tendiam a crer que a virtude cívica era uma característica desejável e, sob certas condições, realizável numa boa ordem política. Porém, a segunda possibilidade é que talvez, nas épocas e nos lugares nos quais essa ideia foi intelectualmente dominante, ela também caracterizava as *crenças* daqueles, ou da maioria daqueles, que na verdade participavam dos assuntos públicos. E, finalmente, pode-se afirmar que naquelas épocas e lugares a maioria das pessoas na vida pública realmente *agia* virtuosamente, no sentido de que suas atividades públicas eram predominantemente influenciadas por uma preocupação com o bem comum. O que estou dizendo, e creio que o

Pluralista concorda, é que escritos recentes sobre a virtude e o humanismo cívicos e sobre as tradições aristotélica e republicana estabelecem, no máximo, a primeira afirmação. Eles não demonstram, e segundo minha leitura nem tentam demonstrar, a validade da segunda e da terceira afirmações, que são deixadas completamente no ar.

Pluralista: A fim de poder avaliar o terceiro tipo de afirmação, eu proporia mais uma distinção. Em teoria, todo cidadão poderia *tencionar* defender o bem público ou, na linguagem do Modernista, poderia *buscar* o que ele ou ela creem ser o bem comum. Entretanto, os cidadãos talvez discordassem quanto ao que eles concebem como o bem comum. Na verdade, eu arriscaria dizer que buscar o bem público é mais comum na vida política do que os observadores cínicos admitem; as pessoas somente não concordam quanto ao que é ele. Assim, podemos distinguir quatro possibilidades, as quais são mostradas nesta pequena tabela:

		Os cidadãos	
		Concordam?	Discordam?
Os cidadãos buscam o bem comum?	Sim	1	2
	Não	3	4

Os cidadãos podem: (1) buscar o bem comum e concordar quanto ao que ele é; (2) buscar o bem comum mas discordar quanto ao que ele é; (3) concordar quanto ao bem comum, mas não pretender alcançá-lo; (4) não pretender alcançar o bem comum e discordar quanto ao que ele seria.

Tradicionalista: Sua terceira possibilidade me parece autocontraditória.

Pluralista: Não necessariamente. Por exemplo, os cidadãos poderiam concordar que o bem comum não consiste em nada além do interesse próprio de cada cidadão, e cada cidadão poderia buscar apenas os seus próprios interesses. Não há nada de autocontraditório nisso. Também posso imaginar todos concordando que o objetivo X seria pertinente ao bem comum, e que alguns cidadãos diriam: "Mas Y é de *meu* interesse, e essa é a política que eu apoio."

Não é muito virtuoso, mas certamente não é autocontraditório, não é mesmo?

TRADICIONALISTA: Tiro o chapéu para sua tabela bem-feita. Mas o que ela significa?

PLURALISTA: Significa que uma asserção empírica a respeito da existência histórica ou da possibilidade futura de cidadãos virtuosos numa ordem democrática ou republicana teria de especificar precisamente se o que está sendo afirmado é (1), (2) ou (3).

TRADICIONALISTA: Pressuponho que o primeiro.

PLURALISTA: Mas isso implica um consenso perfeito e, por conseguinte, absolutamente nenhum conflito político, não é? Ainda que consentíssemos com uma aproximação em vez de um consenso perfeito, não vejo provas suficientes para apoiar a afirmação de que o primeiro estado de coisas alguma vez existiu em qualquer sistema histórico, exceto, talvez, por um período muito breve.

TRADICIONALISTA: Mas os conflitos políticos podem ter sido quanto aos meios e não quanto aos fins.

MODERNISTA: Não era esse, exatamente, o ponto de vista que tentei defender há pouco? Ainda que você parta do princípio de que existe um consenso quanto aos fins gerais em algumas épocas e lugares, isso não necessariamente elimina o conflito político a respeito do que constitui o bem de todos em casos específicos, não é verdade? E tais conflitos poderiam ser bastante intensos, ou não?

O pluralismo e o bem comum

PLURALISTA: Esta pode ser uma boa hora para expressar minhas preocupações. No começo de nossa discussão, concordamos em aceitar o pressuposto inicial do Tradicionalista de que estávamos tratando de uma república comparativamente pequena e unitária – algo como uma pólis idealizada. Posso imaginar prontamente como numa pequena democracia e ainda mais uma com um *demos* tão restrito, um cidadão poderia se sentir confiante no fato de que pode perceber facilmente o bem comum, o bem de todos, o bem da pólis. Não estou sugerindo que os problemas filosóficos desapareceriam, mas somente que eles poderiam ter sua importância reduzida. Tanto a existência de um bem comum – ou bens comuns – quanto a possibilidade de que a maioria dos cidadãos gostaria de alcançar o bem comum poderia parecer inteiramente plausível, até mesmo evidente por si mesma. Contudo, não vivemos num mundo de pequenas repúblicas unitárias. Para que as noções de virtude cívica e de bem comum tenham alguma pertinência no mundo moderno, temos de situá-las no contexto de sistemas democráticos de grandíssima escala, ou seja, no contexto da poliarquia e do pluralismo que a acompanha. Você não concorda, Tradicionalista?

TRADICIONALISTA: Sim, dentro de certos limites. Eu poderia chegar à conclusão de que a poliarquia e o pluralismo são inerentemente inferiores à pólis, e que portanto devemos fazer o que pudermos para restaurar a pólis. Você me dá ainda mais motivos para preferir o passado e rejeitar o presente como um modelo para o futuro.

PLURALISTA: Não obstante, você de fato concorda que a transformação da democracia na cidade-Estado para a democracia no Estado nacional alterou imensamente as condições sob as quais a virtude cívica e o bem comum podem existir, não é mesmo?

TRADICIONALISTA: Sim, embora eu não esteja bem certo do que *você* vê como as consequências dessa transformação.

PLURALISTA: As consequências foram belamente sugeridas por Rousseau em seu *Discurso sobre a economia política*, quando ele afirmou:

> Todas as sociedades políticas são compostas de outras sociedades menores de diferentes tipos, cada qual com seus interesses e máximas [...]. A vontade dessas sociedades particulares sempre tem duas relações: para os membros das associações, é uma vontade geral; para a sociedade em geral, é uma vontade privada, a qual muitas vezes se descobre ser justa no primeiro aspecto e cruel no segundo (1978, 212-23).

Aqui, Rousseau apresenta uma contradição para a qual não parece haver uma solução: é o paradoxo de Rousseau, por assim dizer. Muitas vezes achei que essa passagem desfaz por antecipação todo o projeto do *Contrato Social*. Pois o paradoxo de Rousseau dirige nossa atenção precisamente para o problema dos sistemas pluralistas de grande escala, para os quais a ideia de democracia estava prestes a ser transferida. O tipo de república de pequena escala e bastante homogênea pressuposta no *Contrato Social* estava se tornando, rapidamente, uma relíquia do passado. Tomando por exemplo uma relíquia histórica interessante, San Marino não é exatamente típico do mundo em que vivemos, não é mesmo?

TRADICIONALISTA: Mas o mundo dos Estados gigantes não irá durar para sempre. Quem sabe? Talvez o futuro da ideia democrática esteja num mundo onde haja muitos Estados iguais a San Marino. Em todo caso, aonde você pretende chegar?

PLURALISTA: Espero que você me permita chegar lá indiretamente. Gostaria que nós nos envolvêssemos numa reconstrução imaginária da história – uma reconstrução totalmente implausível, apresso-me em dizer. Vamos nos transportar de volta para a Atenas clássica e imaginar – prendam a respiração! – que além dos homens, que eram cidadãos plenos naquela época, o *demos* também incluísse as mulheres e os residentes estrangeiros de longa data. E, por historicamente ridícula que possa ser essa premissa, vamos também imaginar que a escravatura fora abolida, que todos os novos homens (e mulheres) libertos trabalhassem como assalariados nas fazendas, nas residências e em outros lugares, e que também eles fossem cidadãos: o proletariado fora emancipado.

TRADICIONALISTA: Você está certo numa coisa: essas imaginações são totalmente implausíveis e historicamente ridículas.

PLURALISTA: Concordo. Mas agora quero que você tente imaginar esse corpo heterogêneo de cidadãos atenienses tentando alcançar seu bem comum. Quão mais difícil isso teria se tornado! Assim também teria sido a tarefa de proporcionar uma demonstração racionalmente fundamentada e convincente do que seria, essencialmente, o bem de *todos*.

Suponhamos, por exemplo, que os homens libertos exigissem uma compensação pelo que agora era entendido de maneira geral como uma injustiça de longa duração. Se você me permite uma expressão popular, a vida ateniense seria uma baderna*, não é verdade?

Tradicionalista: Talvez.

Modernista: Sem dúvida.

Pluralista: Agora quero dar mais um passo rumo a um mundo que nunca existiu. Imaginemos que, em vez dos esquemas fracos e transitórios de confederação que se desenvolveram mais tarde, Atenas se juntara a todas as outras cidades-Estado povoadas por gregos e formara uma nação grega incorporada num único Estado, governado segundo o processo democrático. Não é de esperar que o problema de determinar o que constituía o bem público de todos os gregos seria agora muito mais difícil? Não deveríamos esperar também grandes divergências e agudos conflitos políticos entre os gregos? Acaso os atenienses não buscariam o que julgassem ser do interesse dos atenienses, os coríntios o que fosse de interesse dos coríntios, os espartanos o que fosse de interesse dos espartanos e assim por diante? Será que os novos proletários não acreditariam que o bem comum mais elevado seria melhorar as condições terríveis que tinham em comum com outros proletários em toda a Grécia?

Tradicionalista: Tudo que você fez foi transformar a Grécia clássica num Estado nacional moderno – semelhante à Grécia de hoje, talvez, mas nem um pouco semelhante à Grécia clássica. Não creio que seu voo da imaginação nos leve a parte alguma.

Modernista: Creio que o Pluralista demonstrou, de forma drástica, que não podemos nos engajar numa discussão inteligível acerca do bem comum e da possibilidade de cidadãos virtuosos se partirmos, explícita ou implicitamente, da premissa de que o que talvez fosse intuitivamente plausível

---

* *Donnybrook* no original. O termo tem sua origem no nome de um subúrbio de Dublin, cuja feira anual tornara-se famosa, no século XVIII, pelas brigas notáveis que ali ocorriam, especialmente à noite, entre os frequentadores embriagados. (N. da T.)

para os cidadãos de sua pequena cidade-Estado unitária ainda faz sentido, se o que temos em mente é uma poliarquia moderna, caracterizada por uma escala enorme e por um pluralismo social considerável.

Pluralista: Meu voo da imaginação, como diz o Tradicionalista, foi originalmente estimulado pelo paradoxo de Rousseau. Consideremos agora as perplexidades de um ateniense virtuoso na nova república. Para sua surpresa e consternação, ele descobre que o que ele até então vira como uma conduta virtuosa, uma conduta que o tornara muito estimado por seus concidadãos, não é mais algo virtuoso. Ele amara Atenas. Ao longo de sua vida madura, se dedicara à sua independência e segurança. Na assembleia, na Ágora, toda vez que havia discussões e ações que influenciavam a vida pública em Atenas, ele sempre tentara promover o bem-estar de todos os atenienses. Mas lhe informam que o que até então fora virtuoso é agora cruel. Agora, lhe dizem, ele deve buscar não apenas o bem dos atenienses, mas sim de todos os gregos. Por quê? – pergunta ele. Porque, lhe dizem, somos um só povo. Mas sou ateniense! responde ele. Não tenho o suficiente em comum com esses outros gregos – muito menos com os espartanos – a ponto de me sentir obrigado a promover seu bem. Aliás, prossegue ele, por que apenas os gregos? Se sou obrigado a considerar o bem-estar dos espartanos, por que não o bem-estar dos bárbaros em nossas fronteiras – ou o de nossos inimigos eternos, os persas?

Modernista: Um estoico poderia responder que sim, ele *teria* essa obrigação.

Pluralista: Tal resposta revela o quão vagos são os limites do bem comum. E é esse ponto que eu gostaria de elaborar.

Tradicionalista: Por favor, chega de monstruosidades históricas.

O bem público de que público?

Pluralista: Por enquanto, prometo a você que vou me limitar ao presente histórico. O paradoxo de Rousseau sugere duas questões com as quais nos defrontamos nos países democráticos modernos. O bem *de quem*? *Como* ele pode ser promovido? A primeira questão coloca um problema moral; a segunda, um problema político.

Consideremos a primeira questão. O bem de quem, o bem de que conjunto de pessoas deve ser levado em consideração nas decisões democráticas? O que entendo por "levadas em consideração" é que o bem de cada uma das pessoas em questão tenha um peso igual. Quando falamos do bem comum, do bem-estar geral ou da justiça distributiva, temos em mente o bem de que pessoas? O bem comum de qual grupo específico de pessoas? O bem-estar geral de quem? A justiça distributiva entre quais pessoas? Embora às vezes seja verdade, como defende Rousseau, que alcançar o bem comum de um grupo de pessoas (ou maximizar seu bem-estar, ou assegurar a justiça distributiva entre elas) pode prejudicar o bem comum de um outro grupo de pessoas, acaso o bem de um conjunto de pessoas teria prioridade sobre o bem do outro conjunto? Se é assim, o bem de que grupo, e com que justificativas?

MODERNISTA: Você está propondo seriamente que tentemos responder essas questões aqui?

PLURALISTA: Não. Porém, tenho a impressão de que a maioria dos autores com inclinações filosóficas que discutem o bem comum deixam de especificar qual a coletividade, conjunto ou comunidade que eles têm em mente – o domínio do bem comum, pode-se dizer. Ou aceitam tacitamente alguma resposta implícita. Ou, quando se referem explicitamente ao domínio, falam de uma entidade vaga e sem limites como "sociedade", ou talvez "a sociedade". Mas não especificam nenhum limite para "a sociedade".

TRADICIONALISTA: Você está argumentando que jamais devemos nos permitir pensar e falar nesse nível de abstração?

PLURALISTA: Não. Admito que às vezes a discussão pode ser frutífera nesse plano abstrato. Mas não para o problema que estamos discutindo nesse momento. Simplesmente não poderemos chegar a uma resposta à minha primeira questão se nos detivermos em abstrações de alto nível.

Tradicionalista: Na verdade, as tradições aristotélica e republicana eram bem específicas. Elas partiam da premissa de que o público em questão era composto de pessoas que compartilhavam da cidadania num Estado em particular. Assim, a comunidade pertinente – tenho aversão a seus termos conjunto e coletividade – consistiria em todas as pessoas vivendo num Estado em particular.

Pluralista: Para fugir à imprecisão do termo "Estado", e uma vez que nossa preocupação é com os países democráticos modernos, sua resposta poderia ser interpretada como se o domínio do bem comum fossem todos os cidadãos de um país em particular, não é mesmo?

Tradicionalista: Isso parece razoável.

Pluralista: Mas não é. Se o que você entende por cidadãos são pessoas com direitos plenos de cidadania, inclusive os direitos de participação política – ou seja, cidadãos plenos – sua solução é moralmente arbitrária. É moralmente arbitrário excluir pessoas que não são cidadãs plenas, mas cujo bem ou bem-estar é diretamente afetado pelas decisões do governo de um país.

Tradicionalista: Que grupos excluídos você tem em mente?

Pluralista: Dois deles são óbvios. Um deles consiste nas pessoas que vivem num país democrático e que estão sujeitas às suas leis, como as crianças, os trabalhadores estrangeiros, outros estrangeiros, até mesmo os imigrantes ilegais e assim por diante. Não vejo bases aceitáveis para se afirmar que o bem dessas pessoas – das crianças, por exemplo – não deve ser contado como igual ao dos adultos que são cidadãos plenos.

Tradicionalista: Nem eu. O que eu disse originalmente é que a comunidade em questão seria composta de todas as pessoas que vivem num determinado Estado. Você prontamente a reduziu a cidadãos plenos, algo que eu não havia feito. Eu contaria como pertinente e como algo a ser igualmente levado em consideração o bem de cada pessoa que vive num país ou que está diretamente sujeita às suas leis.

Pluralista: Aprecio seu esclarecimento. Mas essa solução também não serve. Ela deixa de levar em consideração um outro grupo importante: as pessoas que não vivem no país ou que não estão sujeitas às suas decisões. Com que bases podemos dizer sensatamente que, por exemplo, na avaliação das políticas externas e militares norte-americanas durante a guerra do Vietnã, o bem dos vietnamitas deveria ter sido considerado irrelevante? Ou que ao avaliar as políticas norte-americanas na América Central, não é necessário levar em consideração o bem das pessoas da região?

Modernista: Permita-me fazer duas observações. Em primeiro lugar, nenhum governo leva em consideração igual os interesses dos estrangeiros, se é que os leva em consideração. Seu juízo moral se aplicaria a qualquer governo, democrático ou não democrático, não é? Um governo não foge aos juízos morais somente porque ele é não democrático, embora haja muito pouco que a maioria das pessoas possa fazer a respeito.

Pluralista: Concordo. Mas aqui estamos tratando de governos democráticos, não é?

Modernista: Em segundo lugar, parece que você está rumando para critérios universalistas: o domínio do bem comum nada mais é que todos os seres humanos – a comunidade mundial, alguns diriam. Mas nesse caso, será que você não está empurrando a discussão escada acima, para um nível excessivamente alto de abstração? Ficarei profundamente desapontado se concluirmos que o domínio do bem comum deve ser ou a comunidade provinciana da pequena cidade-Estado num extremo ou um universalismo kantiano absolutamente não prático no outro. Certamente deve haver alguma coisa entre esses extremos.

Pluralista: Um escopo razoável entre eles seria todas as pessoas que são *afetadas* por uma decisão. Pouquíssimas decisões políticas afetam literalmente todos os seres humanos.

Modernista: A decisão de iniciar uma guerra nuclear poderia ser uma delas.

Pluralista: E aqueles que tomassem essa decisão deveriam, portanto, considerar suas consequências para todos os seres humanos.

MODERNISTA: Pelo menos com decisões como essa, podemos especificar a esfera: todos os seres humanos. Mas para outras decisões, determinar a esfera seria geralmente algo impossível. Se você propõe sua solução literalmente, ela é um conselho de perfeição: uma não solução, na verdade. Os democratas responsáveis pelas tomadas de decisões seriam obrigados a levar em consideração efeitos minúsculos dos quais simplesmente não poderiam ter conhecimento. E se você não propõe sua solução literalmente, você teria de traçar um limite justificável em torno de sua esfera.

PLURALISTA: Não conheço nenhuma solução inteiramente satisfatória para o problema que você apresenta. Duvido que haja uma. Todavia, eu ofereceria dois critérios adicionais para determinar a esfera do bem comum. O primeiro é que seria razoável empregar um princípio de limiar mínimo e excluir aqueles para os quais os efeitos são desprezíveis. Suponhamos, então, que o conjunto pertinente seja todas as pessoas que provavelmente serão significativamente afetadas por uma decisão.

MODERNISTA: Como você determina o limiar dos efeitos "significativos"?

PLURALISTA: Creio que uma resposta geral não é possível. Ela exigiria um juízo para cada caso. Mas note que a esfera pode incluir pessoas ainda não nascidas. Note, ainda, que o conjunto de pessoas afetadas por uma decisão pode ser diferente do conjunto afetado por uma outra decisão; consequentemente, a esfera específica do bem público pode variar imensamente, dependendo da questão a ser decidida.

MODERNISTA: Não consigo imaginar como qualquer sistema político poderia estar à altura dessas exigências.

Podem o pluralismo e a poliarquia alcançar o bem comum?

PLURALISTA: Esse, sem dúvida, é o outro problema principal: Como seria politicamente possível alcançar o bem comum ou pelo menos nos aproximarmos dele? As teorias monísticas da democracia, como a de Rousseau no *Contrato social*, tenderam a adotar duas premissas quanto ao modo pelo qual o bem geral poderia ser alcançado. A primeira é que os efeitos sobre as pessoas externas ao Estado poderia ser ignorado. A segunda é que, sob certas condições, poder-se-ia ter por certo que os cidadãos agiriam tendo em vista "sua preservação comum e o bem-estar geral" (1978, livro 4, cap. 1). Mas nenhum desses juízos é garantido.

Quanto à primeira, é simplesmente absurdo afirmar que a esfera do bem comum termina nos limites de um Estado, por mais que as decisões governamentais daquele Estado prejudiquem as pessoas externas a ele[8].

TRADICIONALISTA: Da mesma forma, é insensato esperar que Rousseau resolva um problema para o qual ninguém jamais apresentou uma solução viável.

PLURALISTA: O fato é que ele o deixou sem solução. Porém, deixando de lado esse problema intratável, a outra premissa também é injustificada. Presume-se que a esfera do bem comum inclua todos aqueles dentro do Estado que são excluídos da cidadania plena. Mas uma vez que eles são excluídos da participação na vida política, a promoção de seu bem-estar dependerá da virtude – com efeito, do altruísmo – daqueles que têm o direito de participar, isto é, os cidadãos. Talvez não seja demais esperar que na vida política as pessoas ajam motivadas por um interesse próprio esclarecido, o qual, me apresso em acrescentar, inclui uma preocupação com os benefícios da vida em comunidade. E é realista esperar que as pessoas ajam altruisticamente em relação àqueles a quem estão profunda e intimamente ligadas por laços de amor e de afeição. Mas certamente, é demais esperar que as pessoas sejam sempre altruístas na vida política.

MODERNISTA: Quanto a essa questão, devo dizer que Rousseau parece incoerente. Por um lado, ele evidentemente pressupôs que, numa boa república, os cidadãos poderiam constituir uma parcela muito pequena dos habitantes. Estou pensando em seu elogio de Veneza e Genebra como verdadeiros modelos para uma boa república. Em ambas as cidades, os cidadãos plenos eram uma minoria, e em Veneza eram uma minoria extraordinariamente pequena. Por outro lado, esperar que esses cidadãos pesassem o bem dos não cidadãos e o seu próprio com igualdade parece contradizer a visão de Rousseau dos motivos para a virtude cívica. Duvido que ele acreditasse que os cidadãos buscariam o bem comum por motivos puramente altruístas. Em vez disso, seu anseio pelo bem comum dependia de uma feliz coincidência de um egoísmo esclarecido e do bem-estar de todos[9].

PLURALISTA: E, por sua vez, isso pressupõe um corpo de cidadãos tão homogêneo que os interesses de todos tendem a coincidir ou que seus interesses são ao menos complementares, em vez de conflitantes.

TRADICIONALISTA: Mas não precisamos aceitar a aparente indiferença de Rousseau à questão da inclusão. Vamos deixar de lado, por um momento, os efeitos sobre as pessoas que estão fora dos limites de um Estado democrático. Agora, vamos pressupor uma democracia inclusiva na qual todo adulto é um cidadão pleno. Será que não poderíamos concluir que o bem de todas as pessoas dentro do Estado pode ser adequadamente levado em consideração? Quanto às crianças, acaso não seria razoável pressupor que seus interesses seriam adequadamente protegidos pelos adultos, quer diretamente como autoridades paternalistas responsáveis pelo bem-estar das crianças quer indiretamente, mediante leis que os cidadãos adultos desejassem sancionar para a proteção das crianças?

PLURALISTA: Suas emendas talvez fornecessem uma solução que poderia ser suficiente numa pequena república monística. Mas quando as ideias democráticas foram estendidas ao Estado nacional, logo se observou que muitos cidadãos não mais contavam apenas com a cidadania igual para proteger seus interesses, e com razão. Como Tocqueville observou, para proteger e promover seus interesses, em 1832 os americanos já haviam se reunido numa grande diversidade de associações. A democracia pluralista – ou, para ser mais exato, uma poliarquia pluralista de homens brancos – já havia chegado aos Estados Unidos. Com efeito, enquanto nos sistemas muito pequenos e bastante homogêneos, a cidadania talvez bastasse para garantir igual consideração, as observações de Tocqueville encorajaram a visão de que nos grandes sistemas democráticos na escala de um país, as associações eram necessárias para garantir que o bem de cada um fosse igualmente considerado. Parecia plausível que, se as associações eram relativamente fáceis de formar e se virtualmente todos os cidadãos possuíam recursos adequados para participar delas, os interesses de todos seriam levados em consideração nas decisões governamentais, mesmo nos países imensos. Não somente as associações voluntárias, mas também os governos democráticos locais, os quais poderiam ser considerados um tipo especial de associação, ajudariam a garantir que os interesses de todos os cidadãos recebesse igual consideração.

MODERNISTA: Sempre?

PLURALISTA: Daqui a pouco vou chegar em algumas das dificuldades. Mas, primeiro, eu gostaria que você percebesse que, sob a perspectiva que acabo de descrever, o bem público não é necessariamente um objetivo monolítico que possa ou deva ser realizado por um governo único e soberano. Embora isso às vezes possa acontecer, é provável que, com mais frequência, "o público" consista em muitos públicos diferentes, cada um dos quais pode ter um bem ou conjunto de interesses um tanto diferente. Isso, é claro, é exatamente o que Rousseau temia; sua autonomia era também o seu pesadelo. A despeito, porém, de Rosseau, numa ordem democrática na grande escala de um país, o pluralismo associativo, combinado com um bom grau de descentralização de decisões dos governos locais, ajudaria a garantir que os interesses dos cidadãos nos diferentes públicos receberiam mais ou menos igual consideração. No mesmo sentido, o bem público seria alcançado numa democracia pluralista.

MODERNISTA: Uma avaliação incrivelmente otimista, eu diria.

PLURALISTA: Sim, era mesmo. Vou encurtar o caminho para vocês e admitir que essa solução aparentemente feliz sofre de pelo menos três graves defeitos. Em primeiro lugar, ela não resolve o problema de como os interesses das pessoas fora de um Estado ou país podem ser levados em consideração. Seria correto afirmar que os interesses dessas pessoas só podem ser protegidos pelos próprios cidadãos. Na medida em que os cidadãos creem que os interesses das pessoas fora de seu país são pertinentes às decisões sobre os cursos de ação política, esses juízos morais podem entrar no debate e nas decisões políticas. Essa possibilidade não é tão remota. Por exemplo, certos críticos norte-americanos das políticas de seu governo na guerra do Vietnã muitas vezes salientaram os efeitos duríssimos das ações militares norte--americanas sobre os civis vietnamitas; e críticos internos das políticas norte-americanas na América Central enfatizaram principalmente as consequências adversas para as pessoas daquela região. Entretanto, seria tolo argumentar que os sentimentos morais dos cidadãos plenos são uma garantia suficiente de que os interesses das pessoas fora de um país sejam adequadamente levados em consideração nas decisões políticas.

MODERNISTA: Com efeito, esse pressuposto contradiria uma das justificativas básicas para o processo democrático: a de que, como disse John Stuart Mill, "cada um é o único guardião seguro de seus próprios direitos e interesses" – uma proposição que ele considerava "uma dessas máximas elementares da prudência sobre as quais cada pessoa capaz de conduzir seus próprios assuntos baseia implicitamente as suas ações sempre que seu próprio interesse está envolvido"[10].

PLURALISTA: Ainda que concluíssemos que as políticas quase sempre deixarão de levar os interesses dos estrangeiros adequadamente em consideração, esse defeito não é peculiar a uma democracia pluralista nem, aliás, a um Estado democrático. É um problema para todas as ordens políticas, sejam elas democráticas ou não. Uma vez que esse defeito não tem relação com o pluralismo como tal, agora que eu o identifiquei como um problema sem solução para qualquer tipo de sistema político, posso prosseguir?

TRADICIONALISTA: Por favor, prossiga. Porém, devo dizer que, em comparação, a democracia monística me parece cada vez melhor.

Pluralista: Estou lhe apresentando um retrato sem retoques. Sua democracia monística idealizada passou não apenas por um tratamento de pele, mas sim por uma cirurgia plástica radical.

Modernista: Menos polêmica e mais razão, por favor.

Pluralista: Indo em frente, um segundo defeito na solução que acabo de apresentar tem relação com as pessoas *dentro* de um país, as quais pressupomos que sejam cidadãs plenas, se são adultas. Mas suponhamos que alguns cidadãos estejam organizados em associações e outros não. Nesse caso – algo que certamente não é incomum nos países democráticos –, os interesses dos organizados certamente serão levados em maior consideração que os interesses dos não organizados. Na verdade, às vezes os interesses dos não organizados serão quase inteiramente ignorados nas decisões políticas.

Modernista: Mas certamente as poliarquias não são todas idênticas nesse aspecto, não é verdade?

Pluralista: É verdade. E isso é extremamente importante para compreender que os países democráticos variam imensamente em suas constelações de pluralismo organizacional. Por exemplo, em alguns países, como a Suécia e a Noruega, as principais organizações de grupos econômicos – empresas, sindicatos, agricultores, consumidores – são altamente inclusivas e bastante centralizadas. Nesses sistemas de pluralismo associativo, quase todos pertencem a uma das organizações envolvidas nas negociações nacionais. Num contraste agudo, em outros países, tais quais a Grã-Bretanha e os Estados Unidos, as organizações econômicas não são muito inclusivas e são bastante descentralizadas, de modo que as negociações podem ser feitas à revelia dos não organizados. Mas mesmo onde as organizações econômicas são altamente inclusivas, elas geralmente não falam pelos interesses não econômicos, e a maioria dos cidadãos tem, na verdade, outros interesses além dos meramente econômicos. Mesmo os sistemas altamente inclusivos de negociação nacional não garantem que, nos assuntos fora da alçada das negociações nacionais, os interesses dos diferentes cidadãos serão tratados com igualdade. Nessas questões, as diferenças nos recursos organizacionais compensarão as diferenças em sua influência sobre as decisões.

Tradicionalista: Por que você não estende o princípio da inclusão às organizações? Assim como um defeito similar na democracia monística poderia ser remediado pela inclusão de todos os adultos no *demos*, o remédio correto para uma democracia pluralista poderia ser a garantia de que cada cidadão tenha acesso mais ou menos igual às organizações.

Pluralista: Que está acontecendo aqui? Quando aponto os defeitos do pluralismo, vocês pulam em sua defesa. Porém, não confio totalmente em sua conversão. De qualquer forma, um problema com a sua solução é que mesmo se *todos* fossem organizados e assim nenhum interesse importante deixasse de ser representado nas decisões democráticas, não necessariamente o bem de cada cidadão seria levado em igual consideração.

Tradicionalista: Por que não?

Pluralista: Estamos mudando de lado? A ideia da democracia pluralista suscita uma questão fundamental que os defensores da democracia monística, como você, podem evitar. Devemos buscar a igualdade política entre os *cidadãos* individuais ou uma influência igual sobre as decisões cruciais entre as *organizações*? O princípio da igual consideração de interesses refere-se a pessoas, e não a organizações. O mesmo ocorre com o princípio da igualdade de voto. Se uma associação com quinhentos membros tivesse a mesma influência sobre as decisões coletivas que uma associação com cinquenta mil membros, a igualdade de voto seria anulada. A não ser que o número de cidadãos fosse o mesmo em todas as associações, a influência igual entre associações necessariamente geraria a desigualdade de influência entre os cidadãos. Entretanto, o número de cidadãos nunca é o mesmo em todas as associações.

Modernista: Você escaparia desse dilema se as bases da representação na assembleia legislativa não fossem unidades territoriais, mas grupos funcionais? Houve época em que os socialistas das guildas brincavam com propostas como essa.

Pluralista: Os socialistas das guildas da década de 1920 – como G. D. H. Cole, por exemplo – foram precursores dos pluralistas de esquerda numa época em que predominava a visão monista de um ordem econômica e política socialista centralizada. Infelizmente, porém, nem eles nem os demais propositores da representação funcional jamais conseguiram escapar do dilema. Por um lado, um "parlamento das indústrias" formado por associações econômicas violaria o princípio da igualdade de voto entre os cidadãos, coisa que os defensores da representação funcional eram incapazes de justificar; ou, por outro lado, a igualdade dos votos dos cidadãos seria preservada, mas para tanto o peso de cada associação no "parlamento" teria de ser diretamente proporcional ao número de seus membros. Nesse último caso, não se compreende por que a representação funcional seria significativamente superior à representação territorial. Diferente, talvez, mas claramente superior? Não. Na verdade, os sistemas de pluralismo associativo – ou corporativismo democrático, se quiser – que se desenvolveram nos países escandinavos demonstram em vivas cores esse problema. Ali, está claro que um grau significativo de controle sobre as principais decisões econômicas – que, segundo a teoria democrática convencional, devem ser tomadas pelos representantes dos cidadãos no parlamento e nos ministérios – foi transferido para uma espécie de parlamento das indústrias não eleito, uma espécie de poder legislativo funcional, formado pelos chefes das associações mais abrangentes. Há alguns anos, descrevendo a Noruega, Stein Rokkan pronunciou estas palavras proféticas: "Democracia numérica e pluralismo associativo: os votos têm peso, mas os recursos decidem" (Rokkan 1965, 105).

Tradicionalista: Começo a me perguntar de que modo você é capaz de conceber que a democracia pluralista seja superior à democracia monista!

Pluralista: Sei que é tentadora a ideia de resolver os problemas do pluralismo eliminando o pluralismo organizacional e recuperando assim os ideais, as instituições e as práticas da democracia monista. Porém, se quisermos preservar os governos na escala do Estado-nação ou do país, temos de resistir a essa tentação. Para destruir o pluralismo, seria preciso que um regime autoritário dedicasse a esse fim um grau extraordinário de coerção. O sistema monista é um ideal adequado para o autoritarismo; não pode ser um ideal para os democratas. Para o bem ou para o mal, o democrata moderno necessariamente será também um pluralista.

*

Quando termina, a discussão entre o Tradicionalista, o Modernista e o Pluralista nos deixa às voltas com três questões. Em primeiro lugar, para determinar o bem comum, *de quem* é o bem que deve ser levado em consideração? A resposta já será evidente: numa decisão coletiva, deve-se levar em consideração o bem de todas as pessoas significativamente afetadas pela decisão. Está claro, por outro lado, que a aplicação prática dessa resposta se tornará muitíssimo mais complicada diante do pluralismo que existe *dentro* dos países democráticos, do pluralismo que existe *entre* esses países e das pessoas situadas fora de um país democrático, mas que serão seriamente afetadas por decisões tomadas dentro desse país.

Em segundo lugar, *de que modo* poderá o bem comum ser determinado por meio de decisões coletivas? O pluralismo também torna ainda mais difícil encontrar uma resposta para essa pergunta. Embora tenhamos concluído que o processo democrático é o melhor quando se trata de chegar a decisões coletivas vinculantes, uma sociedade política grande (um país, para falar de modo mais concreto) inclui diferentes associações e unidades políticas, e ainda diferentes tipos de unidades, cada uma das quais pode manifestar a pretensão – conflitante com as demais – de ser, *ao contrário das outras*, uma unidade democrática legítima, talvez a *única* unidade democrática legitimada para tomar decisões coletivas sobre o assunto em questão. Como determinar, nesse caso, qual unidade ou tipo de unidade tem legitimidade para tomar essas decisões? Deciframos parte dessa resposta no capítulo 14, e voltarei a tratar sumariamente dessa questão no capítulo seguinte.

Em terceiro lugar, uma questão cuja resposta tem se mostrado dificílima de determinar: *Qual* é o conteúdo substantivo do bem comum? Mais uma vez, a busca de uma resposta se torna mais complexa diante do pluralismo dos países democráticos modernos, onde a diversidade parece às vezes reduzir os interesses comuns a nada (como talvez dissesse o Modernista) ou quase nada. No próximo capítulo, pretendo demonstrar por que essa resposta, conquanto tentadora, está errada.

Capítulo 21
O bem comum como processo e substância

A discussão entre o Tradicionalista, o Modernista e o Pluralista no capítulo anterior nos obriga a considerar algumas soluções possíveis. Se, como argumenta o Pluralista e como eu creio, o pluralismo associacional é inevitável numa democracia em escala nacional; se o pluralismo associacional é também necessário e desejável na democracia em grande escala; e se, não obstante, ele não é capaz de garantir que as decisões públicas atinjam o bem de todos em geral, poderiam seus defeitos ser remediados, ou até mesmo eliminados?

Retorno a uma tradição perdida[1]

O tradicionalismo implica que a solução é recuperar uma concepção mais antiga de virtude cívica e de bem comum, principalmente uma concepção personificada na tradição aristotélica e também no que alguns autores chamam de tradição republicana[2].

Nessa percepção das coisas, às vezes se aventa a possibilidade – que na maior parte das vezes é apenas insinuada – de que um dia houve, em algum lugar, uma Era de Ouro da virtude cívica, na qual a vida pública era regida, acima de tudo, por uma dedicação total ao bem comum. Porém (assim prosseguem as especulações), a crença num bem comum diminuiu e até feneceu, tendo sido substituída por crenças no egoísmo, no relativismo moral radical, no positivismo e em outras concepções hostis à crença no bem comum.

Quando e onde existiu essa Era de Ouro, e quando e onde ela chegou ao fim são questões marcadas pela ambiguidade e pela discórdia. Na concepção de Alisdair MacIntyre, a tradição aristotélica perdurou na Europa "por 1.800 ou 1.900 anos após Aristóteles", quando "o mundo moderno passou a repudiar sistematicamente a ideia clássica de natureza humana – e com ela, uma grande parte do que fora, até então, essencial à moralidade" (1984, 165). Pocock prolonga essa tradição ainda mais. Embora localize as origens das ideias republicanas modernas em Aristóteles e na tradição aristotélica da Idade Média, ele crê que essas ideias se cristalizaram de modo crucial no humanismo cívico de Florença, que por sua vez "forma uma parte significativa do legado transmitido à subsequente percepção política europeia e americana" (1975, 84). Para Gordon Wood, "o sacrifício dos interesses individuais ao bem maior do todo formou a essência do republicanismo e englobou, para os americanos, as metas idealistas de sua Revolução [...]. Essa ideologia republicana pressupôs e ajudou a moldar a concepção norte-americana do modo pelo qual sua sociedade e sua política devem ser estruturadas e manejadas" (1969, 54).

A conclusão a que por vezes se espera que cheguemos é a de que devemos rejeitar a modernidade e retornar às crenças aristotélicas ou republicanas da Era de Ouro. Embora essa conclusão seja muitas vezes apenas implícita, MacIntyre a afirma explicitamente: "A política sistemática moderna, quer seja liberal, conservadora, radical ou socialista, simplesmente tem de ser rejeitada por um ponto de vista que deve fidelidade genuína à tradição das virtudes; pois a política moderna em si expressa, em suas formas institucionais, uma rejeição sistemática dessa tradição" (255).

Embora os referidos acadêmicos e outros nos conclamem a retornar às tradições mais antigas da virtude política e do bem comum, eles não conseguem nos oferecer um só dado que comprove que a vida política moderna nos países democráticos é menos virtuosa e decente ou que as pessoas envolvidas na vida política são menos comprometidas em servir o bem comum do que nos muitos séculos durante os quais as tradições descritas por eles dominaram a vida intelectual. O que eles oferecem – *todos* eles, por mais valiosas que sejam suas teses – são descrições de certos aspectos das *percepções* morais e filosóficas de um número relativamente reduzido de cidadãos notáveis, ao menos na medida em que essas percepções foram registradas. Mas eles não demonstram nem tentam demonstrar que, durante qualquer uma das épocas nas quais essas percepções prevaleceram entre as elites, a vida política tenha se aproximado ainda que remotamente do ideal que dava corpo à "tradição", que dirá aproximar-se de seus elevados requisitos. Com efeito, nenhum dos autores que mencionei nem sequer afirma que a vida política foi influenciada significativamente pelo ideal. Wood e MacIntyre repudiam explicitamente tal afirmação[3].

E por excelentes motivos. Afinal, o tema de *O Príncipe* de Maquiavel era a vida política da Itália como Maquiavel a conhecia em seu tempo. O confronto entre os ideais políticos e a realidade política foi chocante para seus contemporâneos. Segundo alguns relatos, foi um choque do qual a tradição aristotélica jamais se recuperou.

Se as lamentações pelo declínio ou o desaparecimento das tradições aristotélica e republicana forem interpretadas estritamente dentro dos limites dos dados oferecidos pelos acadêmicos, o que está sendo lamentado é o declínio ou o desaparecimento de certas *percepções* de virtude e de bem comum que foram expressas entre certas elites, mais amplamente em algumas épocas e lugares que no século passado (é o que se afirma). Mas a não ser que essas percepções tenham criado um padrão mais elevado de conduta nos assuntos públicos do que o atual, será que precisamos lamentar tanto assim o seu desaparecimento? Acaso o reestabelecimento de uma ideologia política tão mal integrada às realidades políticas atuais não causaria mais mal, ao obscurecer a realidade, que bem, ao estimular a virtude cívica? Se hoje

O Príncipe nos choca menos que aos contemporâneos de Maquiavel, não é porque a vida política é pior nos países democráticos modernos do que era nas cidades-Estado italianas – não é implausível que seja bem mais decente e muito mais marcada pelo espírito público –, mas porque, acostumados como estamos a distinguir a vida política nos Estados ideais da vida política nos Estados reais, somos menos propensos a cobrir, com um véu de idealizações, a política da vida cotidiana.

O retorno à pequena comunidade

O modo pelo qual as tradições perdidas do aristotelismo ou do republicanismo seriam recuperadas, juntamente com a "comunidade" e os valores comunitários, é algo obscuro. As exortações dos acadêmicos não chegam a constituir uma solução. Entretanto, não conheço nenhuma proposta plausível.

Uma das sugestões é restaurar a pequena comunidade. Essa é, evidentemente, a solução de MacIntyre. Ele recorre à analogia entre nosso período moderno e "a época na qual o império romano caiu na Era da Trevas", quando, em vez de "escorar o *imperium* romano, o que

> os homens e mulheres de boa vontade [...] decidiram fazer – muitas vezes sem reconhecer completamente o que estavam fazendo – foi construir novas formas de comunidade dentro das quais a vida moral poderia se sustentar de modo que tanto a moralidade quanto a civilidade pudessem sobreviver às eras de barbárie e escuridão que estavam por vir. Se minha análise de nossa condição moral está correta, devemos concluir também que nós também já atingimos esse momento de transição há algum tempo. O que importa nesse estágio é a construção de formas locais de comunidade dentro das quais a civilidade e a vida intelectual e moral possam se manter ao longo das novas eras de escuridão que já estão sobre nós (263).

Mas quais seriam essas novas formas de comunidade e como elas poderiam vir a ser é algo que ele não revela[4].

Construir um lugar seguro para as comunidades menores em meio à tempestade da modernidade e da pós-modernidade é uma ideia atraente da qual eu compartilho (cf. Dahl 1967). Mas como solução para o problema do bem comum, essa ideia sofre de duas graves dificuldades. A primeira delas é que, no mundo moderno, as condições mais elementares para uma vida boa não podem ser oferecidas por unidades políticas pequenas o suficiente para ser homogêneas e consensuais. No entanto, é quase certo que unidades grandes o bastante para oferecer ao menos algumas dessas condições serão grandes demais para ser homogêneas e consensuais. Se as pequenas proporções de uma comunidade fazem com que a consideração do bem comum de seus membros fique necessariamente restrita às questões triviais, as questões deste capítulo não serão confrontadas; serão apenas evitadas. No entanto, uma comunidade política grande o bastante para que sua existência política seja vital para seus cidadãos provavelmente será também grande o bastante para incluir uma variedade de associações e – precisamente como temia Rousseau – seus cidadãos terão ideias conflitantes acerca do que constitui o bem comum e de quais são as melhores políticas para alcançá-lo[5].

A segunda dificuldade reside no fato de que mesmo se todas as pessoas nos países democráticos vivessem em comunidades menores, democráticas, mais homogêneas e mais consensuais, todos os problemas associados à ideia de bem comum que discutimos anteriormente neste capítulo ainda teriam de ser enfrentados na sociedade política maior na qual essas comunidades existissem. Pelos motivos expostos nos capítulos 15 e 16, é improvável que as transformações resultantes da mudança da democracia para a escala muito ampliada do Estado nacional venham a ser revertidas. Num mundo tão densamente povoado como o nosso, tornado interdependente pelas comunicações, viagens, tecnologia, vida econômica, ameaças comuns a nosso ambiente e pelo perigo constante da destruição nuclear, é absurdo pressupor que a vida política possa ser conduzida exclusivamente em comunidades pequenas e autônomas. Manter a pequena comunidade em si, e suas virtudes, necessariamente irá exigir o apoio e a proteção de sistemas políticos maiores, até mesmo agigantados. Muitas das questões cruciais pertinentes ao bem-estar humano estarão necessariamente nas agendas de sistemas políticos muito maiores e mais inclusivos que a pequena comunidade em si. E para esses sistemas maiores, as questões das quais partimos ainda permanecerão: o bem de que pessoas deve ser levado em consideração nas decisões democráticas? E como pode ser o bem comum dessas pessoas alcançado pelos procedimentos democráticos, se é que de fato pode ser alcançado por eles?

Por mais valiosa que seja a construção de comunidades pequenas, ela não resolverá os problemas fundamentais na ideia do bem comum.

Mudanças nas estruturas econômicas

Acaso a diversidade e o conflito de interesses tão característicos das ordens políticas democráticas não poderiam ser reduzidos por algumas mudanças fundamentais na ordem econômica – se, por exemplo, as instituições econômicas fossem de propriedade pública ou social?

Essa ideia, ainda que comum, particularmente entre os socialistas, também me parece equivocada. Uma mudança da propriedade "privada" para a propriedade "pública"ou "social" não vai necessariamente reduzir o número e a autonomia das organizações num determinado país – não o número e a autonomia das instituições econômicas e muito menos das instituições de outros tipos. A questão pertinente, aqui, não é saber se as instituições são de propriedade privada ou social, e sim saber se as decisões econômicas são descentralizadas e em que medida são, isto é, que grau de autonomia lhes é permitido. Isso parece ser teoricamente independente das formas de propriedade e por conseguinte do "capitalismo" e do "socialismo" como tais. Uma economia de propriedade privada pode ser, mas não precisa ser, altamente descentralizada; uma economia socialista pode ser altamente centralizada, mas como demonstra o exemplo da Iugoslávia, não o precisa ser.

Todavia, pode-se dizer que uma transformação de uma economia de propriedade privada para uma economia de propriedade pública ou social necessariamente eliminaria ou, de certa forma, reduziria imensamente os conflitos de interesse inerentes ao capitalismo. Como os cidadãos têm mais interesses em comum e menos em conflito, eles achariam mais fácil convergir em torno de um bem público ou comum. Dessa forma, os dois problemas dos quais nos ocupamos neste capítulo poderiam ser resolvidos, ao menos no que diz respeito às pessoas dentro de um país. Embora eu creia que esse argumento tenha seus méritos, também creio que ele muitas vezes leva a expectativas ilusórias sobre até que ponto uma ordem socialista reduziria os conflitos políticos e econômicos e alcançaria a harmonia social. Para começar, nem todos os conflitos são econômicos. Muitas vezes, com efeito, os conflitos mais intratáveis não são econômicos: questões de religião, raça, nacionalidade, rivalidades étnicas, língua, fidelidades regionais e assim por diante. Ou eles têm suas origens nas perspectivas ideológicas, nos princípios éticos e nas maneiras de perceber e pensar o mundo, e nele agir. Além disso, numa ordem econômica descentralizada, quer seja de propriedade social quer não, os interesses tendem a ligar-se a uma instituição particular ou a um setor econômico, e não a uma noção abstrata de bem geral. A Iugoslávia oferecia provas abundantes de ambas as proposições. Com efeito, talvez não seja exagero afirmar que não havia maior fragmentação do público no mundo moderno que na Iugoslávia, talvez com exceção da Índia. Se nós precisássemos demonstrar em laboratório como é pequena a contribuição da propriedade social dos meios de produção para a integração da diversidade na unidade, a Iugoslávia seria um caso decisivo.

O abandono da busca: o relativismo social e cultural

Como argumentaram o Modernista e o Pluralista, em qualquer país pluralista com uma sociedade ainda que moderadamente complexa, ou seja, em qualquer país democrático moderno, é difícil especificar "o bem comum" com suficiente exatidão para guiar as decisões coletivas. Todos os três termos – "o", "bem" e "comum" são, no mínimo, problemáticos.

Uma das alternativas seria abandonar o esforço para descobrir um bem *comum*, ou um conjunto de bens comuns, para todas as pessoas em todo o âmbito e em todo o domínio das decisões coletivas e, em vez disso, buscar o bem das pessoas dentro de várias esferas de decisão coletiva. Em *Spheres of Justice* (1983), Michael Walzer propõe exatamente essa solução. É certo que o problema abordado por ele não é "o bem comum" como tal, e sim a justiça distributiva. Todavia, uma vez que praticamente todas as teorias do bem comum especificam a justiça como um dos bens comuns cruciais, a argumentação de Walzer fala diretamente às questões discutidas nesse capítulo. A justiça distributiva, como observa Walzer, tem a ver com a distribuição dos bens entre as pessoas. A vida em comunidade torna possível uma variedade de bens que são distribuídos de alguma forma entre os membros da comunidade: alguns deles são a segurança, o bem-estar, o dinheiro, as mercadorias, o trabalho, o lazer, a educação e o poder político. A distribuição desses bens está sujeita, portanto, às reivindicações morais em prol da justiça distributiva (6, 63ss.).

Vários dos argumentos de Walzer são muito pertinentes aos problemas deste capítulo. Em primeiro lugar, bens como os mencionados, segundo Walzer, constituem diferentes esferas da justiça distributiva. Critérios que seriam apropriados para distribuir um bem social numa determinada esfera, como o dinheiro, não seriam apropriados em outra, como o poder político. Por conseguinte, princípios gerais e abrangentes de distribuição para todas as esferas seriam vazios de significado. Com efeito, não existe um único padrão que possa servir de medida para todas as distribuições. Mas há padrões apropriados para "cada bem social e cada esfera distributiva em cada sociedade em particular" (10).

Em segundo lugar, os padrões apropriados para uma esfera em particular derivam completamente dos "significados sociais" que existem entre as pessoas envolvidas. "Os critérios e arranjos distributivos são intrínsecos, não ao bem em si, mas ao bem social. Quando entendemos o que é o bem social e o que ele significa para todas as pessoas para as quais ele é um bem, compreendemos também como, por quem e por que motivos ele deve ser distribuído. As distribuições só são justas ou injustas em relação aos significados sociais dos bens que estão em jogo" (9). Assim, não pode haver um apelo racional a alguma forma "mais elevada" de justificativa para os princípios de distribuição, tal qual a razão, o contrato social, a natureza, a lei natural, a intuição ou o processo. O tribunal de apelações mais elevado é o significado social. "A justiça tem suas raízes nas percepções distintas de lugares, honras, empregos e todo tipo de coisas que constituem um estilo de vida compartilhado. Passar por cima dessas percepções é (sempre) o mesmo que agir injustamente" (314).

Em terceiro lugar, vem daí o fato de que a justiça (e, por extensão, o bem comum) é culturalmente relativa. Ela é específica, não apenas à sua esfera em particular, como o dinheiro ou o poder, mas também ao tempo, ao lugar, às experiências históricas e à cultura de um grupo específico de seres humanos. "Toda teoria substantiva da justiça distributiva é uma teoria local" (314). Walzer não foge das consequências de seu relativismo cultural. Sob sua perspectiva, até mesmo o tradicional sistema indiano de castas e os privilégios que este conferiu aos brâmanes seria justo se "os entendimentos que governam a vida no vilarejo fossem realmente compartilhados" (313)[6].

Em quarto lugar, Walzer oferece uma resposta à questão crucial: As atribuições de significado social *de que pessoas* são (ou devem ser) decisivas? A que grupo específico de pessoas devemos nos voltar em busca das compreensões sociais que definem a justiça? A resposta de Walzer é "a comunidade política". A comunidade política

> certamente não é um mundo distributivo contido em si mesmo: somente o mundo é um mundo distributivo contido em

si mesmo [...]. Não obstante, é provável que a comunidade política seja o mais próximo que podemos chegar de um mundo de significados comuns. A linguagem, a história e a cultura se aproximam (na comunidade política, mais que em qualquer outro lugar) de gerar uma consciência coletiva (28).

O que Walzer quer dizer, de um modo mais concreto, com comunidade política, são "cidades, países e Estados que tenham moldado sua própria vida interna por um longo período de tempo" (30).

É nessa noção um tanto fluida de comunidade política que se encontra, ao meu ver, uma das muitas deficiências na argumentação de Walzer. Como vimos no capítulo 14, definir o que constitui uma "comunidade política" adequada aos objetivos democráticos é, em si, uma questão muito problemática. Embora Walzer nos mostre como os diferentes princípios da justiça são apropriados para diferentes bens sociais, ele não dá suficiente atenção à possibilidade de que uma comunidade política maior (para usar a expressão do autor) possa consistir de comunidades políticas menores; o bem de uma comunidade política menor e o bem da comunidade maior talvez não sejam idênticos, como afirmou Rousseau com toda razão, e o bem de uma comunidade menor não é necessariamente idêntico ao bem de uma outra. Entretanto, assim como bens diferentes justificam princípios diferentes de distribuição, assim também diferentes comunidades políticas, associadas numa comunidade política mais inclusiva, também justificam diferentes concepções específicas do bem comum.

Uma outra dificuldade resulta da extrema relatividade dos significados sociais entre os diversos grupos numa comunidade política maior, como um país, e os conflitos que esses diferentes significados frequentemente geram. Tomemos a justiça como exemplo. Se a justiça numa determinada esfera significa coisas diferentes para diferentes membros de uma "comunidade política", como podem esses conflitos ser resolvidos? Embora Walzer aceite a perspectiva de que ocorrerão conflitos, sua solução não é clara. Os conflitos seriam resolvidos pelo domínio da maioria? Em caso afirmativo, uma maioria de qual unidade? E por que *essa* unidade?

Consideremos um caso específico. Se é sempre injusto ignorar as compreensões compartilhadas dos membros de uma comunidade política (312-4), acaso foi injusto da parte das autoridades federais dos Estados Unidos ignorar os significados sociais de "justiça" entre os brancos no Sul nos anos 1960 e 1970? Estou certo de que Walzer afirmaria que a justiça exigia que se ignorasse o significado de justiça entre os sulistas brancos. Mas não sei como ele faria isso sem pôr em risco a premissa de sua argumentação: a de que a justiça se encontra nos significados sociais, e só aí pode ser encontrada. Sem dúvida, ele argumentaria que as práticas dos brancos do Sul constituíam uma exclusão dos negros da participação na sociedade política do Sul e, por conseguinte, dos Estados Unidos. Mas certamente essa exclusão era "justa" segundo o "significado social" de participação para a maioria dos sulistas brancos. O que permite que o significado social de justiça de alguns americanos prevaleça sobre o significado social de outros americanos? O relativismo pode ser satisfatório para descrever a justiça, mas será satisfatório para receitá-la?

Enfim, é a falta de atenção ao *processo* que me parece uma omissão importante na argumentação de Walzer. Porém, antes de tratar dessa omissão, quero enfatizar mais uma vez a pertinência de sua argumentação para o problema deste capítulo.

Em sua análise detalhada do significado da justiça nas várias esferas que distingue, Walzer oferece testemunhos vigorosos que sustentam a proposição segundo a qual os princípios *substantivos* universais da justiça (e portanto o bem comum) sofrem do dilema mencionado anteriormente por nosso Modernista. Ou tais princípios são vazios, ou quase vazios, porque são genéricos demais para oferecer muita orientação na distribuição dos diferentes tipos de bens, que dirá da distribuição de bens em casos específicos; ou se forem específicos o bastante para oferecer essa orientação, serão inapropriados para alguns tipos de bens e ainda mais inadequados para os casos específicos.

Embora os princípios gerais da justiça distributiva e do bem comum não precisem ser totalmente irrelevantes, eles não podem contribuir muito como princípios constitucionais (ou constitutivos) para uma ordem política, principalmente se esta for grande e complexa. No máximo, podem servir como pontos de partida nas discussões sobre a justiça, o bem geral e as políticas públicas que ocorrem entre os membros de uma ordem política. O diálogo civil não é uma discussão entre filósofos profissionais atentos às filigranas de uma argumentação abstrata e baseada num raciocínio bem alinhavado. Na discussão cívica, princípios exatos dos quais se possam extrair conclusões de forma rigorosa são bem menos importantes que as orientações normativas embutidas na cultura, que pode ser local e regional, nacional ou transnacional. Essas orientações normativas em si são geralmente bastante abertas. Embora possam influenciar o curso e a substância da discussão, elas absolutamente não determinam de um modo definitivo o seu resultado final.

A busca por critérios morais racionalmente justificados para a determinação da justiça ou do bem comum – uma busca a que tantos filósofos da moral se dedicam com fervor – provavelmente continuará sendo, quase sempre, um exercício intelectual realizado para e por um pequeno grupo de intelectuais, principalmente filósofos profissionais. Certamente os resultados dessa procura podem influenciar marginalmente as orientações normativas da cultura cívica, ao corroborar axiomas rudimentares tais quais: "Aja de modo a conquistar o maior bem para o maior número de pessoas" ou "Aja de modo a cuidar dos interesses dos que estão em piores condições antes de cuidar dos interesses dos que estão em melhores condições". Mas na vida política, até mesmo axiomas rudimentares como estes servem apenas como orientações muito gerais, muitas vezes com implicações bastante incertas. Consequentemente, é improvável que a interpretação desses axiomas e orientações e sua aplicação a esferas e casos particulares se assemelhem muito ao discurso dos filósofos profissionais. É mais provável que a discussão cívica seja um processo de diálogo e controvérsias com limites fluidos entre as elites políticas, os ativistas e os cidadãos.

Portanto, será que devemos abandonar a busca pela perfeição filosófica dos *princípios substantivos* do bem comum e, em vez disso, buscar a perfeição prática dos *processos* necessários para conquistá-lo?

O bem comum como substância e processo

O capítulo anterior nos deixou três questões cruciais: (1) Na determinação do bem comum, o bem *de quais* pessoas deve ser levado em consideração? (2) *Qual* a melhor maneira possível de determinar isso nas decisões coletivas? (3) *O que*, em termos substantivos, é o bem comum?

Quanto à primeira pergunta, argumentei que, numa decisão coletiva, o bem de todas as pessoas significativamente afetadas pela decisão deve ser levado em consideração.

Mas esse imperativo teórico não nos auxilia muito na resposta à segunda e à terceira questões. Como vimos em todo este capítulo e no capítulo anterior, o pluralismo aumenta as dificuldades na busca de uma solução satisfatória para a segunda questão porque, entre outras coisas, exige que consideremos como vamos determinar que unidade (ou tipo de unidade) é apropriada para a tomada de decisões democráticas. Todavia, já antecipamos ao menos parte da resposta, que a meu ver é composta de diversas partes. A unidade deve se governar pelo processo democrático. Deve também justificar-se como uma unidade democrática relativamente autônoma, no sentido de que satisfaz os critérios para uma unidade democrática expostos no capítulo 14[7]. Por fim, deve incluir todas as pessoas adultas cujos interesses são significativamente afetados, ou, se isso não for viável, o maior número viável que puder ser incluído. Esta condição suscita novas questões, é claro, mas respostas estritamente teóricas para essas questões são impossíveis. O que essas questões exigem são juízos práticos e sensíveis às particularidades de tempo e de lugar.

Quanto à terceira questão, a esta altura devo ter deixado claro que me parece equivocado buscar o bem exclusivamente nos *resultados* das decisões coletivas e ignorar o bem pertinente aos arranjos através dos quais esses resultados são alcançados.

É verdade que os valores ou interesses que muitas pessoas compartilham – seu bem comum – às vezes podem incluir, num extremo, valores associados a objetos, atividades e relações bastante específicos dos quais as pessoas desfrutam através do consumo, do uso, da interação e assim por diante. Mas quanto mais concretos forem esses valores, mais as pessoas tenderão a discordar quanto a seu valor específico. Com efeito, no plano mais específico, tendemos a falar de "gostos", os quais são objetos notórios de discórdia, e não de "valores", sobre os quais podemos ter alguma esperança de acordo. Por exemplo, todas as pessoas, ou quase todas, valorizam o alimento a seu modo, mas nem todas apreciam os mesmos alimentos. Em termos gerais, tampouco é necessário para a vida comunitária que concordemos em tudo. Portanto, embora talvez valorizemos imensamente a oportunidade de agir de certo modo – a oportunidade de fazer escolhas, por exemplo – e talvez concordemos que é essencial preservar essas oportunidades, não precisamos concordar quanto a nossas escolhas específicas. A oportunidade de discordar quanto às escolhas específicas é exatamente o motivo pelo qual valorizamos os arranjos que tornam essa oportunidade possível. Da mesma forma, podemos todos concordar com o Tradicionalista quando ele afirma que, para promover o bem-estar de todos (ou mesmo de quase todos, como poderia ter acrescentado o Modernista), precisamos de paz, ordem, prosperidade, justiça e comunidade. Mas como foi bem observado pelo Modernista, se as trocas são necessárias, como geralmente são, é provável que discordemos sobre a aceitabilidade de diferentes trocas.

Portanto, nosso bem comum – o bem e os interesses que compartilhamos com outrem – raramente consiste em objetos, atividades e relações específicas; geralmente consiste nas práticas, arranjos, instituições e processos que, mais uma vez no dizer do Tradicionalista, promovem o nosso próprio bem-estar e o de outrem – certamente não o bem-estar de "todos", mas de pessoas em número suficiente para tornar as práticas, arranjos etc. aceitáveis e talvez até mesmo apreciados.

Embora eu duvide que seja possível especificar exatamente quais seriam esses arranjos, a argumentação central deste livro tem sido uma tentativa de especificar alguns de seus elementos essenciais. Para começar, estes incluiriam as características gerais do processo democrático indicadas no capítulo 8. Uma delas, o critério da compreensão esclarecida, é de uma pertinência singular para nossa empreitada. Ao apresentar esse critério, afirmei que só sabia formulá-lo em termos ricos em significado e, portanto, ambíguos. Mas pelo menos propus esta formulação: a fim de expressar com clareza suas preferências,

cada cidadão deve ter oportunidades iguais e adequadas de descobrir e validar (dentro do prazo permitido pela necessidade de uma decisão) a escolha acerca da questão a ser decidida, escolha essa que melhor sirva aos interesses do cidadão.

No capítulo 13 expandi o significado da compreensão esclarecida ao propor:

O interesse ou o bem de uma pessoa são qualquer coisa que essa pessoa escolheria com a compreensão mais plena possível da experiência resultante dessa escolha e de suas alternativas mais relevantes.

Aventei a possibilidade de que o critério da compreensão esclarecida possa ser interpretado como algo que significa que as pessoas compreendem seus interesses no sentido supramencionado possuem uma compreensão esclarecida de seus interesses.

Seguindo essa linha de raciocínio, proponho agora que um elemento essencial no significado do bem comum entre os membros de um determinado grupo seja o que os membros do grupo escolheriam se possuíssem a compreensão mais plena possível da experiência que resultaria de sua escolha e de suas alternativas mais relevantes. Como para tal é necessário ter uma compreensão esclarecida, eu proponho que as oportunidades de adquiri-la também sejam incorporadas como algo essencial ao significado do bem comum. Também são elementos do bem comum os direitos e oportunidades do processo democrático. E numa acepção ainda mais ampla, uma vez que as instituições da poliarquia são necessárias para que se possa empregar o processo democrático em grande escala, numa unidade do tamanho de um país, todas as instituições da poliarquia devem também ser consideradas elementos do bem comum.

SEXTA PARTE
Rumo à terceira transformação

Capítulo 22
A democracia no mundo de amanhã

A visão do processo democrático que orientou a argumentação neste livro vai até o limite das possibilidades humanas e talvez mais além. Ela é uma visão de um sistema político cujos membros veem uns aos outros como iguais políticos, são coletivamente soberanos e possuem todas as capacidades, recursos e instituições de que necessitam para governar a si mesmos.

Defendi a ideia de que o processo democrático é superior a outros modos viáveis de governo em pelo menos três pontos. Em primeiro lugar, ele promove a liberdade como nenhuma outra alternativa viável consegue fazer: liberdade sob a forma da autodeterminação individual e coletiva; liberdade no grau de autonomia moral que ele encoraja e permite; além disso, ele promove um amplo espectro de outras liberdades mais específicas que são inerentes ao processo democrático, constituem pré-requisitos necessários de sua existência ou existem porque, como a história demonstra claramente, as pessoas que apoiam a ideia e a prática do processo democrático tendem a apoiar generosamente outras liberdades também. Em segundo lugar, o processo democrático promove o desenvolvimento humano, acima de tudo na capacidade de exercer a autodeterminação, a autonomia moral e a responsabilidade pelas próprias escolhas. Finalmente, ele é o meio mais certo (ainda que não seja perfeito, em absoluto) para que os seres humanos possam proteger e promover os interesses e bens que compartilham entre si.

Na medida em que a ideia e a prática da democracia se justificam por valores como a liberdade, o desenvolvimento humano e a proteção e promoção dos interesses humanos compartilhados, a ideia e a prática da democracia também pressupõem três tipos de igualdade: a igualdade moral intrínseca de todas as pessoas; a igualdade expressa na premissa de que as pessoas adultas têm direito à autonomia pessoal na determinação do que é melhor para si; e, como consequência destas, a igualdade política entre os cidadãos, conforme ela é definida pelos critérios do processo democrático.

A estreita associação entre a democracia e certos tipos de igualdade nos leva a uma conclusão moral importante: se a liberdade, o desenvolvimento pessoal e o avanço dos interesses compartilhados são bons objetivos, e se as pessoas são intrinsecamente iguais em seu valor moral, isso significa que as oportunidades para alcançar esses bens devem ser distribuídas igualmente a todas as pessoas. Visto sob essa perspectiva, o processo democrático torna-se nada menos que um requisito da justiça distributiva. Portanto, o processo democrático se justifica não apenas por seus próprios valores últimos, mas também como um meio necessário para a justiça distributiva.

Mas o processo democrático não existe, nem pode existir, como uma entidade descorporificada, à parte das condições históricas e dos seres humanos historicamente condicionados. Suas possibilidades e seus limites dependem imensamente das estruturas e consciências sociais atuais e emergentes. Entretanto, porque a visão democrática é tão ousada em sua promessa, ela nos convida perpetuamente a olhar para além dos limites existentes nas estruturas e na consciência e a romper esses limites. A primeira transformação democrática rompeu os limites do tradicional governo de poucos, na forma da monarquia, da aristocracia, da oligarquia ou da tirania, e criou novas estruturas e crenças que sustentaram o governo de muitos nas cidades-Estado democráticas ou republicanas. Dois milênios depois, a segunda transformação democrática rompeu os limites de todas as estruturas e crenças anteriores ao aplicar deliberadamente a ideia de democracia à esfera maior do Estado nacional. Em consequência disso, as instituições da poliarquia superaram instituições e crenças mais antigas que sustentavam o republicanismo da cidade-Estado ou as monarquias centralizadas e os remanescentes do feudalismo.

Haverá uma terceira transformação dos limites e possibilidades democráticas no horizonte? A história do desenvolvimento democrático é encorajadora, mas também faz um alerta. A história da democracia registra tanto fracassos quanto sucessos: fracassos na transcendência dos limites existentes, vitórias temporárias seguidas de derrotas maciças, e às vezes ambições utópicas seguidas de desilusão e desespero. Comparadas com seu ideal exigente, as imperfeições de qualquer democracia atual são tão grandes e tão óbvias que a discrepância palpável entre o ideal e a realidade constantemente estimula esperanças ilimitadas de que o ideal possa, de algum modo, vir a se concretizar. Mas as soluções viáveis revelam-se difíceis de alcançar, e aqueles que constróem com tanta facilidade um ideal democrático em sua imaginação logo descobrem que é bem mais difícil, senão impossível, construí-lo no mundo real.

Com esses alertas em mente, quero considerar três mudanças que poderiam gerar uma terceira transformação democrática.

1. Mudanças nas *condições* para a poliarquia em diferentes países poderiam ocasionar uma mudança no número de poliarquias. Num extremo, a poliarquia poderia resumir-se a poucos países nos quais as condições fossem extremamente favoráveis; no outro extremo, poderia expandir-se a ponto de incluir países que contenham a maioria da população mundial.
2. Mudanças na *escala* da vida política poderiam, mais uma vez, alterar profundamente os limites e possibilidades do processo democrático.
3. Mudanças nas *estruturas e na consciência* talvez ajudassem a tornar a vida política mais democrática em alguns países agora governados por poliarquias. Uma sociedade

mais democrática talvez resultasse, por exemplo, de uma equalização bem mais ampla dos recursos políticos e das capacidades entre os cidadãos ou de uma extensão do processo democrático a instituições importantes previamente governadas por um processo não democrático.

Tratarei das duas primeiras possibilidades neste capítulo e da terceira no capítulo seguinte.

As perspectivas da democracia nos países não democráticos

Embora a força das ideias democráticas tenha aumentado e diminuído ciclicamente no decorrer da história, até o século XX os Estados democráticos existiram, quando existiram, apenas em alguns lugares no mundo, somente por alguns séculos de cada vez, e com um corpo de cidadãos que invariavelmente excluía todas as mulheres ou, às vezes, muitos homens. O século XX, principalmente na sua segunda metade, presenciou quatro mudanças importantes no cenário mundial da democracia. A mais problemática delas, sob uma perspectiva democrática, ainda está em curso: a escala das decisões cruciais expandiu-se além do Estado nacional e chegou a sistemas transnacionais de influência e poder. A importância dessa mudança para os limites e possibilidades da democracia será discutida na seção seguinte. Vou agora apenas mencionar as outras brevemente.

Uma dessas mudanças, como mencionei na introdução, é o esforço quase universal dos governantes no final do século XX, incluindo os governantes de regimes não democráticos, para explorar a ideia de "governo do povo" a fim de legitimar seu governo. Nunca na história, os chefes de Estado haviam apelado tão livremente às ideias democráticas para legitimar seu domínio, ainda que para justificar um governo autoritário como algo necessário para uma transição futura rumo a uma democracia verdadeira ou purificada. Outra mudança é o volume de imagens – ainda que não exatamente modelos – de um futuro relativamente desejável, conquanto distante, apresentadas ao resto do mundo pelas sociedades modernas, dinâmicas e pluralistas. O fato de que a poliarquia e as sociedades MDP se tornaram mais atrativas em todo o mundo deve-se não apenas a suas próprias conquistas, mas também às deficiências das alternativas principais: os regimes autoritários e as economias dirigidas e centralizadas. Uma última mudança digna de nota são a influência e o poder imensos que os países com governos poliárquicos e sociedades MDP conquistaram a nível mundial nas atividades econômicas, nos assuntos militares e de segurança, na cultura popular e de elite e em muitas outras áreas. Graças à influência exercida por esses países, seu apoio ao desenvolvimento da democracia em países não democráticos tornou-se potencialmente mais importante do que nunca. Todavia, o impacto negativo de sua indiferença ou oposição tornou-se igualmente significativo.

Os futuros da poliarquia

Pode-se construir diversos futuros plausíveis para a poliarquia no mundo. Uma perspectiva otimista tende a prever sua expansão constante a longo prazo à medida que as instituições políticas de um número crescente de países não democráticos se tornarem poliarquias. Uma perspectiva pessimista tende a antever um declínio a longo prazo à medida que as condições para a poliarquia se tornarem mais desfavoráveis, particularmente entre países que só recentemente conquistaram ou reconquistaram a poliarquia. Uma outra possibilidade é a de que os países à margem oscilem entre a poliarquia e os regimes não democráticos (cf. Huntington 1984). E ainda esta outra: enquanto alguns países com regimes não democráticos se tornarão poliarquias, algumas poliarquias recentes serão substituídas por regimes não democráticos; assim, a curto prazo, o número de poliarquias ficará em torno de um limite bastante parecido com o de hoje.

Vamos refletir brevemente sobre a possibilidade de que a tendência ao crescimento no número de poliarquias revelada no último século continue mais ou menos indefinidamente. Presume-se que essa tendência persistiria porque as condições favoráveis à poliarquia cresceriam em um número cada vez maior de países. Como resultado disso, em muitos países até agora governados por regimes não poliárquicos, as instituições da poliarquia não somente surgiriam, mas também consolidar-se-iam em sistemas poliárquicos estáveis.

Como sugeri no capítulo 18, as condições mais favoráveis a uma poliarquia estável são cinco: os líderes não fazem uso dos principais instrumentos de coerção violenta, principalmente a polícia e os militares, para conquistar e manter o poder; existe uma sociedade moderna, dinâmica e com organizações de feitio pluralista; as potencialidades de conflito do pluralismo subcultural são mantidas em níveis toleráveis; entre o povo de um país, particularmente em seu estrato politicamente ativo, existem uma cultura política e um sistema de crenças favoráveis à ideia da democracia e às instituições da poliarquia; e os efeitos da influência ou do controle externos são desprezíveis ou positivamente favoráveis.

Suponhamos que seja possível esquadrinhar o mundo à procura de países nos quais essas cinco condições[1] sejam todas relativamente fortes, mas nos quais exista um regime não democrático. O número de tais países me parece pequeno demais para sustentar o otimismo impetuoso do primeiro quadro.

E quanto ao segundo? Se revertermos a curva ascendente do século XX, a democracia poliárquica cairá em declínio de longo prazo? Ao buscar uma resposta possível, precisamos distinguir entre duas circunstâncias diferentes para o colapso da poliarquia: o colapso de poliarquias "antigas" ou "maduras", ou seja, nos países nos quais as instituições existem há uma geração ou mais, e o colapso nas "novas" poliarquias, isto é, nos países nos quais a poliarquia existe há menos de uma geração.

Uma argumentação famosa de Tocqueville em *Democracia na América* pode ser lida como uma conjectura no sentido de que se tiverem tempo suficiente para que as forças da igualdade exerçam seus efeitos, os sistemas democráticos tenderão a ser autodestrutivos devido à ligação necessária entre a igualdade e a democracia, de um lado, e as conseqüências a longo prazo da igualdade do outro. O colapso das instituições democráticas e sua superação pelos regimes autoritários na Itália, na Alemanha, na Áustria e na Espanha entre 1923 e 1936 pareceu, a muitos historiadores, algo que validava a conjectura de Tocqueville. Como observei no capítulo 17, após décadas de expansão, o colapso da poliarquia nesses países parecia prever um declínio contínuo nas perspectivas da democracia no mundo. Como vimos, porém, essa reversão foi apenas temporária. Desde a década de 1940, o número de poliarquias cresceu consideravelmente.

Quando examinamos a história do colapso da democracia neste século, um fato notável vem à tona: nos países nos quais as instituições da poliarquia existem há vinte anos ou mais, o colapso da poliarquia e sua substituição por um regime autoritário é algo extraordinariamente raro[2]. Em vários países, é claro, a poliarquia estável foi substituída por um regime não democrático imposto por força militar estrangeira, como ocorreu na Bélgica, na Dinamarca, na Holanda e na Noruega na Segunda Guerra Mundial. Mas tão logo a força militar externa foi removida desses países, a poliarquia foi restaurada.

O outro lado da moeda, obviamente, é o fato de que o colapso da democracia tipicamente ocorre nas poliarquias recentes, isto é, nos países com menos de vinte anos de experiência em instituições democráticas. Na maioria desses países, os hábitos e práticas democráticas têm raízes bastante superficiais. Não surpreende, portanto, particularmente se levarmos em consideração todas as outras condições seriamente desfavoráveis, o fato de que, em toda a África, os sistemas parlamentares que substituíram o domínio colonial foram, com raras exceções, rapidamente substituídos por ditaduras militares e regimes autocráticos. Porém, mesmo na Europa e na América Latina, muitos países nos quais a democracia deu lugar a ditaduras não haviam conseguido desenvolver uma cultura democrática profundamente enraizada. Por exemplo, na Alemanha em 1933, um governo democrático havia substituído apenas recentemente um sistema não democrático, com efeito um regime autoritário de um tipo tradicional. Em alguns países nos quais ocorreu um colapso da democracia, oposições políticas fora do círculo fechado de uma oligarquia apenas recentemente haviam conquistado direitos políticos. Em outros, como a Itália de 1923 a 1925 e o Chile em 1973, menos de uma geração se passara desde que o sufrágio se estendera à maior parte da população masculina. Em diversos países, tais quais a Argentina em 1930 e a Colômbia em 1949, não só as instituições democráticas sofriam a fragilidade de uma implantação recente, como também o regime que entrou em colapso não passava, no máximo, de uma oligarquia tradicional parcialmente democratizada. Ademais, na maioria desses países, uma proporção substancial da liderança e, ao que se saiba, da população em geral, era hostil à igualdade política, às ideias e às instituições democráticas.

A conclusão que extraio dessa observação panorâmica é que provavelmente nem o quadro otimista nem o pessimista se mostrarão corretos. Exceto em caso de uma catástrofe, tal qual um colapso econômico profundo e duradouro ou uma guerra nuclear, a poliarquia persistirá na grande maioria dos países nos quais as instituições democráticas existem há uma geração ou mais. Nas margens desse núcleo de democracias estáveis, é provável que ocorram transformações de ambos os tipos. Em alguns países governados por regimes não democráticos, as condições que favorecem a poliarquia se tornarão mais fortes e, em resultado disso, a poliarquia poderá se estabelecer. Nesses poucos países, a poliarquia pode até mesmo se consolidar e estabilizar, assim aumentando o número de poliarquias estáveis. De maneira inversa, em alguns países, condições desfavoráveis podem solapar governos democráticos recém-instaurados.

Se esse quadro se provar mais ou menos correto, o núcleo de democracias estáveis continuará a exercer uma enorme influência no mundo; na maioria dos países, governados por regimes democráticos ou por regimes não democráticos, os líderes continuarão a evocar o "governo do povo" como base para sua legitimidade; mas um número grande de países será governado por regimes não democráticos.

Uma reflexão sobre a não democracia

Embora eu tenha dedicado muita atenção à guardiania e a suas afirmações, na verdade dividi o universo das possibilidades entre democracia e não democracia. Apesar de eu ter discutido muitas das complexidades teóricas e práticas da democracia, quase sempre ignorei deliberadamente as constelações igualmente complexas dos sistemas não democráticos. No entanto, se os democratas estão destinados a viver num mundo povoado tanto por democracias quanto por não democracias, como e o que eles devem pensar a respeito dos regimes não democráticos?

Uma resposta responsável a essa questão importante exigiria um livro à parte, e não vou tentar uma empreitada de tal porte neste livro. Não obstante, quero propor várias questões que me parecem diretamente pertinentes aos objetivos desta obra.

É tentador enquadrar as complexidades morais e empíricas do mundo numa falsa ordem maniqueísta. Para um democrata, a tentação é dividir o mundo simplesmente em democracias, que se pressupõem boas, e não democracias, supostamente más. Porém, tal divisão maniqueísta é moralmente inadequada, empiricamente enganosa e politicamente inepta.

Ela é empiricamente enganosa (e portanto, algo moralmente inadequado, que provavelmente levará a cursos de ação política ineptos) porque, ainda que avaliássemos os países somente de acordo com critérios democráticos, descobriríamos que os países abaixo de um limiar razoável para a poliarquia plena são de uma grande variedade. Num extremo, em certos países abaixo do limiar, as instituições políticas são quase tão democráticas quanto suas equivalentes nos países acima do limiar; no outro extremo, estão países que carecem de todas as instituições da democracia poliárquica.

Entretanto, mesmo os critérios democráticos simplificam demais o trabalho de avaliação. Ao avaliar um regime não democrático, precisamos fazer juízos quanto à *dinâmica da mudança*, e particularmente à *direção* e ao *grau* da mudança. Uma quase poliarquia que esteja rapidamente afundando numa repressão não é semelhante a uma quase poliarquia que esteja firme no rumo a uma poliarquia plena. Nem mesmo os regimes altamente repressivos serão moral e empiricamente semelhantes se suas dinâmicas de mudança forem radicalmente diferentes. Ao avaliar regimes não democráticos, precisamos também lembrar que, historicamente, o ritmo da democratização tem sido quase sempre lento – no caso dos Estados nacionais, um processo que se estende por vários séculos. Portanto, precisamos levar em consideração o fato de que os regimes não democráticos podem variar imensamente no grau em que as instituições *pré-democráticas* existem ou talvez sejam incentivadas: a alfabetização, a educação, os direitos humanos, um judiciário justo e independente, a autonomia organizacional e o pluralismo, a distribuição da riqueza e da renda e assim por diante. Não seria sensato descartar a possibilidade, por exemplo, de que num país dominado por uma oligarquia tradicional cujo monopólio da violência coercitiva torna impossível a mudança pacífica, as mudanças ocasionadas por um regime não democrático revolucionário podem preparar o terreno para que um dia surja um sistema democrático.

Quando reflito sobre as condições favoráveis à poliarquia, sou levado a concluir que a capacidade dos países democráticos de transformar os regimes não democráticos em poliarquias estáveis é muito limitada a curto prazo. Uma intervenção bem-sucedida exige uma conjunção rara de condições favoráveis, como as que a Alemanha, a Áustria e o Japão apresentaram aos Aliados após a Segunda Guerra Mundial.

Entretanto, penso que os países democráticos poderiam fazer uma diferença a longo prazo se adotassem sistematicamente cursos de ação política que apoiassem as mudanças favoráveis a uma democracia e desencorajassem as mudanças que são desfavoráveis a ela. Se os Estados Unidos tivessem seguido sistematicamente essa política na América Latina ao longo do século XX, creio que as instituições democráticas teriam se implantado com maior profundidade, mais cedo e em mais países latino-americanos. Mas os Estados Unidos não adotaram tal política. Muito pelo contrário: quase sempre, sua intervenção direta e indireta enfraqueceu o desenvolvimento das instituições democráticas na América Latina.

Porém, ainda que os Estados Unidos e outros países democráticos adotassem políticas mais favoráveis à evolução da democracia nos países não democráticos, as mudanças nas condições essenciais seriam lentas. Dificilmente os líderes políticos e militares há muito acostumados a utilizar a força para conquistar seus objetivos políticos sacrificarão seus recursos políticos superiores no altar da democracia. A transformação das estruturas sociais e econômicas também é lenta. Se há uma coisa que aprendemos com a assistência econômica estrangeira é que o desenvolvimento de uma sociedade pluralista, dinâmica, moderna exige mais que ajuda externa; ela depende de condições prévias, incluindo fatores culturais, os quais não são, eles próprios, particularmente bem compreendidos. Tampouco é possível que um sistema de crenças e uma cultura democrática se desenvolvam num curto espaço de tempo. Da mesma forma, geralmente as raízes dos conflitos subculturais são profundas demais para ser erradicadas por uma intervenção externa.

Portanto, os cidadãos dos países democráticos fariam bem em reconhecer que, num futuro próximo, muitos, se não a maioria dos países do mundo não serão democráticos. A imensa diversidade de regimes nos países não democráticos requer avaliações empíricas e morais argutas e uma firme rejeição do dualismo maniqueísta. A capacidade dos países democráticos de criar uma democracia em outros países permanecerá bastante limitada. No entanto, os países democráticos poderiam ajudar na democratização dos países não democráticos através da adoção sistemática de cursos de ação política de longo alcance e concentrados em mudanças nas condições subliminares que sustentam a poliarquia estável.

Mudanças na escala da vida política

Os limites e as possibilidades das primeiras transformações democráticas foram determinados pelas estruturas e pela consciência das cidades-Estado da Grécia, de Roma (mesmo quando a república rompeu os limites da cidade) e da Itália medieval e renascentista, que por sua vez foram profundamente influenciadas pela pequena escala da cidade-Estado. A pequena cidade, com seu *demos* limitado, oferecia possibilidades teóricas de participação direta – possibilidades nem sempre utilizadas – que foram eliminadas pela escala maior do Estado nacional. Além disso, a virtude cívica era um ideal plausível, ainda que nem sempre posto em prática na vida política. Era plausível acreditar que os cidadãos pudessem conhecer o bem comum e que uma cultura cívica comum conseguisse cultivar nos cidadãos a aspiração a esse bem comum.

A segunda transformação simultaneamente contraiu e expandiu os limites da democracia. Dada a escala aumentada da ordem política no Estado nacional, as formas diretas de participação tiveram de ser quase que totalmente substituídas pela representação. A participação direta do *demos* na criação de leis nacionais através do debate e da votação em assembleias face a face não era mais possível, ainda que em alguns países os cidadãos pudessem participar diretamente do governo de pequenas unidades locais. No entanto, ao passo que as possibilidades democráticas se contraíam numa dimensão, elas se expandiam em outra. A representação rompeu todas as barreiras teóricas à escala de uma unidade democrática. O estado de direito podia agora abarcar um país inteiro, algo impossível sob o ideal da velha cidade--Estado. Um corpo uniforme de direitos legais podia se estender agora a uma nação inteira. Nesse sentido, o conflito violento entre as numerosas localidades pequenas e independentes – o mal crônico das cidades-Estado – foi substituído por um sistema legal comum e sancionado pelas leis.

O Estado-nação também incorporou uma diversidade muito maior de grupos e interesses, os quais, como se descobriu, podiam, de algum modo, viver juntos pacificamente. Além do mais, como temia Rousseau e como concordou Tocqueville mais tarde, a democracia no Estado nacional não somente tolerava, mas também estimulava a formação de associações relativamente autônomas de todos os tipos: políticas, sociais, econômicas, culturais. Visões mais antigas de uma democracia monística entraram em conflito com a realidade pluralista. O conflito político era claramente inevitável. Em consequência disso, o conflito, mais que o consenso, veio a ser compreendido como uma característica normal e (dentro de limites mal definidos) até mesmo saudável da vida política.

Uma outra consequência da tentativa de aplicar o processo democrático à grande escala do Estado nacional foi o surgimento de práticas e instituições políticas, tais quais os partidos políticos, que não existiam na cidade-Estado. Um novo tipo de ordem política surgiu no mundo: a poliarquia. As instituições que distinguiam a poliarquia de outras ordens políticas também exigiam sistemas de direitos políticos e civis muito mais abrangentes que qualquer outro sistema até então, ou que qualquer outro sistema contemporâneo existente nos regimes não democráticos. Portanto, ao mesmo tempo em que a segunda transformação reduzia drasticamente as oportunidades de participação política direta nas decisões do governo nacional e praticamente eliminava as perspectivas de comprometimento de todos os cidadãos com uma visão harmoniosa do bem comum, ela aumentava prodigiosamente o número de pessoas que viviam num sistema legal e constitucional comum e desfrutavam de um corpo abrangente de direitos legais. Embora a primeira transformação houvesse transferido de poucos para muitos o direito de governar, esses "muitos" eram, na verdade, bem poucos, ao passo que os excluídos eram, na verdade, muitos. Em contraposição, quando a segunda transformação se completou nos países democráticos (e não com pouca luta), os direitos iguais da cidadania foram estendidos a praticamente todos os adultos.

Será que estamos no meio de um outro aumento radical na escala das tomadas de decisões? E não poderia esta mudança mostrar-se tão importante para a democracia quanto a mudança na escala da cidade-Estado para o Estado nacional?

As fronteiras de um país, mesmo de um país tão grande quanto os Estados Unidos, são agora bem menores que os limites das decisões que afetam significativamente os interesses fundamentais de seus cidadãos. A vida econômica, o ambiente físico, a segurança nacional e a sobrevivência de um país dependem muito, e cada vez mais, de atores e ações externos às fronteiras do Estado e que não estão diretamente sujeitos a seu governo. Assim, os membros do *demos* não podem empregar seu governo nacional, e muito menos seus governos locais, para exercer controle direto sobre os atores externos cujas decisões influenciam criticamente sua vida. O resultado é algo como a segunda transformação, transposta à escala mundial. Assim como o surgimento do Estado nacional reduziu a capacidade dos residentes locais de exercer o controle de assuntos de importância vital para si através de seus governos locais, assim também a proliferação das atividades e decisões transnacionais reduzem a capacidade dos cidadãos de um país de exercer o controle de assuntos vitalmente importantes para si através de seu governo nacional. Nesse sentido, os governos dos países estão se tornando governos locais.

O mito do Estado democrático autônomo

Como, portanto, essa nova mudança de escala transforma os limites e possibilidades da democracia? A resposta exige que avaliemos se a tendência é reversível – ou seja, algo sem os custos que a maioria das pessoas não estaria disposta a aceitar. Embora fosse um erro tentar interpretar a tendência como algo uniforme e inevitável no que diz respeito a todos os assuntos, no meu modo de ver as forças transnacionais continuarão a erodir, num futuro próximo, a autonomia nacional no que diz respeito às questões que acabo de mencionar. É possível, sem dúvida, discordar desse juízo – não vou me esforçar para defendê-lo aqui – e descartar o problema como algo sem muita importância. Mas se a ideia está correta, ela significa que o *demos* de um país, como o *demos* da antiga cidade-Estado, sofrerá uma redução considerável na sua capacidade de controlar as decisões sobre as questões que lhe são relevantes.

Todavia, para colocar essa questão numa perspectiva apropriada, precisamos lembrar que a autonomia da cidade-Estado e a soberania do Estado nacional sempre foram menos fato que ficção. Os conflitos internacionais, as rivalidades, alianças e guerras demonstraram eternamente o quanto a autonomia de todos os Estados, democráticos e não democráticos, foi radicalmente incompleta. Não somente o conflito, mas também as trocas, o comércio e as finanças sempre ultrapassaram os limites do Estado. Portanto, os Estados democráticos nunca foram capazes de agir com autonomia e sem levar em consideração as ações de forças externas sobre as quais tinham pouco ou nenhum controle. A própria Atenas era mais que uma cidade-Estado; ela comandava um império, dependia imensamente do comércio exterior, participava com frequência de conflitos internacionais e repetidamente buscava ajuda dos aliados. Roma foi uma verdadeira cidade-Estado por muito pouco tempo, embora a república nunca tivesse adaptado completamente suas instituições de cidade-Estado a sua escala sempre crescente. O mesmo ocorreu com os Estados nacionais, particularmente na Europa. Mesmo a autonomia dos Estados Unidos, embora protegida pelos oceanos, foi, desde o início, reduzida pela ameaça de guerras, pelas finanças internacionais e pelo comércio.

Além do mais, ao passo que a autonomia relativa dos Estados democráticos varia prodigiosamente, a qualidade da democracia num país não parece depender diretamente da extensão de sua autonomia. Embora os juízos quanto à "qualidade da democracia" em diferentes países sejam discutíveis, as democracias europeias menores podem servir como uma ilustração oportuna. Em geral, quanto menor é um país avançado, mais o bem-estar econômico de seus cidadãos depende do comércio exterior. Além disso, países menores tendem a ser mais vulneráveis a invasões e mais dependentes de aliados. No entanto, embora a maior parte de seu controle sobre questões cruciais tenha sido esvaziado pelos atores internacionais, muitas das pequenas democracias europeias apresentam uma vida política vigorosa e autoconfiante. Com efeito, a própria consciência da vulnerabilidade e da dependência parece ter estimulado o maior uso da ação governamental na proteção das pessoas nas pequenas democracias dos efeitos potencialmente danosos de forças internacionais que elas não podem controlar (cf. Cameron 1978).

Estratégias de adaptação

Essas reflexões sugerem vários modos pelos quais a ideia democrática poderia se adaptar à nova mudança em escala. O mais óbvio deles seria duplicar a segunda transformação numa escala maior: da democracia no Estado nacional à democracia no Estado transnacional. Porém, a analogia histórica é imperfeita demais para permitir uma conclusão tão fácil. Nos países nos quais a poliarquia surgiu, as estruturas e a consciência de ser uma nação já estavam bem desenvolvidas, mas as estruturas e a consciência políticas transnacionais tenderão a permanecer fracas num futuro próximo. Somente a Comunidade Europeia dá sinais claros de abrigar um gene de crescimento supranacional. Ali, as instituições incipientes de uma comunidade política e transnacional "democrática" são quase visíveis. Um tipo de poliarquia transnacional pode vir a existir gradualmente. Embora seu corpo de cidadãos viesse a ser maciçamente maior que o dos Estados Unidos, a distância entre o governo central da Comunidade e seus cidadãos talvez não fosse muito maior que a distância entre o governo federal e os cidadãos americanos. Na Europa, portanto, as ideias e práticas democráticas poderiam assumir, gradualmente, uma importância semelhante.

Todavia, exceto pela Comunidade Europeia, as perspectivas de governos ainda que moderadamente "democráticos" de associações políticas transnacionais parecem muito pobres. Ainda que os sistemas políticos transnacionais sejam muito fortalecidos, por um bom tempo as decisões tenderão a ser tomadas por delegados nomeados por governos nacionais. Assim, a ligação entre os delegados e o *demos* permanecerão frágeis; e o processo democrático será ainda mais atenuado que nas poliarquias atuais. No que diz respeito às decisões sobre questões internacionais cruciais, portanto, o perigo é que a terceira transformação leve, não a uma extensão da ideia democrática além do Estado nacional, mas à vitória naquela esfera da guardiania de fato.

Essa possibilidade emergente significa que, para manter a vitalidade do processo democrático, será preciso melhorar as instituições democráticas em cada país. Para começar, instituições democráticas mais fortes proporcionariam o controle possível sobre a autoridade delegada aos responsáveis pela tomada de decisões transnacionais. Os controles democráticos ajudariam a evitar que a delegação se convertesse em alienação. Instituições democráticas mais robustas ajudariam, ainda, a proporcionar uma vida política democrática saudável dentro da grande esfera de autonomia relativa que os países democráticos ainda possuem. Aqui, a experiência das pequenas democracias europeias é encorajadora. Assim como elas mantiveram uma vida política vigorosa e autoconfiante mesmo enquanto se adaptavam a sua vulnerabilidade e dependência internacionais, assim também, no futuro, todos os países democráticos terão de descobrir modos de manter e fortalecer o processo democrático à medida que se adaptarem às forças transnacionais. Dessa forma, conquanto a liberdade e o controle possam ser perdidos numa frente de batalha, eles ainda podem ser conquistados em outras frentes.

Por fim, a vida democrática nas pequenas comunidades abaixo do nível do Estado nacional pode ser melhorada. A escala maior de decisões não precisa levar inevitavelmente a um sentimento crescente de impotência, desde que os cidadãos possam exercer um controle significativo sobre as decisões na escala menor das questões importantes de sua vida cotidiana: a educação, a saúde pública, o planejamento das pequenas e grandes cidades, a quantidade e a qualidade do setor público local, das ruas e iluminação aos parques, áreas de recreação e assim por diante.

Capítulo 23
Esboços para um país democrático avançado

Se pudéssemos criar uma sociedade que, dentro dos limites humanos viáveis, facilitasse as conquistas máximas da democracia e de seus valores – isto é, uma sociedade democrática avançada – como seria ela? Essa questão é de uma importância tremenda, e só o que posso fazer é esboçar algumas possibilidades.

Seria razoável partir de diversas conclusões de argumentos anteriores. A primeira delas, um juízo acerca da viabilidade, nada mais é que a conclusão do capítulo anterior. Um mundo que consistisse apenas em unidades muito pequenas e fortemente autônomas está fora de cogitação. Países que exijam governos de grande escala estão fadados a existir. É desejável que sejam democráticos. Portanto, não podemos conceber uma sociedade democrática viável sem governos em grande escala. E, como vimos, a escala tem consequências importantes para os limites e as possibilidades da democracia.

Minha segunda conclusão, um juízo moral, é que, dentro dos limites da viabilidade, num país democrático avançado os cidadãos possuiriam os recursos políticos necessários para participar como relativamente iguais na vida política.

Para muitas pessoas, essa proposição parecerá tão extravagante em suas implicações que o primeiro impulso será descartá-la como absurda. Portanto, precisamos nos lembrar do motivo pelo qual a igualdade política é tão importante. A meu ver, nem a igualdade política, nem o processo democrático se justificam como intrinsecamente bons. Na verdade, eles se justificam como o meio mais confiável de proteger e promover o bem e os interesses de todas as pessoas sujeitas às decisões coletivas. Repetindo: entre os bens fundamentais servidos pelo processo democrático e a igualdade política estão a liberdade, principalmente a liberdade de autodeterminação, o autodesenvolvimento e a proteção e promoção de outros interesses compartilhados. A igualdade política não é, portanto, um objetivo que possamos obter apenas às custas da liberdade e do autodesenvolvimento. Na verdade, é um meio essencial para uma distribuição justa da liberdade e para as oportunidades justas de autodesenvolvimento.

Assim, ao passo que minha preocupação explícita é com a igualdade política, minha preocupação implícita e real é com a liberdade, o desenvolvimento humano e os valores humanos.

O que buscamos, portanto, é um projeto de sociedade de escala composta de iguais políticos, os cidadãos de um país. Mas como poderiam os cidadãos de um país ser iguais políticos?

Num extremo, podemos tentar imaginar um país no qual as estruturas sociais e econômicas, sem o controle do Estado, automaticamente distribuem para todos os cidadãos os recursos necessários para a participação nas decisões coletivas como iguais políticos. Dessa forma, as estruturas sociais espontaneamente ocasionam tal igualdade de recursos que a igualdade política torna-se inevitável. Porém, uma ordem igualitária tão autorreguladora jamais existiu na história (embora algumas pequenas sociedades pré-literárias possam ter se aproximado disso), e, por mais que eu tente, não consigo descobrir um modo através do qual poderia vir a existir num futuro próximo.

Essas reflexões me levam a uma terceira conclusão, quanto às políticas públicas: um país democrático avançado regularia deliberadamente suas estruturas sociais, econômicas e políticas a fim de atingir a igualdade política.

Com essa conclusão em mente, podemos agora tentar imaginar um país no qual as estruturas sociais e econômicas são reguladas pelo Estado com tanta maestria que todos os recursos políticos são distribuídos igualmente entre todos os cidadãos (embora eu imediatamente perceba que o significado exato de "igualmente" é muito problemático). Todavia, por mais que eu tente, não consigo imaginar como uma ordem igualitária completamente regulada poderia existir. Pois não consigo imaginar como um país com uma sociedade grande e moderadamente complexa e, ao mesmo tempo, tão completamente regulada pelo Estado manteria a igualdade política. Não creio que os cidadãos consigam impedir que as autoridades do Estado, particularmente os líderes principais, utilizem seu extraordinário poder de controle para aumentar seu próprio poder e privilégios. O que começou em nome da igualdade política terminaria, então, como desigualdade política e opressão do Estado (as consequências para a eficiência, o crescimento, a criatividade e a produtividade seriam desastrosas, sem dúvida).

Considerações como essas levam-me à quarta conclusão: em razão das restrições impostas pela realidade e pela ponderação de diversos valores, a conquista ideal viável do objetivo da igualdade política num país democrático avançado ainda deixaria desigualdades significativas entre os cidadãos em termos de recursos políticos, capacidades e oportunidades.

A quarta conclusão imediatamente me leva à quinta: devido ao fato de que é mais fácil descobrir meios de reduzir a desigualdade do que descobrir meios de alcançar uma igualdade perfeita (o que quer que isso signifique), um país democrático avançado concentrar-se-ia na redução das causas remediáveis das desigualdades políticas gritantes.

Quais seriam, então, as causas remediáveis das desigualdades políticas? Embora eu não possa arriscar aqui uma resposta adequada, é oportuno considerar três causas universais das desigualdades políticas (e, portanto, desigualdades na liberdade, nas oportunidades de desenvolvimento pessoal e na promoção e proteção de interesses válidos). Estas causas são: as diferenças de recursos e oportunidades para o emprego da coerção violenta; as diferenças de posições, recursos e oportunidades econômicas; as diferenças de conhecimento, informação e habilidades cognitivas. No capítulo 17, discuti modos de remediar a primeira dessas causas. Por mais incompleta que seja essa discussão, não vou dizer mais nada sobre esse problema e vou me concentrar nas outras duas causas. Pois concluí – e esta é minha sexta conclusão – que um país democrático avançado buscaria, com dedicação, reduzir as grandes desigualdades na capacidade e nas oportunidades dos cidadãos de participar efetivamente na vida política, as quais são causadas, num grau importante, pela distribuição dos recursos, da posição e das oportunidades econômicas, bem como do conhecimento, da informação e das habilidades cognitivas.

Reflexões sobre a ordem econômica de um país democrático e avançado

Pode-se objetar que a solução para o problema da distribuição dos recursos, da posição e das oportunidades econômicas está bem debaixo de nosso nariz. Acaso uma sociedade moderna, dinâmica e pluralista (MDP) não seria essencialmente uma sociedade democrática?

Como vimos no capítulo 18, é verdade que uma sociedade MDP favorece as instituições da poliarquia e, nesse sentido, favorece a democracia. Mas, embora a dinâmica de uma sociedade MDP propicie algumas das condições necessárias para a poliarquia, ela não cria espontaneamente, por motivos que nomearei daqui a um instante, as condições necessárias para uma democratização mais ampla da poliarquia.

No tipo de sociedade MDP associada com a democracia poliárquica, as lideranças das empresas econômicas são, na maior parte das vezes, escolhidas (ao menos nominalmente) pelos proprietários e são legalmente responsáveis perante eles; por sua vez, os proprietários são, quase sempre, cidadãos particulares ou coletividades externas à empresa. Caracteristicamente, além disso, a atividade produtiva da empresa é orientada para o mercado. Embora esse tipo de ordem econômica seja geralmente denominado "capitalismo", Charles E. Lindblom o chama, com mais exatidão, de sistema de empresa privada orientado para o mercado (1977, 197 ss.). De qualquer forma, a categoria abarca uma extraordinária diversidade: desde sistemas do século XIX, de *laissez-faire*, do início da era industrial até sistemas do século XX, altamente regulados, de bem-estar social, modernos ou pós--industriais. Até mesmo os ordenamentos do "Estado de bem-estar" do final do século XX variam amplamente desde os sistemas escandinavos, que são redistributivos, baseados em pesados impostos, abrangentes em seu sistema de seguro social e neocorporativistas em seus arranjos de negociações coletivas, até os sistemas levemente redistributivos, com impostos moderados, um seguro social limitado e sistemas fracos de negociações coletivas, como os Estados Unidos e o Japão.

Seria um equívoco, portanto, concluir que a ordem econômica dos países democráticos com sociedades MDP apresenta problemas idênticos para a democratização ou exige soluções idênticas. Não obstante, é possível sugerir alguns elementos comuns de uma solução satisfatória.

Perspectivas teóricas conflitantes

Eu gostaria de começar com uma sétima conclusão: num país democrático avançado, a ordem econômica seria compreendida como um instrumento, não apenas para a produção e distribuição de bens e serviços, mas para uma gama bem mais ampla de valores, incluindo os valores democráticos. A ordem econômica seria vista como algo que pretende servir, não somente os consumidores, e sim os seres humanos em todas as atividades para as quais uma ordem econômica pode contribuir. Essa conclusão pode parecer óbvia demais. No entanto, ela vai diretamente contra mais de um século de história intelectual na Europa e nos países de língua inglesa, onde a perspectiva teórica predominante no pensamento econômico diverge acentuadamente da perspectiva teórica apresentada neste livro. Correndo o risco de fazer uma simplificação que beira a caricatura, vou esboçar, em algumas pinceladas amplas, os pontos de vista divergentes.

A visão teórica da democracia trata dos homens como cidadãos – mais recentemente, os homens e as mulheres como cidadãos. Em contraposição, a interpretação teórica convencional da economia exaltada tão rigorosamente na teoria econômica clássica e neoclássica trata dos homens e mulheres como produtores e consumidores de bens e serviços. Certamente a perspectiva democrática não pode ignorar o fato elementar de que os cidadãos são também produtores e consumidores; e, implícita ou explicitamente, a perspectiva econômica convencional reconhece que existem produtores e consumidores num determinado sistema político, idealmente, talvez, como cidadãos numa ordem democrática. No entanto, cada perspectiva dá ênfase maior a um aspecto que ao outro.

O cidadão existe num sistema político delimitado de um modo definitivo e muitas vezes restrito – uma cidade-Estado ou, na era moderna, um Estado nacional. O Estado é – ou pelo menos houve um tempo em que assim era considerado – um sistema claramente definido; as liberdades, igualdades e obrigações específicas de cada cidadão dependem de ele estar dentro ou fora do sistema. Os produtores e consumidores existem num sistema econômico mais indefinido, quase sem fronteiras, que em princípio pode cobrir todo o globo. Espera-se do cidadão – e geralmente é isso mesmo que acontece – que ele se sinta ligado aos outros cidadãos que vivem num Estado em particular, a um grupo único e historicamente específico de seres humanos, aos costumes e práticas que lhes são mais caros, a seu passado comum e ao futuro que esperam ter. Essas ligações podem ser, em parte, pensadas e racionais, mas sua força também vem de laços e crenças não racionais e primordiais. O produtor/consumidor é – ao menos na imaginação teórica, se não na realidade – um computador extremamente racional, sempre calculando e comparando incrementos precisos de ganhos e perdas e sempre agindo de forma a maximizar a utilidade líquida. A fidelidade pode ser de interesse dos historiadores, sociólogos, profissionais de publicidade e seres humanos comuns em toda parte, mas na perspectiva teórica do capitalismo ela não é uma característica dos atores econômicos racionais.

Na visão democrática, as oportunidades de exercer o poder sobre o Estado ou mais concretamente sobre as decisões do governo do Estado são, ou pelo menos devem ser, distribuídas igualmente entre todos os cidadãos. O fato de que os cidadãos devem ser iguais políticos é, como vimos, um axioma crucial na perspectiva moral da democracia. Na interpretação econômica convencional de uma economia livre, competitiva e orientada para o mercado, as relações de poder e autoridade não existem. Seu lugar é inteiramente tomado por trocas e contratos dos quais os atores racionais participam livremente. Portanto, os economistas neoclássicos não consideram necessário estudar fenômenos tão impalpáveis, ambíguos e aparentemente incomensuráveis como o poder e a autoridade. Tampouco há, na versão convencional, uma igualdade de recursos econômicos, os quais poderiam ajudar a facilitar a igualdade política entre os cidadãos, portanto a democracia, e por consequência as liberdades associadas com a democracia – necessariamente um objetivo desejável –, mas nem de longe um resultado provável das decisões do mercado.

Na percepção democrática, a igualdade política deve ser mantida por um conjunto definido de arranjos legais e constitucionais, sustentados pela opinião geral e, se necessários, sancionados pela lei, que efetivamente garantam a cada cidadão certos direitos, oportunidades e obrigações necessárias, e se plenamente realizados, talvez até mesmo o suficiente para garantir a igualdade política entre os cidadãos. Na perspectiva clássica e neoclássica da ordem econômica, o Estado estabelece e sanciona, de alguma forma, leis que regulam os contratos, a propriedade e os mecanismos necessários para o funcionamento do mercado. Mas saber se e por que os líderes tomarão para si as tarefas a eles atribuídas na versão convencional, e se ou como eles lidarão com a distribuição da riqueza e da renda resultantes das forças de mercado são questões que, num sentido estrito, a teoria convencional não está preparada para responder – nem poderia estar.

Na percepção democrática, a liberdade conquistada por uma ordem democrática está acima de toda a liberdade de autodeterminação na tomada de decisões coletivas e vinculadoras: a autodeterminação dos cidadãos com direito à participação como iguais políticos na criação de leis e regras sob as quais viverão juntos como cidadãos. Como afirmei anteriormente, disso se deduz que uma sociedade democrática seria capaz de, entre outras coisas, alocar seus recursos de modo a otimizar a igualdade política, e portanto a liberdade primária da autodeterminação coletiva, através do processo democrático e das liberdades necessárias a ele.

Na concepção econômica convencional, a liberdade conquistada pela ordem econômica é, acima de tudo, a liberdade primária de escolha no mercado: a liberdade dos consumidores de escolher entre bens e serviços, a liberdade dos empresários de competir com outros na oferta de produtos e serviços e na aquisição de recursos para produzi-los e a liberdade dos trabalhadores – o *alter ego* do consumidor racional – de ser contratados pelos empregadores para trabalhar em troca de salário e assim adquirir os recursos necessários para desempenhar sua função como consumidores. Se por um lado a teoria convencional é neutra no que tange à igualdade política, a qual ela nem endossa nem exclui, por outro lado ela pressupõe a existência de uma variedade importante da igualdade: todos os atores econômicos, sejam eles consumidores ou produtores, são igualmente racionais (isto é, perfeitamente racionais) e são todos igualmente livres para aceitar ou rejeitar as ofertas e contratos à sua disposição. Porém, o significado de "igualmente livres" não é, de modo algum, plenamente definido.

E assim as primeiras sementes minúsculas de discórdia entre a democracia e o capitalismo são espalhadas pelos ventos da doutrina. O que os consumidores têm a liberdade de consumir depende de sua renda, e é improvável que esta seja distribuída igualmente – é quase certo que não será. Mas se a renda, a riqueza e a posição econômica são também recursos políticos e se são distribuídos desigualmente, como podem os cidadãos ser politicamente iguais? E se os cidadãos não podem ser politicamente iguais, como pode a democracia existir? Inversamente, para que a democracia possa existir e os cidadãos possam ser politicamente iguais, acaso a democracia não exigiria algo além de uma economia privada e orientada para o mercado, ou pelo menos uma modificação drástica desta?

Os governos dos empreendimentos econômicos

Alguns entusiastas da democracia insistem, às vezes, que numa sociedade verdadeiramente democrática todas as associações seriam democráticas. Essa ideia me parece equivocada. A justificativa para o processo democrático apresentada neste livro (capítulo 9) de modo algum nos obriga a concluir que toda associação deve ser governada democraticamente. Saber se uma associação deve ser governada democraticamente é algo que depende da aplicabilidade de certas premissas (ver capítulo 8). Se essas premissas não se sustentam para uma associação, não seria sensato argumentar – pelo menos não com base *nessas* premissas – que a associação deve ser governada democraticamente. Inversamente, porém, se julgarmos que as premissas são aplicáveis, somos forçados a concluir que a associação deve ser governada pelo processo democrático. Na verdade, se as premissas se sustentam, os membros da associação têm o direito de reivindicar o processo democrático como uma questão de direito.

Por esse motivo, os cidadãos num país democrático avançado deveriam prestar muita atenção a esta questão: que associações além do Estado devem ser governadas pelo processo democrático e que associações não precisam ser governadas por ele ou talvez nem mesmo devam ser governadas por ele? Num país democrático avançado com uma sociedade MDP, as candidatas mais óbvias a ser consideradas seriam as empresas ou, num sentido mais amplo, os empreendimentos econômicos. Isso tendo em vista que, tipicamente, em todas as sociedades MDP, essas organizações não somente são imensamente importantes na vida cotidiana da maior parte dos cidadãos como também se destacam por não ter um governo democrático. Na verdade, seus governos internos são, na melhor das hipóteses, sistemas de guardiania e, na pior das hipóteses, sistemas despóticos. No entanto, nos países democráticos nos quais a guardiania (e mais ainda o despotismo) é ampla e apropriadamente injustificada no governo do Estado, a guardiania, que às vezes degenera até se tornar um despotismo, parece ser a forma preferida para o governo das empresas econômicas. Esse contraste deveria, no mínimo, suscitar uma consideração cuidadosa por parte do público. No geral, porém, a crença de que os sistemas não democráticos são melhores para reger as empresas persiste, sem questionamentos, nos países democráticos.

Por que os cidadãos num país democrático avançado devem se preocupar com o governo interno das empresas? Talvez fosse melhor perguntar: como eles poderiam deixar de se preocupar? O trabalho é central na vida da maior parte das pessoas. Para a maioria delas, o trabalho ocupa mais tempo que qualquer outra atividade. O trabalho afeta – com frequência de forma decisiva – a renda, o consumo, as economias, o *status*, as amizades, o lazer, a saúde, a segurança, a vida familiar, a velhice, a auto estima, o sentimento de realização e bem-estar, a liberdade pessoal, a autodeterminação, o desenvolvimento pessoal e inúmeros outros interesses e valores cruciais das pessoas. De todas as relações de autoridade, controle e poder nas quais as pessoas costumam se envolver, nenhuma é tão proeminente, persistente e importante na vida cotidiana da maioria das pessoas quanto às relações a que estão sujeitas no trabalho. Que governos têm consequências tão importantes na vida diária da maioria das pessoas quanto às do governo do local de trabalho? Onde o despotismo poderia exercer seus efeitos de modo mais insidioso?

Portanto, como devem as empresas e corporações ser governadas internamente? Digo *internamente* porque pretendo pressupor, sem discussão, que os empreendimentos econômicos estariam sujeitos a algum controle do governo – ou melhor, dos governos – do Estado. Mesmo numa economia na qual as empresas são predominantemente de propriedade privada e orientadas para o mercado, o governo do Estado regularia algumas das ações das empresas privadas, como faz em todos os países democráticos. Se um país democrático viesse a construir uma economia socialista, obviamente o controle das empresas por parte do governo ainda seria necessário. Para conquistar tanto os valores democráticos quanto uma eficiência tolerável, a maioria das empresas – qualquer que fosse a sua propriedade – precisariam possuir uma autonomia considerável e orientar suas atividades para o mercado. Em poucas palavras, a única forma geral de uma ordem econômica socialista compatível com a democracia e a eficiência seria um sistema relativamente descentralizado de socialismo de mercado (cf., entre outros, Nove 1983, Selucký 1979). Sob o socialismo de mercado, como sob o capitalismo, as empresas teriam de ser reguladas pelo governo do Estado. Sob qualquer um dos sistemas, o grau e os tipos de controle exigidos seriam assunto de controvérsias políticas e acadêmicas consideráveis e, suponho, mudariam muito ao longo do tempo em qualquer país e de um país democrático a outro. Por mais importantes que sejam essas questões, e embora tenham uma influência inequívoca sobre a teoria e a prática democráticas, não posso discuti-las aqui.

Será o processo democrático justificável nos empreendimentos econômicos?

Não duvido que algumas pessoas rejeitarão imediatamente, como algo tolo e pouco realista, a ideia de estender o processo democrático às empresas. Portanto, pode ser útil lembrar que, até bem pouco tempo, a ideia de aplicar o processo democrático ao governo do Estado nacional parecia, para a maioria das pessoas, algo que o bom senso só poderia classificar como tolo e pouco realista. Essa ideia tola e pouco realista foi rejeitada, de um lado, pelas elites antidemocráticas de todo o mundo, às quais parecia óbvio o fato de que a sabedoria e o realismo exigem alguma forma de guardiania; e de outro lado, por muitos defensores da democracia, na melhor das hipóteses uma reduzida minoria que argumentava que a democracia numa escala tão grande era simplesmente impossível, como já sabiam os bem pensantes há muitos milhares de anos.

Consideremos por um instante as principais objeções à democracia abordadas neste livro. Alguns críticos – os anarquistas – rejeitam a democracia no governo do Estado com base no fato de que, como o Estado não é necessário, tampouco é necessário um governo democrático do Estado. Historicamente, os críticos muito mais temíveis da democracia, os defensores da guardiania, reconhecem prontamente a necessidade do governo do Estado, mas negam que as pessoas comuns tenham o *direito* de governar o Estado. Segundo esses críticos, as pessoas comuns certamente não podem ter o direito de governar, pois não são *qualificadas* para tanto. Sob essa perspectiva, se fosse concedido a um determinado grupo o direito de governar, esse grupo teria de ser a minoria mais qualificada para governar o Estado, porque somente ela possui a sabedoria e a virtude necessárias. Como vimos, certos críticos importantes da democracia também argumentam que as pessoas comuns são simplesmente *incapazes* de governar, pois a seu ver, apesar das cartas constitucionais, da retórica política e da ideologia dominante, o governo do Estado ficará, inevitavelmente, nas mãos de uma minoria dominante, de uma oligarquia, de uma classe ou elite dirigente.

Como tentei demonstrar em capítulos anteriores, esses argumentos não são, de modo algum, inconsequentes. No entanto, pelos motivos que apresentei, creio que eles são equivocados. Ademais, como salientei, neste século a ideia de democracia como um elemento necessário do governo legítimo superou em muito esses e outros competidores. Mas o triunfo da ideia de democracia não propiciou o triunfo do processo democrático. Na qualidade de encarnação moderna dessa ideia, a poliarquia exige certas condições; e como sugeri no capítulo anterior, em muitos países – na verdade, na maioria deles – essas condições estão ausentes ou são frágeis demais para sustentar as instituições poliárquicas.

As objeções à ideia de estender a democracia aos governos dos empreendimentos econômicos são surpreendentemente (ou nem tanto?) paralelas às objeções à ideia de aplicar a democracia ao governo do Estado. Para começar, alguns críticos defendem a noção de que não existe a necessidade de um governo democrático numa empresa porque nesta não existe governo. Na interpretação econômica convencional, por exemplo, o governo interno das empresas é essencialmente um tópico irrelevante, uma vez que não se pode dizer que exista dentro delas um "governo", um grupo de funcionários dotados de poder e autoridade: o poder e a autoridade simplesmente se dissolvem em contratos e trocas das quais os empregadores e os empregados participam livre, voluntária e racionalmente. Mas se uma empresa é considerada, como creio que deva ser, como uma instituição que exige relações de poder e autoridade que constituem um governo das pessoas envolvidas nas atividades produtivas da empresa, temos o direito – com efeito, a obrigação – de perguntar como esse governo deve ser constituído.

Admitida a necessidade de um governo, alguns críticos insistem que ninguém tem o *direito* de governar uma empresa a não ser seus proprietários. Esses críticos argumentam que o único modo de aplicar adequadamente a ideia de democracia às empresas econômicas – se é que de fato isso pode ser feito – seria sob a forma de uma "democracia de acionistas". Esse argumento me parece falho em vários aspectos. Para começar, uma "democracia de acionistas" é um paradoxo, uma vez que a alocação de votos por ações violaria um critério fundamental do processo democrático: a igualdade de voto entre os cidadãos. A democracia exige que os votos de *cada cidadão* sejam contados igualmente, um requisito que não pode ser satisfeito quando se contam igualmente os votos de cada *ação*. Para que os acionistas governassem suas empresas por um processo digno de ser considerado democrático, seria necessário que cada acionista tivesse um voto igual. Poucos defensores da "democracia de acionistas" propõem seriamente essa solução.

Porém, ainda que eles o fizessem, a solução seria gravemente falha, porque as condições para o processo democrático quase nunca estão presentes entre os acionistas, em especial nas grandes empresas. O processo democrático numa grande empresa exigiria algo semelhante às instituições da poliarquia; numa pequena empresa, exigiria algo como as instituições da cidade-Estado democrática. Porém, essas instituições não existem, tampouco as condições que as sustentariam. Não há motivos para esperar que elas existam, uma vez que poucas pessoas compram ações a fim de participar do governo das empresas: elas compram ações para participar dos lucros das empresas.

Ainda que aceitássemos a premissa dúbia de que o direito de governar as empresas (internamente) deve permanecer exclusivamente nas mãos dos proprietários, não se pode concluir que a solução adequada é a "democracia de acionistas" no sentido comum do termo. Pois o processo democrático no governo das empresas econômicas poderia ser propiciado pela transferência de propriedade para os empregados de modo que cada pessoa – não mais um empregado, mas um trabalhador-proprietário – possuísse uma ação, o que garantiria ao trabalhador-proprietário um, e tão somente um, voto[1].

Para finalizar, a argumentação que parte de um direito geral à propriedade e chega à proposição segundo a qual as empresas econômicas modernas devem ser controladas por proprietários particulares é repleta de *non sequiturs*. Por exemplo, afirmar que as pessoas têm direito ao fruto de seu trabalho não é o mesmo que dizer que os investidores têm o direito de governar as empresas nas quais investem[2].

Todavia, outros críticos insistem no seguinte: ainda que os trabalhadores de uma determinada empresa pudessem reclamar, com razão, o direito à participação no governo da empresa, eles não seriam *qualificados* para isso. Tais críticos diriam, por exemplo, que talvez os trabalhadores possuíssem esse direito, mas seria tolice tentar exercê-lo. Melhor seria se abrissem mão desse direito e deixassem o controle da empresa aos mais qualificados. Nesses argumentos, ouvimos todas as defesas familiares da guardiania e devemos abordá-los com o mesmo ceticismo reservado àquela.

Assim como a questão da competência é central e talvez decisiva na avaliação da conveniência relativa da democracia e da guardiania no governo do Estado, penso que ela também é central quando se trata de decidir se é necessário democratizar as empresas econômicas. Pois a não ser que o Princípio Forte de Igualdade seja aplicável aos membros de uma empresa, não podemos concluir que eles tenham o direito de se governar pelo processo democrático. Ao longo deste livro, pudemos perceber que a opção pela democracia, contra uma opção pela guardiania, apoia-se firmemente sobre o Princípio Forte de Igualdade. Aceitá-lo equivale a dar um passo longo e essencial rumo ao processo democrático; rejeitá-lo é o mesmo que se voltar para a guardiania. Em razão do peso esmagador das instituições e ideologias existentes, é provável que a maioria das pessoas, inclusive muitas pessoas sensatas, ache difícil acreditar que os empregados sejam qualificados para governar as empresas nas quais trabalham. A aplicação do Princípio Forte de Igualdade ao local de trabalho parecerá dúbia. Já a defesa da guardiania parecerá muito mais forte, sem dúvida.

Como no caso do Estado, essa questão é complexa e não posso ter a esperança de resolvê-la de modo satisfatório aqui. Porém, gostaria de sugerir diversos motivos pelos quais a defesa da guardiania é bem mais fraca do que costuma parecer.

Para começar, precisamos nos lembrar que o Princípio Forte de Igualdade não exige que os cidadãos sejam competentes em todas as questões, pois eles podem delegar as decisões sobre determinados assuntos a outras pessoas. Exceto nas empresas muito pequenas, os empregados seriam sensatos em delegar algumas decisões. Nas empresas maiores, eles sem dúvida delegariam uma grande parte de sua autoridade a um conselho eleito, ao qual seria concedida, tipicamente, a autoridade para selecionar e dispensar executivos.

Também precisamos ter em mente o fato de que nas sociedades MDP a empresa não é a maximizadora de eficiência da teoria ideal. Ela é a corporação de propriedade privada, na qual a soberania nominal está nas mãos de acionistas que costumam enfrentar dificuldades quase insuperáveis ao contestar uma decisão administrativa, uma das quais é sua dependência total da administração para obter informações sobre as decisões tomadas. Uma das marcas da poliarquia – o direito efetivo à oposição – não existe nas empresas econômicas.

Se a questão fosse apenas saber se os empregados são, em geral, tão qualificados quanto os acionistas para controlar suas empresas, penso que a resposta seria sim – mais qualificados, na verdade. Porém, como sabemos, os acionistas não controlam as empresas que possuem. A "democracia de acionistas" não é apenas uma contradição em termos; o governo das empresas pelos acionistas é um mito. Embora os administradores possam controlar as empresas em prol dos acionistas (ao menos em parte e durante parte do tempo), geralmente o controle das decisões cruciais está nas mãos dos administradores e não dos acionistas.

Assim, o juízo em questão é quanto a se os funcionários das empresas teriam, na escolha dos administradores aos quais delegariam uma grande parte de sua autoridade (especialmente nas grandes empresas), a mesma competência que os acionistas ou, numa perspectiva mais realista, os próprios administradores, que selecionam seus pares e sucessores por cooptação. Embora um corpo cada vez maior de dados me pareça positivo, os cidadãos de um país democrático avançado podem decidir que o meio mais sensato de responder a essa e a outras questões seria prosseguir experimentalmente.

Não posso afirmar qual solução seria a melhor para todas as empresas econômicas ou para cada país democrático[3]. Mas parece-me inegável que num país democrático avançado, os cidadãos colocariam a questão do governo das empresas econômicas no topo de sua agenda de assuntos importantes. Para justificar a introdução do processo democrático no governo das empresas econômicas, eles não teriam de concluir que as empresas administradas de forma democrática funcionariam melhor, segundo os padrões econômicos, que as empresas administradas da maneira convencional. Se as empresas administradas democraticamente fossem tão boas quanto as outras segundo os padrões econômicos, de modo geral, poder-se-ia considerá-las superiores às empresas convencionais. Pois a balança penderia para o lado dos valores adicionais do processo democrático.

É possível reconhecer tudo isso e, ainda assim, negar que a democracia seja viável nas empresas econômicas. Assim como alguns críticos da ideia de democracia no governo do Estado insistem que o domínio da minoria é inevitável, sejam quais forem os modelos constitucionais, assim também alguns críticos argumentam que a ideia de democratizar as empresas econômicas é uma quimera, uma vez que as empresas são tão inerentemente incompatíveis com a democracia que o domínio da minoria se torna inevitável. Embora esse argumento não seja fácil de descartar, ele se torna menos convincente quando investigamos o que se oculta sob sua coerência aparente.

Tanto nas empresas como no Estado, a democratização requer condições favoráveis, condições estas que não surgem espontânea, inevitável ou "naturalmente". As condições favoráveis precisam ser criadas. Assim como a democracia no governo do Estado não conseguisse se desenvolver em muitos países ou se desenvolveu e desmoronou em seguida, assim também, num grau ainda maior, as economias das sociedades MDP são cemitérios de inúmeras tentativas de democratizar o local de trabalho. O que esses inúmeros fracassos demonstram é que, sem sistemas apropriados de apoio interno e externo, as tentativas de introduzir o processo democrático no governo das empresas estão fadadas ao fracasso. Como os países democráticos, as empresas democráticas exigiriam uma constituição democrática adequada, efetivamente sancionada, que garantisse certos direitos básicos, como a liberdade de expressão. Além disso, a democratização bem-sucedida das empresas exigiria outros sistemas de apoio. Estes incluiriam fontes adequadas de crédito, extensos programas de treinamento, particularmente para os administradores, e organizações que prestassem assistência ao desenvolvimento de novos produtos e à fundação de novas empresas. A ausência dessas formas de apoio contribuiu imensamente para o fracasso de muitas tentativas passadas de introdução da democracia no local de trabalho[4].

Finalmente, assim como no governo do Estado, a ideia de empresas democraticamente administradas estimula expectativas exageradas. Tanto os defensores quanto os oponentes da democratização, no Estado ou onde quer que seja, tendem a superestimar seus efeitos prováveis. Não obstante, a frustração decorrente de esperanças exageradas para o governo democrático dos Estados não justifica a conclusão de que as consequências não foram importantes. Assim também seria um equívoco subestimar a importância das instituições autoritárias na vida cotidiana das pessoas que trabalham e as consequências da introdução de um sistema mais democrático no governo das empresas econômicas. É certo que no governo das empresas, como no governo dos Estados, a tendência universal à dominação da minoria nas organizações humanas surtiria seus efeitos. Entretanto, é sensato esperar que as estruturas democráticas no governo do local de trabalho satisfaçam os critérios do processo democrático quase tão bem quanto as estruturas democráticas no governo do Estado. Da mesma forma que apoiamos o processo democrático no governo do Estado, apesar das imperfeições substanciais que ele apresenta, assim também os cidadãos de uma sociedade democrática avançada apoiariam o processo democrático no governo das empresas econômicas, apesar das imperfeições que certamente existiriam na prática.

A democracia, o domínio da minoria e os guardiães modernos

Os cidadãos de um país democrático avançado poderiam, portanto, propiciar uma alternativa mais democrática aos governos não democráticos de suas empresas econômicas. Mas eles enfrentariam um problema muito mais assustador no governo do Estado.

A desigualdade entre os cidadãos é um problema grave e persistente em todos os países democráticos. As desigualdades em seus recursos políticos, em suas posições estratégicas, em seu poder de barganha explícito e implícito são grandes o bastante, até mesmo nas ordens democráticas, para conferir uma credibilidade considerável às teorias do domínio da minoria. Entretanto, pelas razões discutidas no capítulo 19, essas teorias são insatisfatórias, quer como descrições empíricas quer como programas de ação. Não obstante, em razão da persistência e da seriedade da desigualdade política, a visão antiga de uma ordem política na qual os cidadãos participam da vida política em termos essencialmente iguais ainda continua longe de ser realizar.

Um relato adequado das desigualdades entre os cidadãos em suas oportunidades e em sua capacidade de influenciar o governo do Estado está muito além do que este livro se propõe. Porém, da Antiguidade até hoje, praticamente todos os defensores sensatos do governo democrático e republicano deram ênfase especial ao fato de que a democracia é ameaçada pelas desigualdades nos recursos econômicos. Um dos axiomas da teoria republicana clássica, por exemplo, afirmava que o poder e a propriedade tendem a coincidir; e, portanto, para garantir a ampla distribuição do poder necessário para uma república, a propriedade deve necessariamente ser amplamente distribuída.

As consequências da ordem econômica para a distribuição de recursos, posições estratégicas e poder de barganha, e portanto para a igualdade política, fornecem um motivo adicional de preocupação quanto à propriedade e ao governo das empresas econômicas. Pois os sistemas dominantes de propriedade e controle resultam em desigualdades substanciais não apenas na riqueza e na renda, mas também numa série de outros valores ligados ao trabalho, ao emprego, à propriedade, à riqueza e à renda. Mas como poucos problemas receberam tanta atenção dos defensores da democracia, e por causa do impacto óbvio dos arranjos econômicos na vida política, vou simplesmente pressupor que um país democrático avançado colocaria no topo de sua agenda o problema de como alcançar uma ordem econômica que fortalecesse o processo democrático.

Por mais difícil que seja esse problema, quero dedicar minha atenção a uma questão que me parece ainda mais ameaçadora. Sinto-me disposto a crer que as perspectivas da democracia a longo prazo são ameaçadas mais seriamente pelas desigualdades nos recursos, posições estratégicas e poder de barganha advindos não da riqueza ou da posição econômica, e sim do conhecimento especializado. Talvez não surpreenda o fato de que o perigo que vejo tenha sua origem naqueles que deram a Platão suas esperanças para a guardiania: os intelectuais.

Utilizo o termo "intelectuais", "o estrato ou classe intelectual" e assim por diante – termos modernos desconhecidos de Platão[5] – no sentido que lhe atribuiu Edward Shils: "Os intelectuais são o grupo de pessoas em qualquer sociedade que empregam em sua comunicação e expressão, com uma frequência relativamente maior que a de outros membros de sua sociedade, símbolos de escopo geral e referência abstrata que tratam do homem, da sociedade, da natureza e do cosmos" (1968, 399).

No capítulo 18, observamos como as teorias do domínio da minoria que atribuem um peso maior à persuasão que à coerção direta também atribuem uma importância decisiva aos intelectuais. Nessas teorias, os intelectuais fornecem as ideias sistemáticas que racionalizam a legitimidade da classe dominante (e as contra-afirmações de seus oponentes), criam e difundem as ideologias, desenvolvem a "fórmula política" dominante numa sociedade (Mosca) e dão forma e conteúdo à "hegemonia cultural" da classe dominante (Gramsci). Embora as teorias do domínio da minoria me pareçam insatisfatórias, não creio que elas estejam erradas em atribuir aos intelectuais uma influência considerável na vida política. E por motivos que explicarei num instante, a influência dos intelectuais – ou melhor, de um subconjunto do estrato intelectual – cresceu muito na segunda metade deste século e provavelmente crescerá ainda mais.

Como os intelectuais recorrem à persuasão, mais que ao comando ou à coerção, e como os efeitos de sua persuasão costumam ser indiretos, tardios e difíceis de observar, sua influência na vida pública, embora fácil de detectar de forma geral, não é fácil de verificar de forma sistemática. Além disso, os intelectuais parecem detestar submeter sua própria influência ao mesmo escrutínio com que analisam a influência de outrem. Creio, não obstante, que um observador contemporâneo encontraria fortes sinais da importância dos intelectuais na formação de atitudes, crenças e valores. Graças à sua influência sobre as instituições educacionais e a mídia, ao conteúdo da agenda pública e seu senso de prioridades, às políticas e programas fornecidos aos governos e oposições, às ideias consideradas intelectualmente respeitáveis e que precisam ser levadas a sério, seja em apoio sejam em oposição ao *status quo*, e de muitas outras formas, os intelectuais representam um papel proeminente nos países democráticos modernos. Tomemos um exemplo: nos Estados Unidos, a importância relativa que os espectadores de noticiário na televisão atribuem a um assunto público é fortemente influenciada pelo grau de atenção que os comentaristas das notícias dão àquela questão em particular (Iyengar e Kinder 1987).

Ao avaliar a influência dos intelectuais, é importante não se deixar levar por noções de uma "classe" homogênea com "interesses" comuns. Embora o estrato intelectual tenha, ao longo da história e em praticamente todas as sociedades, trabalhado principalmente a serviço das autoridades civis e eclesiásticas, nos séculos mais recentes, uma parte significativa desse estrato passou a consistir em intelectuais distantes ou alienados dessas autoridades e que representam o papel de críticos e opositores[6], e não de seguidores. Assim, os intelectuais no mundo moderno tendem a esposar percepções variadas e muitas vezes conflitantes em relação a quase todos os assuntos, inclusive os cursos de ação política. Nesse sentido, eles estão realmente muito longe de formar uma "classe" dedicada à promoção de seus próprios "interesses de classe".

Sem dúvida, assim como os empresários, os intelectuais tendem a compartilhar, ainda que sem muita força, certas vantagens que eles tentam proteger e promover; nesse sentido, eles têm alguns interesses em comum. Nos países democráticos modernos, os intelectuais, particularmente aqueles na parte superior do estrato, estão – como os empresários – entre os membros mais privilegiados da sociedade. Em geral, não só eles desfrutam de uma relativa segurança econômica como também possuem um grau de independência e autonomia profissionais muito superior ao das pessoas em outros papéis sociais. Naturalmente, quando seus privilégios se encontram ameaçados, os intelectuais lutam vigorosamente para protegê-los. No entanto, esses interesses grupais comuns não representam uma influência muito direta sobre as políticas públicas.

Consequentemente, não é a influência do estrato intelectual em geral que me preocupa aqui. É a influência de um subgrupo particular de intelectuais que são essenciais para o funcionamento inteligente dos sistemas políticos modernos (democráticos ou não) – aqueles que se ocupam especialmente das políticas públicas e que influenciam ativamente as decisões governamentais, não apenas de forma direta, mas também indiretamente, pela sua influência sobre a opinião pública e a elite. Nos países democráticos, esses intelectuais das políticas públicas encontram-se nas burocracias públicas, nos cargos executivos, nas assembleias legislativas, nos partidos políticos, nas universidades, nas instituições de pesquisa, nos meios de comunicação, nas organizações de *lobbies*, nos grupos de consultoria, nas empresas, nos sindicatos, nos escritórios de advocacia e em muitos outros lugares. Geralmente, os especialistas mais importantes de uma determinada área – o controle de armamentos, por exemplo, os serviços de saúde ou a regulamentação ambiental – se conhecem, ou são conhecidos por seus pares, mesmo num país enorme como os Estados Unidos, quanto mais em países menores. Mas as fronteiras que delimitam um grupo de especialistas numa determinada área das políticas públicas tendem a ser incertas. Hoje, os grupos muitas vezes transcendem as fronteiras nacionais.

Na falta de termos convencionais, chamarei a esses intelectuais "especialistas em políticas públicas" (ou "especialistas em políticas", para abreviar); o grupo de especialistas numa área em particular das políticas públicas constitui uma "elite política" (uma elite da política externa, por exemplo); o conjunto de diferentes elites das políticas públicas poderia ser denominado "elites políticas"[7].

Embora esses termos sejam convenientes e apropriados, seria um equívoco esperar muito deles. Assim como no caso dos intelectuais, não pretendo sugerir que as elites políticas sejam uma "classe dominante" com "interesses de classe" comuns, que impõe à maioria de seus conterrâneos, mediante a persuasão ou a coerção, políticas favoráveis a seus "interesses de classe". Como os intelectuais de modo geral, as elites políticas são um grupo heterogêneo[8]. Os interesses comuns dos membros de uma elite política, e ainda mais das elites políticas como grupo, são quase sempre fracos demais para ser incluídos, de algum modo significativo, em suas avaliações das políticas alternativas. É de grande importância para as perspectivas democráticas o fato de que os membros de uma elite política tendem a defender políticas diferentes e muitas vezes conflitantes.

Seu papel nas decisões das políticas públicas seria um assunto de pouca importância para os cidadãos num país democrático avançado, não fora a complexidade crescente das políticas públicas. Essa complexidade ameaça deixar as elites políticas imunes ao controle efetivo pelo *demos*. O resultado poderia ser – e numa certa medida, já é – um tipo de quase guardiania das elites políticas. Como os filósofos de Platão, esse não é um papel que os membros das elites das políticas necessariamente busquem. Entretanto, ainda que possam ser guardiões involuntários e inconscientes, a complexidade das políticas e da criação dos cursos de ação política muitas vezes os obrigam a desempenhar esse papel.

A complexidade e o processo democrático

Para descrever as consequências da complexidade para o processo democrático, vou adotar a dicotomia excessivamente simples e, no entanto, útil, dos fins e dos meios. Por conveniência, pode-se pensar nas decisões quanto às políticas públicas como compostas de decisões (implícitas ou explícitas) sobre os fins que essa política pretende servir e os meios escolhidos para atingir esses fins. Na versão mais simples de um sistema democrático, no qual o *demos* soberano toma diretamente todas as decisões importantes quanto aos cursos de ação política, o *demos* decide simultaneamente os fins e os meios. O que mais se aproximou de uma democracia simples como essa foram, sem dúvida, os sistemas de democracia de assembleia. Embora não devamos subestimar a dificuldade que os cidadãos às vezes encontraram ao tomar essas decisões, também precisamos ter em mente o fato de que a tomada de decisões nas assembleias de cidadãos era uma atividade em tempo parcial, que tratava de uma agenda muito limitada. Naturalmente, as assembleias delegavam algumas tarefas administrativas, geralmente a cidadãos comuns que serviam como funcionários em meio período ou ocupavam cargos por pouco tempo. Assim, ao passo que o *demos* decidia – implícita ou explicitamente – tanto os fins quanto os meios críticos em suas escolhas de leis e políticas, ele delegava aos funcionários alguma autoridade para implementar as políticas, mas mantinha a autoridade delegada dentro de limites muito restritos. Seria razoável caracterizar esses sistemas de criação de cursos de ação política como simples e diretos.

Com a aplicação da ideia democrática ao governo dos Estados nacionais, os sistemas simples e diretos de criação de cursos de ação política das democracias de assembleia foram substituídos pelas instituições mais diferenciadas da poliarquia. Porém, ainda era possível interpretar a poliarquia como um sistema no qual as decisões quanto às políticas eram tomadas pelo *demos* e por seus representantes eleitos e no qual, como antes, certas tarefas administrativas limitadas eram delegadas aos funcionários. A criação de cursos de ação política da poliarquia nascente – vou chamá-la de Poliarquia I – pode, portanto, ser descrita como simples, mas indireta.

Todavia, o desenvolvimento das sociedades MDP e a internacionalização crescente da sociedade ocasionaram a adoção de políticas cada vez mais complexas. Não somente as políticas numa área-tema em particular ficaram mais complexas, mas o aumento no número de políticas, à medida que os governos ampliavam o escopo de suas atribuições, tornou-se, ele próprio, uma fonte de complexidade. Por sua vez, a administração dessa complexidade crescente nas políticas levou a uma complexidade maior no processo de criação de cursos de ação política. Assim como a extensão da ideia democrática à escala do Estado nacional exigiu uma adaptação e uma inovação radicais nas instituições políticas – a criação da poliarquia – assim também novas instituições faziam-se agora necessárias nas poliarquias para atender às exigências da complexidade nas políticas e na criação de cursos de ação política. Dessa forma, a democracia moderna criou, em ainda um outro aspecto, instituições e práticas tão profundamente diferentes da democracia de assembleia que podemos nos perguntar se o mesmo termo – "democracia" – poderia ser adequadamente aplicado a ambas. Nos Estados Unidos, por exemplo, o Congresso desenvolveu, logo de início, comitês poderosos cujos membros não somente faziam projetos de leis como também se tornavam especialistas em suas respectivas áreas de políticas. Da Segunda Guerra Mundial em diante, as equipes desses comitês e as equipes dos gabinetes dos senadores e representantes formaram mais uma camada de especialistas em políticas. Enquanto isso, em todos os países democráticos, proliferavam os especialistas nos ministérios, nos departamentos e em outras organizações executivas e administrativas. A mobilização da inteligência especializada a serviço do governo democrático moderno – vou chamá-la de Poliarquia II – foi uma tentativa heroica e, de uma forma geral, bem-sucedida no sentido de adaptar a democracia à complexidade esmagadora das políticas públicas.

Entretanto, ainda era possível interpretar a Poliarquia II como algo que ia ao encontro do objetivo antigo de governo do povo. Embora o processo democrático não pudesse mais ser conduzido à maneira simples e direta da democracia de assembleia, seus requisitos podiam ser satisfeitos por *um processo de aproximações sucessivas*. Através das decisões eleitorais, o *demos* determinava simultaneamente os fins gerais de uma certa política e estabelecia alguns limites amplos para os meios aceitáveis. Além disso, geralmente os cidadãos estreitavam ainda mais esses limites através de suas atividades entre eleições – fazendo *lobby*, por exemplo.

Dentro desses limites estabelecidos pelo *demos* sobre os fins e os meios, limites que às vezes eram amplos e às vezes estritos, os representantes eleitos adotavam certas leis e políticas. Dentro dos limites dessas leis e políticas, o executivo e as agências administrativas definiam os meios, dentro de limites ainda mais estreitos. E assim, o processo de aproximações sucessivas continuava até o funcionário que finalmente desempenhava a atividade.

Numa mistura das antigas categorias, a Poliarquia II poderia ser interpretada como o enxerto da especialização dos guardiões na soberania popular do *demos*.

Democracia ou guardiania?

Mas e se agora as políticas importantes se tornavam tão complexas que os cidadãos comuns não conseguem mais compreender o que serve melhor aos seus interesses? Terá a ideia democrática se tornado uma visão de uma ordem política impossível no universo complexo no qual parecemos estar destinados a viver?

Se for assim, a guardiania poderia substituir a democracia, não em símbolos ou mesmo em crenças, talvez, mas na prática. Não poderíamos mais interpretar adequadamente a Poliarquia II como um enxerto da especialização dos guardiães na soberania popular do *demos*. Em vez disso, talvez tivéssemos de interpretá-la como o enxerto dos símbolos da democracia na guardiania de fato das elites políticas. Mesmo assim, estaríamos errados se descrevêssemos a Poliarquia II como um sistema de domínio da minoria do tipo imaginado pelos teóricos e descrito no capítulo 18. Pois os "governantes" seriam um grupo muito heterogêneo de grupos relativamente autônomos, cuja fonte primária de influência seria o seu conhecimento especializado. Poderíamos chamá-los de quase guardiães – quase, em vez de verdadeiros guardiães, porque eles não possuiriam a justificativa moral e epistemológica que Platão e outros reivindicaram para a verdadeira guardiania. No capítulo 5, defendi a ideia de que essa justificativa é profundamente defeituosa. Entretanto, todos os defeitos na ideia da guardiania descritos no capítulo 5 aplicar-se-iam com mais força ainda a nossos quase guardiães.

Vamos recapitular essa crítica no que tange a nossos quase guardiães em potencial. As decisões sobre as questões públicas – sejam elas as armas nucleares, a pobreza, o seguro social, a saúde ou outras questões como as que mencionei anteriormente – exigem (implícita ou explicitamente) juízos morais e instrumentais. Essas decisões não são, nem podem ser, decisões estritamente sobre os fins, tampouco são ou podem ser decisões estritamente sobre os meios. Não é possível defender a tese de que as elites políticas (reais ou supostas) possuem um conhecimento moral superior, tampouco, mais especificamente, um conhecimento superior do que constitui o bem comum. Com efeito, temos motivos para crer que a especialização, que é a própria base para a influência das elites das políticas, pode ser exatamente o que prejudica a sua capacidade de fazer juízos morais. Da mesma forma, precisamente porque o conhecimento das elites políticas é especializado, ele tende a oferecer uma base restrita demais para os juízos instrumentais necessários para um curso de ação política inteligente.

Além disso, as decisões quanto às políticas públicas, principalmente nos assuntos complexos, são quase sempre tomadas por trás de um espesso véu de incerteza. Elas invariavelmente exigem certos juízos quanto a alternativas cujos resultados são muito incertos. As probabilidades dos vários resultados, num sentido estrito, são quase sempre desconhecidas. Na melhor das hipóteses, palpites informados substituem as probabilidades estatísticas. Mesmo quando as probabilidades podem ser mais ou menos estimadas, é necessário que se façam juízos sobre a aceitabilidade dos riscos. Os juízos políticos também exigem, invariavelmente, juízos sobre ponderações de valores ou sobre os objetivos das políticas. No que tange a todas essas questões, temos poucos motivos para depositar nossa confiança nas elites políticas.

Finalmente, não devemos superestimar a virtude das elites políticas. As elites políticas em todo o mundo são famosas pela facilidade com que promovem seus próprios interesses estreitos – sejam eles burocráticos, institucionais, organizacionais ou de grupo – em nome do bem comum. Quanto mais livres elas são do escrutínio e do juízo públicos, mais elas parecem ser corrompidas (não necessariamente em nível pecuniário) pelas tentações familiares do poder.

Embora a adoção da quase guardiania como solução possa cerrar a cortina final sobre a visão democrática, ela não inauguraria o domínio dos verdadeiros guardiães que possuem a sabedoria e a virtude necessárias ao conhecimento político.

A cidadania na Poliarquia III

Um país democrático poderia impedir o movimento em direção ao governo dos quase guardiães de fato? Para fazer isso, ele teria de concentrar sua atenção no elo mais fraco da corrente de aproximações sucessivas. Esse elo é o próprio *demos*. Se o processo democrático não estiver firmemente ancorado nos juízos do *demos*, o sistema continuará a caminhar em direção à quase guardiania. Se a âncora for firme, esse movimento cessará.

O problema surge em razão do abismo entre o conhecimento das elites políticas e o conhecimento dos cidadãos comuns. Propor que esse abismo seja suficientemente reduzido para permitir que o processo de aproximações sucessivas prossiga e frutifique sem dúvida irá soar como uma utopia a muitas pessoas. Mas penso que certas possibilidades importantes ainda estão por ser exploradas. Assim como a Poliarquia I resultou da criação de novas instituições necessárias à adaptação da democracia ao Estado nacional e a Poliarquia II resultou da adição de novas instituições a fim de adaptar a democracia à necessidade crescente de uma mobilização do conhecimento especializado para a solução dos problemas públicos, assim também a Poliarquia III resultaria da necessidade de estreitar o abismo crescente que separa as elites políticas do *demos*.

Eu gostaria de propor vários elementos de uma possível solução.

Agora é tecnicamente possível:

- garantir que a informação sobre a agenda política, apropriada no nível e na forma e apresentada como um reflexo preciso do melhor conhecimento disponível seja fácil e universalmente acessível a todos os cidadãos;
- criar oportunidades facilmente disponíveis e universalmente acessíveis para todos os cidadãos;
- influenciar os temas sobre os quais a informação acima está disponível; e
- participar de um modo pertinente das discussões políticas.

O que torna isso tecnicamente possível são as telecomunicações. Por meio das telecomunicações, praticamente todos os cidadãos podem ter acesso a informações sobre assuntos públicos quase imediatamente numa forma (impressos, debates, dramatizações, desenhos animados, por exemplo) e num nível (de especialista a leigo, por exemplo) apropriados para cada cidadão em particular. As telecomunicações também podem oferecer a cada cidadão as oportunidades de colocar questões nessa agenda de informações veiculadas ao público. Os sistemas interativos de telecomunicações permitem que os cidadãos participem de discussões com especialistas, criadores de cursos de ação política e concidadãos[9].

É importante ter em mente, porém, que a função dessas inovações técnicas não é simplesmente facilitar a participação, como propõem alguns defensores da democracia participativa. Os cidadãos não podem superar os limites de sua compreensão política simplesmente através da participação em debates uns com os outros; e embora a tecnologia os capacite a acompanhar uma discussão através da votação direta nas questões, o voto sem a compreensão adequada não garantiria que as políticas adotadas protegeriam ou promoveriam seus interesses.

Os problemas técnicos podem ser resolvidos facilmente. A tecnologia em transformação necessariamente será utilizada de algum modo, para o bem ou para o mal. Ela pode ser utilizada para prejudicar os valores e o processo democráticos ou para promovê-los. Sem um esforço consciente e deliberado para utilizar a nova tecnologia das comunicações em prol da democracia, ela pode ser utilizada para fins danosos à democracia.

Resolver os problemas técnicos é somente uma parte da solução – na verdade, a parte mais fácil. Como poderia uma sociedade democrática avançada garantir que a informação tão prontamente acessível aos cidadãos seria a melhor informação disponível? Afirmei que a nova tecnologia poderia ser utilizada para prejudicar o processo democrático. As elites políticas não poderiam explorar a tecnologia das comunicações interativas a fim de manipular o público para servir os objetivos dessas elites? Será a nova tecnologia um convite aberto às elites das políticas para que consolidem sua posição na quase guardiania que essa tecnologia oferece a esperança de impedir?

As perspectivas para a democracia dependem da diversidade de posturas entre os especialistas em políticas e a debilidade relativa de seus interesses comuns como uma "classe". Embora o projeto mais apropriado das instituições para tornar acessível aos cidadãos o seu conhecimento provavelmente vá diferir de um país democrático avançado a outro, uma solução para os Estados Unidos poderia ser construída com base no pluralismo e na autonomia das numerosas associações profissionais, científicas e acadêmicas[10].

A eficácia do processo de aproximações sucessivas não exige que cada cidadão seja informado e ativo em todas as questões importantes. Tal exigência seria tão impossível de satisfazer na Poliarquia III quantos na Poliarquia II. O que se exige nesse caso é uma massa crítica de cidadãos bem informados, numerosos e ativos o suficiente para ancorar o processo, um "público atento", como disse Gabriel Almond há muitos anos (1950, 139, 228, 233). Sem dúvida, os defensores da democracia participativa dirão que minha solução é insuficiente. Embora eu creia que um *demos* informado e amplamente participativo seria desejável, penso que sob as condições de extrema complexidade política que a Poliarquia II enfrenta e a Poliarquia III terá de enfrentar, um objetivo dessa estatura excede as possibilidades humanas. Felizmente, porém, se eu estiver errado, o público atento se expandiria a ponto de incluir todo o *demos*.

Mas o que garante que um público atento é também representativo do público maior, o *demos*? Um público atento menor que o *demos* – e geralmente ele seria muito menor – não necessariamente seria representativo. Todavia, se um dos públicos atentos fosse claramente representativo, além de muito bem informado, sua existência e seus pontos de vista demonstrariam a todos as divergências, se as houvesse, entre seu juízo – o juízo informado do próprio *demos* – e os juízos predominantes, não somente das elites políticas como também dos outros públicos atentos.

Um público atento que representa o juízo informado do próprio *demos*? A ideia parece autocontraditória. Entretanto, não precisa ser. Suponhamos que um país democrático avançado criasse um *minipopulus* composto de mil cidadãos, talvez, selecionados ao acaso no *demos* inteiro. Sua tarefa seria deliberar, talvez durante um ano, a respeito de um tema e então anunciar suas escolhas. Os membros de um *minipopulus* poderiam "se reunir" por meio das telecomunicações. Um *minipopulus* poderia decidir a agenda das questões, enquanto um outro poderia ocupar-se de uma questão de máxima importância. Dessa forma, poderia existir um *minipopulus* para cada questão de importância vital na agenda. Um *minipopulus* poderia existir em qualquer nível de governo – nacional, estadual ou local. A ele poderiam comparecer – novamente por meio das telecomunicações – um comitê consultivo de acadêmicos e especialistas e uma equipe administrativa. O *minipopulus* poderia fazer reuniões, encomendar pesquisas e participar de debates e discussões.

Vejo a instituição do *minipopulus* na Poliarquia III não como um substituto dos órgãos legislativos, mas como um complemento. Ele viria a suplementar, e não substituir, as instituições da Poliarquia I e da Poliarquia II. Pode-se perguntar: que peso teriam os juízos de um *minipopulus*?

O juízo de um *minipopulus* "representaria" o juízo do *demos*. Seu veredito seria o veredito do próprio *demos*, se o *demos* conseguisse tirar vantagem do melhor conhecimento disponível para decidir que políticas teriam a maior chance de obter os fins em vista. Assim, os juízos do *minipopulus* derivariam sua autoridade da legitimidade da democracia.

Por esses meios – e os cidadãos de um país democrático avançado descobririam outros –, mais uma vez, o processo democrático poderia se adaptar a um mundo que pouco tem em comum com o mundo no qual nasceram as ideias e as práticas democráticas.

Qualquer que seja a forma que venha a tomar, a democracia de nossos sucessores não será e não poderá ser a democracia de nossos antecessores. E nem deveria ser, visto que os limites e possibilidades da democracia no mundo que já podemos entrever certamente serão radicalmente diferentes dos limites e possibilidades anteriores da democracia em qualquer tempo ou lugar. Podemos também afirmar com certeza que no futuro, como no passado, as exigências rigorosas do processo democrático não serão completamente satisfeitas e muitos dos problemas teóricos e práticos do processo democrático explorados aqui não estarão completamente resolvidos.

Entretanto, creio que a visão das pessoas governando a si mesmas como iguais políticos e de posse de todos os recursos e instituições necessários para fazê-lo continuará a ser um programa irresistível, ainda que exigente, na busca por uma sociedade na qual as pessoas possam viver juntas em paz, respeitar mutuamente sua igualdade intrínseca e buscar em conjunto a melhor vida possível.

NOTAS

Introdução

1. Antes disso, nos séculos VII e VI, o *demos* parece ter tido um significado ainda mais restrito (Fine 1983, 108; Sealey 1976, 91-2).

Capítulo 1

1. "É curioso como não sobrevive, na abundante literatura produzida na maior democracia da Grécia, nem sequer uma exposição da teoria política democrática. Todos os filósofos políticos e publicistas atenienses cujos trabalhos possuímos nutriam, em algum grau, uma simpatia pela oligarquia" (Jones 1969, 41).

2. Os pressupostos e problemas dessa alternativa que, à maneira de Platão, chamo de guardiania, são avaliados no capítulo 2.

3. Para este segmento e o seguinte, baseei-me em Agard 1965, Alford 1985, American School of Classical Studies 1960, Aristóteles 1952, Connor 1971, Fine 1983, Finley 1973a, Finley 1973b, Finley 1980, Finley 1983, Larsen 1966, Montgomery 1983, Sealey 1976, St. Croix 1981 e Tucídides 1951.

4. Embora não se saiba o número com exatidão, a maioria dos historiadores concorda com Fine quanto ao fato de que "Atenas em seu auge, antes da eclosão da Guerra do Peloponeso em 431 a.C., tinha entre 40.000 e 50.000 cidadãos masculinos adultos [...] A maioria dos Estados gregos, porém, continha entre 2.000 e 10.000 cidadãos masculinos adultos. Os teóricos políticos gregos consideravam o número ideal algo entre 5.000 e 10.000. Idealmente, em tal Estado, todo cidadão conseguia ao menos reconhecer, de vista, cada outro cidadão" (1983, 51).

5. Como em muitas outras questões, parece não haver indícios concretos sobre a natureza exata dos governos das ligas ou confederações. Uma interpretação favorável à hipótese de que formas incipientes de federalismo de fato existiram na Grécia clássica é a de Larsen (1966). Todavia, os sistemas anteriores (a Liga do Peloponeso, c. 510-365 a.C., a Confederação Beócia, 447-386 a.C., e a Confederação Calcídica, 432-? a.C.) eram compostos de oligarquias. Além do mais, como observa Larsen,

> O governo representativo, após seu começo promissor nos primórdios da Grécia, sofreu um revés nos séculos IV e III a.C. Em seu lugar, foi adotado o governo direto com assembleias primárias, também nos Estados federais. (66)

> Aconteceu algo [...] que deteve o desenvolvimento natural rumo ao governo representativo. Em parte, pode ter sido a ampla adoção da teoria do governo democrático, com sua exaltação das assembleias primárias e do juízo coletivo das massas. Em segundo lugar, parece que os estadistas que desejavam, virtualmente, submeter o resto da confederação à capital [da confederação] descobriram que uma assembleia primária reunida na capital era um excelente instrumento para esse fim. Esse desenvolvimento pode também ter sido influenciado pelo fato de que algumas das novas organizações foram criadas em oposição a Esparta, a campeã tradicional da oligarquia, que, naturalmente, adotaram uma organização democrática. A essa altura, uma organização democrática significava uma assembleia primária (46).

6. "Praticamente todos os cidadãos serviam como magistrados, mais ou menos metade participavam do conselho, e, destes, mais de 70% (cerca de 365 dos 500) serviam como presidente de Atenas por um dia (a presidência – antes de 380 a.C. uma posição de alguma importância e, dali em diante, algo primariamente cerimonial – tinha um rodízio diário entre os membros do conselho)" (Alford 1985, 9).

7. "Os gregos e os romanos inventaram a política e, como todos sabem, também inventaram a história política, ou melhor, a história como a história da guerra e da política. Mas o que todos sabem é impreciso: os historiadores da Antiguidade escreviam a história da república, o que não é a mesma coisa que escrever sobre política. Eles escreviam primariamente sobre a política externa, ocupando-se da *mecânica* da criação de políticas (além dos discursos no Senado ou na Assembleia) somente em momentos de graves conflitos prestes a se converterem em guerra civil" (Finley 1983, 54). Ver também os comentários de Finley sobre a falta de dados históricos sobre a política e a mudança cons-

titucional em cidades que não Atenas (1983, 103). Até mesmo uma questão crucial como a população de Atenas é, há muito, um tema de debate com estimativas altamente variáveis. A gama de estimativas para a população escrava é assombrosa (ver particularmente Gomme 1933).

8. Um exemplo digno de nota é a influência da *História da Grécia*, obra de George Grote em doze volumes, sobre o pensamento liberal do século XIX na Grã-Bretanha e em outros países (Turner 1981, 213-34).

9. Numa interpretação: "A lealdade à cidade era, sem dúvida, algo que se esperava. Mas a literatura da época silencia surpreendentemente a respeito do que chamaríamos de obrigação patriótica e é surpreendentemente pouco explícita no que se refere à prioridade das exigências da cidade sobre as dos amigos e parentes. O contraste entre a política de Atenas e a política moderna é agudo, tanto que um estudo recente da ética grega pôde descrever a atitude mais comum dos gregos quanto a essas questões nos seguintes termos: 'As exigências da cidade *podem* se sobrepor às outras em tempos difíceis; mas quando os interesses da cidade não se encontram ameaçados, ou parecem irrelevantes para o caso em questão, não há nada nessas convenções que impeça o *agathos polites* (bom cidadão) de tentar contrariar as leis da cidade em prol de sua família ou amigos, com os quais ele tem laços mais fortes'" (Connor 1971, 48).

10. "Por volta de 415 a.C., a rivalidade entre Nícias e Alcebíades era o assunto pessoal mais importante em Atenas, e, no começo do ano, um ostracismo foi votado entre os dois homens. Mas alguns dias antes da votação, Alcebíades propôs a Nícias que ambos combinassem seus esforços contra um terceiro homem, Hipérbolo. Isso foi feito, e Hipérbolo foi punido com o ostracismo. Esse incidente revela muito sobre as lutas políticas de Atenas. Nícias e Alcebíades comandavam, cada um, seus seguidores, cujos votos não eram determinados nem pelas questões, nem pelos princípios políticos, e sim pelos desejos de seus líderes. Esses seguidores podem não ter sido muito numerosos, mas eram coesos e impressionantes o suficiente para influenciar significativamente o resultado na assembleia, embora o procedimento para o ostracismo fosse o voto secreto" (Sealey 1976, 353). O ostracismo foi abandonado depois disso (Fine 1983, 490).

11. Isso é, em parte, uma inferência, de forma alguma conclusiva, do fato de que o quórum para votar o ostracismo e para alguns outros assuntos era de 6.000, durante um período no qual o número de cidadãos gregos era provavelmente algo entre 35.000 e 50.000. Uma fonte

altamente preconceituosa, os oligarcas de 411 a.C., também "declarou aos democratas de Samos que 'devido ao serviço militar e aos negócios exteriores, nunca ocorrera de mais de 5.000 atenienses se reunirem para debater qualquer questão, por mais importante que fosse'" (Jones, 1969, 109). Fine conclui que "a melhor análise dos dados, alguns dos quais arqueológicos, sugere que o comparecimento beirava os 6.000 no século V a.C. e substancialmente mais no século IV" (1983, 73). Fine presume que "possivelmente, os atenienses muitas vezes propuseram ostracismos que nunca foram mencionados nas fontes, porque, caso o quórum de 6.000 não fosse alcançado, os ostracismos eram abortados". Ele conclui que, "pelo menos na segunda metade do século V a.C., é provável que vários milhares comparecessem à maioria das reuniões" (1983, 240, 408). Como ocorre com tantas outras questões, no final das contas, os dados referentes à participação política não são conclusivos: como afirma Finley, "nossas brincadeiras de adivinhas são um exercício acadêmico" (1983, 75).

12. Connor presume que, no final do século V a.C., surgiu um novo padrão que "reduziu a ênfase no poder dos grupos de amizade e ressaltou a fidelidade de massa que os líderes hábeis e eloquentes conseguem ganhar. Esse padrão tinha como foco precisamente aqueles segmentos da população de cidadãos que tinham a menor influência no padrão inicial" (Connor, 1971, 135).

13. O termo *demagogos*, pelo qual, às vezes, eram conhecidos, inicialmente era descritivo (líder do povo) e não pejorativo. Um orador-líder era também conhecido como "protetor do *demos*" (*prostates tou demou*) (cf. Connor, 1971, 108-10). Para uma avaliação do papel e da influência de Demóstenes, ver Montgomery, 1983.

14. "Fundamental para a pólis, grega ou romana [...] era a convicção profunda de que a participação na pólis (o que podemos denominar cidadania) estava inextricavelmente ligada à posse da terra, à obrigatoriedade do serviço militar e à religião" (Finley 1980, 89).

15. "Em todos os Estados gregos, ao que se sabe, somente uma decisão do corpo soberano poderia conferir a cidadania a um escravo liberto ou a qualquer outra pessoa que não nascera cidadão, e tais decisões eram incomuns" (Ste. Croix 1981, 174).

16. Em seu famoso ensaio no qual compara a liberdade antiga e a moderna (1819), Benjamin Constant descreveu a "antiga liberdade" nesses termos e, ao contrastá-la com a "liberdade moderna", enfatizou a noção moderna de uma esfera legítima de autonomia pessoal e independência em relação ao governo (c.f. Holmes 1984, 31ss.). Aqui, dei um pouco mais de ênfase ao contraste entre o particularismo das pre-

tensões à participação na antiga Grécia e a forte tendência de universalizar pretensões nas concepções modernas de igualdade e liberdade.

17. "Não havia nem limites teóricos para o poder do Estado, nem atividade, nem esfera do comportamento humano nos quais o Estado não pudessse intervir legitimamente, desde que a decisão fosse adequadamente tomada por qualquer motivo considerado válido pela Assembleia.

[...] De vez em quando, o Estado ateniense aprovava leis que reduziam a liberdade de discurso [...] Se eles não faziam isso com mais frequência, foi porque não optaram por isso ou não pensaram em fazê-lo, e não porque eles reconheciam direitos ou uma esfera privada além do alcance do Estado" (Finley 1972, 78).

Capítulo 2

1. As origens, o desenvolvimento e a difusão da tradição republicana são expostas em Pocock (1975). As doutrinas *Whig* radicais do republicanismo na Inglaterra e nos Estados Unidos do século XVIII são descritas em Wood (1969). Para meu breve relato aqui, baseei-me livremente em ambos.

2. Ainda que a distância não fosse um fator, o simples número de cidadãos do sexo masculino com direito a participar das assembleias – entre duzentos e quatrocentos mil, nos séculos III e II a.C. (Cowell 1962, 61) – teria tornado o comparecimento um exercício de cidadania pouco significativo. Embora a discussão e a votação no tipo mais importante de assembleia, a *comitia tributa*, ocorressem separadamente entre as trinta e cinco tribos incluídas, cada tribo teria em média, com enormes variações, entre cinco e dez mil membros.

3. Ver, por exemplo, seus comentários no *Segundo Tratado*, parágrs. 140, 151, 157, 192.

4. A única exceção medieval significativa foi a Confederação Suíça, que começou com uma aliança de três comunidades pequenas e isoladas para fins de defesa em 1291 e atingiu sua forma final como uma liga de treze cantões em 1513. Seis dos cantões, incluindo os três originais, eram democracias diretas cuja soberania residia numa assembleia anual de todos os cidadãos livres. Nos outros, embora a soberania residisse nominalmente com todo o corpo de cidadãos livres, a legislação estava nas mãos de corpos legislativos primariamente aristocráticas ou oligárquicas. O Regime da Confederação era formado por representantes dos treze cantões (Codding 1961, 21-6).

5. Nada revela isso mais claramente que uma sentença em particular nas *Considerações sobre o governo representativo* de John Stuart Mill, na qual ele descarta essa premissa de dois mil anos de idade na conclusão de um capítulo intitulado "A melhor forma ideal de governo". Tendo concluído que "o único governo que pode satisfazer plenamente todas as exigências do Estado social é aquele *no qual todo o povo participa*", ele acrescenta a sentença final quase como se fosse uma opinião contrária, mas pouco importante: "Mas uma vez que nem todos podem, em nenhuma comunidade maior que uma pequena vila, participar de nada além de porções muito pequenas dos assuntos públicos, *o tipo ideal de governo perfeito deve ser representativo*" (Mill 1958, 55; grifo meu).

6. Deliberadamente, evito discutir aqui uma série de questões empíricas intricadas como: quão ampla e profunda deve ser em crença entre os membros de uma associação, qual é a importância relativa dos líderes dos membros comuns e assim por diante. Além do mais, uma crença disseminada no Princípio Forte talvez não seja estritamente necessária, nem mesmo sempre suficiente; porém, pressuponho que uma crença ampla nesse princípio aumenta em muito a probabilidade de que uma associação venha a ser governada democraticamente. As questões empíricas surgem porque, nesse ponto da discussão, tomo como determinante o ponto de vista dos membros. Se houvesse uma mudança de perspectiva, a natureza do argumento mudaria. Por exemplo, visto de fora, o Princípio Forte poderia ser considerado válido para os membros de uma associação mesmo que eles não o vissem dessa forma. Um observador externo poderia então asseverar que os membros aderem ao princípio e às suas consequências. Num nível ainda mais abstrato, alguém poderia simplesmente demonstrar que *se* o princípio é pressuposto como válido, disso decorrem certas consequências lógicas. Obviamente é essa última perspectiva, adotada no capítulo 5, a que subjaz à lógica das outras.

7. Em *Industrial Democracy* (1920), Sidney e Beatrice Webb descreveram como "nos clubes de comércio locais do século XVIII a democracia aparecia na sua forma mais simples" e como "indistinta e quase inconscientemente [...] após um século inteiro de experimentos" a conclusão "se impôs às categorias mais avançadas" de que nenhum dos ardis da democracia direta, como o rodízio de cargos, era satisfatório e que o governo representativo era necessário (3, 36 e caps. 1, 2).

8. "Assim como na ordem da graça todos os crentes são iguais, também na ordem da natureza todos os homens são iguais. Portanto, o Estado deve ser composto de homens igualmente privilegiados. A

premissa era a lição ensinada pelas seitas; a conclusão, a inferência feita na política pelos *Levellers* e na economia, pelos *Diggers*" (Woodhouse 1938, 69). Os *Levellers* davam grande ênfase à necessidade do consentimento. Como afirmou John Lilburne em 1646, ninguém tinha o direito de "dominar, governar ou reinar sobre qualquer categoria de homens no mundo sem o seu livre consentimento" (Woodhouse 1938, 317). Um autor do século XVII que pertencia à corrente dominante da tradição republicana e que, ao contrário dos *Levellers*, conhecia os grandes filósofos políticos, dos gregos a Maquiavel, era James Harrington. Contudo, Harrington admirava Carlos I, não participou ativamente da vida política durante a Revolução Puritana e só publicou seu primeiro e mais importante trabalho, *The Commonwealth of Oceana*, em 1656 (Cf. Blitzer 1960).

Capítulo 3

1. Para uma diversidade de abordagens da teoria política do anarquismo e de críticas a ela, ver Pennock e Chapman 1978. O volume contém uma extensa bibliografia (341-65).

2. Os anarquistas são mais propensos a falar sobre "derrubar o governo" que "derrubar o Estado". O "governo" de uma associação pode ser definido como os cargos, papéis e organizações que criam e executam as leis. O governo de um Estado, portanto, pode executar as leis pela coerção, se for necessário. É claro que o termo "Estado" pode ser, e foi, definido de muitas maneiras diferentes, e em algumas dessas a coerção é diminuída ou eliminada como uma característica marcante, como tende a acontecer nas concepções idealistas. Mas eliminar a coerção na definição da palavra "Estado" não contribuiria em nada para eliminá-la no mundo real, onde certas associações que regularmente empregam a coerção para executar suas leis continuariam a existir, como sempre existiram ao longo da história. Chamarmos a essas associações de "Estados", ou não, é irrelevante para a argumentação anarquista: a questão é que são *essas* as associações que, no entender do anarquista, podem e devem ser substituídas pelas associações voluntárias. Por conseguinte, refutar o uso do termo "Estado" adotado aqui seria simplesmente uma resposta trivial e, em essência, não atingiria a argumentação anarquista.

3. Esse resumo consiste quase que inteiramente de transcrições *verbatim* de Wolff, embora, em geral, eu tenha mudado o uso repetido de "homem" ou "homens" para expressões sexualmente neutras ou inclusivas.

4. Embora a relação histórica entre a dominação e as origens dos Estados seja basicamente desconhecida, alguns teóricos conjecturam que os Estados podem, na maior parte das vezes, ter se originado na dominação.

5. Numa segunda edição (1976), Wolff acrescentou uma resposta à crítica de Jeffrey H. Reiman. A essa altura, ficou claro que Wolff havia mudado sua visão do anarquismo: "Meus pontos de vista atuais são bem diferentes, embora eu não possa articulá-los claramente ou defendê-los adequadamente" (90, n. 1). Porém, embora nossas críticas se sobreponham de certa forma, na discussão que se segue eu não tentei recapitular a análise de Reiman nem as inúmeras outras críticas a que a argumentação de Wolff já foi sujeita. Porém, eu gostaria de afirmar que, a meu ver, ao apresentar sua argumentação original, Wolff prestou um serviço importante à filosofia política.

6. Wolff reconhece essa objeção e tenta lidar com ela do seguinte modo:

> Pode-se argumentar que nem mesmo esse caso limitado é genuíno, uma vez que cada homem está obedecendo a si mesmo e, por conseguinte, não está se sujeitando a uma autoridade legítima. Porém [...] a autoridade à qual cada cidadão se submete não é apenas a sua própria, mas também a de toda a comunidade, coletivamente considerada. As leis são promulgadas em nome dos soberanos, ou seja, da população total da comunidade. O poder que executa a lei *caso haja algum cidadão que, tendo votado por uma lei, agora resiste à aplicação dela a si mesmo*, é o poder de todos, *reunidos no poder policial do Estado* [...] A voz do dever fala, agora, com a autoridade da lei. Cada homem, por assim dizer, *encontra o melhor de si sob a forma do Estado, pois seus ditames são simplesmente as leis que ele próprio, após a devida deliberação, quis que fossem executadas* (23, grifo meu).

Falar do cidadão que encontra "o melhor de si sob a forma do Estado" parece ser o tipo de mistificação do Estado que todo o ensaio de Wolff procura rebater. E se "seus ditames são simplesmente as leis que ele próprio, após a devida deliberação, quis que fossem executadas", será que qualquer cidadão não poderia, após a devida deliberação, agora escolher – responsavelmente e em pleno exercício da autonomia moral – desobedecer uma lei com a qual ele ou ela tivesse consentido anteriormente? Mas, nesse caso, por que "o poder policial do Estado" tem o direito de passar por cima da autonomia moral do cidadão se, para começar, ele não tinha esse direito quando da aprovação da lei?

7. Surpreendentemente, ele acrescenta: "com efeito, podemos nos perguntar se, num mundo complexo de perícia técnica, seria razoável *não* fazê-lo" (15).

8. Como se sabe, alguns autores, notadamente Hobbes, temiam de tal forma as condições da vida num "estado de natureza" que eles consideravam *qualquer* Estado preferível à ausência de Estado. Mas até Hobbes concordou que, a não ser que o Estado proporcionasse uma proteção maior que a do estado de natureza, ninguém lhe deveria obediência. E, obviamente, para justificar um Estado, não é preciso adotar o pressuposto de Hobbes sobre as consequências temíveis da vida fora do Estado.

9. Alguns autores que defendem tanto a democracia como um direito moral à desobediência restringiriam esse direito mais do que o fiz. Para uma discussão mais ampla das questões envolvidas na desobediência às leis do que a que posso fornecer aqui, ver Pennock e Chapman 1970.

Capítulo 4

1. Uma minoria de acadêmicos defende a ideia de que Platão na verdade pretendia demonstrar a impossibilidade de um sistema como o que é descrito na *República*. É fato que uma análise textual minuciosa revela que a argumentação de Platão é mais ambígua e complexa do que parece ser à primeira vista. Aqui, parto de uma interpretação plausível e não digo que seja esta a única interpretação razoável.

2. Aqui, uso esse termo para incluir todas as formas de domínio pelas quais os líderes exercem um grau muito alto de controle unilateral sobre os não líderes: "Dois testes pragmáticos, mas não precisos, podem ser utilizados para distinguir uma organização hierárquica. Os não líderes não podem desalojar pacificamente os líderes após uma votação explícita ou implícita; e os líderes substancialmente decidem quando, em que condições e com quem ocorrem as consultas" (Dahl e Lindblom [1953] 1976, p. 227).

3. A respeito de John Stuart Mill, ver, particularmente, Thompson 1976.

4. É concebível que os democratas possam não concordar inteiramente entre si quanto a uma questão um pouco diferente: devem as pessoas que talvez não sejam qualificadas *agora* ser admitidas, não obstante, à cidadania plena se puder se prever que a participação pode ser necessária ou suficiente para que elas se tornem qualificadas den-

tro de um prazo razoável? Dependendo de como os democratas respondem a essa questão, eles também podem discordar quanto a uma outra. Suponhamos que os membros de um grupo bem definido não estejam qualificados agora, mas não se pode contar seguramente com mais ninguém para proteger seus interesses. Qual é a melhor solução? Em suas *Considerações sobre o governo representativo* (1861), J. S. Mill implicitamente reconheceu esse dilema, mas nunca chegou a confrontá-lo diretamente. Ele optou, em vez disso, por argumentar que as qualificações devem ter precedência sobre os benefícios da participação. Muitos democratas contemporâneos considerariam essa solução inaceitável.

5. Esses são, em essência, os critérios de J. S. Mill. Ver a excelente discussão em Thompson (1976, 54 ss.)

6. Lênin parece ter pensado assim, como também Georg Lukács. Muitos regimes militares, particularmente na América Latina, justificaram seu domínio como transitório; assim, no Chile pós-1973, o regime Pinochet afirmou que serviria para criar as condições necessárias para uma restauração do governo democrático.

Capítulo 5

1. Em sua crítica de Platão, MacIntyre enfatiza a necessidade de distinguir entre essas duas proposições (1966, 49).

2. O trecho pertinente da República ocorre quando Sócrates pergunta a Adimanto se entre alguns cidadãos existe o conhecimento "da cidade como um todo", ao que Adimanto responde:

> É o conhecimento da guardiania, disse ele, o qual reside naqueles líderes que acabamos de denominar guardiães completos [...]. Você crê, perguntei, que os metalúrgicos ou que esses guardiães são mais numerosos em nossa cidade? – Os metalúrgicos, disse ele, são muito mais numerosos. De todos aqueles que recebem um certo nome por terem algum conhecimento, os guardiães seriam os menos numerosos? – Certamente que são os menos numerosos de todos. Então uma cidade inteira que é estabelecida de acordo com a natureza seria sábia graças ao menor grupo ou parte de si mesma, o grupo dominante ou governante. *Esse grupo parece ser o menor por natureza* e a ele pertence uma porção do conhecimento que, dentre todas as outras porções, deve ser chamada sabedoria (*República* de Platão, trad. Grube, 428d, e 94; grifo meu).

3. Certos aspectos da física quântica levaram alguns cientistas a questionar a premissa convencional de que as descobertas experimen-

tais são, ou podem ser, independentes do plano experimental em todos os casos. Mas ao contrário dos filósofos morais, os físicos quânticos concordam ou rumam para um acordo quanto às leis da física. Portanto, até mesmo nesses casos extremos, e certamente em todos os outros, a física quântica retém sua validade intersubjetiva.

4. Alguns defensores da guardiania talvez façam um movimento de autovalidação neste ponto, afirmando que aqueles que discordam deles provam, dessa forma, que são desqualificados para julgar a validade de sua pretensão ao governo. Apoiado pela força do Estado, esse movimento pode efetivamente calar os críticos. Todavia, se apoiado apenas pela força da razão, um movimento dessa ordem não consegue ganhar credibilidade.

5. Alguns estudos revelam que, em muitos campos, as previsões dos especialistas não são melhores, ou em alguns casos são apenas um pouquinho melhores, que as previsões dos leigos. Um acadêmico que é também especialista nos problemas das previsões a longo prazo conclui da investigação de um grande número de estudos sistemáticos da confiabilidade de predições de especialistas a longo prazo, numa grande variedade de campos, que: "No geral, os dados dão a entender que poucos benefícios advêm da especialização. E como uma acuidade superior só aparece em grandes amostragens, as pretensões de acuidade por parte de um especialista não pareceriam ter nenhum valor prático. Surpreendentemente, não consegui encontrar nenhum estudo que mostrasse uma vantagem significativa da especialização" (J. Scott Armstrong, 1980), "The Seer-Sucker Theory: The Value of Experts in Forecasting", *Technology Review* (83:21). Infelizmente, a incapacidade dos especialistas de fazer previsões confiáveis não parece reduzir sua confiança ou a disposição dos não especialistas em tratar suas previsões com um respeito imerecido.

6. John C. Kemeny, ele próprio matemático, após chefiar uma comissão presidencial sobre o famoso acidente nuclear na usina de Three Mile Island, observou:

> Durante os trabalhos de nossa comissão, deparamo-nos repetidamente com casos nos quais as emoções influenciaram o juízo até mesmo de cientistas renomados [...]. A todo momento, encontrei cientistas cujas crenças beiram a religião e até mesmo, ocasionalmente, o fanatismo [...]. Essas pessoas distorcem seus próprios juízos científicos e ferem sua reputação dizendo coisas com uma segurança que, no fundo, eles sabem que só pode contar com pequenas probabilidades. Eles se tornam defensores, em vez de consultores imparciais. Isso é incompatível com a natureza fundamental da ciência e cria uma atmosfera que mina seriamente

a confiança nos peritos; até mesmo quando as provas concretas são esmagadoras, se a questão em pauta for emocional o suficiente, pode-se sempre contar com um perito para refutá-las e, dessa forma, ajudar a lançar sobre toda a ciência o descaso da nação (Kemeny 1980, "Saving American Democracy: The Lessons of Three Mile Island", *Technology Review* 83:70)

Para uma crítica diretamente relacionada aos armamentos nucleares, ver Michael Walzer, "Deterrence and Democracy", *New Republic* (2 de julho de 1984), 16-21.

7. Par. 577d, p. 225. A metáfora orgânica está explícita no parágrs. 462b, c, d, e, pp. 123-4, e implícita em muitas passagens, incluindo a famosa definição funcional de justiça como "fazer o seu trabalho", análoga a cada parte do organismo desempenhando sua função própria (parágrs. 433, 434, pp. 97-8).

8. Tomo essa definição de Lukes (1977, p. 180), que apresenta uma crítica sucinta e eficiente.

9. No dizer de James Grier Miller, "Um homem pensante é bem mais que a soma de seu corpo e sua cabeça" (1978, p. 44).

10. Embora alguns autores recentes que empregam metáforas orgânicas talvez concordem, tenho reservas quanto à sua linguagem. Roberto Unger (1975) atribui ao liberalismo um princípio de individualismo que envolve os erros gêmeos do individualismo metodológico e a subvalorização do "grupo [...] como uma fonte autônoma de valores". Ele contrasta o individualismo com seu oposto polar: "o princípio do coletivismo, exemplificado nas concepções organicistas do grupo". "Essas concepções", ele acrescenta, "veem o grupo como uma entidade cuja existência não se pode reduzir às vidas de seus membros, cujos valores de grupo se mantêm à parte dos fins individuais e subjetivos de sua afiliação, e têm até mesmo sua própria 'personalidade'" (1975 [1984], p. 82). Não está claro para mim o que ele quer dizer com a segunda metade dessa frase. Mais tarde, como sua alternativa ao liberalismo, Unger apresenta "A Teoria dos Grupos Orgânicos" (pp. 236-95). Nada encontro nessa teoria que seja incompatível com a base centrada na pessoa para as decisões coletivas. Ao mesmo tempo que concluo que ele rejeita "concepções organicistas do grupo", não consigo encontrar nenhuma afirmação específica nesse sentido.

11. Ao discutir esse problema, os autores muitas vezes falam sobre a "agregação" de interesses individuais. Prefiro a palavra "composição" neste ponto, para evitar quaisquer inferências de que a melhor solução é, simplesmente, contar votos e adotar a escolha indicada pelo maior número deles.

12. O exemplo e a citação acima são de Kahneman e Tversky (1983a, p. 39; ver também 1983b, pp. 293-315).
13. Como observa G.M.A. Grube, na famosa frase acima e em outras partes da *República*, "Platão não quer dizer que o mundo deva ser governado por metafísicos pálidos, isolados em seus escritórios; o que ele sustenta é que um estadista precisa ser um pensador, um amante da verdade, da beleza e do Bem, com um senso altamente desenvolvido de valores" (ibid., *n*. 13, p. 133).

Capítulo 6

1. Quarenta anos antes, os *Levellers* já haviam insistido que a igualdade natural implicava a necessidade do consentimento. Cf. Richard Overton e John Lilburne em 1646, em Woodhouse 1938, 69, 317.
2. "Pois deveras penso que o mais pobre da Inglaterra tem uma vida a viver, bem como o maior; e portanto, senhor, verdadeiramente creio ser evidente que todo homem que vive sob um governo deve, primeiramente, por seu próprio consentimento, sujeitar-se a esse governo" (Major Wiliam Rainborough, nos Putney Debates, 29 de outubro de 1647 (Woodhouse 1938, 53).
3. Na visão de Rawls, a justiça é devida a todas as "pessoas morais", mas nem todos os seres humanos se qualificam como pessoas morais (1971, 505).
4. Richard Flathman considera adequada a doutrina do "igual valor intrínseco da personalidade humana" de Frankena e Vlastos "somente se as várias manifestações de valor tiverem sentido reflexivo ou se houver uma harmonia entre elas de tal ordem que todas possam ser igualmente bem atendidas [...]. Mas as questões morais e políticas surgem primariamente onde estão presentes o comportamento no tocante ao outro e conflitos de necessidades, interesses e exigências" (Flathman 1967, 58). Embora Rawls rejeite o igual valor intrínseco como uma base para sua teoria da justiça, sua solução para o problema do cuidado com os interesses das pessoas às quais faltam as características necessárias da "personalidade moral" – uma criança seriamente retardada, por exemplo – exige que as autoridades paternalistas ajam em prol dessas pessoas. "As decisões paternalistas deverão ser guiadas pelas próprias preferências e interesses do indivíduo, contanto que elas não sejam irracionais ou privadas do conhecimento dessas preferências e interesses, segundo a teoria dos bens primários" (Rawls 1971, 249). Mas por que devem os interesses das pessoas sem perso-

nalidade moral ser protegidos? A resposta de Rawls, aparentemente, é que seria imprudente, na prática, privar de justiça aqueles incapazes de ter personalidade moral, pois "o risco para as instituições justas seria grande demais" (506). Ele não defende esses juízos práticos dúbios, e dificilmente podemos deixar de nos perguntar se ele não terá trazido, furtivamente, a ideia do igual valor intrínseco pela porta dos fundos.

5. A fonte exata da qual Mill extraiu o comentário de Bentham não está bem clara. Cf. F. Rosen 1983, 211-20 e 223-28. Agradeço a Jane Mansbridge por ter chamado minha atenção para essa dificuldade.

6. O "primeiro princípio do esquema utilitário, o da imparcialidade perfeita entre as pessoas... pode ser descrito mais corretamente como uma suposição de que quantidades iguais de felicidade são igualmente benéficas, quer a felicidade seja sentida pela mesma pessoa ou por pessoas diferentes" (Mill [1863] 1962, 319, n. 2).

7. No *Mahabharata*, uma fonte épica do hinduísmo tradicional, as pessoas vêm ao mundo inerentemente desiguais, devido às diferenças na pureza ou no mal relativos que elas adquiriram através de suas ações em vidas passadas. Assim, as ações passadas e suas consequências explicam a origem das castas (Somjee 1967, 187).

8. Cf. um princípio de neutralidade explícito em Ackerman 1980, 11.

9. A relação entre o processo democrático e os direitos políticos será discutida no capítulo 12.

10. Patrick Riley (1978) critica Robert Paul Wolff (1976) por transformar a "'autonomia'" num dever substantivo moral, 'na obrigação primária do homem'", enquanto "a autonomia [...] para Kant é um ponto de vista necessário [...] à condição hipotética de ser capaz de conceber *quaisquer* deveres" (294-95). Uma polêmica intimamente relacionada a essa procura determinar se a autonomia pode, em algumas circunstâncias, ser confiscada ou alienada (Kuflik 1984).

11. Embora Kant fosse, sem dúvida, o representante mais influente da ideia de autonomia moral "como o princípio supremo da moralidade", não é necessário aceitar a visão de Kant de que uma vontade autônoma necessariamente adotará o imperativo categórico como "o único princípio da ética" (Kant 1964, 108) para respeitar a autonomia moral. O próprio Kant foi fortemente influenciado pela argumentação de Rousseau no *Contrato social*, a qual depende inteiramente da premissa de que nenhum regime que deixe de respeitar a autonomia moral do homem pode ser legítimo. A justificativa de Rousseau da autonomia moral ocorre durante sua discussão da escravidão e é notavelmente breve: "Renunciar à própria liberdade é renun-

ciar à própria condição de homem, aos direitos da humanidade e até mesmo aos seus deveres [...]. Tal renúncia é incompatível com a natureza do homem, e privá-lo de todo o seu livre-arbítrio é privar suas ações de toda moralidade" (1978, livro 1, cap. 4, p. 50).

12. Ao descrever os efeitos de Dachau em si mesmo e em todas as outras pessoas a ele associadas, Primo Levi conclui que os guardas, bem como os internos, simplesmente deixaram de ser humanos, e é cabível inferir que ele afirma que isso aconteceu porque eles se tornaram incapazes de ter autonomia moral. Entretanto, assim que os funcionários do campo de concentração o abandonaram, fugindo do avanço das tropas russas, as qualidades humanas começaram a ressurgir (Levi 1976).

13. Mill ilustra a primeira proposição e complementa a segunda por dedução ao argumentar que a exclusão "das classes trabalhadoras [...] de qualquer participação direta no governo" as deixou sem meios adequados de proteger seus interesses.

14. Note-se que Plamenatz dirigia sua argumentação diretamente contra ao modelo econômico da democracia desenvolvido por Anthony Downs (1957) e a descrição, explicação e justificativa da democracia de Dahl e Lindblom (1953). Como veremos, o que impulsiona meu argumento, aqui, é algo que, em alguns aspectos, está mais próximo de Plamenatz que da justificativa quase utilitarista em Dahl e Lindblom (1953).

15. Talvez Plamenatz (1973) concordasse com essa afirmação. Ao descrever o que seria necessário "para que a democracia seja genuína", ele parece estabelecer condições que se destinam a garantir que uma maioria de cidadãos possa induzir o governo a fazer o que eles mais querem que ele faça e a impedi-lo de fazer o que eles menos querem que ele faça (cf. 186-92).

Capítulo 7

1. Pode-se considerar a primeira frase falsa, e a segunda, verdadeira. Assim, um anarquista talvez argumentasse que *ninguém* é qualificado para tomar decisões coletivas vinculativas. Mas, pelos motivos expostos no capítulo 3, creio que podemos rejeitar esse argumento.

2. Para um tratamento diferente dessa questão, mas compatível, a meu ver, com o exposto aqui, cf. Barry 1965, 173 ss.

3. A questão da delegação é considerada em maiores detalhes no capítulo seguinte.

4. O problema que certas questões altamente complexas criam para a presunção é abordado no capítulo 22.

5. Como se observa em Kant e Rawls, por exemplo. Presumivelmente porque "dever implica poder" e porque para entender o imperativo moral é necessário usar a razão, para Kant o dever de *obedecer* ao imperativo categórico parece se estender a todas as pessoas capazes de raciocinar, ou seres humanos racionais. Mas as pessoas a quem todos os seres racionais têm a obrigação de aplicar o imperativo categórico parece englobar toda a humanidade. O fato de que Kant nem sempre distingue claramente esses grupos parece sugerir que os "seres racionais" incluiriam a maioria dos seres humanos (adultos). Como vimos no capítulo anterior, Rawls se refere a "pessoas morais" e quase todas as pessoas adultas, segundo ele, são pessoas morais.

Capítulo 8

1. O termo *demokratia* passou a ser utilizado em Atenas por volta da metade do século V a.C. Pode ter substituído expressões mais antigas envolvendo *iso*, ou "igual", como em *isonomia*, ou igualdade perante a lei. O termo *demokratia* pode ter sido cunhado por críticos da constituição ateniense. Nesse caso, ele se destinava a ter uma conotação desfavorável. Antes disso, nos séculos VII e VI, o *demos* talvez não incluísse a massa. Porém, a partir de meados do século V, o termo *demokratia* parece ter sido utilizado quase sempre com o sentido que lhe é atribuído desde então: "governo do povo" (Sealey 1976, 159, 301; Fine 1983, 108, 208-9).

2. Expressões como "agir" ou "atuar" designam também o ato de *não* agir ou atuar de certos modos.

3. Como indiquei anteriormente, as "políticas" especificam um *meio* para atingir um *fim*, um *propósito*, um *bem* ou um *interesse*. Cf. a discussão acima, cap. 7, p. 99.

4. Talvez seja necessário dizer que a perspectiva que adoto, a essa altura, é a de um espectador interessado hipotético, em busca de juízos normativos. O observador hipotético poderia ser um suposto membro da associação, mas não necessariamente. Presume-se que o leitor interessado seja um desses observadores hipotéticos. Embora os juízos normativos aqui expressos tragam em si implicações das condições empíricas que seriam necessárias à existência de um processo democrático, ou que pelo menos facilitassem a existência deste, nesse ponto eu ignoro quase por completo esses requisitos empíricos. Dis-

cutirei esses requisitos para sistemas maiores, tais quais os Estados nacionais, no capítulo 17.

5. Nesse aspecto, o critério está mais próximo do que poderia parecer, à primeira vista, de satisfazer a insistência de Rousseau no *Contrato Social* quanto ao caráter inalienável da soberania (1978, livro 2, cap. 1, p. 59). Rousseau admite que um povo soberano conceda o poder executivo (1) a si próprio ou à maioria ('democracia') , (2) a uma minoria ('aristocracia') ou (3) a uma única pessoa ('monarquia'). O que o povo não tem permissão para fazer é alienar sua soberania, seu poder de criar as leis. Embora a 'democracia' no primeiro sentido não seja prática, no entender de Rousseau todas as três formas de delegar o poder executivo são igualmente legítimas porque, e conquanto que, o povo não aliene nenhuma porção de sua soberania. Cf. particularmente livro 2, caps. 1, 6, pp. 46-47, e livro 3, cap. 6, pp. 87-91.

Capítulo 9

1. Toda essa discussão ocupa menos de três páginas.

2. Não pretendo dizer com isso que Locke e Rousseau, ou autores que se seguiram a eles, apresentassem visões semelhantes da democracia. Por exemplo, Locke admitiu a delegação e até mesmo a alienação pelo *demos*, por tempo indefinido do poder de criar leis (*Segundo tratado*, cap. 10, cap. 19, par. 343). Rousseau, não. Porém, como suas diferenças não dizem respeito diretamente ao argumento desta seção, eu as ignoro aqui.

3. Essas expressões são do *Segundo tratado* de Locke, cap. 8, "Do início das sociedades políticas", parágrs. 85-7 e *passim*.

4. Por exemplo: "Uma vez que nenhum homem tem autoridade natural sobre os outros homens, e uma vez que a força não produz o direito, restam apenas as convenções como base de toda a autoridade legal entre os homens [...]. Ainda que todos pudessem alienar-se, ninguém poderia alienar seus filhos. Eles nascem homens e livres" (livro 1, cap. 4, p. 49). "Cada indivíduo, sob contrato consigo mesmo, por assim dizer [...]. Com efeito, cada indivíduo pode, como homem, ter uma vontade particular contrária à vontade geral, ou diferente da vontade geral, que ele tem como cidadão" (livro 1, cap. 7, pp. 54, 55).

5. Em Veneza, o número de nobres, os únicos que detinham o direito de participar do governo, ficava entre 1 e 2% da população da cidade. Se incluirmos o continente, eram cerca de 0,1%. Em 1797, havia 1.090 nobres, 137.000 residentes urbanos e 2.200.000 habitantes do

continente. O número de nobres nunca excedeu 2.000 (Davis 1962, tabela 1, 58). Em Genebra, a porcentagem, ainda que pequena, não era tão reduzida. Das cinco classes sociais sujeitas às leis, somente os homens nas duas classes superiores participavam da criação das leis: "no topo, os 'cidadãos', que tinham o direito legítimo de ocupar cargos políticos, e entre os quais se incluía Rousseau; em seguida, os 'burgueses', que tinham o direito de votar, mas não de ocupar cargos políticos". Juntos, os cidadãos e burgueses chegavam a "uns 1.500 em número", numa população de 25.000. Ademais, os cargos mais elevados eram monopolizados por umas poucas famílias (Palmer 1959, 36). R. R. Palmer observa que "o próprio Rousseau, em todo os estudos que realizou da política de Genebra em Neuchatel, mostrou pouco interesse nos nativos. Os nativos, todavia, [eram] três quartos da população não burguesa" (137).

6. Por exemplo, *segundo tratado*, cap. 8, para. 93.

7. Ver sua discussão acerca do *status* das mulheres em "sociedade conjugal" (cap. 8, paras. 78-84). "Parece altamente improvável que Locke estivesse pensando em estender esses direitos às mulheres" (Kendall 1941, 121).

8. Por exemplo, *Considerations on Representative Government* (Mill 1958, 42, 55, 131). Uma exposição muito mais completa das ideias de Mill sobre o conflito entre "o princípio da participação" e o "princípio da competência", que se baseia numa grande variedade de obras de Mill, pode ser encontrado num excelente estudo de Dennis F. Thompson (1976).

9. Para alguns exemplos, ver os comentários de Peter Bachrach acerca da "teoria democrática clássica" e seus contrastes com a "teoria elitista" (1967, 2-9). Carole Paterman apresenta Rousseau e John Stuart Mill como "dois exemplos de teóricos da democracia 'clássicos', cujas teorias nos oferecem os postulados básicos de uma teoria da democracia participativa" (1970, 21).

10. Douglas Rae comentou que é possível pensar nas crianças como detentoras de um pacote vitalício de direitos, sendo que elas adquirem alguns deles à medida que amadurecem. Locke parece defender um ponto de vista semelhante no parágrafo citado acima. Por contraste, para os adultos excluídos, "as amarras da [...] sujeição nunca "se rompem realmente, deixando o homem livre para ser senhor de sua vida".

11. Suponhamos que eu conseguisse provar que havia estudado cuidadosamente os temas, partidos, candidatos e tudo o mais. Minha exclusão pareceria menos justificada. Ainda assim, um cidadão francês poderia dizer: "Você não ficará na França por tempo suficiente para

justificar sua inclusão. Sua vinda foi voluntária. Ao vir, você reconheceu a sua disposição em obedecer às nossas leis. Você terá deixado o país antes que a eleição cause qualquer mudança nas leis atuais. Consequentemente, você não arcará com nenhuma responsabilidade pelas suas escolhas. Portanto você não é, nesse sentido, *moralmente* qualificado para participar desta eleição." Essa me parece ser uma refutação poderosa de minha pretensão. Porém, a força do argumento deriva principalmente do fato de que eu talvez não seja sujeito às leis que minha participação pode ter ajudado a efetuar. Nessa medida, não sou um membro no sentido definido, e consequentemente *devo* ser excluído, com base no pressuposto de que as decisões vinculativas somente devem ser tomadas pelos membros.

Capítulo 10

1. Seguindo o uso comum, adotei "domínio da maioria" como forma abreviada de "princípio do domínio da maioria".

2. Os autores que defendem o "domínio da maioria" não necessariamente querem dizer domínio da maioria no sentido forte descrito acima. No *Contrato Social*, Rousseau escreveu:

> Exceto por esse contrato primitivo [isto é, original], o voto da maioria sempre obriga todos os outros [...]. Mas entre a unanimidade e um empate há diversas maiorias qualificadas, numa das quais a proporção pode ser estabelecida de acordo com a condição e as necessidades do corpo político.
>
> Duas máximas gerais podem servir para regular essas proporções. Uma diz que quanto mais importantes e sérias forem as deliberações, mais a opinião vencedora deve aproximar-se da unanimidade. A outra afirma que quanto mais rapidez a questão exigir, menor deve ser a diferença determinada na divisão de opiniões. Nas deliberações que precisam ser encerradas imediatamente, uma maioria de um voto deve bastar. A primeira dessas máximas parece mais adequada às leis; a segunda, aos assuntos de negócios. Seja como for, é uma combinação das duas que estabelece a proporção adequada da maioria que decide (livro 4, cap. 3, p. 111).

3. Uma demonstração rigorosa desse argumento é apresentada por Douglas Rae (1969). Embora Rae não se refira à autodeterminação, sua argumentação começa com "o pressuposto de valor" de que um cidadão ("Ego", em sua terminologia) "deseja otimizar a correspondência entre sua escala de valores e a lista de políticas que são impos-

tas". Ele também pressupõe que a associação (em seu modelo, um comitê) "lidará com uma sucessão de propostas para cursos de ação política e é livre para impor ou rejeitar cada uma delas"; "essa lista de propostas (agenda) é desconhecida no momento de escolha da regra de decisão"; e consequentemente "também o são as preferências dos membros quanto a cada proposta". O modelo de Rae demonstra que "o domínio da maioria é tão bom (isto é, ótimo) quanto qualquer outra regra de decisão alternativa". Ademais, ele observa que *"o domínio da maioria é a única regra de decisão que previne a possibilidade de que um número maior de pessoas seja derrotadas nos votos por um número menor de pessoas"* (41, 44, 52, em itálico no original).

4. Rae reconhece que uma pessoa pode ter "uma *preferência posicional* (a uma preferência substantiva), que o leva a pensar que as más ações [...] são piores que as más inações [...] Esse seria o caso, por exemplo, se ele fosse um 'conservador' no sentido que Samuel Huntington atribui ao termo" (1969, 52). Trata-se de uma referência à descrição de Huntington do conservadorismo como uma "ideologia posicional" que envolve "uma resistência teórica articulada e sistemática à mudança" (Huntington 1957, 461).

5. Ou, na descrição do próprio Black, "um matemático, filósofo, economista e cientista social" (Black 1963, 159). Black oferece uma exposição clara e organizada da argumentação de Condorcet numa notação moderna (164-80).

6. Essas e outras probabilidades "de que o juízo adotado pelos membros h esteja certo" podem ser prontamente calculada com a fórmula apresentada por Black, $vh - k/vh - k + eh - k$, na qual os membros $h + k$ estão chegando a uma decisão; v (de *vérité*) e e (de *erreur*) são a probabilidade de que cada membro esteja certo ou errado respectivamente e $v + e = 1$ (1963, 164-65).

7. Para um exemplo desse argumento, ver Barry 1979, 176ss.

8. Nesta seção e na próxima, segui de perto Kramer (1977, 264 ss.). Kramer nota que mesmo com duas alternativas

> Algumas pequenas ambiguidades em potencial devem ser notadas e descartadas. Uma delas diz respeito à possibilidade de um empate: aqui, iremos supor que (em seguida às práticas normais) haverá um presidente da assembleia que pode votar para resolver os empates, mas não para criá-los, dessa forma tornando impossível um voto empatado. Uma outra diz respeito à questão de como tratar os indivíduos que se mostram indiferentes a ambas as alternativas e de como contar as abstenções. Partiremos do pressuposto [...] de que todos os eleitores têm preferências (exatas) por todas as alternativas (isto é, não há empates na classificação

de preferências de nenhum eleitor) e que eles nunca se abstêm; por conseguinte, nenhuma ambiguidade dessa espécie poderá surgir (295, $n1$).

9. Um filósofo, Alfred F. MacKay (1980), empreendeu uma exploração ampla e rigorosa da razoabilidade das condições. Dependendo das condições postuladas, seu número será quatro ou cinco. Na primeira edição de *Social Choice and Individual Values* (1951), Arrow estabeleceu cinco condições, que na segunda edição (1963) ele reduziu a quatro. MacKay enfoca quatro, ao passo que outros autores muitas vezes citam cinco (ex: Frolick e Oppenheimer 1978, 19-23; Bonner 1986, 59-63).

10. O problema da unidade é abordado no capítulo 14.

11. As teorias do domínio da minoria serão discutidas no capítulo 19.

12. Como veremos no capítulo seguinte.

Capítulo 11

1. Para uma crítica dos requisitos de unanimidade, ver Rae 1975.

2. Caplin e Nalebluff (1987). Seus pressupostos são: (1) Os indivíduos votam na proposta mais próxima (em distância euclidiana) de seu ponto de preferência. Quando as preferências podem ser dispostas em uma dimensão, esse pressuposto implica a condição de "pico único" enfatizada por Black (1963); mas, ao contrário de Black, o pressuposto mais geral de Caplin e Nalebluff não exige que as preferências se localizem ao longo de apenas uma dimensão. (2) As preferências dos eleitores devem ser "côncavas", o que pressupõe "um certo grau de consenso social" e exclui a polarização.

3. "Na medida em que os resultados da escolha social são ambíguos, eles tornam a democracia liberal tão incoerente quanto a democracia populista. Se é impossível interpretar os resultados das eleições de um modo racional, as autoridades destituídas de seus cargos sob o sistema eleitoral P talvez não tivessem sido destituídas sob o processo Q e assim por diante. Como, portanto, podemos interpretar a destituição das autoridades como uma expressão de descontentamento com seu desempenho? Como podemos esperar das autoridades que levem em conta sinais tão ambíguos na hora de decidir como se comportar?" (Coleman e Ferejohn 1986, 21).

4. Coleman e Ferejohn (1986) apresentam trabalhos que mostram que as alternativas menos vulneráveis aos ciclos de votação "po-

dem acabar sendo muito bem conectadas à distribuição das preferências" e concluem: "Embora nos preocupem as implicações dos teoremas de instabilidade, cremos que ainda é cedo para ver esses resultados como algo que estabeleça a arbitrariedade das tomadas de decisões coletivas. Seria melhor dizer que esses resultados demonstram a importância de se adquirir uma compreensão maior do desempenho provável das instituições democráticas" (23-25).

5. Porém, eles não parecem abrir mão completamente da fé no controle judicial da legislação. "Embora não possamos explicar totalmente nosso fundamento lógico aqui, observamos que o controle judicial, conforme desenvolvido nos séculos XVII e XVIII, certamente assegurou os direitos de propriedade" (Coleman and Ferejohn 1986, 26). Inevitavelmente, resta saber quais sistemas políticos dos séculos XVII e XVIII eles tinham em mente e se, nesses sistemas, os direitos de propriedade não eram "assegurados" por algo maior que ia além do "controle judicial", inclusive, entre outras coisas, por um sufrágio restrito aos proprietários de determinado patrimônio.

6. Para uma crítica mais extensa de alguns dos críticos do domínio da maioria aqui mencionados, ver Shapiro 1989.

7. Esses países são a Austrália, a Áustria, a Bélgica, o Canadá, a Dinamarca, a Finlândia, a França, a Alemanha Ocidental, a Islândia, a Irlanda, Israel, a Itália, o Japão, Luxemburgo, a Holanda, a Nova Zelândia, a Noruega, a Suécia, a Suíça, o Reino Unido e os Estados Unidos. Em algumas de suas tabelas, ele conta a Quarta e a Quinta República francesas como dois sistemas. Em razão de restrições eleitorais, dois países não foram poliarquias plenas durante todo esse período. A Suíça foi uma poliarquia masculina até 1971. Nos Estados Unidos, os negros foram quase totalmente impedidos de votar nos estados sulinos até a aprovação das leis de direitos civis de 1964 e 1965.

8. Embora, como foi observado na nota 7, por causa das restrições no sufrágio, os Estados Unidos e a Suíça tenham ficado aquém dos requisitos da poliarquia plena durante a primeira parte desse período.

9. Hoje, porém, a representação que mais se aproxima do Sistema Westminster são as instituições políticas da Nova Zelândia (Lijphart 1984, 16 ss.).

10. O Sistema Westminster contém nove "elementos majoritários": a concentração do poder executivo; um gabinete unipartidário e de maioria simples; fusão de poder entre o executivo e o parlamento e dominância do gabinete; "bicameralismo assimétrico", ou quase unicameralismo; um sistema bipartidário; divergências entre os partidos principalmente quanto à dimensão das políticas socioeconômicas;

sistemas pluralistas de sufrágio; um governo unitário e centralizado; uma constituição não escrita com soberania parlamentar; e uma democracia exclusivamente representativa, e não direta (por exemplo, uma ausência de plebiscitos). O modelo consensual contém "oito elementos restritivos da maioria": o compartilhamento do poder executivo; grandes coalizões; uma separação formal e informal de poderes; um bicameralismo equilibrado e representação da minoria na segunda câmara; um sistema multipartidário; desacordos entre os partidos quanto a duas ou mais dimensões, como língua e religião; um sistema eleitoral de representação proporcional; federalismo territorial e não territorial e descentralização; uma constituição escrita e veto de minoria (Lijphart 1984, 6-36).

11. Apenas dois dos seis países classificados por Lijphart como estritamente majoritários têm tais sistemas eleitorais; os outros quatro adotaram a representação proporcional.

12. Entre outros motivos, porque um terceiro partido poderia obter votos suficientes para impedir um dos dois partidos mais importantes de conseguir a maioria dos votos; todavia, mesmo sem a maioria dos votos, o maior partido pode conseguir a maioria das cadeiras e, por conseguinte, tornar-se o "partido majoritário" no parlamento. Na Grã-Bretanha, em todas as dezenove eleições de 1922 a 1987, nenhum dos dois partidos principais *jamais* obteve a maioria dos votos. Em 1983, por exemplo, os Conservadores obtiveram 42,4% dos votos e conseguiram 61% das cadeiras (Cf. Heath, Jowel e Curtis 1985, tabela 1.1, p. 2, tabela 1.2, p. 3.) Na prática, o domínio da maioria na Câmara dos Comuns é sustentado por uma minoria de eleitores.

13. As exceções são a Irlanda e a Áustria.

14 Uma discussão do consociacionalismo como uma solução para os problemas do pluralismo subcultural agudo em alguns países será encontrada no capítulo 18.

Capítulo 13

1. Se a entendo corretamente, essa é, em essência, a posição de Botwinick (1984), que por sua vez remete a Wittgenstein, particularmente às suas *Investigations*.

2. Para um tratamento semelhante, ver a discussão de Rawls em "The Definition of Good for Plans of Life" e "Deliberative Rationality" (1971, 407-24). Rawls compara sua noção de racionalidade deliberativa a uma concepção de Sidwick, que "caracteriza o bem futuro global de

uma determinada pessoa como aquilo o que ela desejaria e buscaria num determinado momento se as consequências de todos os rumos de conduta abertos a ela fossem, nesse mesmo momento, nitidamente previstos por ela e adequadamente consumados em sua imaginação" (pp. 416-17).

3. A definição de Connolly para "interesse" certamente estabelece este requisito mais contrafactual: "O curso de ação política x é mais do interesse de A que a política y se A, acaso vivenciasse os resultados tanto de x quanto de y, escolhesse x como o resultado que preferiria para si" (1974, p. 272). Embora eu prefira minha formulação um tanto mais fluida, na prática ambas as definições pretendem exigir um experimento de raciocínio contrafactual que provavelmente levaria qualquer juiz à mesma conclusão.

4. Para uma análise de algumas implicações da igualdade política nos esquemas de votação, ver Still 1981 e Grofman 1981.

5. Explicar a quase unanimidade de pensamento quanto a essa questão por parte dos legisladores americanos exigiria um exercício de sociologia do conhecimento. Parte da explicação é o corporativismo da carreira de direito nos Estados Unidos, resultante do treinamento na faculdade e na prática. Além disso, o controle judicial de constitucionalidade aumenta, em muito, o poder de certos advogados, e indiretamente o poder da profissão de advogado sobre a formação do sistema constitucional e político americano e de suas políticas públicas. Assim, o poder do controle judicial de constitucionalidade serve aos interesses corporativos dos profissionais do direito. Contudo, para ser justo, devo acrescentar que os poderes extraordinários do judiciário americano para decidir assuntos substantivos também têm sido atacados com regularidade por destacados acadêmicos de direito (ver, por exemplo, Berger 1977; Ely 1980). Por fim, é notável o quanto as atitudes em relação ao poder da Corte num determinado período dependem da consonância entre as decisões da Corte e a perspectiva ideológica do observador. Quando a Suprema Corte derrubou continuamente a legislação do New Deal de 1933 a 1937, os liberais atacaram seu poder e os conservadores o defenderam. Mais tarde, o extraordinário alcance das políticas da Corte Warren foi elogiado por uma geração de liberais e progressistas, alguns dos quais propuseram que ela fosse ainda mais longe; por sua vez, é claro que os conservadores interpretaram suas ações como uma usurpação do poder. À medida que a Corte Reagan se definia, iniciou-se uma outra mudança, a qual refletia, como outras cortes antes dela, mais um acordo ou um desacordo ideológicos que uma visão neutra do papel adequado da Corte.

6. Dos seis sistemas federalistas entre as poliarquias estáveis, cinco têm controle judicial de constitucionalidade: a Austrália, a Áustria, o Canadá, a Alemanha e os Estados Unidos. Como foi comentado, a Suíça permite que as cortes federais controlem apenas a legislação cantonal quanto à sua constitucionalidade. Lijphart chama a Bélgica de "semifederativa". Ela não tem controle judicial de constitucionalidade, como também não o têm Israel, a Nova Zelândia, o Reino Unido, a Finlândia, Luxemburgo e a Holanda. Entre os sistemas unitários, algumas disposições para o controle judicial de constitucionalidade existem na Dinamarca, França (Quinta República), Islândia, Irlanda, Itália, Suíça, Japão e Noruega (Lijphart 1984, tabela 10.3, 181, tabela 11.2, p. 193).

7. Em *The New American Dilemma* (1984), Jennifer Hochschild argumenta que o controle popular e as políticas de incentivo fracassaram, e só podem fracassar, no estabelecimento da dessegregação racial nas escolas públicas. Porém, ela também demonstra que quase três décadas de intervenção judicial em seguida à famosa decisão da Suprema Corte, em 1954, que declarou inconstitucional a segregação nas escolas públicas (*Brown v. Board of Education of Topeka, Kansas*) não conseguiram criar escolas racialmente integradas. Com efeito, no Nordeste a segregação racial aumentou entre 1968 e 1980 (30-34). Embora sua solução para esse "Novo Dilema Americano" seja pobre em detalhes, a autora defende maior coerção por parte das elites, presumivelmente dos juízes e também dos funcionários eleitos. "Se os brancos não conseguem abrir mão das vantagens que as práticas raciais e de classe da América lhes deram, eles devem permitir que as elites façam essa escolha por eles" (203). "A democracia liberal sempre confiou nas elites para salvá-la de si mesma" (204). Mas ela não explica como as elites sensíveis aos controles populares (inclusive os juízes) conseguiriam estabelecer a dessegregação na ausência de um forte apoio de uma maioria de brancos. Na verdade, os dados e a argumentação de seu livro demonstram claramente que eles não oferecerão esse apoio. Ver também Wildavsky (1986).

8. As duas principais atitudes dilatórias por parte da Suprema Corte dos Estados Unidos são altamente esclarecedoras. Um ato do Congresso que exigia dos empregadores que compensassem os estivadores e trabalhadores portuários acidentados no trabalho foi invalidado pela Suprema Corte em 1920, revisto e ressancionado pelo Congresso em 1922, novamente derrubado pela Suprema Corte em 1924, aprovado mais uma vez em 1927 e finalmente validado pela Corte em 1932, após um intervalo de doze anos. A história da legislação sobre o trabalho infantil é ainda mais escandalosa. Em 1916, o Congresso apro-

vou uma legislação que tornava ilegal o trabalho infantil, a qual, em 1918, foi considerada ilegal pela Corte numa votação de 5 a 4. O Congresso imediatamente aprovou uma nova legislação baseada numa fonte diferente de sua autoridade (os impostos, e não uma regulamentação do comércio interestadual), a qual foi declarada inconstitucional pela Corte em 1922. Dois anos mais tarde, o Congresso votou uma emenda à Constituição; todavia, a emenda proposta não conseguiu obter o apoio dos três quartos necessários entre as legislaturas estaduais, embora todos os registros disponíveis indiquem que a emenda tinha o apoio de uma grande maioria da população. Em 1938, uma nova legislação foi aprovada, a qual a Corte finalmente endossou como constitucional em 1941 – um quarto de século após a legislação inicial. Seria difícil imaginar um abuso mais palpável do poder dilatório da Corte.

9. Ely (1980) defende a ideia de que a Suprema Corte dos Estados Unidos deve ater-se à correção de falhas de representação e evitar decidir questões substantivas.

Capítulo 14

1. Portanto, o problema é às vezes chamado o problema dos limites (cf. Whelan 1983).

2. Não proponho definir o termo "Estado" rigorosamente. Fazê-lo geraria mais perguntas que respostas. Basta dizer, espero, que aqui, como no capítulo 3, refiro-me a uma associação que controla efetiva e exclusivamente, em alto grau, o emprego da coerção num grupo de pessoas. Na visão convencional, a territorialidade é essencial para um Estado e, segundo essa visão, meu termo "Estado territorial" seria uma redundância. Porém, não vejo a necessidade de evitar o uso do termo para designar associações que não ocupam um território específico e exclusivo, mas possuem as outras características marcantes de um Estado.

3. No sistema holandês, conforme descrito por Daalder (1966) e Lijphart (1975), o controle de muitas questões importantes era cedido aos quatro principais grupos sociais, os quais não eram distintamente territoriais.

4. E que acontece com a vontade geral? Em *Discurso sobre a economia política* (1755), Rousseau escreveu: "Todas as sociedades políticas são compostas de outras sociedades menores de diferentes tipos, cada uma com seus interesses e máximas [...]. A vontade dessas sociedades

específicas sempre tem duas relações: para os membros da associação, ela é uma vontade geral; para a sociedade maior, ela é uma vontade privada, a qual com frequência se revela boa no primeiro aspecto e má no segundo". Assim, qual delas se deve permitir que prevaleça? Rousseau nunca desenvolveu uma resposta satisfatória para esse problema.

5. O erro aqui atribuído a James constava, originalmente, de meu *Federalismo* (1983). Sou grato a David Braybooke pela correção (Braybooke 1983).

6. Em "Federalism and the Democratic Process" (1983; para a citação completa, ver o apêndice a este volume), concluí, como Jean-Jacques nestes diálogos, que além de empregar como guias gerais o que aqui denominei o Princípio da Igual Consideração de Interesses e a Presunção de Autonomia Pessoal, pouca coisa de natureza geral pode ser dita. Reflexões e discussões posteriores, que me levaram à conclusão que se segue, convenceram-me de que meu antigo ponto de vista estava equivocado em alguns aspectos.

Capítulo 15

1. O termo "nação", aqui, significa "uma divisão territorial que contém um corpo de pessoas de uma ou mais nacionalidades e que geralmente se caracteriza por um tamanho relativamente grande e por um *status* independente". Visto que uma definição convencional de "Estado-nação" como "uma forma de organização política sob a qual um povo relativamente homogêneo habita um Estado soberano; *esp*: um Estado contendo uma nacionalidade, e não várias," é restritiva demais para meus objetivos, prefiro adotar o termo "Estado nacional". "País" refere-se, é claro, a "um Estado ou nação políticos e seu território" (as definições são do *Webster's Seventh New Collegiate Dictionary* 1965). Apesar dessas diferenças de significado, o referente é essencialmente a mesma entidade e, portanto, utilizarei os três termos intercaladamente.

2. Com a autoridade de James Madison no *Federalist* n. 10 e 14 e John Adams em *A Defense of the Constitutions of Government of the United States of America*, os americanos costumam asseverar que o termo "democracia" referia-se historicamente aos sistemas "diretos" nos quais, como em Atenas, a assembleia de cidadãos era soberana, ao passo que o termo "república" referia-se aos sistemas representativos. Mas essa crença não tem muito fundamento. Por exemplo, muitas vezes se fazia referência às cidades-Estado italianas da Idade Média e do início do Renascimento como repúblicas – e, como Veneza, elas assim

se designavam, embora não possuíssem governos representativos neste sentido. Dando seguimento a essa tradição, tanto Montesquieu quanto Rousseau definiram as repúblicas como Estados nos quais a assembleia dos cidadãos era soberana; e eles distinguiam as repúblicas democráticas das repúblicas aristocráticas e das monarquias pela proporção relativa entre governantes e governados. Dessa forma, a democracia era também um tipo particular de república. Cf. Montesquieu [1748] 1961, vol 1, livro 2, caps. 1 e 2, 11-12; e Rousseau [1762] 1978, livro 3, caps. 3 e 4, 83-87. De seu exame de jornais e outras fontes, Willi Paul Adams demonstra de maneira conclusiva que durante a era da Revolução Americana, os termos em questão eram utilizados sem nenhuma distinção clara (1980, 99-117). De sua investigação, Robert W. Shoemaker concorda que "os termos eram utilizados de vários modos. Por exemplo, muitas vezes eram utilizados como sinônimos". Porém, conclui que "a representação era muito mais associada com o republicanismo que com a democracia e, portanto, serve como um critério legítimo para diferenciar os dois termos" (1966, 83, 89). Uma vez que não demonstra as frequências relativas de forma convincente e pelo fato de que os termos eram muitas vezes utilizados como sinônimos, sua conclusão não me parece ter fundamento.

3. Alan Ware chamou minha atenção para o fato de que, embora o objetivo dos elementos democráticos na Grã-Bretanha em 1831--1832 fosse o de ampliar as liberdades, na prática o resultado foi um eleitorado menor.

4. Cf. a discussão sobre os Levellers no capítulo 2, supra, p. 29.

5. Juntamente com termos tais quais democracia moderna, democracia representativa moderna, países democráticos e assim por diante. O termo "poliarquia" pretende enfatizar a peculiaridade de suas instituições. A origem do termo é brevemente discutida em Dahl (1984, 227-28, 289, n. 4-6; para uma citação completa, ver o apêndice a este volume).

6. Sobre o termo "pluralismo", ver Dahl (1984, 231-32, 239-40 n. 7-13).

Capítulo 17

1. Para muitos dados neste capítulo, baseei-me em pesquisas feitas por Michael Coppedge e Wolfgang Reinicke (1988).

2. Nos Estados Unidos, embora os votos populares rapidamente tenham se tornado decisivos na eleição do presidente, nas primeiras

nove eleições, os eleitores presidenciais foram escolhidos pela assembleia legislativa em cerca de metade dos Estados, e os senadores norte-americanos não foram eleitos pelo voto popular até 1913. Embora essas eleições diretas provavelmente satisfizessem os requisitos da poliarquia, além de um certo ponto elas atenuariam de tal forma o controle popular que qualquer sistema desceria a um limiar inferior à poliarquia.

3. Embora a responsabilidade do gabinete perante o parlamento só tenha sido incorporada à constituição em 1953, essa prática data de 1901, "quando o rei aceitou que tinha de levar em consideração a maioria do Folketing ao nomear o governo. Depois dessa chamada 'mudança de sistema', a responsabilidade do governo diante do Folketing – a casa eleita pelo sufrágio mais amplo – tornou-se norma eficiente na política dinamarquesa, conquanto os reis tenham tido, a princípio, certas dificuldades para identificar-se com seu novo papel, de caráter mais retrito" (Svensson 1987, 22).

4. Nos Estados Unidos, antes de 1900 quatro estados das Montanhas Rochosas – Wyoming, Idaho, Colorado e Utah – haviam estendido o sufrágio às mulheres nas eleições presidenciais por meio de referendos constitucionais nos estados (cf. McDonagh e Price 1986, 417).

5. O número de estudos pertinentes tornou-se imenso. Aqui, menciono alguns que aumentaram em muito a gama de estudos comparativos sistemáticos. Uma mudança decisiva ocorreu com a publicação, em 1965, de *The Civic Culture*, de Gabriel A. Almond e Sidney Verba (Boston: Little, Brown), para o qual os dados primários foram as atitudes e opiniões obtidas a partir de amostragens de cidadãos nos Estados Unidos, na Grã-Bretanha, na Alemanha Oriental, na Itália e no México. Um segundo trabalho comparativo que abriu novas trilhas foi *The Breakdown of Democratic Regimes*, organizado por Juan J. Linz e Alfred Stepan (Baltimore: Johns Hopkins University Press, 1978), que contém estudos sobre 11 países europeus e latino-americanos. Em 1986, estudos comparativos da próxima fase – a redemocratização – foram fornecidos em Guilllermo O'Donnell, Philippe C. Schmitter e Lawrence Whitehead, orgs., *Transitions from Authoritarian Rule* (Baltimore: Johns Hopkins University Press, 1986). Ainda estão por vir os estudos iniciados em 1985 por Larry Diamond, Seymour Martin Lipset e Juan Linz, que coordenaram um comparativo de experiências com a democracia em vinte e oito países em desenvolvimento na Ásia, na África e na América Latina. Especialistas foram convidados a escrever estudos de caso com base numa estrutura analítica comum. Para uma descrição ver Diamond, Lipset e Linz, 1986. Embora o projeto não es-

tivesse completo quando da escrita deste livro, os organizadores gentilmente me cederam rascunhos de uma série de estudos.

6. Num esquema análogo, Leonardo Morlino (1980, 94) usa oito pares de transições entre quatro tipos de regime – tradicional, autoritário, totalitário e democrático – para classificar as experiências de oito países europeus.

7. É importante distinguir a estabilidade de um sistema ou regime poliárquico, ou seja, a persistência ininterrupta de instituições poliárquicas, da estabilidade constitucional (por exemplo, a França manteve a estabilidade do sistema apesar da transição constitucional da Quarta para a Quinta Repúblicas), bem como da instabilidade dos gabinetes, coalizões partidárias, cursos de ação política etc. Devido ao significado duplo de "governo", o termo "governo instável", que geralmente se refere às mudanças de gabinete, pode ter seu significado erroneamente interpretado como a instabilidade da poliarquia. Presumivelmente, para um democrata, a estabilidade de um sistema democrático é uma coisa boa, mas isso não implica que a estabilidade em outros sentidos seja necessariamente desejável.

Capítulo 18

1. Nesta parte do livro, utilizei termos como "democracia" e "governo popular" no sentido genérico e indefinido, de modo a incluir tanto as poliarquias modernas como as democracias e repúblicas mais antigas.

2. A julgar pelos indícios encontrados num vaso e em certos poemas, Fine conclui que em meados do século VI "as táticas hoplitas haviam sido adotadas em muitas partes do mundo grego. Esse fenômeno enfraqueceu o controle quase total sobre todos os aspectos do Estado de que dispunham os aristocratas, pois não se podia negar a esses novos guerreiros uma certa participação no governo. Contudo, a concessão de novos privilégios afetou apenas uma parte comparativamente pequena da população [...], pois é certo que os pequenos camponeses, artesãos e trabalhadores não poderiam ter tido condições de comprar o equipamento necessário para servir como hoplitas" (Fine 1983, 59). Sealey escreve que a partir de "estudos recentes de vasos [...] os vários itens de equipamento hoplita foram adotados gradativamente; não existem registros de nenhum deles antes de 750, mas todos aparecem por volta de 700. Porém, no início eles eram usados separadamente [...] a armadura completa do hoplita surge primeiramente

num vaso ca. 675" (1976, 30). Para seus comentários acerca dos efeitos sociais das táticas hoplitas, ver p. 57.

3. Fine especula que nos séculos VII e VI o termo *demos* "pode ter tido um significado muito mais restrito, incluindo apenas aquele novo elemento da população que estava tentando obter reconhecimento político – especificamente, os hoplitas emergentes" (1983, 108).

4. "Foi apenas no período romano [...] que os últimos vestígios remanescentes da democracia foram gradualmente erradicados das cidades gregas" (Ste. Croix 1981, 306-07).

5. "Porém, havia diferenças [...] Em primeiro lugar, a regularidade, a escala, a duração e a expansão geográfica das campanhas romanas eram incomparáveis com a prática grega, e as diferenças foram aumentando continuamente [...]. Em segundo lugar, a milícia de cidadãos romana estava totalmente integrada na estrutura hierárquica da sociedade, ao contrário do que ocorria em Atenas" (Finley 1983, 129).

6. "Com exércitos nacionais formados por recrutamento e apoiados por todo o povo, podia-se fazer o que não era possível com forças mercenárias mantidas pelo príncipe para fins estritamente dinásticos. Eles podiam ser despendidos de maneira mais impiedosa nas campanhas, pois novos recrutamentos viriam substituí-los" (Brodie 1959, 31).

7. As proporções são calculadas a partir das Séries A 1-3, p. 7, e Séries Y-763-75, p. 736 (U.S. Census Bureau 1961).

8. Na Grã-Bretanha, as forças policiais estavam, historicamente, sob o controle local. O Police Act de 1964, juntamente com outra legislação, reduziu imensamente o controle local e criou uma estrutura mais nacional, ainda que não altamente centralizada. Não existe nenhuma força policial nos Estados Unidos ou na Nova Zelândia. No Canadá, a Royal Canadian Mounted Police é um sistema federal. A Austrália tem uma pequena força policial restrita a deveres federais, enquanto os vários estados mantêm suas próprias forças policiais (*Encyclopedia Britannica* 1970, 18:154).

9. "Os mesmos homens usavam chapéus e capacetes [...] Os oficiais militares e os líderes civis vinham de uma formação aristocrática, eram imbuídos de valores semelhantes e mantinham laços familiares de sangue e matrimônio" (Nordlinger 1977, 11).

10. Para uma análise teórica e comparativa abrangente da intervenção militar na política, ver S. E. Finer, *The Man on Horseback: The Role of the Military in Politics*, 2. ed. (Boulder: Westview Press).

11. Aqui, não procuro de forma alguma fazer uma distinção entre poder, influência, autoridade e controle. Somente por conveniência utilizo principalmente o termo "poder" ao longo de todo o restante dessa discussão.

12. Vanhanen (1984) enfatiza claramente a primeira: *"A democracia irá surgir sob condições nas quais os recursos de poder foram tão amplamente distribuídos, que nenhum grupo consegue mais suprimir seus competidores ou manter sua hegemonia"* (18). Porém, ele não atribui nenhuma independência ao segundo fator e parece crer que ele é simplesmente um produto do primeiro.

13. Uma exceção importante ilustra esse ponto. A exclusão de fato dos negros sulistas da cidadania efetiva nos Estados Unidos foi imensamente facilitada pelas características relativamente perceptíveis de raça associadas com a casta.

14. "As democracias surgiram primeiramente nos países onde a propriedade da terra era amplamente distribuída e a alfabetização era quase universal, mas onde... a População Urbana e a PNA (população não agrícola) ainda eram relativamente baixas" (Vanhanen 1984, 126). Em seu estudo comparativo do surgimento da democracia em 119 Estados, 1850-1979, Vanhanen descobre que a porcentagem de fazendas familiares é uma variável explicativa útil. Porém, à medida que se desenvolve uma sociedade MDP e que declina a população na agricultura, as fazendas familiares não conseguem mais explicar a dispersão do poder. Portanto, para o período contemporâneo, Vanhanen pesa as fazendas familiares pela porcentagem da população na agricultura e a porcentagem da contribuição da agricultura para o PNB (1985, s/p.). Stephens (1987) mostra que, dentre 13 países da Europa Ocidental (inclusive a Finlândia e o Império Austro-Húngaro), nos sete países nos quais o padrão dominante de propriedade de terras em 1900 era o de pequenas propriedades, as instituições democráticas, que já haviam se estabelecido em 1919 sobreviveram ao período entre guerras, enquanto em um deles (a Finlândia) ocorreu "um eclipse parcial da democracia". Dos cinco países nos quais havia um padrão de grandes propriedades em 1900, a democracia só sobreviveu na Grã-Bretanha, ao passo que na Austro-Hungria, na Espanha, na Itália e na Alemanha estabeleceram-se regimes autoritários (figura 1, s/p).

15. Em minha discussão das subculturas em *Poliarquia* (ver apêndice), excluí as subculturas ideológico-partidárias. Agora penso que eu estava enganado, uma vez que a democracia ruiu em países nos quais as subculturas ideológico-partidárias eram importantes, como no Chile em 1973.

16. Apesar de recolhidos no início dos anos 1960, os dados em *Poliarquia* (105-14) revelam uma forte relação. Cf. tabela 7.1, 111.

17. Esses países estão entre aqueles com os níveis mais baixos de fragmentação étnica e linguística. Altas porcentagens da população

pertencem nominalmente ao mesmo grupo religioso geral, isto é, protestantes, católicos ou muçulmanos. Esses grupos religiosos gerais podem, é claro, conter divisões internas. Cf. Taylor e Hudson 1972, tabelas 4.15, 4.16, 4.17, 271-81.

18. O termo "consociacional" foi introduzido por Arend Lijphart no final da década de 1960 (Lijphart 1975). Embora ele não o houvesse utilizado inicialmente em sua teoria da "política da acomodação" na Holanda, mais tarde o empregou na segunda edição para caracterizar sistemas democráticos como os da Holanda (1975, 209). Derivou o termo do conceito de Johannes Althusius de *consociatio* em sua *Politica Methodice Digesta* (1603) (Lijphart 1977, 1). Observa, contudo, que "o primeiro autor moderno a utilizar o termo 'consociacional'" foi David Apter, que o aplicou à Nigéria (161-62). A referência é a Apter 1961, 24-25. Embora "poliarquia consociacional" fosse mais coerente com o uso dos termos neste livro, democracia consociacional é um termo que se tornou convencional e sigo esse uso aqui.

19. Os padrões detalhados de divisões subculturais nesses países são descritos em Lijphart 1975, 16-58; Lijphart 1977, 71-74, 92-94; Lorwin 1966, 147-187; Lorwin 1974, 33-69, 179-206; Daalder 1966, 188-236; Daalder 1974, 107-124; Engelmann 1966, 260-83; Nordlinger 1972; Steiner 1974, 120-46, 167-85, 409-26 e *passim*. Críticas da análise de Lijphart da política holandesa encontram-se em Daalder 1987.

20. Na Áustria:

> O fim da Grande Coalizão não significou, portanto, um retorno às tensas relações entre as elites que caracterizaram a Primeira República. Na verdade, hoje mal se pode imaginar o grau de distância psicológica que havia entre os líderes dos dois campos então existentes. As mudanças na cultura política do topo da elite suavizaram claramente o choque antecipado do retorno ao governo de um só partido.
>
> O grupo em cada *lager* que apresenta maior resistência às mudanças nas relações com o *lager* oposto parece ser aquele localizado no escalão dos ativistas e dos funcionários, ligando os líderes *superiores* à massa de seguidores (Steiner 1972, 174).

As mudanças na Holanda são descritas em Daalder 1987.

21. A estimativa em Dix (1967, 362) é para o período 1948-64.

22. Esses casos são brevemente descritos por Lijphart (1977, 134--41, 147-64). Porém, do seu ponto de vista, a Nigéria "realmente não se encaixa de forma alguma na definição mais estreita de democracia consociacional" (162). Quanto ao Líbano, ver também Hudson 1985.

23. As experiências da Áustria e da Colômbia sugerem algumas ressalvas. Na Segunda República austríaca, a terceira subcultura polí-

tica da Primeira República (o *lager* Nacionalista) entrou em declínio. Embora Steiner descreva um *lager* Nacionalista contínuo na Segunda República (1972, 146), ele é claramente algo de importância cultural e política muito menor que os outros dois. O Partido do Povo e os Socialistas obtiveram mais de 80% dos votos e às vezes mais de 90%, em todas as eleições da Assembleia Nacional (Steiner 1972, tabela II, 430). Com base na premissa de que "a coalizão num sistema bipartidário impõe graves tensões e provavelmente pende para uma solução instável", em 1966 concluí, em *Political Oppositions in Western Democracies*, que era difícil prever "se, dadas essas tensões, os arranjos na Colômbia vão durar os 16 anos completos" (337). Todavia, no final das contas, os arranjos perduraram até o final daquele período, embora o governo não conseguisse superar um movimento de guerrilha pequeno, mas refratário.

24. Juan Linz enfatizou particularmente o papel dos líderes políticos nos colapsos e nas transições bem-sucedidas (cf. Linz e Stepan 1978).

25. Na década de 1980, o PNB *per capita* da União Soviética e da maioria dos outros países do Leste Europeu alcançara níveis muito acima daqueles das democracias europeias na década de 1920 e provavelmente superiores ao do país democrático mais rico da época, os Estados Unidos, em 1929. Embora as comparações sejam traiçoeiras, o PNB *per capita* dos Estados Unidos em 1929 pode ser estimado em 5.795 dólares a preços de 1982 (U.S. Bureau of the Census 1986, tabela 698, "Gross National Product", p. 416; tabela 2, "Population", p. 8, tabela 766, "Gross National Product Implicit Price Deflators 1919 to 1985", p. 456). Estimativas para 1983 para os países do Pacto de Varsóvia são de 6.273 dólares, para a União Soviética, 6.784 dólares e para a Alemanha Oriental, 7.427 dólares (Sward 1986, tabela 1, n. 2).

26. Stephens e Stephens (1987) concordam com um comentário de Lewis (1968, 107-08) segundo o qual, em resposta "ao movimento nas Índias Ocidentais pelo autogoverno e por instituições representativas [...] a política do Governo Colonial foi, na prática, conceder reformas minúsculas no último minuto [...] buscando de todas as maneiras adiar o inevitável; e [...] de toda forma, o progresso foi o resultado das forças progressistas militantes em cada colônia e foi arrancado de Londres do protesto e da agitação". Eles observam, ainda, que "o progresso rumo à democracia e à independência não foi, em absoluto, automático e unilinear [...]. As pressões internas precisaram ser críveis o bastante para garantir concessões, mas não ameaçadoras o bastante para provocar reações defensivas e uma regressão" (15-6).

27. Para explicações da intervenção americana e de seus efeitos, ver LaFeber 1984, Trudeau e Schoultz 1986, 25-28, Gilbert 1986, 88-89.

Capítulo 19

1. Mosca via essa "lei" geral como uma de suas maiores contribuições à ciência política, embora ele reconhecesse liberalmente seus predecessores, principalmente Maquiavel, Saint-Simon e Compte (Mosca [1923] 1939, 329ss.). Ele a apresentara em *Teorica dei Governi e Governo Parlamentare*, publicada em 1884, e a repetira na primeira edição de *Elementi di Scienza Politica* (Turin 1896). A citação acima é da parte I da segunda edição de *Elementi*, que reproduz a primeira edição sem alterações. O fato de Pareto não ter reconhecido a primazia de Mosca na elaboração da teoria de uma classe dominante ofendeu Mosca gravemente. Para detalhes de "sua famosa e constante rixa com Pareto", ver Meisel 1958, 170. Meisel também oferece uma excelente e extensa análise e crítica da teoria de Mosca, a qual me foi muito útil.

2. Para antecessores e versões contemporâneas, ver Pennati 1961a, cap. 3; Pennati 1961b, 3ss.; e Bobbio 1961, 54ss.

3. As teorias e descrições pertinentes que afirmam a dominação da minoria são inúmeras e variam muito em seu conteúdo. As que optei por enfatizar aqui são passíveis de ser consideradas uma seleção inadequada. Embora eu tenha incluído Gramsci, não discuto análises neomarxistas posteriores, tampouco os defensores conservadores e direitistas pós-Michels de uma teoria da dominação da minoria (por exemplo Burnham, 1943). Um simpósio recente sobre Mosca indica o amplo grau de difusão de suas ideias e de ideias relacionadas (Albertoni 1982). Porém, creio que os argumentos de outros autores sobre a dominação da minoria são adequadamente abordados na discussão que se segue.

4. Essa é minha interpretação um tanto livre de seus "resíduos de classe II".

5. Pareto classificou melhor seu conceito da classe governante ao observar que "a classe governante não é uma classe homogênea. Ela também tem um governo – uma classe menor, mais exclusiva (ou um líder, um comitê) – que exerce o controle efetiva e praticamente" (1935, 4:1.575).

6. Na ciência e no jornalismo político italianos, os termos *classe dirigente*, *classe politica* e *classe governante* são de uso comum desde 1945, um tanto depurados de suas implicações não democráticas. Segundo Bobbio (1961, 56) a distinção tem origem em Guido Dorso, cujo ensaio inacabado e publicado postumamente define *la classe governante* como algo que inclui tanto *la classe dirigente*, composta das elites política, econômica, intelectual e outras, quanto *la classe politica*, que de fato co-

manda o governo e inclui não somente os líderes no poder, mas também os líderes da oposição. Porém, tenho a impressão de que essas distinções não se mantêm de uma forma coerente.

7. Utilizei deliberadamente os três termos a fim de evitar a questão intricada da primazia da primeira sobre as outras. Para uma discussão completa do tema ver Elster, 1985, cap. 5, 241ss.

8. Essa obra foi publicada em alemão em 1911, em italiano em 1912 e numa tradução para o inglês em 1915. A tradução para o inglês, reeditada em 1962, é a utilizada aqui.

9. Uma vasta literatura é dedicada a esclarecer o significado de conceitos relacionados ao poder, a estabelecer distinções entre diversos termos e conceitos (tais quais poder, influência, autoridade etc.), a criar parâmetros e métodos de pesquisa adequados e a investigar e descrever as relações de poder em certos contextos. Mas o grau de consenso entre os acadêmicos ainda é baixo. Um pouco dessa diversidade e alguns desses problemas podem ser vistos na coletânea de ensaios organizada por Barry (1976). Cf. também Oppenheim 1981, caps. 2-4, 10-81.

10. Após trinta anos de governo militar na Guatemala em seguida à derrubada de Jacobo Guzmán Arbenz em 1954, os militares permitiram a realização de eleições em 1985. Os observadores em geral descreveram as eleições como justas e livres, as principais instituições da poliarquia foram reestabelecidas e o governo eleito foi, de modo geral, declarado "democrático". Todavia, o presidente evitou desafiar diretamente os militares – por exemplo, não condenando oficiais militares por assassinatos políticos (Kinzer 1986, 32ss.). Uma situação semelhante, na qual um governo civil eleito comportou-se de modo a evitar uma tomada do poder pelos militares, também ocorreu em Honduras, onde à fraqueza do governo somou-se a influência do governo dos EUA (cf. Shepherd 1986).

11. Uma dificuldade conceitual tem a ver com a exatidão das atribuições. Suponhamos que B aja de acordo com o que julga ser os desejos de A. Mas suponhamos que B atribua equivocadamente a A intenções ou desejos que A não têm na realidade, ou que B espere de A recompensas ou punições que A não quer ou não pode oferecer. Talvez Henrique II não quisesse que Becket morresse, afinal de contas. Num caso extremo, talvez B esteja gravemente irracional, até mesmo enlouquecido. Podemos dizer que Henrique VIII domina B quando B acredita ouvir vozes que ordenam que ele, na qualidade de súdito leal, obedeça aos desejos de Henrique VIII?

12. Embora Gramsci tenha sido claramente influenciado por *Elementi di scienza politica*, de Mosca, ele nunca o admitiu (Pellicani

1976, 12). Provavelmente teria sido pouco político admitir uma dívida intelectual tão grande com um inimigo tão proeminente do marxismo. Por outro lado, sua dívida com Croce era igualmente grande ou maior, conquanto indicada mais abertamente. "Quanto a todos os intelectuais italianos daquela geração, seu mestre filosófico por excelência foi Benedetto Croce [...]. Mais tarde, Gramsci tornou-se cada vez mais crítico em relação a Croce, à medida que este se tornava cada vez mais antimarxista" (Kolakowski 1978, 3:222).

13. No capítulo final, retornarei à importância dos intelectuais ou, para ser mais preciso, dos estratos das sociedades pós-modernas que se especializam na aquisição e na difusão do conhecimento e da informação. O poder dos intelectuais na sociedade pós-moderna tende a ser seriamente subestimado pelos próprios intelectuais. Como talvez afirmasse Mosca, ocultar a própria influência é algo que permite aos intelectuais criar fórmulas políticas que sirvam a seus objetivos.

14. Uma questão polêmica é quanto a se o que chamei de "corrente de controle" também pode ser interpretada em todos os casos como uma corrente de *causalidade*. Assim, Oppenheimer argumenta que *deter* o poder, como algo distinto de *exercer* o poder, não necessariamente implica uma causalidade (1981, 31ss.).

15. Uma exceção é *The Power Elite* (1956), de C. Wright Mills e outros estudos das origens e do histórico de altos funcionários e executivos nas empresas, no governo e nas instituições militares. Porém, esses estudos tipicamente não oferecem muitos dados sobre a corrente de controle que vai dessas elites aos resultados – por exemplo, crenças, agendas ou decisões governamentais – que elas supostamente dominam. Há uma desproporção significativa entre os dados referentes ao histórico e os dados que afetam a corrente de controle.

Capítulo 20

1. Nas discussões sobre o bem comum, "bem", "interesse", "bem-estar" e outros termos, qualificados por "comum", "geral", "público" etc. são muitas vezes utilizados como sinônimos. Bruce Douglass (1980) argumentou, a meu ver de forma convincente, que, por causa das diferenças nos sentidos históricos, o significado usual do termo "interesse público" não é equivalente a "bem comum", e propõe que ele seja reformulado a fim de torná-lo equivalente. Barry interpretou e distinguiu uma série de combinações dos termos acima (1965). Para reduzir a confusão, não utilizo o termo "interesse" neste capítulo. Porém, utilizo "bem comum" e "bem público" como sinônimos.

2. Para discussões prévias neste livro, ver, em especial, os capítulos 5, 11 e 12.

3. Decidir se a interpretação tradicional é, na verdade, uma representação errônea do trabalho de Aristóteles é uma fonte de controvérsias. A visão tradicional é expressa por MacIntyre: "Como em Platão, a crença [de Aristóteles] é um aspecto de uma hostilidade com relação ao conflito, e uma negação dele, seja na vida do bom indivíduo seja na vida da boa cidade. Tanto Platão quanto Aristóteles tratam do conflito como um mal, e Aristóteles o considera um mal eliminável. Todas as virtudes estão em harmonia entre si e a harmonia do caráter individual é reproduzida na harmonia do Estado" (MacIntyre 1981, 157). Yack argumenta que "somente uma leitura extremamente seletiva da *Política* poderia fundamentar a argumentação" de MacIntyre, a qual, no entanto, "sintetiza uma percepção generalizada do conceito de comunidade política de Aristóteles" (Yack 1985, 92).

4. MacIntyre, cuja teoria das virtudes baseia-se solidamente em Aristóteles, escreve:

> A ausência dessa percepção da centralidade da oposição e do conflito na vida humana torna inacessível a Aristóteles uma fonte importante de aprendizado humano sobre as virtudes e um contexto importante das práticas humanas dessas virtudes. O grande filósofo australiano John Anderson nos instigou a "perguntar acerca de uma instituição social, não 'A que fim ou objetivo ela serve?', e sim 'De que conflitos ela é palco?'" Pois segundo a percepção – sofocleana – de Anderson, é pelo conflito e às vezes somente por meio dele que aprendemos quais são os nossos fins e objetivos (1981, 163-64).

5. Assim, Bruce Douglass interpreta "o bem comum nas formulações tradicionais" como algo que consiste em "um número de objetivos específicos destinados a promover o bem-estar humano geral – objetivos tais quais a paz, a ordem, a prosperidade, a justiça e a comunidade [...]. Os benefícios em questão eram comuns no sentido de serem pertinentes a todos os membros da sociedade. Não havia equívocos ou incertezas quanto ao bem de quem estava em jogo. O bem comum significava o bem de *todos*" (1980, 104).

6. No outro prato da balança [sic] havia uma ampla distinção de perspectivas entre as classes proprietárias e os pobres. Aristóteles acreditava poder perceber essa distinção em toda a história da política e é provável que ele não estivesse totalmente errado. Nos assuntos internos, é difícil perceber essa distinção [...]. Ela é perceptível de um modo mais claro na política externa – a qual, é claro, envolvia as finanças. Numa série de ocasiões, nos é dito que as classes proprietá-

rias favoreciam a paz ou a pacificação, ao passo que os pobres eram mais belicosos [...] Mas isso significa, simplesmente, que as pessoas tendiam a votar segundo seus interesses econômicos. Os ricos não gostavam de pagar impostos de guerra e de servir frequentemente como trierarcas, os fazendeiros temiam que suas terras fossem devastadas e que eles próprios fossem convocados para o serviço militar. Os pobres, por outro lado, tinham menos a perder, e podiam ter a esperança de conseguir concessões de terra em caso de sucesso; tinham, além disso, um interesse mais próximo na defesa do regime democrático, o qual acreditavam, com razão, estar ameaçado pela predominância de Esparta e da Macedônia. (Jones, 1969, 131-2).

Embora altamente favorável à democracia grega nos séculos V e IV, em sua obra monumental *The Class Struggle in the Ancient Greek World*, Ste. Croix interpreta a vida política essencialmente como uma luta surda entre uma classe proprietária relativamente rica e a maioria dos cidadãos, os quais eram pequenos camponeses, artesãos, comerciantes e outros sem muitas posses (1981, 114ss., 285-93 *passim*). Ver também Finley 1983, 101ss.

7. Ver, por exemplo, Hale 1977, 43-75; Hyde 1973, 48-64, 104-23, 168-71; Martines 1979, 45-71, 148-61; Pullan 1972, 116-62.

8. Na verdade, em seu *Discurso sobre a economia política*, Rousseau identificou claramente o problema; porém, sua solução é nebulosa e ele não a retomou no *Contrato social*. Numa passagem logo antes da citada acima, ele nos lembra que "a vontade geral, que sempre pende para a preservação e o bem-estar do todo e de cada parte, e que é a fonte das leis, é – para todos os membros do Estado em relação a si mesmos e a esse Estado – a regra do que é justo e injusto". Mas ele rapidamente acrescenta:

> "É importante notar que essa regra de justiça, infalível em relação a todos os cidadãos, pode ser falha quanto aos estrangeiros. E o motivo para isso é evidente. Nesse caso, a vontade do Estado, embora geral em relação aos seus membros, não é mais geral em relação a outros Estados e seus membros, mas torna-se para eles uma vontade privada e individual que tem sua regra de justiça na lei da natureza, que se adapta igualmente bem aos princípios estabelecidos. Pois, nesse caso, a grande cidade do mundo torna-se o corpo político, do qual a lei da natureza é sempre a vontade geral e os vários Estados e povos são meramente membros individuais" (1978, 212).

9. Cf. livro 2, capítulo 4, do *Contrato social*, no qual ele escreve: "Os compromissos que nos vinculam ao corpo social são obrigatórios apenas por serem mútuos, e sua natureza é tal que ao cumpri-los, não

se pode trabalhar para alguém sem que se trabalhe para si mesmo. Por que a vontade geral está sempre certa e por que todos constantemente querem a felicidade de cada um, se não for porque não existe ninguém a quem a palavra *cada* não se aplique, e que não pense em si quando vota por todos?" (1978, 62). Essa passagem é extraída, sem mudanças, do *Manuscrito de Genebra* (1978, 62).

Cf. também o livro 1, capítulo 7, do *Contrato social*, no qual ele escreve: "Tão logo essa multidão é reunida num só corpo, não se pode prejudicar um dos membros sem atacar o corpo, e é ainda menos possível prejudicar o corpo sem que os membros sintam os efeitos disso. Assim, o dever e o interesse obrigam igualmente os dois lados do contrato a uma assistência mútua, e esses mesmos homens devem procurar combinar nessa relação dupla todas as vantagens que dela dependem" (55).

10. Mill 1958, 44. Seria compatível com as ideias políticas de Mill ajustar essa frase de modo que se aplicasse explicitamente às mulheres bem como aos homens.

Capítulo 21

1. Na redação desta parte do livro, foi-me útil um trabalho não publicado de Ian Shapiro, "Notas sobre o ideal republicano na política, na história e na teoria política americanas" (1987).

2. Para a tradição aristotélica da virtude, ver, em especial, MacIntyre 1984; porém, é importante ter em mente o fato de que, no entender de MacIntyre, tanto na sociedade homérica quanto em Atenas e em Aristóteles, a boa vida e o bom cidadão se distinguem, não pela *virtude* no singular, e sim pelas *virtudes* no plural: a honra, a justiça, o comedimento, entre outras (sobre as virtudes em Atenas, ver, por exemplo, 135ss.). Sobre a tradição republicana, cf. a discussão no capítulo 2, supra, e as citações ali contidas sobre o trabalho de Wood e Pocock.

3. Wood continua diretamente o trecho que acabo de citar na página 477 descrevendo a ideologia republicana como

> uma visão tão distante das realidades da sociedade americana, tão contrária ao século anterior da experiência americana, que ela bastaria para tornar a Revolução um dos grandes movimentos utópicos da história americana. Em 1776, a Revolução passara a representar uma tentativa final, e talvez até mesmo – em face da natureza da sociedade americana – uma tentativa desesperada, por parte de muitos americanos, de concretizar o ideal republicano tradicional de uma sociedade corporativa, na qual o bem comum seria o único objetivo do governo (*Loc. cit.*).

MacIntyre rejeita a suposição de que o acordo entre os atenienses quanto a seu ideal de bom homem e bom cidadão levasse a um acordo quanto ao bem comum, "pois o desacordo moral nos séculos V e IV não surge apenas porque um conjunto de virtudes se contrapõe ao outro. É também porque, e talvez principalmente porque, as concepções rivais de uma única virtude coexistem que surge o conflito. A natureza da [...] justiça [...] é objeto de tal desacordo" (1984, 133-34).

Ao que eu saiba, Pocock não afirma, em *The Machiavellian Moment* e tampouco em qualquer outra obra, que a vida política em Florença, na Inglaterra ou na América tenha algum dia alcançado o ideal do *vivere civile*.

4. Para sermos justos, devemos dizer que, como ele comenta num posfácio generoso à segunda edição, *After Virtue* "deve ser lido como um trabalho ainda em andamento" (McIntyre 1984, 278). E possivelmente MacIntyre crê que não é tarefa do filósofo apresentar um programa viável para alcançar a boa sociedade.

5. Numa outra obra, sugeri a estimativa de 50.000 a 200.000 como o tamanho aproximado de uma comunidade nos Estados Unidos pequena o suficiente para tornar a cidadania efetiva possível e grande o suficiente para deter a autoridade sobre uma gama bastante ampla de questões importantes: educação, moradia, trânsito, saúde, planejamento, desenvolvimento e outras (Dahl 1967). Embora esse número seja um tanto arbitrário, quanto menor uma comunidade, mais as decisões a respeito dessas e de outras questões serão controladas pelas decisões de unidades maiores e mais inclusivas.

6. Todavia, Walzer parece ter reservas quanto à prática, particularmente no que diz respeito aos intocáveis (1983, p. 151 n.). Talvez os entendimentos não sejam realmente compartilhados e os membros das castas inferiores sintam-se rancorosos e indignados. "Se fosse assim, seria importante buscar os princípios que moldaram sua indignação. Esses princípios também devem desempenhar seu papel na justiça do vilarejo" (314).

7. O domínio e o âmbito da unidade podem ser claramente identificados; as pessoas no domínio da unidade desejam intensamente a autonomia política no que diz respeito aos assuntos circunscritos no âmbito dessa unidade; desejam intensamente governar-se pelo processo democrático; o âmbito situa-se dentro de limites razoáveis; os interesses das pessoas na unidade são fortemente afetados por decisões dentro desse âmbito; o consenso entre as pessoas cujos interesses são significativamente afetados é maior do que seria com quaisquer outros limites viáveis; medidos por critérios relevantes, os ganhos devem superar os custos.

Capítulo 22

1. Cf. particularmente 2:378-81, em Tocqueville [1840] 1961. Para uma exposição mais completa, ver Dahl 1984, cap. 1, 7-51. Os parágrafos seguintes são adaptados de 36ss. Para uma citação completa, ver o apêndice.
2. O único caso que conheço é o Uruguai, e vale notar que a democracia foi restaurada mais rapidamente no Uruguai que nos seus vizinhos Argentina, Brasil e Chile.

Capítulo 23

1. Outra possibilidade seria transferir a propriedade da empresa a uma cooperativa que possuísse a empresa coletivamente e na qual cada trabalhador teria direito a um voto, mas não a uma ação comercializável. Essa foi a solução adotada nas empresas possuídas e controladas pelos trabalhadores – e muito bem-sucedidas – de Mondragon, na Espanha (cf. Thomas e Logan 1982). Em outro trabalho, apresentei os motivos pelos quais essa forma de propriedade me parece preferível às ações de propriedade individual e a várias outras formas de propriedade coletiva (Dahl 1984).
2. Para outras dificuldades e *non sequiturs*, ver Dahl 1984, cap. 2.
3. Para alguns detalhes de uma solução que me parece apropriada para muitas empresas nos Estados Unidos, ver Dahl, 1984, caps. 3 e 4.
4. Uma parte importante da explicação para o sucesso das cooperativas de Mondragon é a existência de sistemas de apoio eficazes, precisamente dos tipos acima. Para descrições, ver Thomas e Logan 1982, caps. 3, 4; Ellerman 1982.
5. Os organizadores do Oxford English Dictionary evidentemente encontraram apenas um uso em inglês antes do século XIX no sentido próximo do conceito moderno. Cf. a definição de "intellectual", n. 4.
6. Como observa Shils, "um sentimento mais geral de distância da autoridade foi engendrado e tornou-se uma das tradições secundárias mais fortes entre os intelectuais. Isso ocorreu primeiro no Ocidente e, neste século, na África e na Ásia, entre os intelectuais que surgiram sob a influência das tradições ocidentais" (1968, 407).
7. A diversidade interna dessa categoria foi apontada por Almond numa obra clássica sobre a política externa e a opinião pública, na qual ele distinguia vários tipos de elites políticas nos Estados Unidos:

1. As *elites políticas*, que incluem os publicamente eleitos, os nomeados para altos cargos e os líderes partidários. A elite política oficial, sem dúvida, é subdividida segundo sua posição no processo de tomada de decisões (isto é, o legislativo, o executivo, o judiciário) e de acordo com a área política a seu encargo (ou seja, a área da política externa, o Departamento de Estado e os comitês de assuntos externos da Câmara e do Senado). 2. As *elites administrativas ou burocráticas* [...] 3. As *elites de interesse*, as quais incluem os representantes do vasto número de associações privadas, orientadas para as políticas públicas [...]. Aqui também [...] podemos fazer uma distinção entre as *elites eleitas* ou *de interesse político* e as *equipes burocráticas* [...] 4. Finalmente, há as *elites das comunicações*, das quais os representantes mais óbvios são os proprietários, controladores e participantes ativos dos meios de comunicação de massa [...]. Talvez os líderes de opinião mais efetivos sejam os inúmeros "notáveis", no campo vocacional, comunitário e institucional, conhecidos como homens e mulheres de confiança [...] com seguidores pessoais (1950, 139-41).

8. Almond observa, a respeito de um subconjunto das elites das políticas, a elite das comunicações: "Qualquer descrição simples da estrutura das comunicações necessariamente é uma violência contra sua variedade e complexidade" (1950, 139-41).

9. Para algumas descrições e análises de experiências com as telecomunicações em diversos estados e comunidades americanas, cf. Arterton *et al*. 1984. Embora essas tentativas fossem todas de um nível simples de tecnologia, elas revelam as enormes possibilidades dos níveis atuais, mais avançados. Ver também Abramson, Arterton e Orren 1988.

10. Um breve esboço de solução nesse sentido encontra-se em Dahl 1984, 82-85.

APÊNDICE

Algumas de minhas obras anteriores, das quais extraí e nas quais baseei alguns trechos de capítulos deste livro, são:
Capítulo 18: *Polyarchy: Participation and Opposition*. New Haven, Yale University Press, 1971.
Capítulos 7, 8 e 9, "Procedural Democracy". In Peter Laslett and James Fishkin, org. *Philosophy, Politics and Society*. New Haven, Yale University Press, 1979.
Capítulos 12 e 13: "The Moscow Discourse: Fundamental Rights in a Democratic Order", *Government and Opposition* 15 (Inverno de 1980): 3-30.
Capítulos 20 e 21: *Dilemma of Pluralist Democracy: Autonomy versus Control*. New Haven, Yale University Press, 1982.
Capítulo 14: "Federalism and the Democratic Process", *Nomos* 25, *Liberal Democracy* (1983).
Capítulo 15: "Polyarchy, Pluralism, and Scale", *Scandinavian Political Studies* 7, n. 4 (1984): 225-40 (Rokkan Memorial Lecture, Bergen, 16 de maio de 1984).
Capítulos 12, 22 e 23: *A Preface to Economic Democracy*. Berkeley, University of California Press, 1986.
Capítulos 4, 5, e 23: *Controlling Nuclear Weapons: Democracy versus Guardianship*. Syracuse, Syracuse University Press, 1985.
Capítulo 23: *Introduction to Democracy, Liberty, and Equality*. Oslo, Norwegian Universities Press, 1986.
Capítulo 20: "Dilemmas of Pluralist Democracy: The Public Good of Which Public?". In Peter Koslowski, org., *Individual Liberty and Democratic Decision-Making*. Tübingen, J. C. B. Mohr, 1987.

BIBLIOGRAFIA

ABRAMSON, Jeffrey B.; ARTERTON, F. Christopher; ORREN, Gary R. *The Electronic Commonwealth: The Impact of New Media Technologies on Democratic Politics.* Nova York, Basic Books, 1988.

ACKERMAN, Bruce A. *Social Justice and the Liberal State.* New Haven, Yale University Press, 1980.

ADAMS, John. *Defence of the Constitutions of Government of the United States of America.* In Charles F. Adams, org., *The Works of John Adams.* Boston, Little, Brown, 1850-56.

ADAMS, Willi Paul. *The First American Constitutions: Republican Ideology and the Making of the State Constitutions in the Revolutionary Era.* Trad. Rita Kimber e Robert Kimber. Chapel Hill, University of North Carolina Press, 1980.

AGARD, Walter R. *What Democracy Meant to the Greeks.* Madison, University of Wisconsin Press, 1965.

ALBERTONI, Ettore A., org. *Studies in the Political Thought of Gaetano Mosca: The Theory of the Ruling Class and Its Development Abroad.* Milão, Giuffrè Editore, 1982.

ALFORD, C. Fred."The 'Iron Law of Oligarchy' in the Athenian Polis." *Canadian Journal of Political Science* 18 (2): 295-312, 1985.

ALMOND, Gabriel A. *The American People and Foreign Policy.* Nova York, Harcourt Brace, 1950.

___; VERBA, Sidney. *The Civic Culture.* Boston, Little, Brown, 1965.

AMERICAN School of Classic Studies at Athens. *The Athenian Citizen.* Princeton, The American School of Classic Studies at Athens, 1960.

ANDRESKI, Stanislav. *Military Organization and Society.* Berkeley, University of California Press, 1968.

APTER, David. *The Political Kingdom of Uganda.* Princeton, Princeton University Press, 1968.

ARISTÓTELES. *The Politics of Aristotle.* Trad. Ernest Baker. Oxford, Claredon Press, 1952.

ARROW, Kenneth. *Social Choice and Individual Values.* 2. ed. New Haven, Yale University Press, 1968.

ARTERTON, F. Christopher; LAZARUS, Edward H.; GRIFFEN, John; ANDRES, Monica C. *Telecommunication Technologies and Political Participation.* Washington, Roosevelt Center for American Policy Studies, 1984.

BACHRACH, Peter. *The Theory of Democratic Elitism.* Boston, Little, Brown, 1967.

BARBER, Benjamin. *Strong Democracy.* Berkeley, University of California Press, 1984.

BARRY, Brian. *Political Argument.* Londres, Routledge and Kegan Paul, 1965.

____, org. *Power and Political Theory: Some European Perspectives.* Nova York, John Wiley and Sons, 1976.

____. "Is Democracy Special?" In Peter Laslett e James W. Fishkin, orgs., *Philosophy, Politics, and Society,* Fifth Series, 155-96. New Haven, Yale University Press, 1979.

BAUTISTA URBANEJA, Diego."El Sistema Político, o Cómo Funciona la Máquina de Procesar Decisiones." In Moisés Nam e Ramón Piñango, orgs., *El Caso de Venezuela: Una illusion de armonaia.* Caracas, Ediciones IESA, 1986.

BENN, Stanley I. "Egalitarianism and the Equal Consideration of Interests." In J. R. Pennock e J. W. Chapman, orgs., *Equality (Nomos IX),* 61-78. Nova York, Atherton Press, 1967.

BERGER, Raoul. *Government by Judiciary.* Cambridge, Harvard University Press, 1977.

BLACHMAN, Morris J.; LEOGRANDE, William M.; SHARPE, Kenneth, orgs. *Confronting Revolution: Security Through Diplomacy in Central America.* Nova York, Pantheon.

____; HELLMAN, Ronald G. "Costa Rica." In: Morris J. Blachman, William M. LeoGrande e Kenneth Sharpe, orgs., *Confronting Revolution: Security Through Diplomacy in Central America,* 156-82. Nova York, Pantheon.

BLACK, Duncan. *The Theory of Committees and Elections.* Cambridge, Cambridge University Press, 1963.

BLITZER, Charles. *An Immortal Commonwealth: The Political Thought of James Harrington.* New Haven, Yale University Press, 1960.

BOBBIO, Norberto. "La teoria della classe politica negli scrittori democratici in Italia". In R. Treves, org., *Le élites politiche*. Bari, Editora Laterza, 1961.

BONNER, John. *Introduction to the Theory of Social Choice*. Baltimore, Johns Hopkins University Press, 1986.

BOTWINICK, Aryeh. "Wittgenstein and the Possibility of an Objective Defense of Democratic Participation." Trabalho apresentado em reunião da Northeastern Political Science Association, Boston, 15-17 nov. 1984.

BRACKEN, Paul. *The Command and Control of Nuclear Forces*. New Haven, Yale University Press, 1983.

BRAYBROOKE, David. "Can Democracy Be Combined with Federalism or with Liberalism?". In J. Roland Pennock e John W. Chapman, orgs., *Liberal Democracy (Nomos XXV)*, 109-18. Nova York, New York University Press, 1983.

BRODIE, Bernard. *Strategy in the Missile Age*. Princeton, Princeton University Press, 1959.

BURNHAM, James. *The Machiavellians*. Nova York, John Day, 1943.

BUZZI, A. R. *La Théorie Politique d'Antonio Gramsci*. Paris, Béatrice-Nauwelaerts, 1967.

CAMERON, David. "The Expansion of the Public Economy: A Comparative Analysis." *American Political Science Review* 72 (4): 1.243--61, 1978.

CAPLIN, Andrew; NALEBUFF, Barry. "On 64% Majority Rule." Trabalho mimeografado, 1987.

CARTER, April. "Anarchism and Violence." In J. Roland Pennock e John W. Chapman, orgs., *Anarchism (Nomos XIX)*, 320-40. Nova York, New York University Press, 1978.

CODDING, George Arthur, Jr. *The Federal Government of Switzerland*. Boston, Houghton Mifflin, 1961.

COLEMAN, Jules; FEREJOHN, John. "Democracy and Social Choice." *Ethics* 97 (1): 11-22, 1986.

CONGRESSIONAL Quarterly. *Presidential Elections Since 1789*. 2. ed. Washington, Congressional Quarterly, 1979.

CONNOLLY, William. "On 'Interests' in Politics". In Ira Katznelson, Gordon Adams, Phillip Brenner e Alan Wolfe, orgs., *The Politics and Society Reader*. Nova York, David McKay, 1974.

CONNOR, W. Robert. *The New Politicians of Fifth-Century Athens*. Princeton, Princeton University Press, 1971.

COPPEDGE, Michael; REINICKE, Wolfgang. "A Scale of Poliarchy." In Raymond D. Gastil, org., *Freedom in the World: Political Rights* and *Civil Liberties, 1987-1988*, 101-25. Lanham, Md., University Press of America, 1988a.

COPPEDGE, Michael; REINICKE, Wolfgang. "A Measure of Polyarchy." Trabalho apresentado para a Conference on Measuring Democracy, Hoover Institution, Stanford University, 27-28 maio 1988b.

COWELL, F. R. *Cicero and the Roman Republic*. Baltimore, Penguin Books, 1962.

DAALDER, Hans. 1966. "The Netherlands: Opposition in a Segmented Society." In R. A. Dahl, org., *Political Oppositions in Western Europe*, 188-326. New Haven, Yale University Press, 1966.

____. "The Consociational Democracy Theme." *World Politics* 26 (4): 604-21, 1974.

____. "The Dutch Party System: From Segmentation to Polarization – And Then?" In Hans Daalder, org., *Party Systems in Denmark, Austria, Switzerland, The Netherlands, and Belgium*. Londres, Frances Pinter, 1987.

DAHL, Robert A.; LINDBLOM, Charles E. [1953]. *Politics, Economics, and Welfare*. 2. ed. Chicago, University of Chicago Press, 1976.

____, org., *Political Oppositions in Western Democracies*. New Haven, Yale University Press, 1966.

____. "The City in the Future of Democracy." *American Political Science Review* 61 (4): 953-70, 1967.

DAVIS, James C. *The Decline of the Venetian Nobility as a Ruling Class*. Baltimore, Johns Hopkins University Press, 1962.

DIAMOND, Larry; LIPSET, Seymour Martin; LINZ, Juan. "Developing and Sustaining Democratic Government in the Third World." Trabalho preparado para apresentação na reunião anual da American Political Science Association, Washington, D.C., 1986.

DIX, Robert. *Colombia: The Political Dimensions of Change*. New Haven, Yale University Press, 1967.

DOUGLASS, Bruce. "The Common Good and the Public Interest." *Political Theory* 8 (1): 103-17, 1980.

DOWNS, Anthony. *An Economic Theory of Democracy*. Nova York, Harper and Brothers, 1957.

DWORKIN, Ronald. *Taking Rights Seriously*. Cambridge, Harvard University Press, 1978.

ELLERMAN, David P. "The Socialization of Entrepreneurialism: The Empresarial Division of the Caja Jaboral Popular." Somerville, Mass., Industrial Cooperative Association, 1982.

ELSTER, Jon. *Making Sense of Marx*. Cambridge, Cambridge University Press, 1985.

ELY, John Hart. *Democracy and Distrust.* Cambridge, Harvard University Press, 1980.
ENCYCLOPAEDIA Britannica, s.v. "Military Service." Vol. 15, pp. 451b--54. Chicago, Encyclopaedia Britannica, Inc., 1970.
ENGELMANN, Frederick. "Austria: The Pooling of Oppositions". In R. A. Dahl, org., *Political Oppositions in Western Europe,* 260-83. New Haven, Yale University Press, 1966.
FINE, Jonh V. A. *The Ancient Greeks, A Critical History.* Cambridge, Harvard University Press, 1983.
FINER, S. E. *The Man on Horseback: The Role of the Military in Politics.* 2. ed. Boulder, Westview Press, 1988.
FINLEY, M. I. *Democracy, Ancient and Modern.* New Brunswick, Rutgers University Press, 1973a.
____. *The Ancient Economy.* Berkeley, University of California Press, 1973b.
____. *Ancient Slavery and Modern Ideology.* Nova York, Viking Press, 1980.
____. *Politics in the Ancient World.* Cambridge, Cambridge University Press, 1983.
FISHKIN, James S. *Justice, Equal Opportunity, and the Family.* New Haven, Yale University Press, 1983.
____. *Beyond Subjective Morality.* New Haven, Yale University Press, 1984.
____. "Ideals Without an Ideal: Justice, Democracy and Liberty in Liberal Theory. In Peter Koslowski, org., *Individual Liberty and Democratic Decision-making,* 7-30. Tübingen, J. C. B. Mohr, 1987.
____. "The Complexity of Simple Justice." *Ethics* 98 (3): 464-71, 1988.
FLATHMAN, Richard E. "Equality and Generalization: A Formal Analysis." In J. R. Pennock e J. W. Chapman, orgs., *Equality (Nomos IX),* 38-60. Nova York, Atherton Press, 1967.
FRALIN, Richard. *Rousseau and Representation.* Nova York, Columbia University Press, 1978.
FRIEDRICH, Carl J. *Constitucional Government and Politics.* Boston, Ginn, 1937.
FROLICK, N. J.; OPPENHEIMER, Ernest J. *Modern Political Economy.* Englewood Cliffs, Prentice-Hall, 1978.
GILBERT, Dennis. "Nicaragua". In Morris J. Blachman, William Leo--Grande e Kenneth Sharpe, *Confronting Revolution: Security Through Diplomacy in Central America,* 88-124. Nova York, Pantheon, 1986.
GLASSMAN, Ronald M. *Democracy and Despotism in Primitive Societies.* Port Washington, N. Y., Association Faculties Press, 1986.

GOMME, A. W. *The Population of Athens in the Fifth and Fourth Centuries B. C.* Oxford, Oxford University Press, 1933.
GROFMAN, Bernard. "Fair and Equal Representation." *Ethics* 91 (3): 477-85, 1981.
HABERMAS, Jurgen. *Theory and Practise*. Trad. para o inglês John Viertel. Boston, Beacon Press, 1973.
____. *Communication and the Evolution of Society*. Trad. para o inglês Thomas McCarthy. Boston: Beacon Press, 1979.
HALE, J. R. *Florence and the Medici*. Nova York, Thames and Hudson, 1977.
HAMILTON, Alexander; JAY, John; MADISON, James. *The Federalist*. Nova York, Modern Library, s/d.
HEATH, Anthony; JOWEL, Roger; CURTICE, John. *How Britain Votes*. Oxford, Pergamon Press, 1985.
HOCHSCHILD, Jennifer. *The New American Dilemma: Liberal Democracy and School Desegregation*. New Haven, Yale University Press, 1984.
HOLMES, Stephen. *Benjamin Constant and the Making of Modern Liberalism*. New Haven, Yale University Press, 1984.
HUNTINGTON, Samuel. "Conservatism as an Ideology", *American Political Science Review* 51 (2): 454-73, 1957a.
____. *The Soldier and the State: The Theory and Politics of Civil-Military Relations*. Cambridge, Harvard University Press, 1957b.
____. *Political Order in Changing Societies*. New Haven, Yale University Press, 1968.
____. "Will More Countries Become Democratic?" *Political Science Quarterly* 99 (2): 193-218, 1984.
HYDE, J. K. *Society and Politics in Medieval Italy: The Evolution of the Civil Life, 1000-1350*. Nova York, St. Martin's Press, 1973.
IYENGAR, Shanto; KINDER, Donald R. *News That Matters*. Chicago, University of Chicago Press, 1987.
JANOWITZ, Morris. *The Last Half-Century*. Chicago, University of Chicago Press, 1978.
JENKYNS, Richard. *The Victorians and Ancient Greece*. Cambridge, Harvard University Press, 1980.
JONES, A. H. M. *Athenian Democracy*. Oxford, Basil Blackwell, 1969.
KANT, Immanuel. *Groundwork of the Metaphysics of Morals*. Trad. para o inglês H. J. Paton. Nova York, Harper and Row, 1964.
KARL, Terry Lynn. "Petroleum and Political Pacts: The Transition to Democracy in Latin America." In Guillermo O'Donnell, Philippe C. Schmitter e Laurence Whitehead, orgs., *Transitions from Author-*

itarian Rule, 196-219. Baltimore, Johns Hopkins University Press, 1986.
KATZNELSON, Ira; ADAMS, Gordon; BRENNER, Phillip; WOLFE, Alan, orgs. *The Politics and Society Reader.* Nova York, David McKay, 1974.
KENDALL, Wilmoore. *John Locke and the Doctrine of Majority Rule.* Urbana, University of Illinois Press, 1941.
KINZER, Stephen. "Walking the Tightrope in Guatemala." *The New York Times Magazine* (9 de novembro), 32ss, 1986.
KOLAKOWSKI, Leszek. *Main Currents of Marxism.* 3 vols. Trad. para o inglês P. S. Falla. Oxford, Clarendon Press, 1978.
KRAMER, Gerald. "Some Procedural Aspects of Majority Rule." In J. Roland Pennock e John W. Chapman, orgs., *Due Process (Nomos XVIII),* 264-95. Nova York, New York University Press, 1977.
KUFLIK, Arthur. "The Inalienability of Autonomy." *Philosophy and Public Affairs* 13 (4): 271-98, 1984.
LAFEBER, Walter. "The Burdens of the Past." In Robert S. Leiken, org., *Central America: Anatomy of Conflict,* 49-68. Nova York, Pergamon Press, 1984.
LARSEN, J. A. O. *Representative Government in Greek and Roman History.* Berkeley, University of California Press, 1966.
LASKI, Harold. "The Obsolescence of Federalism." *New Republic* 98: 367-69, 1939.
LEVI, Primo. *Se questo è un uomo.* Turin, Giulio Einaudi, 1976.
LEVINE, Daniel. *Conflict and Political Change in Venezuela.* Princeton, Princeton University Press, 1973.
LEWIS, Gordon. *The Growth of the Modern West Indies.* Nova York, Modern Reader, 1968.
LIJPHART, Arend. *The Politics of Accommodation.* 2. ed., rev. Berkeley, University of California Press, 1975.
____. *Democracy in Plural Societies.* New Haven, Yale University Press, 1977.
____. "Religious *vs.* Linguistic *vs.* Class Voting: The Crucial Experiment of Comparing Belgium, Canada, South Africa, and Switzerland." *American Political Science Review* 73 (2): 442-56, 1979.
____. *Democracies.* New Haven, Yale University Press, 1984.
LINDBLOM, Charles E. *Politics and Markets.* Nova York, Basic Books, 1977.
LINZ, Juan; STEPAN, Alfred. *The Breakdown of Democratic Regimes.* Baltimore, Johns Hopkins University Press, 1978.

LOCKE, John [1689-90]. *Two Treatises of Government*. 2. ed., Peter Laslett, org. Cambridge, Cambridge University Press, 1970.

LORWIN, Val. "Belgium: Religion, Class, and Language in National Politics." In R. A. Dahl, org., *Political Oppositions in Western Europe*, 147-87. New Haven, Yale University Press, 1966.

LUKES, Steven. *Essays in Social Theory*. Londres, Macmillan Press, 1977.

MACINTYRE, Alisdair. *A Short History of Ethics*. Nova York, Macmillan, 1966.

____. *After Virtue*. 2. ed. Notre Dame, Ind., University of Notre Dame Press, 1984.

MACKAY, Alfred F. *Arrow's Theorem: The Paradox*. New Haven, Yale University Press, 1980.

MACLEAN, Douglas, org. *The Security Gamble: Deterrence Dilemmas in the Nuclear Age*. Towota, N. J., Rowman and Allanheld, 1986.

MANSFIELD, Harvey C., Jr. "Modern and Medieval Representation." In J. R. Pennock e J. W. Chapman, orgs., *Representation (Nomos X)*, 55-82. Nova York, Atherton Press, 1968.

MARSHALL, T. H. *Citizenship and Social Class*. Londres, Cambridge University Press, 1950.

MARTINES, Lauro. *Power and Imagination: City States in Renaissance Italy*. Nova York, Knopf, 1979.

MARX, Karl. [1894]. *Capital, A Critique of Political Economy*. Vol. 3, *The Process of Capitalist Production as a Whole*. Nova York, International Publishers, 1967.

MAY, Kenneth. "A Set of Independent Necessary and Sufficient Conditions for Simple Majority Decision." *Econometrica* 10: 680-84, 1952.

MCCARTHY, Thomas. *The Critical Theory of Jurgen Habermas*. Cambridge, MIT Press, 1978.

MCDONAGH, Eileen L.; PRICE, H. Douglas. "Woman Suffrage in the Progressive Era: Patterns of Opposition and Support in Referenda Voting, 1910-1918." *American Political Science Review* 79 (2): 415-35, 1985.

MCRAE, Kenneth, org. *Consociational Democracy: Political Accommodation in Segmented Societies*. Toronto: McClelland and Stewart, 1974a.

____. "Consociationalism in the Canadian Political System." In Kenneth McRae, org., *Consociational Democracy: Political Accommodation in Segmented Societies*, 238-61. Toronto, McClelland and Stewart, 1974b.

MEISEL, James H. *The Myth of the Ruling Class: Gaetano Mosca and the "Elite".* Ann Arbor, University of Michigan Press, 1958.
MICHELS, Robert. *Political Parties: A Sociological Study of the Oligarchical Tendencies of Modern Parties.* Trad. para o inglês E. Paul e C. Paul; intro. S. M. Lipset. Nova York, Collier Books, 1962.
MILL, John Stuart [1861]. *Considerations on Representative Government.* C. V. Shields, org. Indianápolis, Bobbs-Merrill, 1958.
____ [1859]. *On Liberty.* In *John Stuart Mill, Utilitarianism and Other Writings.* Nova York, New American Library, 1962a.
____ [1863]. *Utilitarianism.* In *John Stuart Mill, Utilitarianism and Other Writings.* Nova York, New American Library, 1962b.
MILLER, James Grier. *Living Systems.* Nova York, McGraw Hill, 1978.
MILLS, C. Wright. *The Power Elite.* Nova York, Oxford University Press, 1956.
MOKKAN, R. J.; STOCKMAN, F. N. "Power and Influence as Political Phenomena." In Brian Barry, org., *Power and Political Theory: Some European Perspectives,* 33-54. Nova York, John Wiley, 1976.
MONTESQUIEU, Charles-Louis de Secondat, Baron de [1748]. *De l'Esprit des lois.* 2 vols. Paris, Editions Garnier Frères, 1961.
MONTGOMERY, Hugo. *The Way to Chaeronea: Foreign Policy, Decision-making and Political Influence in Demosthenes' Speeches.* Oslo, Universitetsforlaget, 1983.
MOON, J. Donald. "Thin Selves, Rich Lives." Trabalho preparado para a reunião anual da American Political Science Association, 27-31 de agosto de 1987.
MORLINO, Leonardo. *Come Cambiano i Regimi Politici.* Milão, Franco Angelo Editore, 1980.
MOSCA, Gaetano. *Elementi di Scienza Politica.* 2. ed. Turim, Fratelli Bocca Editori, 1923.
____. *Teorica dei Governi e Governo Parlamentare.* Milão, Soc. An. Istituto Editoriale Scientifico, 1925.
NAGEL, Thomas. *Mortal Questions.* Cambridge, Cambridge University Press, 1979.
NELSON, William N. *On Justifying Democracy.* Londres, Routledge and Kegan Paul, 1980.
NOEL, S. J. R. "Consociational Democracy and Canadian Federalism." In Kenneth Mc Rae, org., *Consociational Democracy: Political Accommodation in Segmented Societies,* 262-68. Toronto, McClelland and Stewart, 1974.
NORDLINGER, Eric. *Conflict Regulation in Divided Societies.* Cambridge, Center for International Affairs, Harvard University, 1972.

NORDLINGER, Eric. *Soldiers in Politics: Military Coups and Government.* Englewood Cliffs, Prentice-Hall, 1977.

NOVE, Alec. *The Economics of Feasible Socialism.* London, George Allen and Unwin, 1983.

NOZICK, Robert. *Anarchy, State, and Utopia.* Nova York, Basic Books, 1974.

O'DONNELL, Guillermo. "Permanent Crisis and the Failure to Create a Democratic Regime: Argentina." In Juan Linz e Alfred Stepan, orgs., *The Breakdown of Democratic Regimes,* parte III, 138-77. Baltimore, Johns Hopkins University Press, 1978.

_____; SCHMITTER, Philippe C.; WHITEHEAD, Laurence, orgs. *Transitions from Authoritarian Rule.* Baltimore, Johns Hopkins University Press.

OPPENHEIM, Felix. *Political Concepts.* Chicago, University of Chicago Press, 1981.

ORMSBY, William. "The Province of Canada. The Emergence of Consociational Politics." In Kenneth McRae, org., *Consociational Democracy: Political Accommodation in Segmented Societies,* 269-74. Toronto, McClelland and Stewart, 1974.

OXFORD English Dictionary. *Compact Edition.* 2 vols. s. v. "Intelectual." Nova York, Oxford University Press, 1971.

PALMER, Robert R. *The Age of the Democratic Revolution: A Political History of Europe and America, 1760-1800.* Princeton, Princeton University Press, 1959.

PARETO, Vilfredo. *Les Systèmes Socialistes.* 2. ed. 2 vols. Paris, Marcel Giard, 1926.

_____. *The Mind and Society.* 4 vols. Arthur Livingston, org. Trad. para o inglês Andrew Bongiorno e Arthur Livingston. Nova York, Harcourt Brace, 1935.

_____. *Sociological Writings.* Seleção e introdução de S. E. Finer, trad. para o inglês Derick Mirfin. Nova York, Frederick A. Praeger, 1966.

PATEMAN, Carole. *Participation and Democratic Theory.* Cambridge, Cambridge University Press, 1970.

PELLICANI, Luciano. *Gramsci e la questione communista.* Florença, Vallechi, 1976.

PENNATI, Eugenio. *Elementi di sociologia politica.* Milão, Edizioni di Comunità, 1961a.

_____. "Les élites politiche nelle teoriche minoritarie." In R. Treves, org., *Le élites politiche.* Bari, Editori Laterza, 1961b.

PENNOCK, J. R.; CHAPMAN, J. W., orgs. *Equality (Nomos IX).* New York, Atherton Press, 1967.

_____. *Representation (Nomos X).* Nova York, Atherton Press, 1968.

PENNOCK, J. R.; CHAPMAN, J. W. *Political and Legal Obligation (Nomos XII)*. Nova York, Atherton Press, 1970.
____, orgs. *Due Process (Nomos XVIII)*. Nova York, New York University Press, 1977.
____. *Anarchism (Nomos XIX)*. Nova York, New York University Press, 1978.
____. *Liberal Democracy (Nomos XXV)*. Nova York, New York University Press, 1983.
PERLMUTTER, Amos. *The Military and Politics in Modern Times*. New Haven, Yale University Press, 1977.
PLAMENATZ, John. *Democracy and Illusion*. Londres, Longman, 1973.
PLATÃO. *The Dialogues of Plato*. 2 vols. Trad. para o inglês B. Jowett. Nova York, Random House, 1937.
____. *Plato's Republic*. Trad. para o inglês G. M. A. Grube, Indianópolis, Hacket, 1974.
POCOCK J. G. A. *The Machiavellian Moment*. Princeton, Princeton University Press, 1975.
PULLAN, Brian. *A History of Early Renaissance Italy*. Nova York, St. Martin's Press, 1972.
RAE, Douglas. "Decision-Rules and Individual Values in Constitutional Choice." *American Political Science Review* 63 (1): 40-56, 1969.
____. "Maximin Justice and an Alternative Principle of General Advantage." *American Political Science Review* 69 (2): 630-47, 1975a.
____. "The Limits of Consensual Decision." *American Political Science Review* 69 (4): 1270-94, 1975b.
____. "A Principle of Simple Justice." In Peter Laslett e James Fishkin, orgs., *Philosophy, Politics, and Society*, Fifth Series, 134-54. New Haven, Yale University Press, 1979.
____. *Equalities*. Cambridge, Harvard University Press, 1981.
RAWLS, John. *A Theory of Justice*. Cambridge, Harvard University Press, 1971.
RIKER, William; WEINGAST, Barry R. "Constitutional Regulation of Legislative Choice: The Political Consequences of Judicial Deference to Legislatures." Stanford, Hoover Institution, 1986.
____. *Liberalism Against Populism*. São Francisco, W. H. Freeman, 1982.
RILEY, Patrick. "On the 'Kantian' Foundations of Robert Paul Wolff's Anarchism." In J. Roland Pennock e John W. Chapman, orgs., *Anarchism (Nomos XIX)*, 294-319. Nova York, New York University Press, 1978.
ROKKAN, Stein. "Norway: Numerical Democracy and Corporate Pluralism." In R. A. Dahl, org., *Political Oppositions in Western Europe*, 70-115. New Haven, Yale University Press, 1966.

ROSEN, F. *Jeremy Bentham and Representative Democracy*. Oxford, Oxford University Press, 1983.

ROUSSEAU, Jean-Jacques [1762]. *On the Social Contract, with Geneva Manuscript and Political Economy*. Roger D. Masters e Judith R. Masters, orgs. Nova York, St. Martin's Press, 1978.

RUSSETT, Bruce M. "Ethical Dilemmas of Nuclear Deterrence." *International Security* 9: 36-54, 1984.

SARTORI, Giovanni. "I significati del termine élite." In R. Treves, org., *Le élites politiche*. Bari, Editore Laterza, 1961.

SABINE, George. *A History of Political Theory*. 3. ed. Nova York, Holt, Rinehart, e Winston, 1964.

SÁNCHEZ VÁSQUEZ, Adolfo. *The Philosophy of Praxis*. Londres, Merlin Press, 1977.

SANDEL, Michael. *Liberalism and the Limits of Justice*. Nova York, Cambridge University Press, 1982.

SCHUMPETER, Joseph A. *Capitalism, Socialism and Democracy*. 2. ed. Nova York, Harper and Brothers, 1947.

SEALEY, Raphael. *A History of the Greek City States ca. 700-338 B. C.* Berkeley, University of California Press, 1976.

SELUCKÝ, Radoslav. *Marxism, Socialism, Freedom*. Nova York, St. Martin's Press, 1979.

SHAPIRO, Ian. "Notes on the republican ideal in American politics, history and political Theory." Manuscrito. 1987.

_____. "Three Fallacies Concerning Majorities, Minorities and Democratic Politics." In John Chapman and Alan Wertheimer, orgs., *Majorities and Minorities (Nomos XXXII)*. New York, Nova York University Press, 1989.

SHILS, Edward. "Intellectuals." In *International Encyclopedia of Social Sciences*. 17 vols. 7:399-414. Nova York, Macmillan and the Free Press.

SIMON, Herbert A. *Reason in Human Affairs*. Stanford, Stanford University Press, 1983.

SMITH, Peter H. "The Breakdown of Democracy in Argentina, 1916--30." In Juan Linz e Alfred Stepan, orgs., *The Breakdown of Democratic Regimes*, parte III, 3-27. Baltimore, Johns Hopkins University Press, 1978.

SNIDERMAN, Paul M. *Personality and Democratic Politics*. Berkeley, University of California Press, 1975.

SOLA, Giorgi. "Elements for a Critical Reappraisal of the Works of Gaetano Mosca." In E. A. Albertoni, org., *Studies in the Political Thought of Gaetano Mosca*. Milão, Giuffré Editore, 1982.

SOMJEE, A. H. "Individuality and Equality in Hinduism." In J. R. Pennock e J. W. Chapman, orgs., *Equality, (Nomos IX)*, 177-92. Nova York, Atherton Press, 1967.
SPITZ, Elaine. *Majority Rule*. Chatham, N. J., Chatham House, 1984.
STE. CROIX, G. E. M. de. *The Class Struggle in the Ancient Greek World, from the Archaic Age to the Arab Contests*. Ithaca, Cornell University Press, 1981.
STEINER, Jurg. *Amicable Agreements versus Majority Rule: Conflict Resolution in Switzerland*. Ed. rev. Chapel Hill, University of North Carolina Press, 1974.
STEINER, Kurt. *Politics in Austria*. Boston, Little, Brown, 1972.
STEPAN, Alfred. *The Military in Politics: Changing Patterns in Brazil*. Princeton, Princeton University Press, 1971.
____. "The New Professionalism of Internal Warfare and Military Role Expansion." In Alfred Stepan, org., *Authoritarian Brazil*, 47-65. New Haven, Yale University Press, 1973.
STEPHENS, Evelyne Huber; STEPHENS, John. "Democracy and Authoritarianism in the Caribbean Basin." Preparado para apresentação no XII International Congress of the Caribbean Studies Association, Belize, 26-29 de maio de 1987.
STILL, Jonathan W. "Political Equality and Election Systems." *Ethics* 91 (3): 375-94, 1981.
SVENSSON, Palle. *The Development of Danish Polyarchy – or How Liberalization Also Preceded Inclusiveness in Denmark*. Aarhus, Institute of Political Science, 1987.
SIVARD, Ruth Leger. *World Military and Social Expenditures*. 11. ed. Washington, World Priorities, 1986.
TAYLOR, Charles Lewis; HUDSON, Michael. *World Handbook of Political and Social Indicators*. New Haven, Yale University Press, 1972.
TAYLOR, Lily Ross. *Party Politics in the Age of Caesar*. Berkeley, University of California Press, 1961.
____. *Roman Voting Assemblies*. Ann Arbor, University of Michigan Press, 1966.
THOMAS, H.; LOGAN, C. *Mondragon: An Economic Analysis*. Londres, Allen and Unwin, 1982.
THOMPSON, Dennis F. *John Stuart Mill and Representative Government*. Princeton, Princeton University Press, 1976.
TUCÍDIDES. *The Peloponnesian War*. Trad. para o inglês John H. Finley, Jr. Nova York, Random House, 1951.
TOCQUEVILLE, Alexis de. *Democracy in America*. Vol. 1 (1835) e vol. 2 (1840). Nova York, Schocken Books, 1961.

TRACY, Destutt de. *A Commentary and Review of Montesquieu's Spirit of Laws*. Philadelphia, 1811.

TREVES, Renato, org. *Les élites politiche*. Bari, Editori Laterza, 1961.

TRUDEAU, Robert e Schoultz, Lars. "Guatemala." In Morris J. Blachman, William M. LeoGrande e Kenneth Sharpe, orgs., *Confronting Revolution: Security Through Diplomacy in Central America*, 23-49. Nova York, Pantheon, 1986.

TURNER, Frank M. *The Greek Heritage in Victorian Britain*. New Haven, Yale University Press, 1981.

UNGER, Roberto Mangabeira. *Knowledge and Politics*. Nova York, Free Press, 1975.

U.S. Bureau of the Census. *Historical Statistics of the United States, Colonial Times to 1957*. Washington, U. S. Government Printing Office, 1960.

____. *Statistical Abstracts*, 1986.

VANHANEN, Tatu. *The Emergence of Democracy: A Comparative Study of 119 States, 1850-1979*. Helsinki, Finnish Society of Arts and Letters, 1984.

WALZER, Michael. *Spheres of Justice*. Nova York, Basic Books, 1983.

WEBSTER'S Seventh New Collegiate Dictionary. 1965.

WEBB, Sidney; WEBB, Beatrice. *Industrial Democracy*. Londres, Longman, Green, 1920.

WHELAN, Frederick G. "Prologue: Democratic Theory and the Boundary Problem." In J. Rolland Pennock e John W. Chapman, orgs., *Liberal Democracy (Nomos XXV)*, 13-48. Nova York, New York University Press, 1983.

WILDAVSKY, Aaron. "The New American Dilemma: Liberal Democracy and School Desegregation." *Constitutional Commentary* 3 (1): 161-73, 1986.

WILLS, Garry. *Inventing America*. Garden City, N. Y., Doubleday, 1978.

WOLFF, Robert Paul. "In Defense of Political Philosophy". *In Defense of Anarchism, with a Reply to Jeffrey H. Reiman's*. Nova York, Harper and Row, 1976.

WOOD, Gordon S. *The Creation of the America Republic 1776-1787*. Chapel Hill, University of North Carolina Press, 1969.

WOODHOUSE, A. S. P. *Puritanism and Liberty*. Chicago, University of Chicago Press, 1938.

YACK, Bernard. "Community and Conflict in Aristotle's Political Philosophy." *The Review of Politics* 45:92-112, 1985.

ÍNDICE REMISSIVO

Adams, Willi Paul, 573*n*2
África, 378
África do Sul, 162
Agenda, controle da; decisões vinculativas e, 167; como critério para o processo democrático, 177-81; sistemas federativos e, 316-21; e governo da maioria, 230; domínio da minoria e, 439-42; federalismo transnacional e, 315-6
Agressão, 364
Alemanha, 252, 372
Almond, G. A., 543, 588n7, 589n8
América Latina, 379, 393, 505.
Análise custo-benefício. *Ver* Utilidade
Anarquismo: pressupostos no, 56-60; conclusões do, 60-1; crítica do, 64-70; questões empíricas no, 65-6; objeções à democracia por parte do, 53-61, 75-6; associações voluntárias no, 53, 55, 60; a defesa de Wolff do, 61-3

Anonimato, requisito de, 218, 220
Arbenz, Jacobo Guzmán, 582*n*10
Argentina, 414
Argumentos dedutivos, e teoria democrática, 9-13
Aristocracia; na tradição republicana, 35-9; na República de Veneza, 97, 153, 195
Aristóteles, 221, 584*n*3; *Política*, 166; tradição republicana e, 35-8, 476-9; escravidão e, 190
Arrow, Kenneth, 229
Assembleia: na pólis grega, 23-4, 30; governo representativo e, 41-4
Associações, 521; autônomas nos Estados nacionais, 507; processo democrático e, 359, 365; interesses dos não organizados e, 471-2; tipos de, e critério para o processo democrático, 167-9, 207; necessidade de, e bem público, 469; tipos de, como unidades democráticas, 308-9; voluntárias, no

anarquismo, 53, 55, 59-60.
Ver também Anarquismo;
Empreendimentos
econômicos; Federalismo
Atenas. *Ver* Grécia clássica
Austrália, 252, 342, 371
Áustria, 579n23; regras de
decisão na, 252; poliarquia na,
372, pluralismo subcultural e,
403, 405, 408
Autodeterminação, 520;
processo democrático e, 138-9,
513-6; domínio da maioria e,
214-5; Presunção de
Autonomia Pessoal e, 164-5;
limites da unidade e, 231-2,
312-3
Autogoverno, direito ao, 276,
290
Autonomia: moral, 62-3, 70-3,
140-2; política, como direito,
312-3. *Ver também* Presunção
de Autonomia Pessoal;
Autodeterminação;
Autossuficiência
Autonomia local, pretensões de,
310
Autonomia nacional: qualidade
da democracia e, 510; forças
transnacionais e, 508-10
Autoridade: dentro das
empresas, 525; como
característica do Estado, 62,
70, 73-5; distribuição da, 258;
domínio da, 311, 330; na
teoria econômica *versus* teoria
democrática, 517-21;
paternalista, 155-7; quase
guardiania e, 244-5, 298;
âmbito da, 311, 330. *Ver
também* Guardiania

Autoridade dos pais, 287
Autoridades eleitas, 369
Autossuficiência, 28-9

Bakunin, Mikhail, 54, 66
Barry, B., 583*n*1
Bélgica: regras de decisão na,
247, 252; poliarquia na, 341,
371-2; pluralismo subcultural
e a, 403, 405, 408
Bem comum: conquista do,
466-75; limites do, 462-6;
processo democrático e, 184,
256-77, 495-7; no *demos*
excludente, 455, 466; na pólis
grega, 20-1, 26, 30; guardiania
e, 110-6; como fenômeno
histórico, 454-8; ideia de, 346,
444-7, 449-51; critérios
internamente conflitantes
para o, 452-4; conhecimento
do, 110-6, 448-9; falta de
especificidade no ideal de,
449-51; significado de, 111-6;
metáfora para, 112-3, 115;
como ideal normativo, 448-54;
visão do bem comum centrada
na pessoa, 112-4; dificuldades
filosóficas com o ideal de,
447-9; pluralismo e, 354-5,
458-75; como processo e
substância, 476-91; na tradição
republicana, 45; escala da
democracia moderna e, 186;
pequena comunidade e,
479-81; como termo, 583*n*1;
critérios universalistas para o,
465, 486; utilidade e, 225
Bem público. *Ver* Bem comum
Bem substantivo: coerção por
parte das elites e, 571*n*7;

correção de danos ao, 290-306; como elemento externo e não necessário para o processo democrático, 263, 275-6; como elemento externo, mas necessário para o processo democrático, 263, 276, 281-4; como parte integral do processo democrático, 264-77; diferentes propostas do que seja o, 263, 278, 291; conhecimento do, 285-8; pressupostos errôneos e, 257-62; *versus* justiça procedimental, 184, 257-62; procedimentos especiais e, 293-6

Bentham, Jeremy, 83, 132
Bicameralismo, 247, 249, 293-6
Black, D., 566*nn*5 e 6, 567*n*2
Bobbio, N., 581*n*6
Botswana, 378
Bracken, P., 106, 108-9
Brasil, 376, 393
Burocracia, 85, 534. *Ver também* Especialistas em políticas públicas

Canadá, 252, 342, 409
Capitalismo: *versus* teoria democrática, 516-21; *versus* socialismo, 481-2; diversidade de sistemas no, 516
Caplin, A., 567*n*2
Cargos administrativos, participação dos cidadãos e, 20-1, 27-8
Caribe, 379
Chile, 376, 379
China, República da (Taiwan), 400

Chipre, 407
Ciclos de votação, 242-4
Cidadania: no país democrático avançado, 540-5; como direito categórico, 193-200; como dependente da competência, 196-204; como excludente, 32-3, 84-5; sob a poliarquia, 348; presunção de competência e, 169; como absolutamente contingente, 190-3
Cidade-Estado, 1, 4; autonomia da, 508-9; como unidade democrática ideal, 308, 547*n*4; ideal *versus* realidade na, 29--34; surgimento do Estado nacional e, 338-9. *Ver também* Grécia clássica
"Ciência do governo", 100-2
Classes trabalhadoras, proteção dos interesses das, 161
Clemenceau, Georges, 109
Coerção: como mal, 58-60; e o mundo imperfeito, 76; inevitabilidade da, nos Estados, 383-4; justificabilidade da, 65-70; domínio da minoria e, 434-6; autonomia política como direito e, 312-3; Estado e, 553*n*2; violenta, 383-94. *Ver também* Anarquismo
Cole, G. D. H., 473
Coleman, J., 567*n*4
Colômbia, 405, 408, 579*n*23
Colonialismo, colapso do, 376
Competência: cidadania como dependente da, 196-204; democratização dos

empreendimentos econômicos e, 526-7. *Ver também* Guardiania; Competência instrumental; Competência moral

Competência instrumental, 93-4, 104-7. *Ver também* Especialização; Democracia no local de trabalho

Competência moral: estrangeiros e, 564-5*n*11; guardiania e, 90-3, 102-4; competência instrumental e, 104-7; como qualificação dos governantes, 86-90

Competência política, 86-90. *Ver também* Guardiania

Competência técnica. *Ver* Competência instrumental

Competição, 377*n*

Complexidade, e processo democrático, 536-8

Compreensão esclarecida: bem comum e, 490-1; critério de, 175-7, 286-8

Comuna, democracia participativa na, 362

Comunidade Europeia, 315, 325, 511

Comunidade política, e relativismo cultural, 484-5

Condorcet, Marquês de, 222-3, 228-9

Confederação Suíça, 388, 551*n*4

Conflito político: mudança na estrutura econômica e, 481-2; na Grécia clássica, 549*n*10; bem comum e, 457-8; nas cidades-Estado gregas, 28; direitos individuais e, 349; como norma, 507; poliarquia e, 400-11; governo representativo e, 45-6; tradição republicana e, 37-8; escala e, 345-6. *Ver também* Partidos políticos

Confucionismo, 78, 98, 445

Conhecimento: do bem comum, 110-6, 447-9; e o abismo entre as elites políticas e os cidadãos, 540-5; guardiania e, 93-4, 100-24; do "bem" pessoal, 157-60; como qualificação para governar, 84-6, 93-4; do bem substantivo, 285-8. *Ver também* Competência instrumental; Competência moral

Connolly, W., 570*n*3

Connor, W. R., 550*n*12

Consenso: como critério para a unidade democrática, 333; nas democracias modernas, 246-55; direitos na ausência de, 349

Consentimento dos governados, 194, 200-1, 312-3, 559*n*1

Constant, Benjamin, 550*n*16

Constituição: estágio decisivo e, 168; tradição republicana e, 36-8. *Ver também* Constituição dos EUA

Constituição dos EUA, 293-6, 343

Contingência histórica: inclusividade do *demos* e, 190-3; autodefinição de um povo e, 312

Controle. *Ver* Agenda, controle da; Autoridade

Controle judicial de constitucionalidade, 298-305, 568*n*5, 570*nn*5 *e* 6

Coppedge, M., 378*n*
Coreia do Sul, 376, 400
Costa Rica, 390
Crenças: processo democrático e, 46-8, 282-4; influência sobre, 434-6; na sociedade MDP, 396-8, 401; dos ativistas políticos, 411-5. *Ver também* Coerção; Doutrinação; Cultura política
Crianças: trabalho infantil e, 219; bem comum e, 464, 468; critério de competência e, 200-1; definição de adulto e, 203, 205; inclusão no *demos* e, 84, 87, 182-3, 195-6; autoridade paternalista e, 155-7; direitos das, 564*n*10
Cristianismo, 48, 57, 91
Croce, Benedetto, 583*n*12
Cultura política, 415

Dados históricos: e teoria democrática, 12; sobre as cidades-Estado gregas, 548*n*7, 550*n*11; teorias do domínio da minoria e, 441-3
Dano, e justificabilidade da coerção, 65-8
De Tracy, Destutt, 44
Decisões coletivas: como vinculativas, 127, 167-9; problema dos limites e, 217, 231-3; guardiania e, 116-7; Presunção de Autonomia Pessoal e, 154-7; qualificações para tomar, 151-4, 164; e Princípio Forte de Igualdade, 151-4, 164
Decisões corretas, e domínio da maioria, 221-3

Defesa: agressão como inevitável e, 364; nas cidades--Estado gregas, 24, 28, 34
Demagogos, 550*n*13
Democracia, como termo, 573*n*2
Democracia consociacional: crenças dos ativistas políticos e, 411; características da, 404-7; condições favoráveis à, 407-9; deficiências da, 407; veto mútuo na, 404; como solução para o pluralismo subcultural, 403-4; como termo, 579*n*18
"Democracia de acionistas", 525-8
Democracia liberal. *Ver* Democracia limitada
Democracia limitada, 243-4, 267
Democracia no local de trabalho: competência para governar e, 523-30; condições para, 527-9; sistema de apoio e, 529-30
Democracia participativa: limites da, e escala, 344; modelos para, 362-3; no mundo moderno, 354, 356-66; papel do público atento e, 543; tipo de unidade e, 309. *Ver também* Participação dos cidadãos
Democracia populista. *Ver* Processo democrático, sentido pleno do
Democracia substantiva, 184, 256. *Ver também* Bem substantivo
Democratização, no ambiente do final do século XX, 283, 379, 497-512
Demokratia, 4-5, 562*n*1
Demos, 170; mudança na composição do, e bem

substantivo, 291-2; controle final da agenda pelo, 177-81; inclusividade e, 177-81; participação no, 49-50, 182-3, 188-208; como termo, 577n3. *Ver também* Inclusão; Povo

Desenvolvimento humano: democracia como meio para o, 142-4. 495-7; Presunção de Autonomia Pessoal, 161-3

Desigualdade: no país democrático avançado, 515; causas da, 515; graus de, 433; como inevitável, 429-31, 515, 530-2; nas poliarquias, 421-2; redução da, 515; conhecimento especializado e, 531-5

Desobediência civil, 55, 59

Dever moral, 182

Dinamarca. *Ver* Países escandinavos

Direitos: e democracia como meios para a liberdade pessoal, 136-7; contra o processo democrático, 288-90; expansão dos, e escala, 347-9; e tirania da maioria *versus* tirania da minoria, 245-6; procedimentais *versus* substantivos, 184, 266-74; contra o Estado, 304-5. *Ver também* Imperativo categórico; Bem comum

Direitos antecedentes, teoria dos, 267

Direitos de propriedade, 289, 526, 568n5. *Ver também* Empreendimentos econômicos

Direitos fundamentais: evolução da opinião pública e, 297; expansão do *demos* e, 291-2; limitação do processo democrático e, 304-6; processo para a proteção dos, 290-306; quase guardiania e, 298-306; âmbito da unidade democrática e, 332; arranjos especiais para os, 293-6

Direitos humanos, universais, 32-4. *Ver também* Bem substantivo

Direitos políticos primários, 269-73, 348

Ditadura moderna, 372

Domínio da maioria: alternativas ao, 139-40, 212, 241-55; pressupostos por trás do sentido forte do, 212-5; problema dos limites e, 224, 231-3; e decisões corretas, 221-3; critério para o processo democrático e, 170, 183; dificuldades com, 226-40; federalismo e, 321-6; guardiania e, 116-7; justificativa para, 139, 214-26; limitado, nos países democráticos modernos, 252; como maximizador da utilidade, 223-6, 238-9; tecnologia militar e, 387; nos países democráticos modernos, 246-52; como consequência necessária dos requisitos razoáveis, 218-21; e neutralidade com relação aos temas em discussão, 239-40; na prática *versus* na teoria, 252-5; processo *versus* substância e, 264-6; e bem público, 110-2; com

democracia representativa, 234-7; sentido forte *versus* sentido frágil do, 211-3; como tirania, 267-73
Domínio da minoria: num país democrático avançado, 530-45; competição e, 436-9; composição da minoria dominante e, 425-9; processo democrático e, 235; fatores no, 423-5; meios indiretos do, 439-42, 533-4, 539; como inevitável, 419-43; ideologia marxista e, 425-9; termos e conceitos nas teorias da, 425-6, 431-4; teorias da, 422-3, 429-43, 531-5; verificabilidade das teorias da, 431-4
Dorso, Guido, 581n6
Douglass, Bruce, 583n1, 584n5
Doutrinação, e domínio da minoria, 434-6

Educação, e federalismo, 323-4, 329-30
Eleições: como critério de poliarquia, 369; nas primeiras poliarquias, 370; indiretas, nos EUA, 574-5n2; participação percentual nas, 373-5; procedimentos das, e bem substantivo, 293
Empreendimentos econômicos: processo democrático nos, 523-30; governos dos, 521-3
Empresários, interesses do grupo dos, 534
Equador, 376
Escala da democracia: estratégias de adaptação para aumento na, 510-2; como pressuposto, 7; consequências do aumento na, 339-46; na pólis grega, 22-8, 34; requisitos institucionais e, 185, 307-34, 338-55; nas nações modernas, 28-9; conflito político e, 186; e possibilidades para a democracia, 497-9, 506-12; bem público e, 469; governo representativo e, 41-3; tradição republicana e, 39-41; pluralismo social e organizacional, 347; e unidade como mais ou menos democrática, 326-30. *Ver também* Representação
Escravidão, 32-3, 84, 161-2, 190
Espanha, 372
Especialistas, como criadores de políticas, 107-10, 557n5. *Ver também* Competência instrumental; Especialização
Especialistas em políticas públicas: processo democrático e, 536-8; diversidade de pontos de vista entre os, 543; como quase guardiães, 538-40; tipos de, 588-9n7
Especialização, 86, 94-6, 538-40. *Ver também* Especialistas, como criadores de políticas; Competência instrumental; Especialistas em políticas públicas
Estado: autonomia do indivíduo e, 63, 70-3; seu caráter coercitivo, 53, 58, 62-3; natureza do, 58; necessidade de, 68-70, 82; obediência ao,

56-9, 62-3, 73-6; como termo, 553n2; territorialidade e, 572n2. *Ver também* Anarquismo

Estado nacional, 2; participação dos cidadãos no, 342-3, 364-6; como unidade democrática, 310; democratização e, 340-3; como governo local, 508-10; surgimento do, 338-9; escala da democracia e, 7, 507; como termo, 573n1. *Ver também* Transformação democrática, segunda

Estados Unidos: bicameralismo nos, 294; violência coercitiva e, 389; regra de decisão nos, 248, 252; como sistema unitário na prática, 320-2; organizações econômicas nos, 471; crescimento da poliarquia e, 399, 505; eleições indiretas nos, 574-5n2; milícia nos, 391; políticas dos, 505-6; especialistas em políticas nos, 537; voto secreto nos, 370-1; tamanho das forças armadas nos, 389-92; diferenças subculturais nos, 409-11; Estado de bem-estar nos, 517

Estágio decisivo, 168, 172-5

Estrangeiros: bem comum e, 464-5, 470; participação no *demos* e, 203, 564-5n11

Estratégia "maximax", 123

Estratégia "minimax", 123

Europa, crescimento da poliarquia na, 370-2

Exclusão. *Ver* Inclusão

Federalismo: vantagens do, e escala, 326-30; na Grécia clássica, 548n5; princípio majoritário e, 321-6; problema da unidade democrática e, 313-26. *Ver também* Sistemas políticos transnacionais

Felicidade, 20, 26, 145-6

Ferejohn, J., 568n5

Filósofos da política, preconceitos dos, 204

Filósofos *versus* governantes, 122-4. *Ver também* Guardiania

Fine, J.V. A., 550n11, 576n2, 577n3

Finlândia. *Ver* Países escandinavos

Finley, M. I., 548n7

Fishkin, James, 454

Flathman, Richard, 559n4

Força policial, controle da, 385-91, 577n8

França, 252, 370-2

Genebra, 564n5

Governantes *versus* filósofos, 122-4

Governo, definição de, 167, 553n2

Governos municipais, 362

Grã-Bretanha. *Ver* Reino Unido

"Gramática da igualdade", 134

Gramsci, Antonio, 422-3, 435-6

Grécia clássica: bem comum na, 461; pólis idealizada na, 29--34, 356; ideia de democracia na, 19-29; limites da democracia na, 29-34; participação no *demos* na, 198; organização militar e tecnologia na, 385-6; *versus* democracias modernas, 28; conflito político na, 549n10;

ÍNDICE REMISSIVO 615

requisitos para a democracia na, 25-8; como origem da democracia, 17-34
Grube, G. M. A., 559n13
Guardiania: como alternativa à poliarquia, 413-4; pressupostos da, 82-4; crítica da, 100-24, 538-40; nos empreendimentos econômicos, 522; experiência histórica e, 96-9; ideia de igualdade intrínseca e, 135; competência instrumental e, 93-4; intelectuais e, 531-5; meritocracia e, 84-6; competência moral e, 90-3; necessidade de especialização e, 94-6; objeções à democracia por parte da, 77-99; decisões políticas e, 117-9; qualificações para governar e, 86-90, 525-30; interesses substantivos e, 274-6; e a terceira transformação democrática, 510-2; visões da, 78-62. *Ver também* Quase guardiania
Guatemala, 582n10; chances da poliarquia na, 416

Harrington, James, 553n8
Hegemonia cultural, e domínio da minoria, 435-6
Heterogeneidade: domínio da minoria e, 426-7; das democracias modernas, 28; tradição republicana e, 37-8; escala e, 344-5
Hinduísmo, 560n7
Hobbes, T., 555n8
Hochschild, Jennifer, 571n7

Holanda. *Ver* Países Baixos
Homogeneidade: na pólis grega, 26-7; práticas majoritárias e, 253; domínio da minoria e, 426-7; regimes não democráticos e, 402; poliarquia e, 402-3; tradição republicana e, 37
Hoplitas, 386
Hungria, 376, 416
Huntington, Samuel, 566n4

ID. *Ver* Índice de Democratização (ID)
Idade Média, militares na, 387
Ideal democrático *versus* realidade democrática, 140; história do bem comum e, 454-8
Ideia de Igualdade Intrínseca, 129-36, 156, 169, 559n4; controle judicial de constitucionalidade e, 303; significado da, 129-30; e Presunção de Autonomia Pessoal, 153-4; e bem substantivo, 264, 275-6; pontos fracos da, 134-6, 148-9
Ideologia, e domínio da minoria, 425-9
Igual consideração, 261-2
Igualdade, 46; tipos de, na Grécia clássica, 19; com relação à pessoa, 134. *Ver também* Igualdade econômica; Igualdade política
Igualdade de oportunidades, 135, 181-2
Igualdade de voto: anonimato e, 218; como critério para o processo democrático, 170-81;

"democracia de acionistas" e, 525-6. *Ver também* Sufrágio
Igualdade econômica: país democrático avançado e, 530-2; processo democrático e, 206-8, 282; na pólis grega, 20-1, 26; pontos de vista teóricos sobre a, 518-9
Igualdade intrínseca, pressuposto da. *Ver* Ideia de Igualdade Intrínseca
Igualdade perante a lei. *Ver* Justiça; Igualdade política
Igualdade política, 206-8, 282; nos países democráticos avançados, 513-6; entre os cidadãos *versus* entre as organizações, 472-4; critérios para o processo democrático e, 206; direitos econômicos e, 518-9; guardiania e, 82-3; lógica da, 46-50; como bem público, 112; na tradição republicana, 36
Imperativo categórico, 193-200, 202-4
Incerteza, e decisões políticas, 117-9, 538-40
Inclusão: bem comum e, 451; critério para a, 200-2; crescimento da poliarquia e, 371-9; contingência histórica e, 190-3; justificativa para a, 204-6; problema da, 182-3, 188-208. *Ver também* Cidadania; *Demos*; Povo, o
Índia, 398, 410
Índice de Democratização (ID), 377*n*
Individualismo metodológico, 114, 558*n*10

Indivíduo, responsabilidade do, 63
Infantaria, 386
Informação: acesso à, 369, 541-3; qualidade da, 541-2
Instituições: complexidade da criação de políticas e, 536-7; poliarquia como conjunto de, 347-52, 369
Intelectuais: e domínio da minoria, 435-6, 531-5; na sociedade pós-moderna, 583*n*13; como termo, 532
Interesses: conhecimento dos interesses dos outros, 157-60, 274-6, 285-8; na tradição republicana, 36-8; como termo, 570*n*3. *Ver também* Associações; Bem comum; Interesses pessoais; Direitos
"Interesses de classe", e intelectuais, 534-5
Interesses pessoais: *versus* interesses coletivos, 115-6; democracia como protetora dos, 144-8; e a experiência humana, 160-3; conhecimento dos interesses pessoais dos outros, 157-60, 274-6, 285-8; e bem público, 110-2
Intervenção externa, e poliarquia, 415-7, 503-6
Inuit, 68
Irlanda, 252, 407
Isegoria, 19
Islândia, 48, 252
Isonomia, 19, 562*n*1
Israel, 252, 362
Itália, 252, 372
Iugoslávia, 400, 482

Japão, 252, 379, 390, 517
Jefferson, Thomas, 38-9, 90, 399
Jones, A. H. M., 455
Judaísmo, 131
Justiça: critérios para a, 482-8; processo democrático e, 258; valor intrínseco igual e, 559*n*4; na pólis grega, 20-1, 25; e arranjos majoritários *versus* arranjos não majoritários, 245-6; procedimental *versus* substantiva, 184, 257-62; como bem público, 112; princípios de justiça de Rawls, 449. *Ver também* Justiça distributiva
Justiça distributiva, 258, 482-8, 495-7
Justiça procedimental pura, 258, 265
Justificativas para a democracia: pressupostos das, 169-70; como o melhor sistema viável, 128-9; desenvolvimento humano e, 142-4; igualdade intrínseca e, 129-36; liberdade máxima e, 136-42; proteção dos interesses pessoais e, 144-8

Kant, I., 560*n*11, 562*n*5
Kemeny, John C., 557*n*6
Kibbutzim, 362
Kramer, G., 566*n*8

Larsen, J. A., 548*n*5
Legislação, 25, 169. *Ver também* Justiça; Igualdade política
Lei de Murphy, 108-9
Lenin, Nikolai, 78, 80, 422-3
Levellers, 553*n*8, 559*n*1

Lewis, G., 580*n*26
Líbano, 407
Liberdade: natureza coerciva do Estado e, 59; democracia como meio para a, 136-42; processo democrático e, 495-7, 513; visão democrática *versus* visão econômica da, 518-9; expansão da, sob a poliarquia, 347-9; na pólis grega, 33-4
Liberdade de expressão, 266, 268, 369, 378, 551*n*17
Lijphart, Arend, 246-52, 404, 579*n*18
Lilburne, John, 553*n*8
Limites: do bem comum, 462-6; do sistema econômico, 516-8
Lindblom, Charles E., 517
Linguagem da democracia, 2, 9
Locke, John, 83, 130; participação no *demos* e, 193-6, 203; poder paternal e, 201; *Segundo tratado sobre o governo*, 43, 130, 196
Lukács, George, 80
Luxemburgo, 252

MacIntyre, Alisdair, 477-9, 584*nn*3 e 4
MacKay, Alfred F., 567*n*9
Madison, James, 44, 345
Maioria: critério de Condorcet para, 228; cíclica, 228-30; apoio minoritário à, 254; permanente, como um problema relacionado aos limites, 231-3
Maioria relativa, e domínio da maioria, 229-30
Maiorias cíclicas, 228-30

Malásia, 407
Maquiavel, Nicolau, 38, 143, 478-9
Marinha, 386
Marx, Karl, 422, 424-8, 435, 438-9
Marxismo-leninismo, 78, 80-1, 91
May, Kenneth, 218-21
Meritocracia, 84-6
Metecos, 32
Michels, Robert, 3, 422, 424, 426, 429, 436, 438
Milícia. *Ver* Milícia de cidadãos
Milícia de cidadãos, 386-7, 391
Mill, James, 44, 83
Mill, John Stuart, 83, 132, 221, 470, 555n4; *Considerações sobre o governo representativo*, 142, 145, 197-8, 340, 552n5; critérios para a cidadania e, 196-7; participação no *demos* e, 196-7, 204; Presunção de Autonomia Pessoal e, 161-2
Miller, James Grier, 558n9
Mills, C. Wright, 583n15
Minipopulus, 543-4
Minoria: abuso de procedimentos especiais pela, 295; formação da própria unidade pela, 292; direitos da, e tirania da maioria, 245-6, 267-74; mobilidade social da, 254. *Ver também* Domínio da minoria; Bem substantivo
Minoria dominante. *Ver* Domínio da minoria
Modelo consensual, 568n10
Monarquia, 42-3
Mondragon, Espanha, 588nn1 e 4

Montesquieu, Charles-Louis de Secondat, Barão de, 43-4
Morlino, Leonardo, 576n6
Mosca, Gaetano, 420, 422-6, 428-9, 435-7, 439, 582n12
Mulheres: participação no *demos* e, 32, 84, 183, 195-6; proteção dos interesses pessoais e, 161-2; sufrágio e, 372, 575n4

Nação, definição de, 573n1
Nalebuff, B., 567n2
Negros, nos EUA, 191-2, 205, 410, 578n13
Neutralidade: critério de, 218-20, 239-40
Nigéria, 407
Noruega. *Ver* Países escandinavos
Nova Zelândia, 248, 252, 301, 342, 372, 568n9
Nozick, Robert, 55

Obediência ao Estado, 56-8, 62, 73-6. *Ver também* Desobediência civil
Opinião pública, evolução da, 296-8
Oportunidade: de participação efetiva, 171-2; de influenciar o governo, 145-7; de se opor às autoridades do governo, 350. *Ver também* Igualdade de oportunidades
Oppenheim, F., 583n14
Ordem econômica: do país democrático avançado, 516-21; capitalista *versus* socialista, 481-2; teoria democrática *versus* teoria econômica e, 516-21

ÍNDICE REMISSIVO

Ordem política, pressupostos da, 167-70
Organização militar: abolição da, 390; controle civil e, 385-93, 432-3; consequências políticas da, 385-90
Origens da democracia, 18
Otimismo panglossiano, 421
Overton, Richard, 48

País democrático avançado, 513-45; perspectiva capitalista *versus* perspectiva democrática e, 516-21; cidadania no, 540-5; ordem econômica no, 516-30; governo interno das empresas, 521-30; *minipopulus* no, 543-4; governo do Estado no, 530-45. *Ver também* Sistemas políticos transnacionais
Países Baixos: regra de decisão nos, 252-3; crescimento da poliarquia nos, 371; controle judicial de constitucionalidade nos, 301; governo parlamentar nos, 342; pluralismo subcultural e, 403, 405, 408
Países consensuais, 252
Países consensuais-unitários, 252
Países escandinavos: regra de decisão nos, 252; democratização nos, 341; crescimento da poliarquia nos, 370-2; controle judicial de constitucionalidade nos, 301; pluralismo organizacional nos, 471; parlamento da indústria e, 473-4; representação e, 43; Estado de bem-estar nos, 517

Países majoritário-federativos, 252
Países majoritários, 252
Palmer, R. R., 564n5
Pareto, V., 422, 424-6, 428, 436-9, 442
Participação, definição de, 377n
Participação dos cidadãos: como critério para o processo democrático, 171; na democracia e na poliarquia, 356-66; na pólis grega, 20-1, 27-8; nos assuntos militares, 385; nos Estados nacionais, 342-3, 364-6; qualificações para governar e, 84-6; Princípio Forte de Igualdade e, 151-4, 164; inovações técnicas e, 542. *Ver também* Democracia participativa
Partido de vanguarda. *Ver* Marxismo-leninismo
Partidos políticos: dimensões das questões e, 247-8; surgimento dos, 40, 507; domínio da minoria e, 436-9
Pateman, Carole, 564n9
"Pátrio poder", 196, 201
Pequena comunidade: tamanho ideal da, 587n5; restauração da, 479-81; papel da, e a terceira transformação, 511
Péricles, 24-5
Persuasão, 532-3, 535
Peru, 376
Plamenatz, John, 146-8, 561nn14 e 15
Platão, 3; natureza da pólis e, 21-2; *A República*, 77, 81-2, 94, 555n1

Pluralidade, e domínio da
  maioria, 230
Pluralismo, e bem comum, 355,
  458-75
Pluralismo subcultural:
  consequências do, 400-11;
  falência da poliarquia e, 411;
  soluções não consociacionais
  para, 409-11
Pocock, J. G. A., 456, 477, 587n3
Poder: *versus* autoridade, 62;
  dispersão do, 396-7, 401; em
  potencial *versus* manifesto,
  431-4
Poliarquia: avaliação da, 352-5;
  crença na legitimidade da,
  413-4; crenças dos ativistas
  políticos e, 411-5; mudança
  nas condições para, 498-506;
  condições favoráveis à, 186,
  367-82; condições necessárias
  para, 354-5, 383-418, 498-503;
  consociacionalismo e, 403-7;
  democracia e, 351-2;
  características particulares da,
  350-2; condições essenciais
  para, 347; evolução da opinião
  pública na, 297; fracasso do
  processo democrático e, 280-1;
  características da sociedade
  MDP e, 394-400; intervenção
  estrangeira e, 415-7; plena,
  370-6; aprofundamento da
  democratização e, 186, 365-6,
  383-418, 498-503, 516;
  crescimento da, 370-9,
  498-503; domínio indireto da
  minoria e, 439; desigualdades
  na, 421-2; instituições da,
  350-1, 369, 507; sistemas
  majoritários *versus* sistemas
  não majoritários na, 246-52;
  padrões de desenvolvimento
  da, 380-2; proteção dos
  direitos fundamentais na, 299;
  como conjunto de instituições,
  347-52, 369; estabilidade da,
  576n7; pluralismo subcultural
  e, 400-3; como termo, 281,
  346-7; considerações teóricas
  e, 379-82; limiar entre a
  democracia e, 186, 356-66
Poliarquia estável. *Ver* Poliarquia
Poliarquia II, e especialistas em
  cursos de ação política, 537-40
Poliarquia III. *Ver* País
  democrático avançado
Poliarquias, países classificados
  como: em 1930, 376; controle
  judicial de constitucionalidade
  nas, 251, 299; número de, por
  década, 377; criação de
  políticas nas primeiras, 536-8;
  na década de 1980, 379
Poliarquias masculinas, 372, 376
Pólis, 20-5, 550n14. *Ver também*
  cidade-Estado; Grécia
  clássica
Políticas públicas: conquista da
  igualdade política através das,
  515; e incerteza racional,
  117-9; 538-40
Políticas sobre armas nucleares,
  105, 107-9, 557n6
Polônia, 376, 416
Povo: ambiguidades do termo,
  4-5; entendimento esclarecido
  e, 175-7; e Ideia de Igualdade
  Intrínseca, 149; participação
  no *demos* e, 5-6; na tradição
  republicana, 36-8; o que
  constitui, 184-5, 190-3,

278-306, 307-34. *Ver também*
Demos; Inclusão
Presunção de Autonomia Pessoal,
154-7, 164-5; posição inferior
do outro e, 157-60;
compreensão esclarecida e,
287-8; igualdade de
oportunidades e, 181-2;
experiência humana e, 160-3;
desenvolvimento pessoal e,
161-3; autodeterminação e, 164
Princípio da Igual Consideração
de Interesses, 131, 133, 154-5,
164-5, 303
Princípio Forte de Igualdade:
crenças contidas no, 47;
cidadania como direito
categórico e, 199; ocorrências
diversas do, 47-9; validade
empírica do, 552n6;
características do, 47-50;
guardiania e, 89; inclusividade
e, 150-4, 182-3, 199-200, 205;
interpretação do, 150-4,
164-5; âmbito do, 49; local
de trabalho e, 527
Problema dos limites: decisões
coletivas e, 217, 231-3;
unidade coletiva e, 231-3, 331;
utilidade e, 224
Procedimentos de votação, e
bem substantivo, 293
Procedimentos especiais, e bem
substantivo, 293-6
Procedimentos legislativos, 293
Processo democrático:
vantagens do, 495-7; *versus*
processos alternativos,
278-306; pressupostos para
justificar, 169-70;
circunstâncias favoráveis às
crenças no, 46-7; pretensões
aos bens essenciais ao, 264-74;
bem comum e, 488-91;
complexidade e, 536-8;
critérios para 170-81, 353;
regra de decisão, 211; nos
empreendimentos
econômicos, 523-30; *versus*
igual consideração, 261-77;
sentido pleno do, 175-81,
206-8, 243; inclusividade e,
206-8; interesses superiores
ao, 266, 288-90; limites do, 7,
29-34, 186-7, 271; sentido
estreito do 170-82, 206-8;
poliarquia e, 352-3;
possibilidades para o, 186-7,
355; como processo de
aproximações sucessivas, 538;
bem público e, 184; *versus*
substância, 256-77;
deficiências substantivas do,
280-1; na teoria *versus* na
prática, 270
Profissionalismo militar, 392-3
Público atento, 543

Qualificações das pessoas: e
benefícios da participação,
555n4; entendimento
esclarecido e, 175-7; para a
tomada coletiva de decisões,
151-4, 164-5. *Ver também*
Guardiania; Competência
instrumental; Competência
moral
Quase guardiania, 244-5;
direitos fundamentais e,
298-306; especialistas em
políticas e, 537-9, 541-2;
Suprema Corte e, 305

Questões: dimensões das, nos conflitos partidários, 247-8, 250; domínio da maioria e, 239-40

Questões filosóficas: na teoria democrática, 9; ideal do bem comum e, 447-9

Racionalidade, e teoria democrática, 13

Rae, Douglas, 134, 564n10, 565-6n3

Rainborough, William, 559n2

Rawls, John, 90, 131, 259, 449, 559n4, 562n5, 569n2

Reatividade positiva da regra de decisão, 220-1

Recursos políticos: dispersão dos, na sociedade MDP, 396-7; domínio da minoria e, 423-5. *Ver também* Igualdade política

Referendos nacionais, 251, 299

Regimes autoritários: crescimento da poliarquia e, 372, 376, 498-503; ideia de democracia e, 368; justificados como transitórios, 556n6; linguagem da democracia e, 2, 9

Regimes militares. *Ver* Regimes autoritários

Regra de decisão: firmeza da, 213-4, 226; no processo democrático, 183; número de alternativas e, 227-8; requisitos da, e domínio da maioria, 218-21; solução convencional e, 212. *Ver também* Domínio da maioria; Unanimidade

Regulamentação, conquista da igualdade política através da, 514-5

Reinicke, W., 378n

Reino Unido: como modelo constitucional, 37; regra de decisão no, 247, 252; desenvolvimento da representação e, 42-4; organizações econômicas no, 471; milícia no, 391; poliarquia no, 341, 370-1; voto secreto no, 370-1

Relativismo cultural, 482-8

Representação: Grécia clássica e, 28-9; consequências da, 44-5; democratização dos Estados nacionais e, 340-3; surgimento da, 506-7; domínio da maioria e, 234-7; *versus* democracia participativa, no mundo moderno, 356-66; como origem da democracia, 41-6

Representação proporcional (RP), 234-5, 249-50

República Democrática Alemã (Alemanha Oriental), 416

República Federal da Alemanha (Alemanha Ocidental), 379

República Romana, 37, 387. *Ver também* Grécia clássica

Repúblicas da Itália. *Ver* Veneza, República de

Responsabilidade, do indivíduo, 63, 182

Responsabilidade, e poliarquia, 370-2

Riker, William, 243-4

Riley, Patrick, 560n10

Riscos, e decisões quanto às políticas, 117-9

Rousseau, Jean-Jacques, 193, 563n2; participação dos cidadãos e, 357-8, 564n5; regra de decisão e, 241, 261; *Discurso sobre a economia política*, 459, 572n4, 585nn8 e 9; participação no *demos* e, 193-8, 201; bem público e, 466; representação e, 357-8; sobre o estabelecimento do direito através dos fatos, 191; tamanho da unidade democrática e, 314; *O contrato social*, 18, 43, 85, 138-9, 195-6, 339, 343, 356, 358, 466-7, 560n11, 563n5, 585n8
RP. *Ver* Representação proporcional

Sánchez Vásquez, Adolfo, 80
Schumpeter, Joseph, 191-3, 195, 204-6
Sealey, R., 576n2
Senado norte-americano, 295
Separação dos poderes, 40
Shils, Edward, 532, 588n6
Shoemaker, Robert W., 574n2
Simpatia esclarecida, 286-7
Sistema bipartidário, 248, 408-10
Sistema eleitoral, deficiências do, 234-5
Sistema multipartidário, 408
Sistema unitário: bem comum no, 446-58; controle sobre a agenda final no, 320-1; ideia democrática no, 314-6; o judiciário no, 300, 570-1n6
Sistema Westminster, 247-8, 568n10
Sistemas federativos, 309, 313-30; judiciário nos, 300, 570-1n6

Sistemas não democráticos: avaliação dos, 503-6; perspectivas para a democracia nos, 498-506; transições dos, 380-2
Sistemas parlamentaristas, 248-50
Sistemas políticos transnacionais, 315-6, 326-30, 509-11. *Ver também* País democrático avançado
Skinner, B. F., 77, 79, 81, 104
Socialismo: e bem comum, 481-2; regulamentação governamental das empresas e, 523
Socialistas de guilda, 472-3
Sociedade, natureza da, 394-400. *Ver também* Sociedade moderna, dinâmica e pluralista (MDP)
Sociedade agrária, 399
Sociedade em grande escala: igualdade política na, 513-6; possibilidade de democracia na, 354. *Ver também* País democrático avançado
Sociedade MDP. *Ver* Sociedade moderna, dinâmica e pluralista
Sociedade moderna, dinâmica e pluralista (MDP); empresas na, 528; definida, 394-6; desigualdade política e, 516; poliarquia na, 394-400
Sociedade sem Estado, 68-70
Status quo, 218-9, 242
Ste. Croix, G. E. M. de, 585n6
Stepan, Alfred, 393
Stephens, E. H., 578n14, 580n26
Stephens, J., 578n14, 580n26

Suécia. *Ver* Países escandinavos
Sufrágio, 369, 371-7, 575n4. *Ver também* Igualdade de voto
Suíça: milícias de cidadãos na, 392; regra de decisão na, 247, 251-2; crescimento da poliarquia na, 371; controle judicial de constitucionalidade na, 301; representação e, 551n4; pluralismo subcultural e, 403, 405, 408
Supermaiorias, 223, 241-2
Suprema Corte dos EUA: atitudes dilatórias da, 571n8; como quase guardiões, 244-5, 299-301; histórico da proteção dos direitos fundamentais pela, 299-301; na época do juiz-presidente Warren, 570n5

Taiwan. *Ver* China, República da
Taylor, John, 399
Tchecoslováquia, 372, 375-6, 416
Tecnologia militar, 385-90
Telecomunicações, 543-4
Televisão, influência da, 533
Teorema da Impossibilidade de Arrow, 229
Teoria democrática: *versus* capitalismo, 516-21; questões empíricas na, 9-12; aspectos mapeados da, 10-3; problemas na, 182-7, 256-77; pressupostos inexplorados na, 4-8
Teoria espectral da democracia, 4-8
Tocqueville, Alexis de, 282, 315, 468-9, 500-1
Tomada de decisões, e complexidade, 536-8

Tradição republicana: definição, 35-6; ideia de democracia na, 35-41; líderes na, 37; problemas para a democracia e, 38-41
Transformação democrática, primeira, 1, 17-34, 496, 506-8. *Ver também* Grécia clássica
Transformação democrática, segunda, 2, 35-50, 338-55, 496; mudança na ideia de democracia e, 7-8; consequências da, 339-46; poliarquia e, 346-7, 350-5; escala e, 7, 507. *Ver também* Representação
Transformação democrática, terceira, 2; guardiania *de facto* e, 510-2; possibilidades para, 283, 355, 379, 497-72
Trinta Tiranos, 19, 21
Trocas nas decisões políticas, 117-9
Turquia, 376

Unanimidade, 139-40, 212, 242, 247
Unger, Roberto, 558n10
União das Repúblicas Socialistas Soviéticas (URSS), 191-2, 414
União Soviética. *Ver* União das Repúblicas Socialistas Soviéticas
Unidade. *Ver* Unidade democrática
Unidade democrática: fronteiras da, 309-10; critérios para, 331-4; federalismo e, 313-30; não soluções para o problema da, 312; problema da, 308-11;

tamanho ilimitado da, e representação, 343-4
Uruguai, 376
Utilidade: cidadania e, 197-8; critérios para a unidade democrática e, 331-4; domínio da maioria e, 223-6, 238-9
Utilidade social. *Ver* Utilidade
Utilitarismo, 132, 146-7

Valores: e teoria democrática, 10-2; na pólis grega, 21, 26; e domínio da maioria sobre todos os temas, 239-40; no significado do bem comum, 114. *Ver também* Felicidade, Justiça, Virtude
Vanhanen, T., 377n, 578n14
Veneza, República de: aristocracia na, 97, 153, 195, 563n5; igualdade na, 49; bem público e, 455
Venezuela, 405-6, 413
Verdade, e domínio da maioria, 222
Violência: e anarquismo, 68-9; coerção pela, 383-94

Virtude: altruísmo e, 467; na Grécia clássica, 20, 476-9, 586n2; guardiania e, 87, 117; experiência histórica e, 120-2; da elite política, 540; como qualificação para governar, 87, 90-3; na tradição republicana, 40-1; escala da democracia moderna e, 186. *Ver também* Bem comum

Walzer, Michael, 483-8
Ware, Alan, 574n3
Warren, Earl (Juiz-Presidente da Suprema Corte dos EUA), 301, 570n5
Webb, Beatrice, 552n7
Webb, Sidney, 552n7
Weingast, Barry, 244
Whigs, 38, 43
Wolff, Robert Paul, 55, 554nn5 e 6, 560n10; defesa do anarquismo por, 61-3; objeções aos argumentos de, 70-3
Wood, Gordon, 477-8, 586n3

Yack, B., 584n3